KB160755

구강악안면 외과학 실습서

Oral & Maxillofacial Surgery

대한구강악안면외과학회

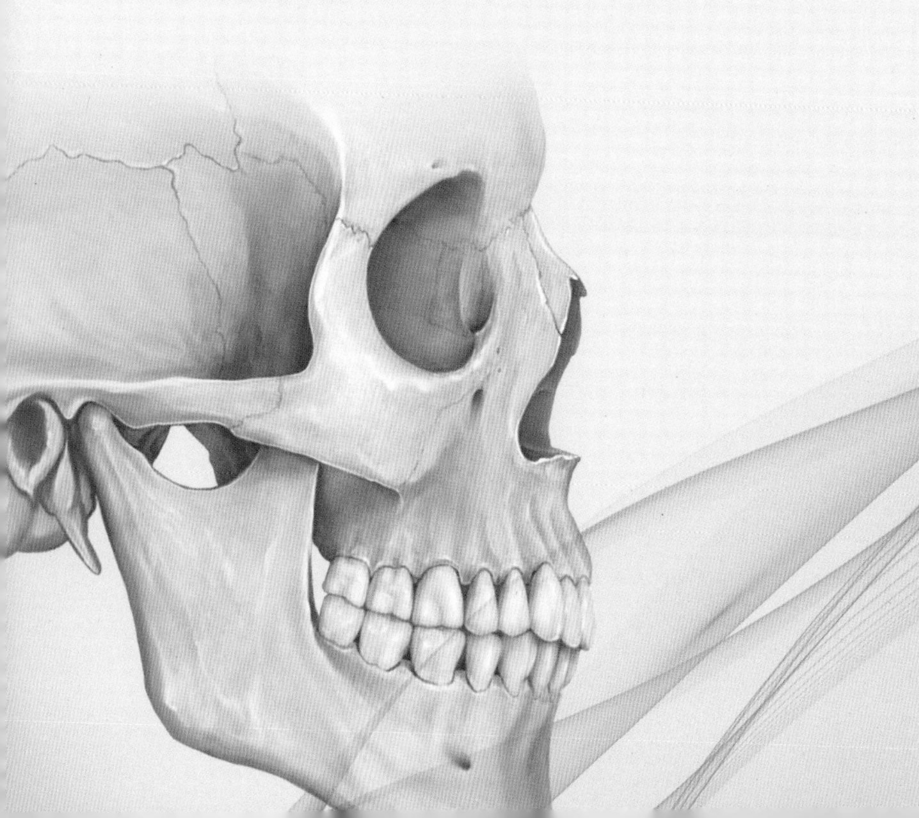

군자출판사

구강악안면외과학 실습서

첫째판 1쇄 인쇄 | 2016년 2월 25일
첫째판 1쇄 발행 | 2016년 3월 4일
첫째판 2쇄 발행 | 2018년 1월 19일
첫째판 3쇄 발행 | 2019년 1월 23일
첫째판 4쇄 발행 | 2022년 2월 18일

지 은 이 대한구강악안면외과학회
발 행 인 장주연
출 판 기 획 한인수
편집디자인 군자편집부
표지디자인 군자표지부
일 러 스 트 김경렬
발 행 처 군자출판사(주)
등록 제 4-139호(1991. 6. 24)
본사 (10881) **파주출판단지** 경기도 파주시 회동길 338(서패동 474-1)
전화 (031) 943-1888 팩스 (031) 955-9545
홈페이지 | www.koonja.co.kr

ISBN 979-11-5955-019-5

정가 38,000원

집 필 진

Oral & Maxillofacial Surgery

집필진(가나다 순)

권경환 원광대학교

김문영 단국대학교

김수관 조선대학교

명 훈 서울대학교

박영욱 강릉원주대학교

이정우 경희대학교

임대호 전북대학교

정승곤 전남대학교

정영수 연세대학교

최은주 원광대학교

팽준영 경북대학교

황대석 부산대학교

편찬위원(가나다 순)

위원장: 이재훈 단국대학교

간사: 팽준영 경북대학교

위원:

고승오 전북대학교

권경환 원광대학교

권대근 경북대학교

김경원 충북대학교

김수관 조선대학교

김욱규 부산대학교

김형준 연세대학교

류동목 경희대학교

박영욱 강릉원주대학교

오희균 전남대학교

윤규호 인제대학교

이백수 경희대학교

이종호 서울대학교

차인호 연세대학교

황순정 서울대학교

서 문

Oral & Maxillofacial Surgery

우리 대한구강악안면외과학회는 우리말로 된 교과서 편찬사업의 일환으로 1987년 처음으로 번역서를 출간한 이래, 1998년에는 전국 구강악안면외과 교수님들의 공동 집필로 구강악안면외과학 교과서를 발간하여, 현재 증보 및 개정된 제 3판의 교과서를 편찬한 바 있습니다. 이 교과서는 일반치과의사 뿐만 아니라 전문의가 되기 위한 수련의 지침서로도 손색없는 구강악안면외과학 지식을 담고 있어 지금까지 전국 치과대학 및 치의학 전문대학원에서 이를 바탕으로 구강악안면외과학의 이론과 임상교육에 사용되고 있습니다.

그러나 현재 진행되고 있는 구강악안면외과학 실습은, 물론 각 대학에서 열의를 가지고 성심껏 교육해 주고 계시지만, 대학 및 전문대학원 간의 교육기간, 실습시간 및 실습 지침서의 차이를 보이고 있는 실정이기에, 일관성 있는 실습 교육의 필요성을 느껴 왔습니다. 또한 2019년 졸업생 부터는 치과의사 국가시험 실기시험(안)을 추진하고 있는 계획이 전해지고 있습니다. 이에, 우리 학회에서는 이 시험을 대비하는 한편, 구강악안면외과학 실습이 표준화되고, 인증될 수 있는 지침서 제작이 필요하다는 판단하에 "구강악안면외과학 실습서"를 출판하게 되었으며, 이를 매우 기쁘게 생각합니다.

본 실습서는 일반치과의로서 임상에서 반드시 알아야 할 구강악안면외과학의 이론지식과 술기과정을 포함하고 있어, 임상전단계 실습을 통해 강의시간에 이해하기 어려웠던 부분들을 충분히 이해하고, 술기능력도 가질 수 있도록 하였습니다. 또한, 각 장에는 중요한 학습목적, 학습목표 및 평가표를 작성하여 각 실습의 중요한 부분을 쉽게 알 수 있도록 구성하였습니다.

모쪼록 이 실습서가 구강악안면외과학 실습이 체계적이고 표준화된 진행과 함께 실습의 질을 개선하는데 도움이 되길 바랍니다.

그러나 처음으로 제작된 책이기에 미비한 부분이 지적될 수도 있겠지만, 향후 개선 및 증보시 본 실습서가 초석이 될 것이라 생각하며, 그동안 수고해주신 집필진 및 편집위원회 교수님들께 깊은 감사의 마음을 전합니다.

2016년 2월 19일

대한구강악안면외과학회 교과서편찬위원회 위원장 **이재훈**

대한구강악안면외과학회 이사장 **이종호**

목 차

Oral & Maxillofacial Surgery

목 차

Oral & Maxillofacial Surgery

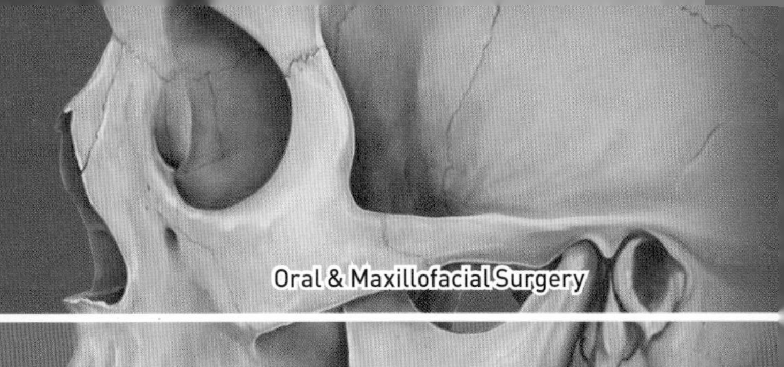

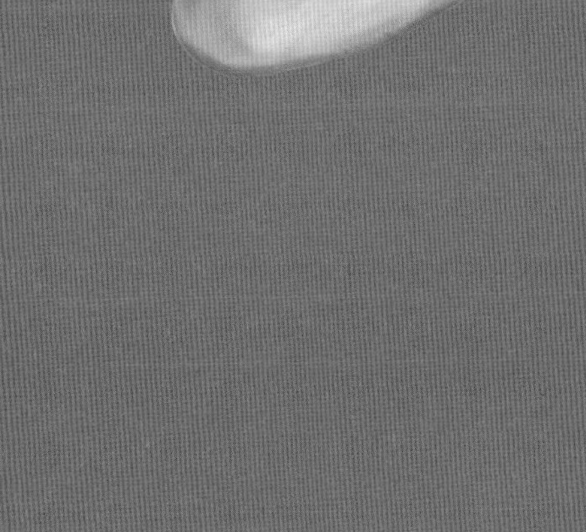

Chapter 01

구강악안면외과 환자의 신체검사

학·습·목·표

- 구강악안면외과의 병력청취와 신체검사 등을 시행할 수 있다.
- 구강악안면외과 환자의 생징후를 측정할 수 있다.
- 치성감염환자를 진단하고, 치료계획을 수립할 수 있다.
- 봉와직염과 농양을 구분할 수 있다.
- 안면부 외상환자를 진단하고, 손상 심도를 평가할 수 있다.
- 안면부 외상환자에서 흔히 나타나는 두부 손상의 특징적인 증상을 설명할 수 있다.
- 상악동 질환에 대한 평가와 검사법을 숙지하고 있고, 방사선 소견이 나타내는 질환을 설명할 수 있다.
- 악관절 증상에 따른 질환을 감별할 수 있다.
- 타액선 질환을 감별하기 위한 일차 검사를 시행할 수 있다.
- 구강악안면 영역에서 호발하는 양성 종양, 낭종을 감별 진단할 수 있다.
- 구강악안면 영역에서 호발하는 악성 종양을 감별 진단할 수 있다.
- 경부 임파절을 촉진할 수 있으며, 이상여부를 판단할 수 있다.

이 장은 구강악안면외과 환자의 진단을 위해 시행하는 병력청취, 생징후 검사 및 임상적 평가를 통해 각 질병의 특징적인 소견을 감별하는 신체 검사를 할 수 있도록 하는데 그 목적이 있다.

» 주소(chief complaint : C/C)

환자가 병원을 찾은 이유를 간단하게 기술한다.

» 과거병력(past medical history: PMH)

- 전신적 : 과거의 질환이나 치료 경력, 과거의 입원이나 수술 병력, 현재의 가지고 있는 질환 등을 조사한다.
- 알러지 : 약물, 조영제, 음식 등에 대한 알러지
- 예방검사 : 파상풍, 디프테리아, 폐렴, 감기, 홍역, 풍진, 소아마비, 이하선염
- 외상 : 심각한 외상병력, 수혈경험

» 사회력 및 가족력(social and family history)

직업, 거주지, 교육, 종교, 군복무, 생활환경, 재정상황, 근무시간, 수면시간, 술, 담배, 커피, 마약,
나이, 결혼유무, 가족관계

» 전신검사(physical examination : P/E)

- 전신 : 열, 오한, 땀, 쇠약함, 피로, 체중변화
- 피부 : 발적, 가려움, 착색, 멍, 흉터
- 두부 : 두통, 외상
- 눈 : 복시, 흐릿한 시야, 일시적 혹은 영구적인 시력소실, 반점, 동통, 충혈, 눈물, 빛에 민감, 삼출물, 안경착용 및 콘택트 렌즈 사용, 백내장, 녹내장
- 귀 : 청력소실, 울림, 어지럼증, 동통, 분비물
- 코와 부비동 : 출혈, 분비물, 막힘, 감기, 후각이상, 동통
- 구강 : 동통, 병소, 혀의 상태, 미각, 치아상태, 잇몸 상태, 기관지 상태
- 목 : 동통, 경결감, 부종, 혹, 운동제한, 갑상선 비후
- 가슴 : 혹, 경결감, 분비물, 유두변화, 자가검사상 이상
- 호흡기 : 감기, 가래, 각혈, 호흡 시 동통, 결핵에 노출, 최근의 결핵검사, 호흡소리
- 심장 : 흉통, 짧은 호흡음, 하지부종, 불규칙한 심박동, 심잡음, 고혈압
- 혈관계 : 운동시 하지 통증, 하지 경련,
- 소화기계 : 식욕저하, 역류, 흉통, 식후팽만감, 오심, 구토, 복부통증, 설사, 변비, 가려움, 혈변, 복부부종, 간염
- 비뇨기계 : 생리주기, 생리통, 폐경시기, 임신, 분비물, 동통, 성욕

1 생징후(Vital signs) 검사

실습준비물

- 혈압계
- 청진기
- 체온계

생징후에는 혈압, 맥박, 호흡 및 체온 등이 포함되며 환자의 생리적 상태의 변화에 따라 직접영향을 나타낸다.

1) 혈압(blood pressure)

(1) 수축기 혈압 : 좌심실에서 혈액을 수축하는 압력

- 120mmHg 이상 – 고혈압 전단계
- 140mmHg 이상 – 1기 고혈압
- 160mmHg 이상 – 2기 고혈압
- 90mmHg 이하 - 저혈압

(2) 이완기 혈압 : 심실의 저항성으로 나타내는 혈압

- 80mmHg 이상 – 고혈압 전단계
- 90mmHg 이상 – 경미한 고혈압
- 100mmHg 이상 – 중등도 고혈압
- 60mmHg 이하 - 저혈압

측정방법 | 혈압은 앉은 자세에서 팔을 심장과 같은 높이로 하고, 적당한 크기의 가압대(cuff)를 사용하여, 5-10분 정도 휴식 후 측정하여야 정확하다. 환자가 편안한 상태나 누워있는 상태에서, 혈압대를 팔에 감고, 청진기를 상완 동맥에 정확히 위치시켜서 200mmHg 이상 수은주를 올리고 맥박이 한 번 뛰는 동안에 2눈금의 수은주가 내려오도록 하며 수축기와 이완기 혈압을 측정한다. 자동 혈압계는 진동법(오실레이션법)에 의하여 평균동맥압을 구하고 내부연산에 의해 수축기 혈압과 확장기 혈압을 산출한다(그림 1-1).

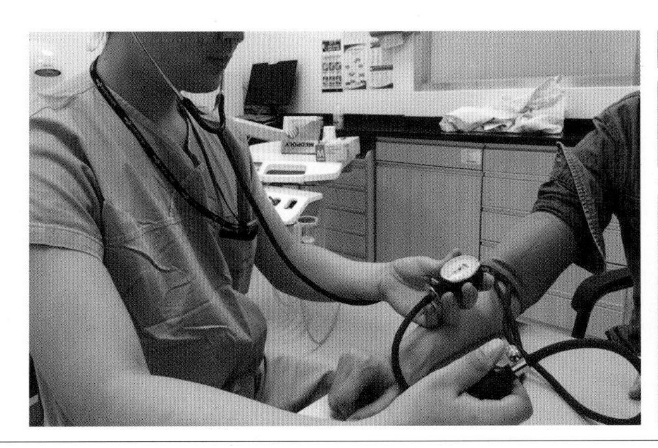

그림 1-1. 혈압계

임상적 고려사항 | 치과치료시의 긴장 및 걱정이 환자의 혈압을 위험한 상태로까지 상승시킬 수 있기 때문에 고혈압 환자 및 진단되지 않은 심한 고혈압 환자를 찾아내는 것이 중요하다. 성인에 있어서 경도 및 중등도 고혈압의 경우 국소마취하에서의 구강악안면외과 수술은 금기증이 되지 않는다. 심한 고혈압 환자(수축기 혈압이 200 mmHg 이상이거나 이완기 혈압이 110 mmHg 이상)의 경우 혈압이 조절될 때까지 구강악안면외과 수술은 연기되어야 한다. 혈관질환이나 혈압상승이 있는 환자에서는 부가적인 혈압상승으로 인해 뇌졸중이나 심근경색이 일어날 수 있다. 고혈압 환자의 치료시에는 불안 완화요법을 사용하고 술전과 수술 중에 생징후를 관찰한다. 또한 에피네프린이 없는 국소마취제를 사용하는 것이 좋다.

이완기 혈압이 110mmHg 이상이 되는 심한 고혈압 환자들은 반드시 내과의에게 의뢰를 해야 하며, 처치가 필요한 경우에는 진정제 투여와 혈관수축제 사용금지 등을 숙지하고 조심스럽게 처치해야 한다.

수축기 혈압이 90 mmHg 이하이거나 이완기 혈압이 60 mmHg 이하이면 보통 저혈압으로 정의된다. 이들 환자에서 일반적인 치과치료는 가능하며, 어떤 국소마취제도 사용 가능하다.

2) 맥박(pulse rate)

맥박은 신체의 여러 부위에서 촉지할 수 있으나, 주로 요골동맥, 상완 동맥, 측두동맥을 이용하며, 횟수와 리듬이 중요하다.

- 60~100회/분 : 정상
- 60회 이하/분 : 서맥
- 100회 이상/분 : 빈맥

측정방법 | 환자를 편안한 상태로 앉힌 다음, 팔을 책상에 올리고 엄지와 검지를 이용해 환자의 요골동맥의 맥박수를 측정한다(그림 1-2).

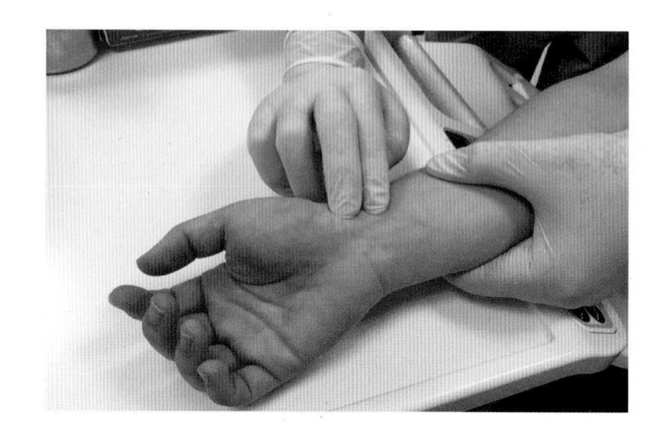

그림 1-2. 맥박측정

임상적 고려사항 | 혈관미주신경실신 발생시, 실신 전 단계 동안 심박수가 증가되지만, 의식이 상실되면 대략 분당 40회 정도로 극적으로 감소되고 실신 후에도 낮게 유지된다. 국소마취제 과용량과 알레르기 반응 또한 심박수 증가와 관련이 있지만 의식이 상실되어도 서맥은 나타나지 않는다. 이때는 빈맥과 저혈압이 특징으로 약하고 빠른(weak and thready) 맥박을 나타내는 쇼크 반응이 발생된다. 반면에, 에피네프린 과용량에서는 심박수와 혈압이 급하게 상승하고, 크고 널뛰는(full and bounding) 맥박을 나타낸다. 게다가 심박수는 심근에 대한 에피네프린 효과 때문에 불규칙하게 될 수 있다.

3) 호흡수(respiration rate)

호흡은 주로 시진에 의해 진찰하며 환자의 가슴의 오르내림과 호흡의 용이성을 관찰한다. 호흡양상의 규칙성과 리듬을 관찰하고, 호흡의 깊이와 보조호흡근의 사용도 관찰한다. 적절한 환기가 이루어지고 있으면 흡기시에는 전흉부와 상복부가 동시에 거상되고 호기시에는 회복되며 이로서 호흡수를 알 수 있다. 천식을 비롯한 기관지 질환 및 환자의 불안 정도를 확인해야 하며, 심도, 리듬이 중요하다.

- 어린이 : 30회/분
- 어른 : 14~18회/분

측정방법 | 검지를 환자의 코 밑에 위치시켜 호흡수를 측정한다. 호흡이 얕아 측정이 어려운 경우, 물에 적신 휴지를 코 끝에 붙이면 쉽게 측정할 수 있다(그림 1-3).

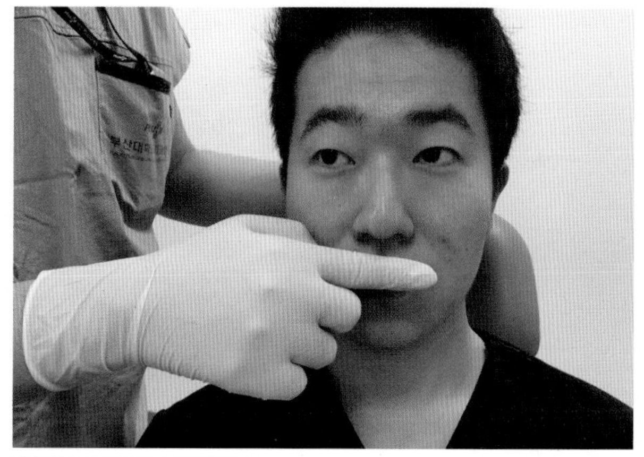

그림 1-3. 호흡수 측정방법

임상적 고려사항 | 과환기증은 흔히 국소마취에 대한 두려움으로 유발되며, 가슴이 조인다든지, 숨이 막힌다는 등의 증상을 호소하지만 자신이 과도하게 호흡하고 있다는 사실을 환자는 모른다. 과환기가 계속되면 혈액의 화학적 조성이 바뀌게 되고 환자들은 약한 두통과 어지럼증을 느끼게 되는데 이것이 불안을 더 가중시키고 과환기증을 더욱 악화시킨다. 불안을 느끼는 환자의 손은 보통 차갑고 축축하고, 심하지만 미세한 떨림이 있다. 환자가 홍조를 띠거나 창백할 수 있으며 이마가 땀으로 젖어 있고, 진료실이 이상하게 덥다고 말한다. 혈압이 상승하고 맥박과 호흡수도 증가한다. 불안, 호흡성 알칼리증, 혈중 카테콜라민 수치 상승 등이 동반되며 과환기와 연관된 임상적 징후와 증상 등을 발생시킨다. 호흡성 알칼리증은 혈중 칼슘이온 농도에도 영향을 미쳐, 혈장의 칼슘 총 농도는 정상이더라도 혈액의 pH가 증가함에 따라 칼슘이온의 농도는 감소한다. 감소된 혈중 칼슘이온 농도는 신경계통과 근육의 민감도와 흥분도를 증가시키고 손, 발, 입 주위의 저림과 감각이상과 같은 다양한 증상을 유발하는데 손발의 강직 경련(tetany), 경련 발작 등도 생길 수 있다.

4) 체온(body temperature)

환자의 체온은 마취와 진정요법을 포함하여 외과적인 혹은 치과 시술 수행 전후로 체크해야 한다. 오전이 오후보다 높고, 37.5℃ 이상이 되면 추위를 느끼며, 38℃ 이상이 되면 몸이 떨린다. 환자가 감염성 질환이 있는 경우 체온이 증가한다

- 구강 : 36.5℃, 직장 : 37°~37.5℃

측정방법 | 체온은 다양한 방법으로 측정할 수 있는데 이마와 같은 피부는 측정하기는 쉽지만 부정확하다. 다른 체온 측정 부위로는 구강, 직장, 액와 및 고막을 들 수 있다. 구강저나 외이도에 체온계를 위치시키면 쉽게 측정이 가능하다(그림 1-4).

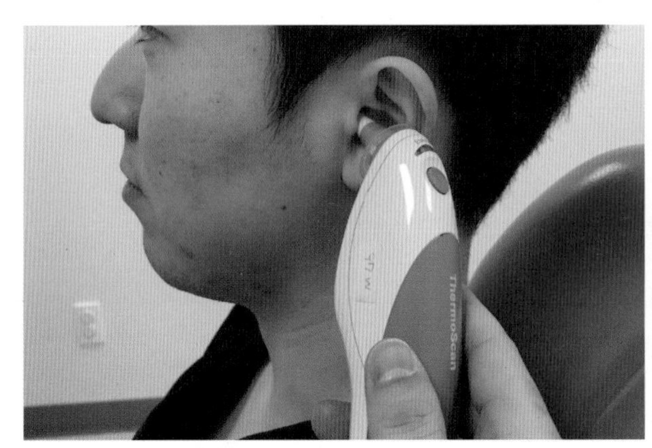

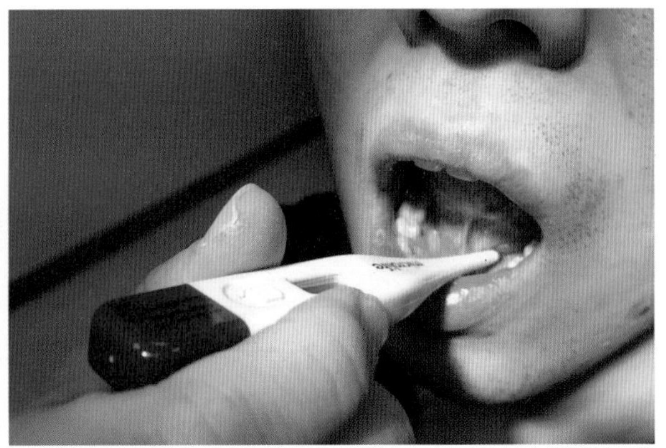

그림 1-4. 체온 측정

임상적 고려사항 | 체온은 시상하부에서 조절한다. 시상하부의 열조절 중추가 근육과 간의 대사활동으로부터 생성되는 초과분의 열을 피부와 폐를 통한 열소실로 균형을 맞추기 때문에, 환경이 변해도 정상체온이 유지된다. 열은 정상적인 하루 변이 이상으로 체온이 상승하는 것으로 시상하부의 발열점의 상승(예를 들어 37.0℃ 에서 39.0℃로 상승)으로 일어나게 된다. 정상체온에서 발열상태로 발열점의 이동은 마치 방에서 온도조절장치로 온도를 상승시키는 것과 유사하다. 일단 시상하부에서 발열점이 상승하면 혈관운동신경이 활성화되어 혈관수축이 시작된다. 이러한 혈관수축은 손과 발에서 먼저 시작된다. 말초에서 내부장기로의 혈액의 이동은 피부로부터의 열소실을 적게 하고, 이로 인해 추위를 느끼게 된다. 대부분 발열시 체온은 1~2℃ 상승한다. 근육으로부터 열생산을 증가시키는 몸 떨림은 이 시기에 시작된다. 그러나 열 보존기전이 체온을 충분히 증가시키면 몸 떨림은 필요하지 않게 된다. 몸 떨림 외에 간에서의 열 생산도 중심온도를 상승시키는 데 기여한다. 사람에 있어서는 여러 행동들(예를 들어 옷이나 담요를 더 덮는 행동)이 열손실을 감소시켜 체온을 상승시킬 수 있다.

열보존의 과정(혈관수축)과 열생산(몸 떨림과 열발생 증가)은 시상하부신경이 새로운 발열점까지 도달할 때까지 지속된다. 발열점에 도달하면 시상하부는 열이 없는 상태와 동일하게 작용하여 높은상태의 체온을 유지하게 된다. 발열물질의 농도가 낮아지거나 해열제를 사용하여 시상하부의 발열점이 다시 낮아지면 혈관 확장을 통해 열소실이 일어나고 발한이 시작된다. 발한과 혈관확장에 의한 열의 소실은 체온이 시상하부의 낮은 발열점에 도달할 때까지 지속된다. 이불이나 옷을 벗는 행동 변화가 열소실을 촉진시킨다.

2 구강악안면 임상검사의 기본술기

1) 시진(inspection)

환자를 전체적으로 관찰하고, 신체의 다양한 질환을 살펴본다.

2) 촉진(palpation)

손끝을 이용해서 환자를 만져보거나, 손바닥으로 진동을 느끼거나, 손등으로 열감을 확인한다.

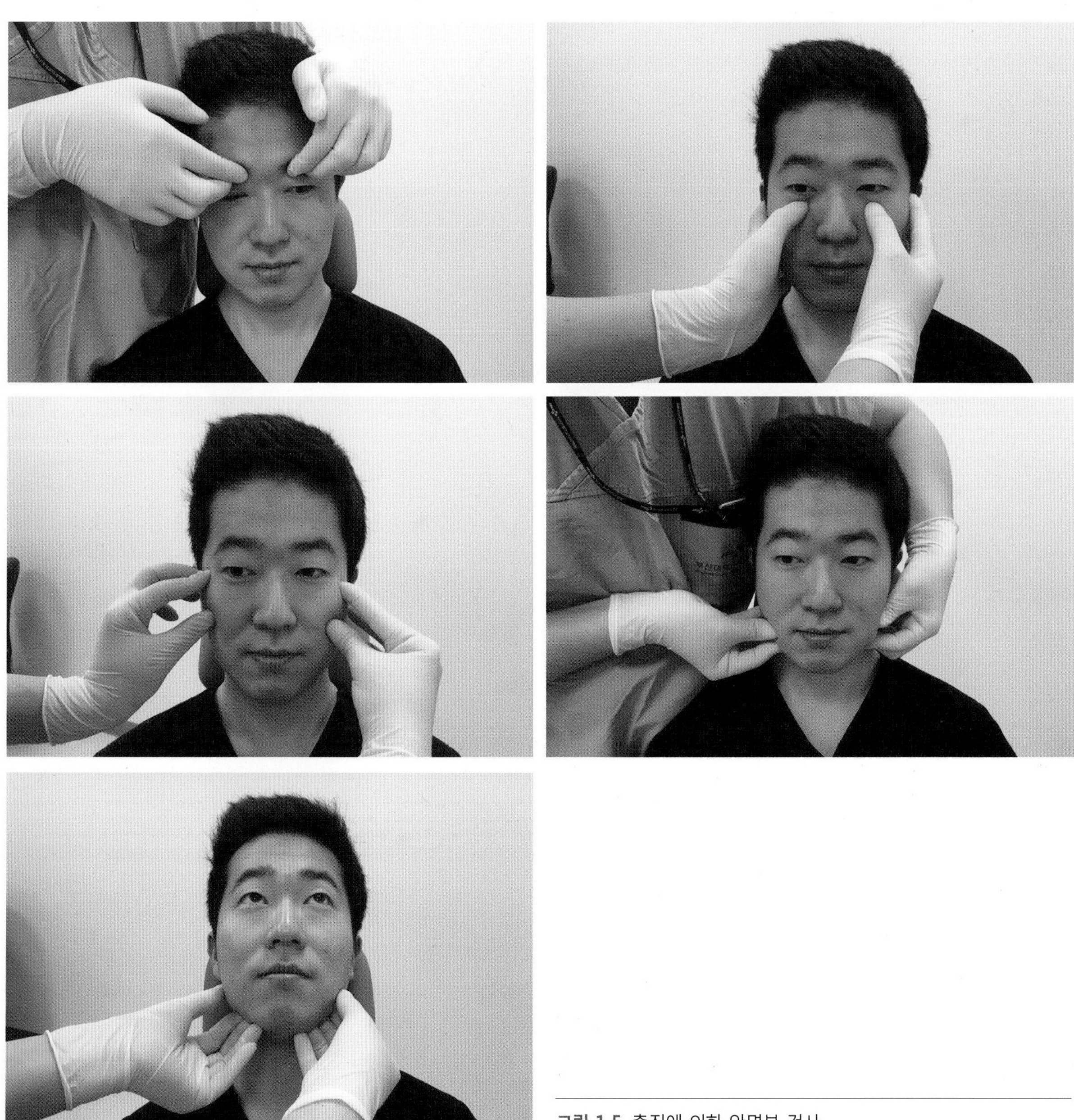

그림 1-5. 촉진에 의한 안면부 검사

3) 타진(percussion)

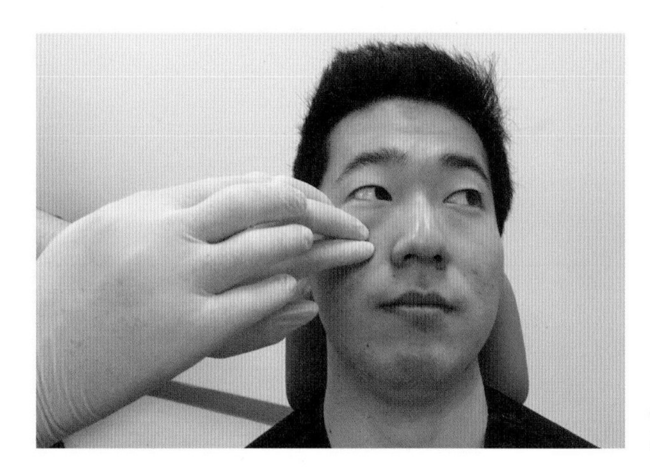

그림 1-6. 상악동 전벽부의 타진

4) 청진(auscultation)

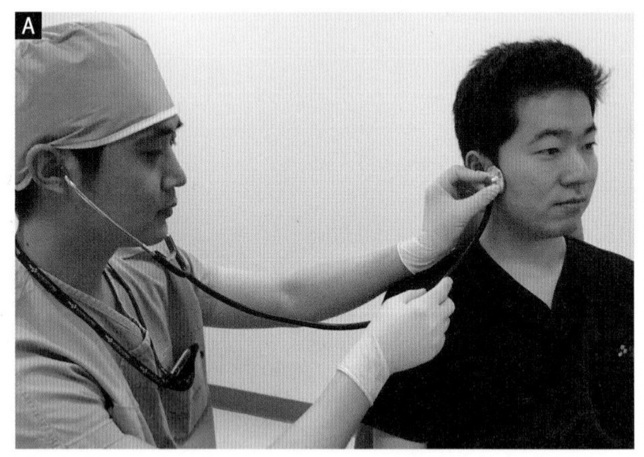

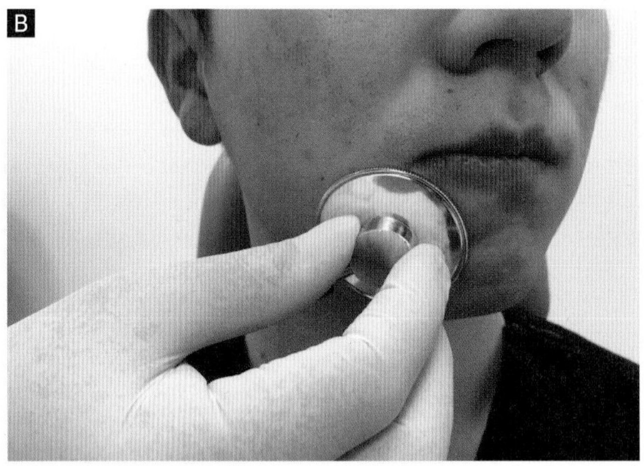

그림 1-7. **A.** 턱관절음 청진 **B.** 구강내 병소 청진

3 구강악안면 질병 및 부위에 따른 임상적 평가 및 특징소견

❖ 외상환자의 평가

1) 손상심도 평가(assessment of injury severity)

치료의 긴급성에 따른 손상환자의 분류

1. 즉시 치료가 필요한 환자 : 호흡장애, 다량출혈, 두개내 출혈
2. 곧 치료가 필요한 환자 : 치료 가능한 허혈, 근육의 큰 창상, 내장의 창상, 뇌의 개방성 창상, 개방성 기흉, 사지의 개방성 골절
3. 치료가 지연될 수 있는 환자 : 생명을 위협하지 않는 대부분의 외상

표 1-1. 손상의 등급 계산법

	Rate	Codes	Score
A. Respiratory rate			
Number of respiration in 15 sec : multiply by four	10~24 25~35 >35 <10 0	4 3 2 1 0	A.
B. Respiratory effort			
retractive – Use of accessory muscles or Intercostal retraction	Normal Retractive	1 0	B.
C. Systolic blood pressure			
Systolic cuff pressure – either arm(ausculate or palpate) No carotid pulse	>90 70~89 50~69 <50 0	4 3 2 1 0	C.
D. Capillary refill			
Normal forehead or lip mucosa color refill in 2 sec Delayed–more than 2 sec capillary refill None–no capillary refill	Normal Delayed none	2 1 0	D.
E. Glasgow Coma Scale			
1. Eye opening spontaneous to voice to pain none	 4 3 2 1	Total GCS points 14~15 11~13 8~10 5~7 3~4 E. Trauma score= A+B+C+D+E	
2. Verbal response oriented confused inappropriate words incomprehensive sounds none	 5 4 3 2 1		
3. Motor response obeys commands purposeful movements(pain) withdrawal(pain) flexion(pain) extension(pain) none	 6 5 4 3 2 1		

2) 일차 평가(primary survey) : ABCs

A : 기도확보 및 경척추 보호
B : 호흡 및 환기
C : 순환 및 지혈
D : 신경과적 검사
E : 환자의 노출

2011년 한국 심폐소생술지침
C-A-B : 심정지 발생으로부터 가슴압박까지의 시간을 줄이고, 일반인 구조자가 인공호흡에 대한 부담감을 줄임

3) 이차평가

일차평가 및 처치가 완료된 이후에 시작되며, 이차 평가 동안 환자의 생징후는 지속적으로 감시되어야 한다.

(1) 두부 및 두개골

- 두부 손상 환자의 평가 : 신경과적 검사 + CT
- CT : 두개내의 출혈, 타박상, 이물질, 두개골 골절 평가에 유용

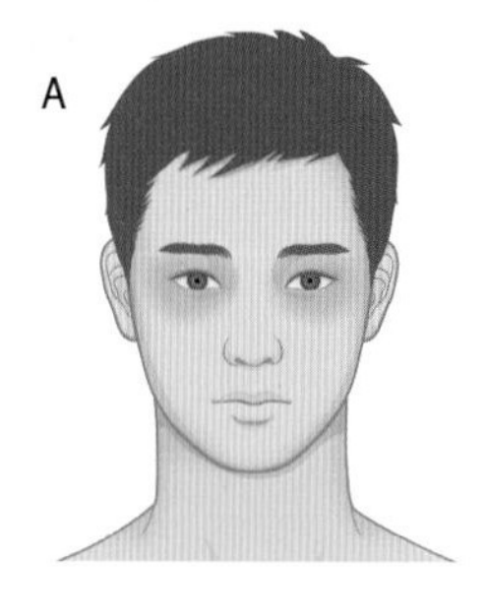

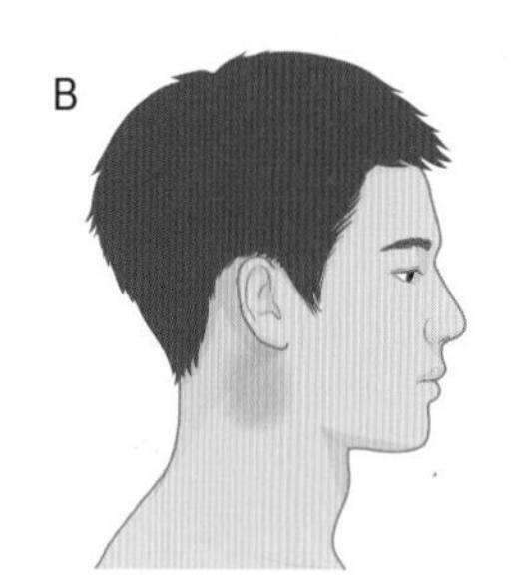

그림 1-8. A. Racoon's eyes, **B.** Battles's sign

① CT의 적응증

1. 발작
2. 2~3분 이상 지속된 의식소실
3. 정신상태의 이상
4. 신경과적 검사상의 이상
5. 두개골 골절의 증거가 있을 때

② 두개저 골절의 증상

1. 양측성 안구주위의 반상출혈(Racoon's eyes)
2. 귀 후방 유양돌기(mastoid process)의 혈종(Battle's sign)
3. 고실혈종(hemotympanum)
4. 뇌척수액(CSF)을 포함하는 비루(rhinorrhea) 및 이루(otorrhea)
5. 공막하출혈(subscleral hemorrhage)

③ 동공 검사 : 한쪽 눈에 빛을 비추면 양쪽 동공은 동일하게 축소
1. 만약 동공이 빛에 반응하지 않으면 시신경 또는 동안신경의 손상
2. 한쪽 동공의 산대는 동측뇌의 이탈(herniation)을 의미
3. 양쪽 동공의 산대는 심한 중뇌의 손상이나 부교감신경 기능의 상실
4. 동공이 조그만 점 크기로 축소할 경우에는 약물과용이나 교감신경성 기능의 소실

④ 뇌-척수액(CSF) 누출 검사
귀나 코로부터의 혈액을 거름종이에 한방울 떨어뜨리면 혈액성분은 중앙에 남아있고 맑은 액이 주면에 환상으로 나타남(ring's sign)

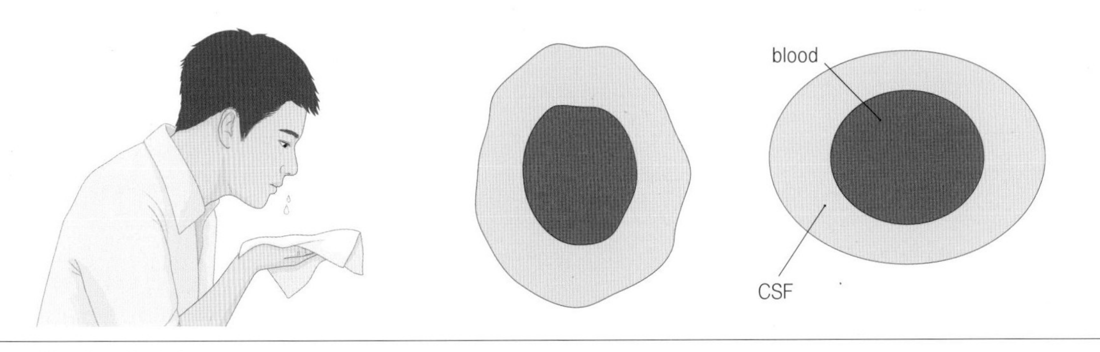

그림 1-9. 뇌-척수액 누출 검사

(2) 흉부
chest PA : 종격이나 횡격막 하방의 공기의 존재, 흉곽의 손상과 골절, 흉곽내 액체의 존재

(3) 악안면 외상
① 기도확보 : 출혈, 분비물, 골절된 골편, 파절된 치아
② 검사는 연조직부터 실시하고, 열상은 debridement 실시
③ 안면신경이나 이하선관 등의 중요구조물의 손상 여부를 검사
④ 안면골의 촉진
i) 안와상연부터 시작 하여 외측연, 하연, 관골융기, 관골궁, 비골 순으로 촉진
ii) 골연의 계단이나 불규칙성은 골절을 의미
iii) 삼차신경 분포영역의 감각이상 여부도 평가

(4) 척수
척수손상환자는 감각의 소실에 의해 가슴, 복부, 사지의 주요한 손상에 대한 불편감을 거의 느끼지 못함

(5) 비뇨기의 외상
요도 파열의 주된 원인은 둔상이며, 골반 골절 환자의 약 95%에서 후방 요도파열이 동반

(6) 복부의 외상

abdominal supine, CT 촬영

(7) 사지의 골절

저혈량성 쇼크나 지방색전증이 발생가능

❖ 감염환자의 평가

감염환자는 다양한 합병증을 막기 위해 빠른 평가와 치료가 이루어져야 한다.

1) 병력 청취

- 환자의 주소 : "치통이 있다", "턱이 부었다", "잇몸이 부었다"
- 감염의 발병일
- 증상의 변화
- 감염의 진행정도

(1) 환자의 증상

① 동통, 발적, 종창
② 국소적인 열
③ 기능상실 : 개구장애, 연하곤란, 호흡곤란, 저작곤란
④ 전신무력증(malaise)

(2) 환자의 과거병력

자가치료 여부, 타병원 방문기록, 항생제 복용여부

2) 환자의 신체 검진(physical examination)

(1) 생징후

① 체온 : 감염이 심한 경우 체온은 38°C 이상으로 상승
② 맥박 : 감염 시 맥박이 1분당 100회까지 상승하기도 함
③ 혈압 : 생징후 중 감염 시 가장 변화가 없는 것이 혈압
④ 호흡수 : 중등도의 감염 시 분당 18~20회로 상승

(2) 임상검사

① 시진(inspection)
- 부종이나 발적 유무를 조사
- 개구, 연하, 깊은 호흡 등을 시켜봄

② 촉진(palpation)
- 민감성(tenderness), 국소열, 종창부위의 특징을 파악

(3) 구강내 검사

원인을 파악 : 심한 치아우식, 확실한 치주농양, 심한 치주질환, 사랑니 주위염

(4) 방사선 검사

해당 치아의 치근단방사선사진 혹은 파노라마 사진

표 1-2. 봉와직염과 농양의 차이

	봉와직염	농양
기간	급성	만성
통증	심하고 전신적	국소적
크기	크다	작다
국소화	경계가 불분명	잘 경계지워짐
농의 형성	아니오	예
심각성의 정도	심각함	덜함
세균	호기성	혐기성

(5) 환자의 전신상태 평가

① 요독증(uremia)이 야기되는 심한 당뇨병이나 신부전 말기, 영양결핍을 동반한 심한 알코올리즘 : 백혈구의 기능을 약화

② 백혈병, 림프종, 악성종양 : 백혈구의 기능을 약화시키고 항체의 합성과 생성을 감소

③ 항암제의 사용 : 백혈구 수를 밀리리터당 1000개 까지 감소

④ 자가면역성질환 환자, 장기이식을 받은 환자 : 면역억제제를 투여받아 신체 방어 기전이 약화된 환자

전문의에게 즉시 의뢰해야 할 경우

1. 급속히 진행되는 감염의 증상을 보이는 경우
2. 호흡곤란이 있는 경우
3. 연하곤란이 있는 경우
4. 기타 : 38°C가 넘는 체온상승, 10mm 이하의 개구제한, toxic appearance(생기없는 눈, 다물지 못하고 벌리고 있는 입, 탈수되어 병색이 완연한 표정)

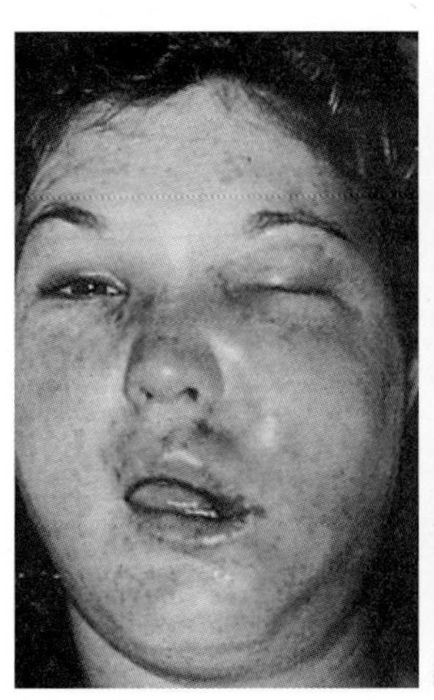
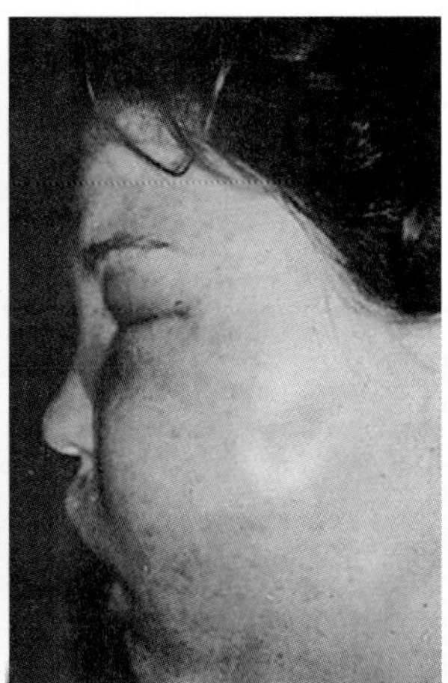

그림 1-10. Toxic appearance

❖ 상악동의 평가

1) 상악동염의 임상증상

① 동통, 압력 및 종창 : 상악동 전벽 부위가 질병에 이환
② 코막힘, 배농, 비출혈 및 악취 : 중벽 부위에 문제
③ 복시, 안구돌출, 결막 부종, 두통, 지각 및 시력감소 : 상악동의 상방벽과 관련
④ 개구장애 : 측벽부위와 관련된 경우가 많음

2) 임상적 검사

① 시진
② 촉진
③ 타진
④ 비경검사
⑤ 비강 및 상악동의 내시경 검사
⑥ 상악동 흡인법

3) 방사선학적 검사

① Water's view, Caldwell view에서 잘 관찰됨
- 비후된 상악동 점막 : 만성 상악동염
- 상악동에 점액, 농약, 혈액 등이 축적되어 상악동 기저부에 액체가 고이게 되어 방사선 불투과성이 나타남

② CT : 상악동 내부나 상악동벽을 확인하는 효과적인 방법
③ CBCT(cone-beam CT) : 적은 방사선 조사량, 우수한 해상도, 촬영의 편의성, 적은 금속이미지 왜곡 등의 장점을 가지며, 상악동 점막 병소 관찰에 유리

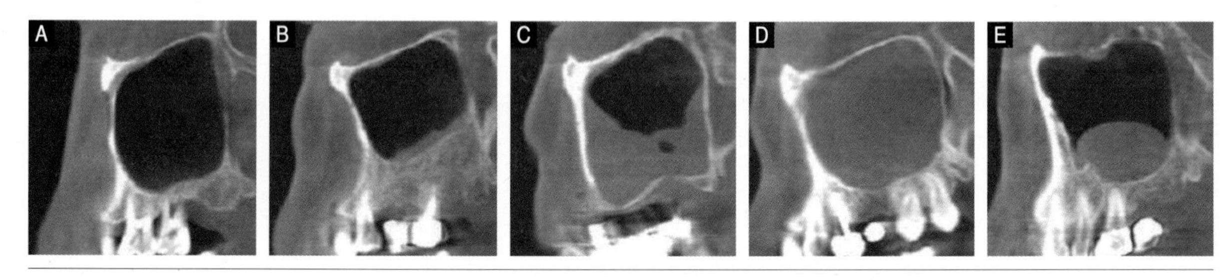

그림 1-11. CBCT 상에서 상악동 점막이상의 분류(sagittal view)
A. Normal sinus **B.** Mucosal thickening **C.** Partial opacification **D.** Full opacification **E.** Mucous retention cyst

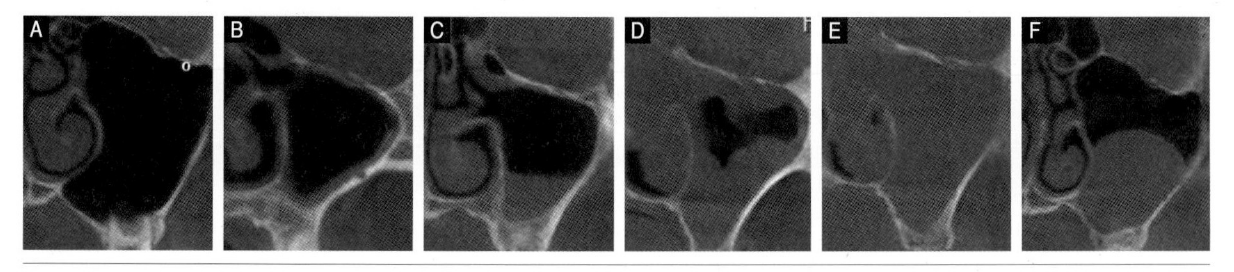

그림 1-12. CBCT 상에서 상악동 점막이상의 분류(coronal view)
A. Normal sinus **B.** Mucosal thickening **C.** Fluid retention **D.** Partial opacification **E.** Full opacification **F.** Mucous retention cyst

❖ 악관절의 평가

1) 임상징후와 증상

(1) 통증

① 관절성 통증의 특징

- 개구 시 또는 턱운동시 턱관절 부위 및 저작근 부위에 둔통
- 관절낭과 활막에 신경말단이 많이 존재하기 때문에 관절 원판의 형태 및 위치 이상이 존재할 때 자연히 그 주위 조직에 자극이 가해져 통증이 발생
- 악골운동시에 국한된 통증 : 비정상적인 운동에 의해 하중이 높아져 야기하며, 이러한 상태가 계속되면 이차적인 염증이 일어나 통증이 더욱 커짐

② 근, 근막성통증의 특징

이갈이, 이악물기, 스트레스, 교합불균형, 편측저작 → 근육의 과잉수축 → ATP 소실 → 근육내 혈관수축, 혈류감소, 산소부족 → 근육통 발생

(2) 턱관절의 잡음

다른 턱관절질환 징후나 증상을 수반하지 않는 관절음 : 수용가능한 정상적인 변이

① 단순관절음(clicking sound) : "따각", "딱"

② 염발음(crepitus) : "사각사각", "지익지익"- 골관절염성 변화와 연관

③ 거대 관절음(popping sound)

- 관절원판변위에 의한 단순 관절음 : 개, 폐구 시 모두 단순 관절음이 나타남, 다른 심각한 증상이 동반되지 않는다면 치료 불필요
- 형태이상으로 인한 단순 관절음 : 환자에게 소리의 원인과 특성을 설명하고 의도적으로 그런 소리를 내지 않도록 교육시킴

(3) 악골기능장애

① 과두걸림(closed lock) : 관절원판의 비복위성 전방전위 및 관절낭 병변으로 발생되는 턱관절 내장증의 한 상태

② 개구장애 : 관절음은 사라지고 환자는 거의 입을 못벌리게 되며, 하악 정중선은 이환측으로 쏠리게 되고, 개구 시 뿐만 아니라 저작시에도 통증을 호소

2) 임상평가

① 설문지를 이용한 자각증상 및 병력조사

② 진찰 - 촉진

3) 영상평가

(1) 파노라마 촬영

하악과두의 형태적 변화 유무를 가장 간단하게 관찰할 수 있는 방법

(2) 횡두개방사선 촬영(transcranial view)

① 폐구 및 개구 상태에서 양측 턱관절을 모두 촬영하여 비교하는 방법

② 편측 혹은 양측 하악과두의 운동제한, 관절의 급성염증에 의한 관절강의 혼탁, 하악과두의 침식 또는 탈회, 증식성 변화나 골증식체의 형성, 과두돌기의 부분적 혹은 완전탈구 등을 관찰할 수 있음

(3) 단층촬영(tomography)

골의 이상이나 변화를 찾아내는데 있어서 파노라마나 횡두개방사선사진보다 더 정확

(4) 컴퓨터 단층촬영(computed tomography)

턱관절 부위의 발육성 기형, 외상, 신생물과 같은 골의 기형을 평가하는데 매우 유용, 그러나 관절원판의 변위는 거의 평가 할 수 없음

(5) 골스캔(bone scan)

Technetium-99m과 같은 방사선 동위원소를 혈관내에 주입하여 조직내에 축적된 동위원소를 감마 카메라를 이용해 상을 얻음. Tc-99m은 뼈가 형성되고 혈관형성이 증가된 부위에 축적되므로 종양, 염증, 퇴행성 변화를 관찰할 수 있음

(6) 턱관절조영술(arthrography)

(7) 자기공명영상(magnetic Resonance Imaging : MRI)

연조직 영상이 우수하여 턱관절과 같은 작은 관절부위의 관절원판까지도 그 형태와 위치를 정확히 파악할 수 있다.

4) 질병에 따른 진단

(1) 턱관절 양성종양

① 골연골종(osteochondroma) : 하악과두의 앞쪽으로 골증식이 일어나, 폐구 시 하악과두가 하악와에 들어가지 못해 부정교합을 유발

② 활막 연골종증(synovial chondromatosis) : 관절강내에 유리 연골체가 가득차 있는 종양, MRI T2 강조영상에서 관절강이 활액으로 가득차 있는 고강도 신호양상으로 진단

③ 연골모세포종(chondroblastoma)

(2) 하악과두 외상

경조직 골절 없이 연조직만 손상이 되는 경우는 혈관절증(hemarthrosis), 관절원판의 변위 또는 열상, 관절낭염, 윤활막염 등이 발생할 수 있다.

(3) 하악과두의 성장장애

하악과두의 선천적 성장장애 – 반안면왜소증(hemifacial microsomia)

(4) 턱관절염

류마티스 관절염이나 감염성 관절염 등의 염증성이 원인이 되는 턱관절염의 빈도는 매우 낮고, 대부분의 턱관절염은 과도한 부하에 의한 턱관절 조직의 손상에 의함.

(5) 진행성 하악과두흡수(progressive condylar resorption)

턱관절의 퇴행성질환으로 턱관절염의 일종, 하악평면각이 35~40도를 넘는 10대 중반에서 30대 초반 사이의 여성에서 주로 관찰, 여성호르몬의 역할이 원인 중 하나로 추정

❖ 타액선의 평가

1) 병력청취

(1) 병소의 기간

① 병소가 오래되고, 급성염증의 병력이 있거나, 종창의 악화와 완화가 함께 있다면 : 만성염증
② 병소가 오래되면서 완화된 병력이 없고, 지속적 성장이 되었다면 : 양성종양 혹은 악성도가 낮은 악성종양
③ 새로운 병소로서 짧은 기간 내에 종창이 야기되고 국소적인 동통과 압통이 있다면 : 급성염증

(2) 발병의 양상

① 무통성으로서 점차적이면서 지속적이라면 : Sjögren's syndrome, 종양
② 갑작스럽게 발현되는 동통성 종창이라면 : 염증성 질환, 빠른 성장이 있는 종양에 이차적인 감염이 있는 경우도 완전히 배제할 수 없다.

(3) 성장속도

① 느리지만 지속적인 성장을 하는 병소 : 양성병소
② 빠르게 성장하는 병소 : 염증 혹은 악성병소
③ 동통, 삼출액, 염증 및 발열이 있거나 혈액내 미성숙 혈구가 증가하는 경우 : 염증병소

(4) 병발상태

영양상태의 불량, 탈수 현상, 폐렴과 같은 급성 발열질환, 장시간에 걸친 전신마취, 부교감신경 차단제, 항히스타민제제와 같은 약물 투여, 결핵과 같은 만성 소모성 질환을 지닌 환자 : 타액선 감염이 쉽게 야기 될 수 있음

2) 신체 검사

(1) 병소의 위치

① 외이공의 전방 하방 : 이하선
② 하악골의 후하방 : 악하선

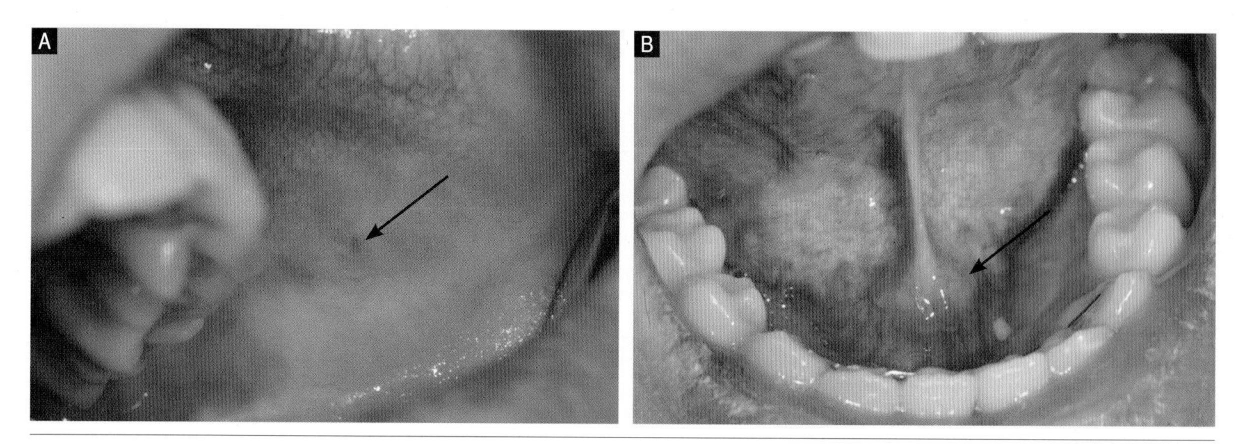

그림 1-13. 타액선 도관의 입구 **A.** Stensen's duct caruncle, **B.** Whaton's duct caruncle

③ 병소의 크기와 경계가 뚜렷하지 않고 타액선 전체로 확산되어 있는 미만성이며, 촉진에 다소의 압통을 느낀다면 : 염증성 질환

④ 경계가 뚜렷한 덩어리 형태로 촉진 : 종양

⑤ 병소가 주위조직에 고정되어 있는 느낌 : 악성종양

⑥ 양측성의 병소는 국소적 원인보다 전신적인 원인을 더 많이 고려

⑦ 미만성 종창이 여러 개 타액선에서 나타난 경우 : Sjögren 증후군, 당뇨 등의 내분비장애, 알코올성 간경화

(2) 병소의 경결

① 농양 : 파동성

② 낭종 : doughy

③ 타석 : 단단한 돌멩이

④ 병소의 경결 : 악성병소의 침윤을 나타내는 특징

(3) 주관적 반응

동통

3) 진단을 위한 검사

(1) 일반 방사선 검사

하악교합촬영사진(mandibular occlusal view) : Wharton's duct에 생긴 타석

(2) 타액선 조영사진

방사선 불투과성인 조영제를 타액선에 주입하여 타액선의 분비관 체계를 봄으로써 타액관의 폐쇄여부, 타액선내의 병소와 실질조직의 파괴상을 간접적으로 파악

① 타석증 : 분비관의 폐쇄 혹은 부분폐쇄, 선조직의 위축

② 타액선 분비관염 : sausage string appearance
③ 타액선염 : apple tree in blossom appearance

표 1-3. 타액선 조영술의 적응증과 비적응증

적응증	비적응증
타석 혹은 이물질의 탐지	타액선의 급성염증
재발성이거나 갑작스러운 타액선 종창	요오드에 알러지가 있는 환자
장기간 지속되는 타액선 종창	갑상선검사가 예정되어 있는 환자는 갑상선검사 후로 연기
의심이 되는 종물	cannulation을 할 수 없을 때
원인불명의 동통	
구강건조증에서는 타액선의 기능적 능력의 평가	
타액선 누공 또는 타액류	
외과적 평가	
치료 후 평가	

(3) 컴퓨터 단층촬영(CT)

타액선 질환 검사에서 아주 유효

(4) 자기공명영상(MRI)

병소의 구조를 파악할 수 있고, artifact degradation이 없어 CT보다 유리, 가격이 비쌈

(5) 핵의학 스캔(radioisotope Scans)

(6) 초음파 검사(ultrasonography)

이하선 표층엽의 종양(multiple echo로 나타남) 혹은 낭종성 병소(echo free로 나타남)를 감별, 파악하는 데 유용

(7) 조직검사(biopsy)

❖ 종양의 평가

1) 병력청취

(1) 동통

① 낭종이나 종양에서는 일반적으로 나타나지 않음
② 병소가 이차감염에 이환된 경우, 종양이 침습적이거나 신경기원일 경우 발생

(2) 부종

① 천천히 성장 : 확장성 병소

② 빠른 성장 : 공격적인 병소

(3) 기능소실

① 개구제한 : intracapsular TMJ 질환 혹은 저작근의 염증

② 감각이상 및 운동 기능 변화

③ 하악신경 및 상악신경의 손상 : 침습적인 악성종양이나 공격적인 양성종양, 전이성 병소 혹은 신경기원 종양

(4) 전신적인 소견

2) 전신검사

① 표면변화 : 화학물질 유발, 외상성, 종양성, 대사성, 염증성인지 감별

② 부종 : 위치, 발생 부위, 발병시기, 성장속도, 병소 크기, 기능 시 병소 크기변화 유무 평가

③ 기능소실 : 개구제한, 코막힘, 비중격 변위, 귀막힘

④ 청진소견 : 혈관성 질환을 감별

3) 방사선학적 검사

표 1-4. 종양확인을 위한 방사선검사

procedures	Uses	Advantages	Disadvantages
plain radiographs	• screening	• available • inexpensive • simple • eliminates overlying structures	• low discrimination • two dimensional image
tomography	• producing positional information	• structures seen in a preselected plane • allows accurate measurements	• potentially a high-radiation dose examination • expensive • limited availability
CT	• location and staging primary tumors • following results of treated tumors	• produces cross-sectional images • smaller densities are visible	• requires highly complicated equipment • examination is time consuming • expensive
MRI	• primary soft tissue tumors • metastatic tumors • extension of jaw tumors to adjacent soft tissues	• no ionizing radiation • non-invasive • tissue contrast • tissue discrimination	• high cost • poor bone detail • examination is time consuming
radionuclide imaging	• detecting metastasis • investigation arthritis • detecting skeletal infection	• detects widespread disease • shows early bone changes	• studies take several hours • organs other than those being examined are exposed • size not shown accurately

4) 낭종 및 종양의 분류

표 1-5. 치성 낭종의 분류

Developmental	Inflammatory
• Dentigerous cyst • Eruption cyst • Odontogenic keratocyst • Gingival(alveolar) cyst of the newborn • Gingival cyst of the adult • Lateral periodontal cyst • Calcifying odontogenic cyst • Glandular odontogenic cyst	• Radicular cyst • Residual cyst • Paradental cyst

표 1-6. 발육성 낭종의 분류

Oral cavity	Facial skin and neck
• Palatal cysts of the newborn (Epstein's pearls ; Bohn's nodule) • Nasolabial cyst • Globulomaxillary cyst • Medial palatal cyst • Median mandibular cyst • Oral lymphoepithelial cyst	• Epidermoid cyst • Dermoid cyst • Thyroglossal duct cyst • Cervical lymphoepithelial cyst (branchial cleft cyst)

표 1-7. 치성기원 종양의 분류

Tumors of odontogenic epithelium without odontogenic ectomesenchyme	Tumors of odontogenic epithelium with odontogenic ectomesenchyme, with or without dental hard tissue formation	Tumors of odontogenic ectomesenchyme with or without included odontogenic epithelium
• Ameloblastoma • Calcifying epithelial odontogenic tumor • Squamous odontogenic tumor • Clear cell odontogenic tumor	• Ameloblastic fibroma • Ameloblastic fibro- odontoma • Odontoameloblastoma • Adenomatoid odontogenic tumor • Complex odontoma • Compound odontoma	• Odontogenic fibroma • Myxoma • Cementoblastoma

표 1-8. 악골의 비치성 양성종양과 악성종양

Benign	Malignant	Metastatic tumors
• Osteoid osteoma • Osteoblastoma • Chondroma • Chondromyxoid fibroma • Synovial chondromatosis • Desmoplastic fibroma	• Fibrosarcoma • Osteosarcoma • Chondrosarcoma • Ewing's sarcoma	• Breast • Prostate • Kidney • Colon • Thyroid • Lung

표 1-9. 악골의 비치성, 비발육성 병소

Hereditary	• Osteogenesis imperfecta • Osteopetrosis(Albers-Schönberg disease) • Cleidocranial dysplasia • Gardner syndrome
Fibro-osseous lesion of the jaws	• Fibrous dysplasia • Cemento-osseous lesion of the jaws • Periapical cemento-osseous dysplasia • Focal cemento-osseous dysplasia • Florid cemento-osseous dysplasia • Ossifying(cemento-ossifying) fibroma
Idiopathic osteolytic and osteosclerotic lesions	• Focal osteoporotic marrow defect • Idiopathic osteosclerosis • Paget's disease • Langerhans' cell disease • Central giant cell granuloma • Cherubism
Lesions with bleeding tendencies	• Aneurysmal bone cyst • Central hemangioma • Arteriovenous malformation

표 1-10. 치관주위병소와 치근단 악골 병소의 방사선 소견과 기타 특징

Condition	Radiolucency	Special features	Occurrence
Periapical granuloma	Unilocular	Non-vital tooth	Frequent
Periapical cyst	Unilocular	Non-vital tooth	Frequent
Periapical cemental dysplasia	Unilocular	Black, females, apical to mandibular incisors, vital teeth	Rare
Hyperplastic dental follicle	Unilocular	<5mm in diameter	Frequent
Dentigerous cyst	Unilocular	>5mm in diameter	Frequent
Ameloblastoma	Uni- or multilocular	Uncommon <19 years	Occasional
Ameloblastic fibroma	Uni- or multilocular	Usually younger patient	Rare
Adenomatoid odontogenic tumor	Unilocular	Radiolucency extends apically beyond crown	Rare
Intraosseous mucoepidermoid carcinoma	Uni- or multilocular	Mostly in posterior mandible	Rare

표 1-11. 기타 악골병소의 방사선 소견과 기타 특징

Condition	Radiolucency	Special features
Lateral radicular cyst	Unilocular	Non-vital tooth-lateral to or between teeth
Lateral periodontal cyst	Unilocular	Usually in mandible canine-premolar region
Residual cyst	Unilocular	Edentulous area
Central giant cell granuloma	Unilocular/ multilocular	Usually in anterior mandible
Stafne bone defect	Unilocular	Posterior mandible below mandibular canal
Fibro-osseous lesions	Unilocular	Early stage lesion
Langerhans cell disease	Unilocular	Histocytosis X- usually children and young adults
Melanotic neuroectodermal tumor of infancy	Unilocular	Anterior maxilla
Median palatal cyst	Unilocular	Midline swelling of hard palate

❖ 목의 평가

목의 운동장애 또는 강직성 여부, 좌우 대칭성, 림프절 위치와 크기를 시진 및 촉진을 통해서 확인하고 감염, 갑상선기능항진증 및 구강암의 전이 등을 확인

1) 경부림프절 촉진법

① 종양세포 전이유무를 평가하기 위한 가장 쉬운 방법
② 환자를 앉혀서 손가락으로 목부위 전체를 가볍게 만지면서 좌우를 비교하는 것
③ 목을 한쪽으로 기울이게 하여 흉쇄유돌근을 이완시키고, 그 부위의 림프절을 촉진
④ 만약 림프절이 만져지면 크기, 모양, 경도, 통증여부, 유동성 등을 확인

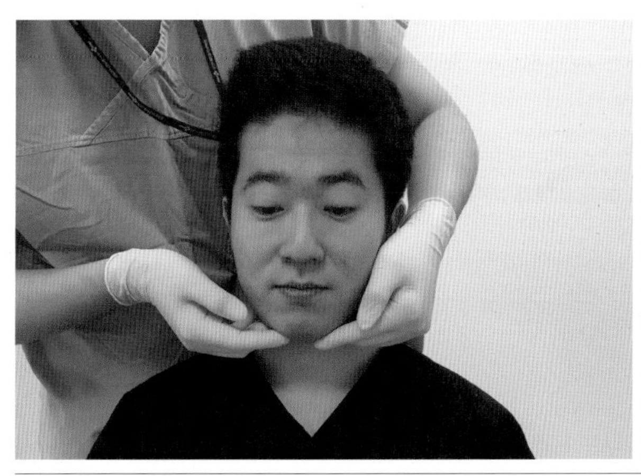
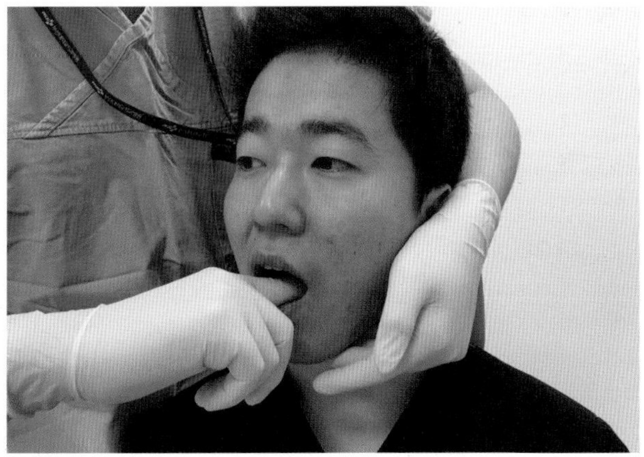

그림 1-14. 경부림프절의 촉진법

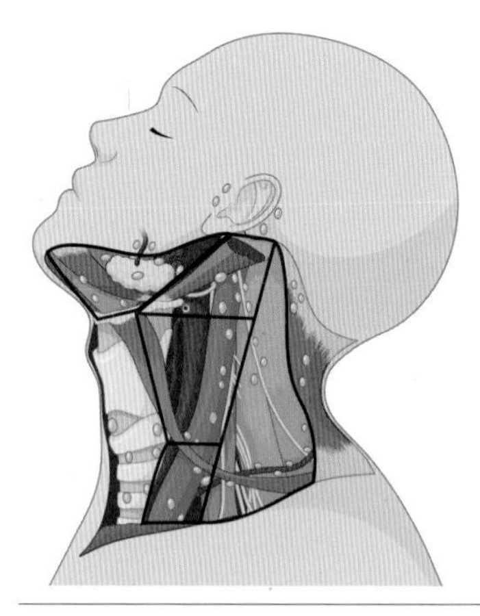

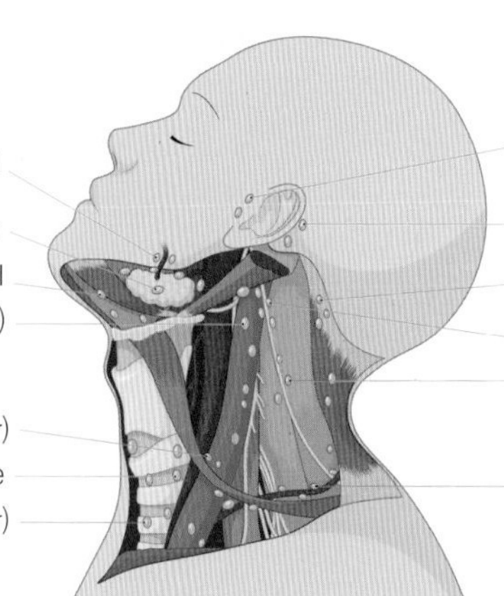

그림 1-15. 경부림프절(Head & Neck Surgery & Oncology, 3rd edition, Mosby)

참고문헌

1. 대한구강악안면외과학회, 구강악안면외과학교과서, 2nd edition, 의치학사; 2005
2. 대한치과마취과학회, 치과마취과학, 3rd edition, 군자출판사; 2015
3. 대한구강내과학회, 전신질환자 및 노인, 장애환자의 치과치료, Dental Wisdom; 2012
4. 대한심폐소생협회, 2011 한국 심폐소생술 지침
5. Kwon, Paul H. and Laskin et al. Clinician's Manual of Oral and Maxillofacial Surgery, Third Edition. Quintessence Publishing. 2001
6. Cheong CS, Cho BH, Hwang DS et al. Evaluation of maxillary sinus using cone-beam CT in patients scheduled for dental implant inmaxillary posterior area. Korean Assoc Oral Maxillofac Surg. 2009 35(1), 21-25
7. Shah J. Head & Neck 3rd edition. Mosby. 2003
8. Fischebach F. A manual of laboratory & diagnostic tests. 6th edition. Lippincott
9. Marciani RD, Carlson ER, Braun TW. Oral and maxillofacial surgery. 2nd edition. Saunders
10. Longo, Fauci, Kasper, Hauser, Jameson, Loscalzo. HARRISON'S 내과학, 18th edition, 도서출판 MIP; 2013

실습평가표

실습제목	생징후 검사, 임상검사 및 진단		
학생 번호		성명	
지도의 성명		서명(인)	

구분	평가항목	점수
생징후 검사	환자의 수축기혈압 및 이완기혈압의 측정이 적절하였는가?	
	환자의 맥박(횟수, 리듬)을 올바르게 측정하였는가?	
	환자의 호흡수는 올바르게 측정하였는가?	
	환자의 체온은 적절히 측정하였는가?	
임상검사 및 감별진단	구강악안면외과 환자의 임상검사시 시진, 촉진, 타진, 청진 등을 적절히 시행하였는가?	
	안면부 외상 환자를 적절히 진단하고 평가할 수 있는가?	
	치성감염 환자를 적절히 진단하고 평가할 수 있는가?	
	상악동 질환의 검사법을 숙지하고 적절히 평가할 수 있는가?	
	악관절 증상에 따른 질환을 감별하고 평가할 수 있는가?	
	타액선 질환을 적절히 감별하고 평가할 수 있는가?	
	구강악안면영역 및 경부에 발생하는 신생물을 적절히 감별하고 평가할 수 있는가?	

Chapter 02

의무기록 작성 및 협진 의뢰

학•습•목•표

- 환자의 주소를 정확히 파악하고 명확한 의무기록을 작성할 수 있다.
- 환자의 현증에 대한 과거병력을 정확히 확인하고 명확한 의무기록을 작성할 수 있다.
- 구강 병소와 관련된 전신 증상을 정확히 파악하고 명확한 의무기록을 작성할 수 있다.
- 타과 의뢰 여부 판단 후, 적절한 타과 의뢰지를 작성하고 의뢰를 시행할 수 있다.

1 의무기록의 작성법

❖ 서론

의무기록이란 환자의 진단 및 치료에 필요한 적절한 정보를 기록, 작성한 것을 말한다. 흔히 사용되는 용어들로서는 환자 기록(patient records)이나 환자 차트작성(patient charting)이 사용되고 있다. 구강악안면외과에서는 일반적인 치과 외래진료실에서 시행할 수 있는 비교적 간단한 술식부터 종합병원이나 대학병원에서 환자의 입원 하에 이뤄지는 전문적인 대수술까지 그 범위가 다양하다. 이에 따라 구강악안면외과에서의 의무기록은 외래 의무기록지와 입원환자의 의무기록지로 나뉘게 된다. 입원환자의 의무기록은 병원에 따라 다소 차이가 있을 수 있으나, 환자의 입원기간 중 그 환자의 질병과 치료에 관련하여 누가, 언제, 어디에서, 무엇을, 어떻게, 왜 하였나 하는 사실을 기록한 문서이다. 흔히 환자가 입원수속을 할 때 원무과에서 인적사항을 기록하게 되며, 환자가 병실에 도착하면 간호사는 그 환자의 대략적인 임상정보를 청취하게 된다. 의사는 환자의 호소 내용들, 발병 시기, 질병의 양상, 병력, 가족력, 신체상태 등을 기록한 후 예상되는 진단명과 치료 계획을 기록한다. 그리고 질병의 경과, 환자의 상태변화, 시행된 치료 및 환자의 퇴원 요약 등을 기록한다. 따라서, 입원기록지(admission note), 경과기록지(progress note), 수술 기록지(operation record), 의사지시기록지(doctor's orders), 퇴원요약지(discharge summary), 협의진단기록지(consultation record) 등이 의사가 기록해야 하는 의무기록에 해당된다.

법률적인 측면에서 양질의 의무기록은 환자에게 제공된 의료 행위가 의학적 적응성, 의료기술의 정당성, 그리고 환자의 자기결정권 위임과 같은 정당한 법적 요건을 갖추었는지 여부를 판단하는 증거자료로서 병원, 의료인 및 환자를 보호한다. 최근 의료법이 강화되고 각종 의료 분쟁의 발생으로 인하여 의료 기록의 중요성이 점차 증가되고 있다. 본 장에서는 의학적인 측면 뿐만 아니라, 법률적인 측면을 고려하여 이들 기록의 정확성 및 관리를 위한 올바른 의무기록 작성에 그 목적이 있다.

❖ 의무기록의 실제적인 작성

1) 입원기록지(admission note)

(1) 정의

환자의 입원시 작성하는 기록으로 향후 치료계획의 수립에 도움을 주는 각종 인적사항, 병력, 주소, 증상, 신체검진, 임상적으로 추정되는 진단명 및 향후 치료계획으로 구성되는 의무기록지이다.

(2) 기록 내용

입원기록지의 형식은 각 임상과마다 차이가 있으나 구강악안면외과에서는 구강악안면외과의 특성을 살리는 형식으로 기술되어야 하며, 일반적으로 다음과 같은 구조로 기술된다.

① **환자의 인적사항(identifying data)** : 성명, 연령, 성별, 주민등록번호, 주소, 전화번호, 직업, 결혼상태, 입원일시, 입원과 등.

② **주소(chief complaint, CC)** : 환자의 주소는 환자가 가장 불편하다고 호소하는 문제점이나 증상이 무엇이며 얼마

나 지속되었는가를 기록하는 것이다. 이는 환자의 주관적인 진술을 있는 그대로 기록하는 것을 원칙으로 하지만, 의사가 문제점을 명확하게 정의하는 과정이 추가적으로 필요할 수도 있다. 주소가 두 가지 이상인 경우는 환자에게 중요한 순으로 기재한다.

③ **현증(present illness, PI)** : 환자의 증상이 최초로 발현된 후 현재까지의 질환의 양상과 경과를 순서대로 기록하는 것으로, 병원에 내원하기 전까지의 질환의 경과 및 치료에 대하여 상세히 기술한다.

④ **과거 병력(past medical history, PMH)** : 과거의 입원, 수술, 외상 및 질병의 유무와 최근 사용한 약물이나 과민반응 및 최근에 이루어지고 있는 의학적 치료를 중심으로 기록한다. 병력이 있을 경우, 진단일, 치료의 성격과 같은 부가적인 세부 사항이 요구된다.

⑤ **가족력(family history, FH)** : 환자를 중심으로 하여 가족들과의 질환의 연관성을 기록하는 것으로, 부모 형제의 병력, 가족의 건강상태, 가족 중 사망자의 사인, 유전성 질환의 유무, 암 등 가족의 중요한 질환력을 기록한다. 특히 환자의 증상이나 질환과 직접적으로 관련된 경우, 상세한 기술이 필요하다.

⑥ **사회력(social history, SH)** : 환자의 사회력은 가정환경, 성장과정, 직업, 결혼상태, 생활습관(흡연, 음주 등), 정서적 적응상태 등으로 구성된다. 특히 구강악안면외과영역에서 중요한 두가지 습관은 흡연과 음주이다.

⑦ **전신평가(review of system, ROS)** : 전신평가는 아직 진단되지 않은 질병의 가능성과 환자가 중요하지 않다고 생각하여 진술하지 않은 주관적인 증상의 확인을 위하여 실시한다. 이것은 진단의 단서를 제공하고 신체검진(physical examination)의 방향과 범위를 결정한다. 전신평가에 포함되어야 할 내용들은 다음과 같다.

- General : usual weight, recent weight change, weakness, fatigue, fever.
- Skin : rashes, lumps, sores, itching, dryness, color change, changes in hair or nalis.
- Head : headache, head injury.
- Eyes : vision, glasses or contact lenses, last eye examination, pain, redness, excessive tearing, double vision, glaucoma, cataracts.
- Ears : hearing, tinnitus, vertigo, earaches, infection, discharge.
- Nose and sinuses : frequent colds; nasal stuffiness, discharge, or itching; hay fever, epistaxis, sinus trouble.
- Mouth and throat : condition of teeth and gums, gingival bleeding, last dental examination, sore tongue, frequent sore throat, hoarseness.
- Neck : lumps, goiter, pain or stiffness.
- Breasts : lumps, pain or discomfort, nipple discharge, self-examination.
- Respiartory : cough, sputum(color, quantity), hemoptysis, wheezing, asthma, bronchitis, emphysema, pneumonia, tuberculosis, pleurisy; last chest x-ray film.
- Cardiac : heart trouble, high blood pressure, rheumatic fever, heart murmurs; chest pain or discomfort, palpitations; dyspnea, orthopnea, paroxysmal nocturnal dyspnea, edema; past electrocardiogram or other heart tests.
- Gastrointestinal : trouble swallowing, heartburn, appetite, nausea, vomiting, regurgitation, vomiting of blood, indigestion, frequency of bowel movements, color and size of stools, change in bowel habits, rectal bleeding or black tarry stools, hemorrhoids, constipation, diarrhea, abdominal pain, food intorelance, excessive belching or passing of gas, jaundice, liver or gallbladder trouble, hepatitis.
- Urinary : frequency of urination, polyuria, nocuria, burning or pain on urination, hematuria, urgency, reduced cali-

ber or force of the urinary stream, hesitancy, incontinence; urinary infections, stones.

- Genitoreproductive
  - i) Male : hernias, discharge from or sores on the penis, testicular pain or masses, history of venereal diseases, sexual interest, fuction, satisfaction, and problems; sexual orientation.
  - ii) Female : age at menarche; regularity, frequency, and duration of periods; amount of bleeding, bleeding between periods or after intercourse, last menstrual period; dysmenorrhea, premenstrual tension; age at menopause, menopausal symptoms, postmenopausal bleeding, dischage, itching, sores, lumps, venereal diseases, number of pregnancies, deliveries and abortions.
- Peripheral vascular : intermittent claudication, leg cramps, varicose veins, thrombophlebitis.
- Musculoskeletal : muscle or joint pains, stiffness, arthritis, gout, backache.
- Neurologic : fainting, blackouts, seizueres, weakness, paralysis, numbness, tingling, tremors or other involuntary movements.
- Hematologic : anemia, easy bruising or bleeding, past transfusions and possible reactions.
- Endocrine : thyroid trouble, heat or cold intorelance, excessive sweating; diabetes, excessive thirst or hunger, polyuria.
- Psychiatric : nervousness, tenision, mood including depression.

⑧ **신체검사(physical examination, P/Ex)** : 환자가 가지고 있는 질환과 연관된 사항이나 전신마취에 장애를 줄 수 있는 사항을 중심으로 기술한다. 신체검사를 시행할 시에는 시진(inspection), 촉진(palpation), 타진(percussion), 청진(auscultation)의 4가지 기본적인 방법이 이용되며 다음과 같은 내용이 기록된다.

- 생징후 검사(vital signs) : 혈압, 맥박, 호흡 및 체온이 포함되며 환자의 생리적 상태의 변화에 따라 직접영향을 나타낸다.
- 전반적 외모검사(general appearance) : 환자의 영양 및 발육상태를 검사하며 두경부의 정상적 발육 정도도 함께 평가한다.
- 인지 검사(mental status) : 환자의 의식수준을 평가하고 의식 소실 여부, 기억력 상실 여부 등을 확인한다.
- 두개안면부 검사(HEENT)
  - i) 두부 검사(head) : 두피의 열상, 두개골의 골절, 두개내 출혈 등을 확인한다.
  - ii) 눈 검사(eyes) : 안구의 움직임 및 결막, 공막, 각막 등의 이상여부를 확인한다.
  - iii) 귀 검사(ears) : 동통, 출혈, 분비물 여부, 청력 및 이명 등의 이상 여부를 검사한다.
  - iv) 코 검사(nose) : 외상시에는 비출혈, 척수활액 누출 등을 확인하고, 과도한 분비물, 코막힘, 비중격 만곡, 알러지성비염 등 일반적 사항을 검사한다.
  - v) 인후부 검사(throat) : 편도의 이상여부, 연하 능력, 객담 여부 등을 검사한다.
- 경부 검사 : 경부의 운동장애 또는 강직성 여부, 좌우 대칭성, 림프절 위치와 크기 등을 확인한다.
- 흉부 검사 : 흉통, 심호습 시 불편감, 일정한 자세에서의 불편감 등을 확인하여, 폐기능 또는 심장기능 이상으로 나누어 검사한다.
- 복부 검사 : 소화기능과 장음(bowel sound)의 이상여부, 압통 및 동통 여부 등에 대하여 검사한다.
- 비뇨기계 검사 : 소변 횟수 및 소변량, 뇨색깔, 뇨냄새 등을 확인하여, 다뇨, 핍뇨, 무뇨, 야간 빈뇨 및 소변시 통증여부 등을 검사한다.
- 근골격계 검사 : 종창, 발적, 압통, 기능 시의 동적 제한 등을 검사한다.

⑨ 문제목록(problem list) : 환자의 주소, 병소 및 다른 추가적인 진단적 평가나 치료 등에 대한 요약이며 각각의 문제점에 대한 임시진단이나 확진이 기록되어야 한다. 모든 부가적인 진단 술식과 치료계획은 환자의 문제목록을 고려하여야 한다. 문제목록의 순서는 임상가의 판단에 따라서 주소와 관련된 우선 순위대로 기록하며, 일반적으로 환자의 주소, 전신질환, 전반적인 치과적 문제점 등의 순으로 기록한다.

⑩ 진단(diagnosis) : 환자의 병력과 신체검사를 토대로 예상되는 진단(diagnostic impression)을 내리며, 치료의 방향을 계획하여 기록한다.

2) 의사지시기록지(doctor's order)

의사지시기록지는 환자에 대한 생징후 측정이나 활동도, 식이의 종류, 각종 투약, 필요한 검사 및 수술, 간호사에게 요구하는 환자에 대한 처치에 대한 내용이 기록된다.

3) 경과기록지(progress note)

경과기록은 환자의 진단 또는 치료 과정을 발생순서대로 기록하는 것으로, 환자의 상태에 따라 수시로 기록한다. 환자의 질환상태의 변화, 생검, 방사선사진촬영, 타액선 조영술, 발치, 절개 및 배농 등 진단이나 치료를 위한 제반 검사나 처치 또는 수술 기록, 수술 부위의 상태 변화 등을 기록한다. 이러한 기록을 통하여 의료진은 환자의 상태, 치료 경과, 검사 결과 등에 관한 정보를 정확하고 완전하게 기록하여 해당 환자의 질환에 긍정적인 치료 효과를 가질 수 있다. 또한 환자가 의료인에 대해 제기한 의료분쟁이 법적 문제로 비화되었을 때 의료인의 과실유무를 판단하는데 중요한 자료가 된다. 경과기록은 각 문제별로 쉽게 알아볼 수 있어야 하며, 문제중심의 경과기록이 널리 이용된다. 이것은 네 가지 부분으로 구성되며 흔히 SOAP 양식이라고 한다.

S: Subject data(주관적 자료)
O: Objective data(객관적 자료)
A: Assessment(평가)
P: Plan(치료 계획)

(1) 주관적 자료(Subject data, S)

문제점에 대한 환자 자신이 주로 제공하는 것으로서, 주소, 주관적인 증상, 병력 등이 해당된다.

(2) 객관적 자료(Objecive data, O)

신체검사, 임상병리검사, 영상의학적 검사 등을 포함하는 의료진이 시행한 검사소견을 포함한다.

(3) 평가(Assessment, A)

상기의 두가지 자료를 토대로 한 의료진의 소견으로써 주로 구체적인 진단명이 기술되며, 정확한 진단이 곤란한 경우에는 잠정진단으로 표시한다.

(4) 치료 계획(Plan, P)

상기에 진단된 질환에 대하여 추후 이루어질 치료 계획 또는 진단적 검사 및 환자 및 보호자에 대한 교육 계획이 포함된다.

4) 협의진단기록지(consultation record)

치과 진료에 있어서 환자에게 심각한 내과적 문제가 있거나, 자신의 전문영역을 벗어난 문제가 발생 또는 의심이 될 경우, 구강악안면외과의사는 의과의 전문의사의 자문이 필요하게 되며 협의진단을 의뢰하게 된다. 이와 같은 경우에는 협의진단기록지(또는 타과의뢰서)를 이용하여 의뢰 내용과 의뢰에 대한 회신을 기록하게 된다. 의뢰서에는 환자의 신원, 의뢰하는 임상가의 평가요약, 동봉하는 자료의 목록, 협의진단에 대한 기대, 의뢰하는 임상가의 신원 등이 포함되어야 한다.

5) 수술동의서(informed consent)

의료진은 외과적인 수술과 특수 시술을 함에 있어서 환자에게 수술이 필요한 이유, 부위, 정도와 그 후유증에 대하여 구체적인 설명을 한 후에, 그에 대한 사전 동의를 받아야 할 업무상 주의의무가 있다. 이러한 설명의무를 다하지 않음으로써 환자의 승낙권을 침해한 경우에는, 수술로 환자가 받은 상해에 대하여 의료진의 과실이 인정된다.

6) 수술기록지(operation record)

수술기록지는 수술을 담당했던 의사가 수술에 대한 내용을 기술적으로 서술하며, 반드시 수술 집도의(operator)와 보조의(assistant)의 서명이 필요하다. 대개의 경우 수술 직후에, 수술에 관한 중요한 관찰 사항 또는 과정들을 누락됨 없이 자세히 기록 한다. 수술기록지에 포함되어야 할 내용들은 다음과 같다.

① 수술 전 진단명(preoperative diagnosis)
② 수술 후 진단명(postoperative diagnosis)
③ 수술명(name of operation)
④ 수술 과정 및 관찰 사항(operation procedure and operation findings)
⑤ 수술 종료 후 환자의 상태
⑥ 수술일자(date of operation)
⑦ 수술 집도의와 보조의의 이름과 서명

7) 퇴원요약지(discharge summary)

퇴원요약지는 입원 중 환자에게 시행된 수술 및 처치와 경과를 기록하여 차후 외래 진료시에 참고하기 위하여 작성되며, 주치의가 환자 퇴원 직후에 기록하여야 한다. 퇴원요약지에 포함되어야 할 내용들은 다음과 같다.

① 입퇴원일
② 주소 및 질환의 상태
③ 신체검사, 임상병리검사, 방사선검사, 특수검사 등의 결과
④ 최종진단명
⑤ 치료 내용 및 경과
⑥ 퇴원 후 계획 및 퇴원약 처방
⑦ 주치의의 서명

8) 외래진료기록지(outpatient records)

외래진료기록지는 입원기록지의 양식과 유사한 형태로 기록하며, 환자가 외래진료를 받을 때마다 내원일, 주소, 병력, 신체조사, 검사명, 검사결과, 치료 및 진료의사의 서명이 기록되어야 한다.

2 의무기록 작성의 예시

1) 입원기록지 예시 1

등록 번호	15098765		
성명	홍 길 동	성별	남
진료과	OMS	연령	68
입원 일시	2015/09/29	입원 호실	4309C

한국대학교병원

입원 기록지

Date		Note	Sign
2015/09/29	CC	위아래로 이가 잘 맞지 않아서	
	PI	상기 68세 남환은 2015년 9월 27일 자정경에 서울시 강남구 보도에서 alcohol drunken state에서 slip down되어 local dental clinic에서 치료받은 후, 상기 주소 지속되어 본원 응급실 통하여 본 과에 입원함.	
	PMH	HTN/DM/Tbc(+/+/-) Benign prostate hypertrophy(+) Penicillin allergy(+)	
	FH	부: HTN, DM, gastric ca.(10 years ago, subtotal gastrectomy) 모: COPD, rheumatoid arthritis	
	SH	Alchohol Hx: 소주 7~8병/week for 10 years Smoking Hx: 15개비/d for 15 years	
	ROS	LOC(+) neck/back pain(-/-) N/V(+/+) headache(+)	
	P/Ex	1) G/A : acute ill-looking appearnce 2) V/S : 145/92-58-20-37.2 3) HEENT : diplopia, Lt. orbital ecchymosis 4) Mouth : gingival bleeding between #37 and #38, Malocclusion, ROM=1 finger 5) Neck : Lt. submandibular swelling 6) Respiratory : bilateral symmetric expansion, CBS 7) Cardiac : RHB 8) Abdomen : soft and flat 9) Musculoskeletal : No grossly abnormality 10) Neurologic : Alert mental state	
	Imp	#1. Blow-out fx, Lt. #2. Fx. mandible, angle, Lt. #3. Cbr. contusion	
	Tx/P	#1. Brain CT taking #2. OR/IF under G/A #3. Discharge with p.o. medication #4. OPD f/u	R.김한국

약어 설명:

HTN: hypertension, DM: diabetes mellitus, Tbc: tuberculosis, COPD: chronic obstructive pulmonary disease, LOC: loss of consciousness, N/V: nausea/vomiting, G/A: general appearance, HEENT: head/eye/ear/nose/throat, ROM: range of motion, CBS: clear breathing sounds, RHB: regular heartbeat, OR/IF: open reduction and internal fixation, G/A: general anesthesia, p.o.: per orally[per os], OPD: outpatient department

2) 입원기록지 예시 2

등록 번호	00168346		
성명	이 순 신	성별	여
진료과	OMS	연령	72
입원 일시	2015/11/4	입원 호실	5113A

한국대학교병원

입원 기록지

Date	Note		Sign
2015/11/4	CC	발치 부위의 통증 및 부종	
	PI	상기 환자 본원 내원 약 3개월 전 하악좌측제1대구치 및 제3대구치 부위의 통증 및 부종을 주소로 local dental clinic에서 I&D 및 항생제요법 시행하였으며, 이후 부종 경감되어 3주 후 동일 치아의 발치 시행함. 발치 후 2개월이 경과한 현재까지 상기 주소 지속되어 본 과에 입원함.	
	PMH	HTN/DM/Tbc(+/-/-) Osteoarthritis(+), Osteoporosis(p.o medication 1회/week for 4 years)	
	FH	부: HTN, CVA Hx. 모: arrhythmia, delirium	
	SH	Alchohol Hx: none Smoking Hx: none	
	ROS	fever/chill(-/-), cough/sputum(-/-), A/N/V/D/C(-/-/-/-/+), Bwt loss(+):1-2kg than 금년봄 general weakness(+)	
	P/Ex	V/S: 110/70-88-20-36.8 G/A: chronic ill-looking app. HEENT: not icteric not anemic no palpable lymph nodes Extraoral: swelling, tenderness, redness on Lt. buccal cheek area Intraoral: fistula(+) on #36 extration site with alveolar bone denuded gingival swelling on #38 extraction site with pus discharge	
	Imp	#1. r/o)BRONJ, mandible, Lt. #2. Buccal space abscess, Lt.	
	Tx/P	#1. Laboratory test #2. Antibiotics therapy and supportive care prn)surgical treatment #3. Discharge with p.o. medication #4. OPD f/u	R.김한국

약어 설명:

CVA: cerebrovascular accident, A/N/V/D/C: anorexia/nausea/vomiting/diarrhea/constipation, Bwt: body weight, r/o: rule out, prn: as required[pro re nata]

3) 의사지시기록지 예시

1) Admission Orders

1. Check V/S q 8h
   q 1h until stable, especially BT or BP
2. Activity limitations : ABR. BR, Ambulation, ABR with SFP
3. Diet : 3. Diet : NPO, SOW, LD, SFD, ND, Ensure
4. Nursing instructions : BST (×/d) with sliding scale etc.
5. IV fluids : D_5W 1/
   2M NaCl 30ml miv with 30 gtt (×/d)
   2M KCl 10ml

   * Children : D_5W 1/
   2M NaCl 12.5 ml miv with 10 gtt (×/d)
   2M KCl 10ml

   D_5W 500ml
   2M NaCl 7.5 ml miv with 5 gtt
   2M KCl 5 ml
6. Medications : Cefamezine 10.g ivs q 8h AST
7. prn medications : prn) Tarasyn 1A IM q 8h for severe pain
   prn) AAP5 1T PO qid
8. 2% Betadine soln 100ml mouth gargle
9. Lab. : CBC with diff, ESR, U/A with ⓜ, E', Chemical B, BUN,
   Coagulation B, ABO & Rh typing, HbsAg & Ab, VDRL etc.
   ECG
10. X-rays : Chest PA
    Skull PA
11. Consult to cardiology for SVT
12. Notify Dr. OOO, if SBP < 90

2) Preoperative Orders

1. Check V/S
2. NPO after MN
3. Get permission
4. Foley catheter insertion
5. Full voiding or Self voiding
6. H/S 1 l iv with 18 gauge needle
7. Prophylactic antibiotics : Cefamezine 1.0 g ivs on call(or q 8h)
8. Premedications : Midazolam 5mg IM on call or prep.
9. Send the patient to the operation room with chart & X-rays at 8:00AM(or on call)

3) Postoperative Orders

1. Check V/S q 15min until stable & then q 4h
2. ABR with 30^0 head elevation
3. NPO until gas-out → SOW → SBD or LD
4. Check I/O qd
5. Keep pressure bandage & cold pack at Op. site
6. Keep Hemovac & L-tube in place
7. Encourage active coughing & deep breathing
8. Frequent oral suction
9. humidification
10. Remained H/S — ml iv with 30 gtt
11. D_5W 1ℓ iv with 30 gtt connect
12. Cefamezine 1.0 g ivs q 8h
13. Cleosin 300mg IM q 12h
14. Bisolvon 1A ivs q 8h(for 2d or more)
15. Botropase 1A IVs q 8h(for 1 or 2d)
16. Mexolon 1A ivs q 8h(for 1d)
17. prn) Tarasyn 1A IM q 6h for severe pain
18. 2% Betadine soln 100 ml mouth gargle
19. lab. & X-rays
20. notify Dr. OOO, if (　　)

4) Discharge Orders

1. Check V/S q 8h
2. Activity limitations
3. Diet
4. Nursing instructions
5. IV fluids
6. Medications
7. Discharge instructions
    i) Medications
    ii) Activity
    iii) Diet
    iv) Hygiene
    v) F/U date

약어 설명:

ABR: absolute bed rest, BR: bed rest, SFP: screen filtration pressure, NPO: nothing by mouth [nulla per os], SOW: sips of water, LD: liquid diet, SFD: small for dates, ND: normal diet, AST: after skin test, AAP: acetaminophen, MN: midnight, H/S: hartmann's solution, I/O: intake/output, IV: intravenous, F/U: follow up

4) 경과기록지 예시

DATE	NOTE	SIGN
2015/09/30	S) pain on Rt. mandible mild headache(+) O) pre-op lab finding CBC: 7,800-15.2-36.4, (CBC-Hg-HCT) BUN/Cr: 25/0.6 Glucose: 95, e': 137-3.9-98 (Na-K-cl) nausea/vomiting(-/-) Brain CT reviewed: WNL A) #1. Blow-out fx, Lt. #2. Fx. mandible, angle, Lt. #3. Cbr. contusion P) #1. Supportive care #2. OP permission	R.김한국
2015/10/01	<Brief OP Note> Surgeon: 이독도 Assistants: 박제주, 김한국 Name of OP: OR/IF OP findings and procedure: 1. Intraoral incision on the external obliquc ridge etc.....	

약어 설명:

op: operation, CBC: complete blood cell counts, BUN/Cr: blood urea nitrogen/creatine, e': electrolyte, WNL: within normal limits, fx: fracture, Cbr.: cerebral

5) 협의진료기록지 예시 1

등록 번호	15098765		
성명	홍 길 동	성별	남
진료과	OMS	연령	68
입원 일시	2015/09/29	입원 호실	4309C

☑응급
☐ 비응급

협의진료기록지

심장혈관내과 김민국 선생님 귀하

의뢰내용

상기 68세 남자환자는 2015년 9월 27일 자정경 slip down으로 수상하여 Blow-out fx. Lt., Fx. mandible angle, Lt.로 전신마취하 OR/IF 시행 예정이십니다. 현재 HTN, DM, BPH 병력으로 medication중으로 고령 및 기저질환에 대하여 전신마취하 수술가능성 및 귀과적 평가 및 처치 위해 의뢰드리오니 부디 고진선처 바랍니다. 감사합니다.

의뢰일시: 2015-09-30　　의뢰과: 구강악안면외과　　의뢰의사: 김대한

회신

<IC note>
Reason for consultation: For pre-operative evaluation
S) chest pain(-), chest discomfort(-), DOE(-), palpitation(-), syncope(-), diziness(-)
PMHx) DM/HTN(+/+), no other h/o cardiac disease, BPH(+)
Acute coronary syndrome: none
O) Chest X-ray: WNL
ECG: WNL
A) Hypertension, Diabetes, BPH
P) 수술의 심장내과적인 금기는 없습니다. Perioperative volume control 및 pain control에 유의하시고 고혈압약 유지하시면서 수술 진행하십시오. 추후 합병증 발생시, 재의뢰 바랍니다. 감사합니다.

회신의사: 김민국

약어 설명:
BPH: benign prostate hypertrophy, DOE: dyspnea on exercise, h/o: history of, ECG: electrocardiogram

6) 협의진료기록지 예시 2

등록 번호	00168346		
성명	이 순 신	성별	여
진료과	OMS	연령	72
입원 일시	2015/11/4	입원 호실	5113A

□ 응급
☑ 비응급

협의진료기록지

혈관내과 원장님 귀하

의뢰내용

상기 72세 여환은 귀원에서 HTN, Osteoarthritis, Osteoporosis로 치료받고 계신 분으로 본원 구강악안면외과에서 r/o)BRONJ, mandible, Lt., buccal space abscess, Lt. 진단하 국소마취하 절개 및 배농술, 수술적 치료 예정입니다.

#1. 현재 환자의 상태가 관혈적 치과치료가 가능한 상태인지 여부와
#2. 치과치료 시 주의사항 및
#3. 현재 환자의 medical diagnosis 및 systemic condition에 관한 평가를

부탁드립니다. 아래에 회신 문안 작성하시어 연락주시면 감사하겠습니다

의뢰일시: 2015-09-30 | 의뢰과: 구강악안면외과 | 의뢰의사: 김대한

회신

<Medical answer>
고혈압, 골관절염, 골다공증으로 본원에서 투약중이신 분으로 혈압 조절은 양호하며 혈전예방제는 들어가지 않고 있습니다.
general condition은 양호하며 다만, 골다공증 약제에 대하여 약 3개월간의 휴약기를 두신 후 귀과적인 치료를 진행하시는 것이 좋을 것으로 사료됩니다.

회신의사: 참좋은내과 김만세

7) 수술기록지 예시

등록 번호	12345678
성명	장 영 실
성별/나이	M/25
수술일	2015/11/30

수술기록지(OMS)

수술 전 진단명	R/O)Dentigerous cyst, Mandible, Rt.		
수술 후 진단명	R/O)Dentigerous cyst, Mandible, Rt.		
수술명	Enucleation, Extraction of #48		
집도의	Pf.이순신	보조의	R.김한국
Anesth.Method	General Anesthesia	Drains	None
Blood loss	20ml	Specimen	Surgical Biopsy
Complication	none		

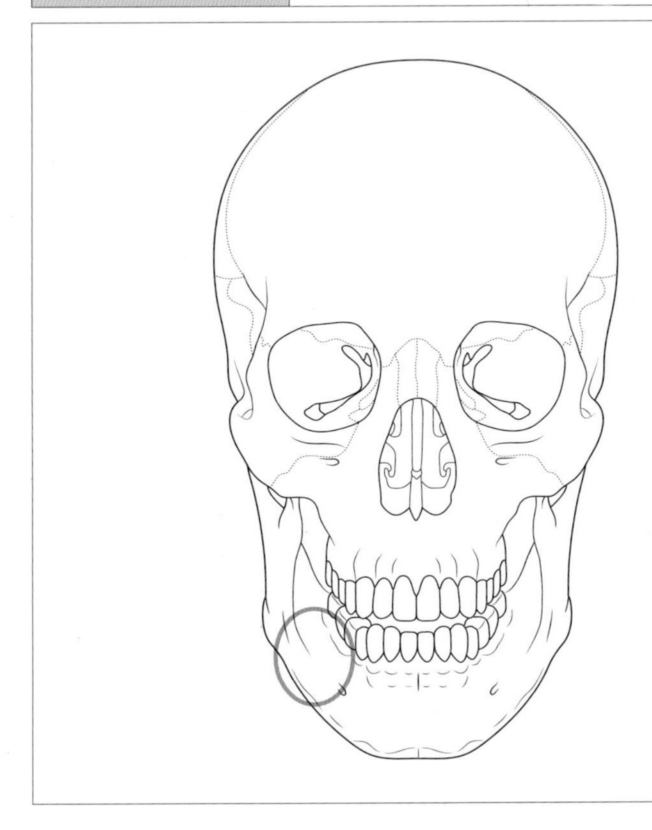

1. G/A
2. Intraoral Incision
3. Enucleation, Extraction of #48
4. Suture

Operative Procedures

〈General anesthesia and drap〉

1. The paitent was arrived at OR room after taking premedication.
2. ECG monitoring leads were adapted & started.
3. General anesthesia induced by the combination of inhalational & intravenous agents.
4. Left nasal endotracheal intubation was performed & the tube secured into position after good breathing sound were heard bilaterally on auscultation.
5. The patient was prepped & draped in the usual pattern.

〈Intra-oral Procedure〉

1. 2% HCl lidocaine with 1:100,000 epinephrine solution were injected at OP site.
2. Circular incision was done by No.15 blade.
3. Mucoperiosteal flap elevation was done by periosteal elevators.
4. The lesion was removed by surgical curette, freer.
5. Removal of #48 was done by extraction elevator.
6. Bleeding control was achieved by electro-coagulator.
7. Surgicel was applied after copious irriation.
8. Suture was made. (3-0 vicryl)
9. The nasoendotracheal tube was removed in the OR room.
10. The patient was returned to Ward in good health via PAR & state of pressure dressing.

의뢰일시: 2015-11-30 전공의 : 김한국 (인) 담당교수 : 이순신 (인)

약어 설명:

OR: operating room, PAR: postanesthetic recovery room

8) 퇴원요약지 예시

등록번호	12345678	환자명	홍길동	생년월일	901234	성별/나이	M/25
입원일	2015/11/29			퇴원일	2015/12/02		

<table>
<tr><th colspan="3">최종진단명</th></tr>
<tr><td>주진단명</td><td colspan="2">1. R/O)Dentigerous Cyst, Mn. Rt.</td></tr>
<tr><td>부진단명</td><td colspan="2">2. Impacted tooth of #48</td></tr>
<tr><td>C.C</td><td colspan="2">오른쪽 아래턱에 물혹이 있다고 해서</td></tr>
<tr><td>현병력(PI)</td><td colspan="2">2015년 11월 1일 하악 우측 사랑니 제거 위해 치과 방문 후, 하악 우측 부위의 물혹 발견되어
전신마취 하 수술위해 본원 입원함.</td></tr>
<tr><td>주요신체
검진결과</td><td colspan="2">Wt Change(-) , Fever/Chill(-/-), Cough/Sputum/Rhinorrhea/Congestion(-/-/-/-)
Dyspnea/Dysphagia(-/-/-), Swelling/Tenderness/Heat/Numbness(-/-)</td></tr>
<tr><td>검사소견</td><td colspan="2">2015.11.13. CBCT reviewed:
1. Radiopaque lesion at Mandible, Rt.
2. Buccolingual cortical bone expansion & thinning
3. Right Inferior alveolar canal lingual dislocation
4. Impacted tooth of #48
2015.11.25. Labatory Test :
CBC : WBC(9.06), RBC(4.10), Hb(13.0), HCT(37.8)
Electrolyte/Chemical : Calcium(9.2), Glucose(112), Creatinine(0.70), Uric acid(3.8), Cholesterol(125), Albumin(4.1), AST(12), ALT(18), Na Serum(144), Potassium Serum(4.0), Chloride Serum(102), BUN(15.0), CRP(3.24)</td></tr>
<tr><td>수술</td><td colspan="2">[2015.11.30.]- 수술명 : Enucleation, Extraction of #48,
집도의 : Pf.이순신, 마취방법 : General anesthesia</td></tr>
<tr><td rowspan="5">퇴
원
요
약</td><td>치료경과 및 결과</td><td>2015/11/29 : Adm. 2015/11/30 : OP under G/A
2015/12/1-2 : Daily Dressing with Antibiotics
2015/12/2 : Discharge with Po medication</td></tr>
<tr><td>퇴원처방</td><td>Cefaclor 250mg/Cap, Misoprostol tab 200mcg
Acetaminophen Tab 650mg Tid P.O. for 7days</td></tr>
<tr><td>퇴원 시 환자상태</td><td>☑ 경쾌 또는 회복 ☐ 호전안됨 ☐ 진단뿐 ☐ 자의퇴원
☐ 타병원 이송 ☐ 가망없는 퇴원 ☐ 48시간 사망
☐ 48시간 이후 사망 ☐ 수술중 사망</td></tr>
<tr><td>퇴원 후 진료계획</td><td>OPD f/u</td></tr>
<tr><td>퇴원장소</td><td>☑ 자가 ☐ 요양병원 ☐ 2차 종합병원
☐ 요양시설 ☐ 기타( )</td></tr>
<tr><td colspan="3">2015년 12월 2일
담당교수 이순신 (인)</td></tr>
</table>

약어 설명:

Adm.: admission

15098765
홍 길 동(M/68)
470715-1

전신 마취 동의서(OMS)-예시

(General Anesthesia Informed Consent : OMS)

진 단 명 (환자의 현 상태 포함)	#1. Blow-out fx, Lt. #2. Fx. mandible, angle, Lt. #3. Cbr. contusion
수 술(검 사) 명	OR/IF
마 취 의	Pf.이순신

1. 마취의 목적 및 필요성

병의 진단 혹은 치료를 위한 수술, 수기를 고통없고 안전하게 수행하기 위해 마취가 필요합니다. 특히, 과거 질병이 있거나, 심혈관계, 호흡기 그리고 각종 대사성 질환이 동반된 중환자의 경우, 수술 중 안전한 질병 관리가 필요하므로 수술동안 마취과 의료진으로부터 세심하고 전문적인 관리를 받게 됩니다. 또한, 수술 후 적절한 통증관리를 통해 회복에도 도움을 받을 수 있습니다.

2. 마취의 과정 및 방법

전신마취; 수술 전 불안을 감소시키기 위한 소량의 진정제를 투여할 수 있으며, 수술실 입실 후 활력징후 모니터링 후 안전한 마취유도와 삽관을 하고 수술 진행 중의 환자의 항상성을 유지하기 위해 약물, 수액 또한 필요 시 수혈까지 시행될 수 있습니다. 수술 중 환자의 상태를 확인하기 위한 검사도 추가될 수 있습니다. 수술이 종료되고 안전한 회복을 시킨 후 발관이 이루어지고 자발호흡을 돕기 위한 산소요법이 시행됩니다.

3. 마취 과정 중 발생할 수 있는 문제점

1. 마취유도시 기존 환자상태, 탈수, 그리고 약물이상반응 등 여러 요인으로 인한 쇼크, 저혈압, 드물게 심정지 등이 발생할 수 있으나 적절한 마취전 검사와 처치로 최소화할 수 있습니다.
2. 기관삽관시 기도경련, 저환기, 드물게 삽관 실패 등으로 인해 기도손상, 일시적 저산소증 등이 올 수 있습니다. 기도삽관 시 심한 혈압상승으로 인해 허혈성 심질환자에게 심허혈, 심근경색 등이 일어날 수 있으며 드물게 뇌출혈(출혈경향 환자는 특히 위험)도 발생할 수 있습니다.
3. 수술중각성의 위험을 줄이기 위해 뇌파를 분석하여 각성상태를 감시하는 장비를 사용할 수 있습니다.
4. 침습적 수술이거나 환자상태가 위험한 경우 동맥압, 중심정맥압 모니터를 위해 동맥관천자나 중심정맥천자를 해야 합니다. 동맥관천자 시 감염, 혈종, 혈전, 색전증 등의 합병증이 올 수 있으며 중심정맥천자시 기흉, 혈흉, 혈종, 감염, 출혈 등의 합병증이 발생할 수 있습니다. 그 외 심혈관계 질환(고혈압, 협심증, 심근경색증)이나 폐질환, 그 외 기저질환자에는 각각의 질환에 맞는 처치와 모니터가 추가될 수 있으며 최대한 안전하게 수술을 받으실 수 있도록 합니다.
5. 마취 중 저혈압, 출혈로 인한 저혈량증 등으로 인해 수액 투여하거나, 수혈할 수있습니다.
6. 마취 중 환자상태의 파악을 위해 동맥혈 가스분석검사 등의 혈액검사나 방사선검사가 실시될 수있습니다.
7. 수술 후 환자 각성 후 발관하고 회복실이나 중환자실로 이송됩니다. 이때 통증조절을 위해 마약이나 PCA(자가 조절 진통법)를 사용할 수 있습니다.
8. 적절한 수술 종료 후 자발호흡이 미흡한 경우나 폐질환 등의 경우 중환자실에서 호흡기치료를 받아야 할 수도 있습니다. 심혈관계 질환 등으로 활력징후가 불안정한 환자도 중환자실치료가 필요할 수 있습니다.

4. 회복과 관련하여 발생 가능한 합병증 및 후유증

1. 기도발관 후에 일시적으로 쉰목소리, 목의 통증, 구강내 출혈, 부종 등이 발생할 수 있습니다.
2. 수술 후 통증조절을 위해 투여한 마약성 진통제나 자가진통조절기 등으로 인해 호흡억제, 구역, 가려움증 등이 있을 수 있으며, 증상 발생 시 연락 주시면 적절한 투약 등으로 처치해 드릴 수 있습니다.
3. 수술 후 통증조절을 위해 사용하는 마약성 진통제들은 회복에 나쁜 영향을 미치지는 않으며, 오히려 회복에 도움이 되는 경우가 많으므로 사용을 꺼려하실 필요는 없습니다.

5. 마취 이외의 가능한 대안법

머리나 얼굴의 작은 부위의 간단한 수술은 국소 마취로 시행할 수 있으나 거의 대부분의 경우는 전신마취 없이는 수술이 불가능합니다.

6. 마취를 하지 않았을 경우 발생 가능한 문제점

수술의 진행이 불가능합니다.

전신 마취 동의서(OMS)
(General Anesthesia Informed Consent :OMS)

한국대학교병원

062911

15098765
홍 길 동(M/68)
470715-1

1. 본인(또는 환자)에 대한 현 상태, 수술(시술, 검사)의 목적 및 효과, 수술(시술, 검사)의 과정 및 방법, 수술(시술, 검사) 과정중 발생할 수 있는 문제점, 수술(시술, 검사) 후 발생 가능한 합병증 및 후유증, 수술(시술, 검사) 이외의 가능한 대안법, 치료를 하지 않았을 경우 발생 가능한 문제점 등에 대한 설명을 의사로부터 듣고 이해하였습니다.
2. 본 수술(시술, 검사)로써 불가항력적이나 일반적으로 야기될 수도 있는 합병증(또는 후유증)이나 환자의 특이 체질로 인한 우발적 사고가 일어날 수도 있다는 것을 충분히 이해하였습니다.
3. 안전한 수술(시술, 검사)을 위한 수술(시술, 검사)부위 표식의 필요성에 대한 설명을 들었으며, 표식을 원치 않아 시행하지 않을 경우 발생할 수 있는 위험에 대하여 충분히 이해하였습니다.
4. 따라서, 귀 병원에 상기의 수술(시술, 검사)을 실시하여 줄 것을 서면으로 요청하며, 다음 사항에 대해 성실히 고지하며, 이에 따른 의학적 처리를 주치의 판단에 위임하여 상기 수술을 하는데 동의합니다.
5. 본인(또는 환자)은 수술(시술, 검사)중 예정된 수술(시술, 검사)에 변동사항이 생길 경우 보호자에게 설명할 수 있음을 충분히 이해하였습니다.
6. 본인(또는 환자)의 자발적인 이해에 근거하여 이 동의서에 서명합니다.

작성 날짜	2015.09.30.	
주치의(설명의사)	R.김한국 (서 명)	
환 자	홍길동 (서 명)	연락처(☎) : 010-123-5678
대 리 인 (환자의 ________)	(서 명)	연락처(☎) :
대리사유	(　) 환자가 의사결정을 할 수 없는 신체적, 정신적 장애가 있음 (　) 동의서 내용 설명시, 환자의 심신에 중대한 영향을 미칠 우려가 있음 (　) 환자 본인이 특정인에게 동의의 권한을 위임하였음 (　) 미성년자 (　) 기타 (　　　)	

※ 상기 의사의 상세 설명은 이면지 또는 별지를 사용할 수 있으며, 환자가 본 동의서의 사본을 요청할 경우 지정 절차에 의해 교부할 수 있다.
※ 본 동의서는 환자 본인에 의한 동의(서명)를 우선으로 하며, 본인이 미성년자이거나 정신적 또는 신체적 장애로 인하여 서약이 불가능할 때에는 환자가 지정한 또는 법적대리인이 서명하도록 한다.

한국대학교 병원장 귀하

전신 마취 동의서(OMS)
(General Anesthesia Informed Consent : OMS)

한국대학교병원

062911

15098765
홍 길 동(M/68)
470715-1

수술 동의서(OMS)-예시

(Operation Informed Consent : OMS)

진 단 명 (환자의 현 상태 포함)	#1. Blow-out fx, Lt. #2. Fx. mandible, angle, Lt. #3. Cbr. contusion
수술(시술, 검사) 명	OR/IF
수술(시술) 부위(방향)	안면 및 악골
수술(시술) 집도의	Pf.김한강

1. 수술(시술, 검사)의 목적 및 필요성

본 수술은 귀하의 골절부를 최소한의 합병증을 통하여 회복하고자 함에 있습니다.

2. 수술(시술, 검사)의 과정 및 방법

(뒷장 그림과 함께 설명)

- 절개 – 입 안 : 시야확보 어려움. 흉터 적음.
  – 입 밖 : 시야확보 양호. 흉터 생김.

3. 수술(시술, 검사) 과정 중 발생할 수 있는 문제점

- 출혈 : 수혈 가능성 – 합병증 : 감염 (간염 등), 면역반응(체온상승, 오한, 과민반응)
- 신경 손상 : 운동신경 – 입술움직임, 코, 이마 찡그리거나 얼굴표정 부자연스러워질 가능성
  감각신경 – 입술, 입 주변, 혀 감각 소실
- 신경소실 시 6개월 ~ 1년 정도의 회복기간 필요. 5%에서는 영구적 손상.
- 치아 손상 : 시린 증상, 동요 생길 가능성 – 신경치료, 발치 가능성

4. 회복과 관련하여 발생 가능한 합병증 및 후유증

- 통증 : 진통제 조절
- 부종 : 약, 얼음찜질, 압박 붕대 -> 술 후 2일째까지는 많이 부음. 3일째부터 가라앉기 시작.
- 감염 : 상처부위에 염증 가능성. – 고름, 골수염 발생 시 재수술 가능성
- 근육 손상 : 1 ~ 2 주 정도의 회복기간 필요. 꾸준한 연습으로 회복.
- 교합 이상 : 이가 잘 안 맞는 느낌 – 추후 치료 필요 가능성

5. 수술(시술, 검사) 이외의 가능한 대안법

보존적인 악간고정치료가 가능할 수 있습니다.

6. 치료를 하지 않았을 경우 발생 가능한 문제점

골절부의 염증, 불유합 및 골수염 등의 합병증이 발생할 수 있습니다.

7. 안전한 수술(시술, 검사)을 위한 수술부위 표식이 필요합니다.

수술(시술, 검사)부위 표식은 수술(시술, 검사) 시행자가 수술(시술, 검사)할 부위를 재확인하게 하고, 치료와 관련 없는 다른 부위를 수술(시술, 검사)하게 되는 위험을 예방하는 절차입니다. 이에, 표식이 지워지지 않도록 굵은 펜을 사용하여 수술(시술, 검사)부위에 정해진 표식을 하게 되며, 표식이 지워지기까지 다소 시간이 걸릴 수 있습니다.

수술 동의서(OMS)
(Operation Informed Consent(OMS))

한국대학교병원

062801

15098765
홍 길 동(M/68)
470715-1

1. 본인(또는 환자)에 대한 현 상태, 수술(시술, 검사)의 목적 및 효과, 수술(시술, 검사)의 과정 및 방법, 수술(시술, 검사) 과정중 발생할 수 있는 문제점, 수술(시술, 검사) 후 발생 가능한 합병증 및 후유증, 수술(시술, 검사) 이외의 가능한 대안법, 치료를 하지 않았을 경우 발생 가능한 문제점 등에 대한 설명을 의사로부터 듣고 이해하였습니다.
2. 본 수술(시술, 검사)로써 불가항력적이나 일반적으로 야기될 수도 있는 합병증(또는 후유증)이나 환자의 특이 체질로 인한 우발적 사고가 일어날 수도 있다는 것을 충분히 이해하였습니다.
3. 안전한 수술(시술, 검사)을 위한 수술(시술, 검사)부위 표식의 필요성에 대한 설명을 들었으며, 표식을 원치 않아 시행하지 않을 경우 발생할 수 있는 위험에 대하여 충분히 이해하였습니다.
4. 따라서, 귀 병원에 상기의 수술(시술, 검사)을 실시하여 줄 것을 서면으로 요청하며, 다음 사항에 대해 성실히 고지하며, 이에 따른 의학적 처리를 주치의 판단에 위임하여 상기 수술을 하는데 동의합니다.
5. 본인(또는 환자)은 수술(시술, 검사)중 예정된 수술(시술, 검사)에 변동사항이 생길 경우 보호자에게 설명할 수 있음을 충분히 이해하였습니다.
6. 본인(또는 환자)의 자발적인 이해에 근거하여 이 동의서에 서명합니다.

작성 날짜	2015.09.30.	
주치의(설명의사)	R.김한국 (서 명)	
환 자	홍길동 (서 명)	연락처(☎) : 010-123-5678
대 리 인 (환자의________)	(서 명)	연락처(☎) :
대리사유	( ) 환자가 의사결정을 할 수 없는 신체적, 정신적 장애가 있음 ( ) 동의서 내용 설명시, 환자의 심신에 중대한 영향을 미칠 우려가 있음 ( ) 환자 본인이 특정인에게 동의의 권한을 위임하였음 ( ) 미성년자 ( ) 기타 ( )	

※ 상기 의사의 상세 설명은 이면지 또는 별지를 사용할 수 있으며, 환자가 본 동의서의 사본을 요청할 경우 지정 절차에 의해 교부할 수 있다.
※ 본 동의서는 환자 본인에 의한 동의(서명)를 우선으로 하며, 본인이 미성년자이거나 정신적 또는 신체적 장애로 인하여 서약이 불가능할 때에는 환자가 지정한 또는 법적대리인이 서명하도록 한다.

한국대학교 병원장 귀하

수술 동의서(OMS)
(Operation Informed Consent(OMS))

한국대학교병원

062801

9) 외래기록지 예시

등록 번호	09748942
성명	김 춘 추
성별/나이	M/45
생년월일	700430

구강악안면외과 외래초진기록

CC :	오른쪽 아래 사랑니가 가끔 아파요.
PI :	상기 환자 본원 내원 1주일 전부터 지속된 하악 우측 제3대구치부위의 잇몸 부종 및 통증으로 본원 외래 내원함.

<table>
<tr><td rowspan="2">PMHx :</td><td>DM:</td><td>(-)</td><td>HTN:</td><td>(-)</td><td>Hepatitis:</td><td>(-)</td></tr>
<tr><td>Tbc:</td><td>(-)</td><td>기타:</td><td colspan="3">N-S</td></tr>
<tr><td colspan="2">Op. Hx :</td><td>☐ 없음:
☑ 있음:</td><td colspan="4">2009년 교통사고로 우측 전완부 골절 수술</td></tr>
<tr><td colspan="2">Medication Hx:</td><td>aspirin/plavix</td><td colspan="4">(- / -)</td></tr>
<tr><td colspan="2">Allergy:</td><td>☑ 없음:
☐ 있음:</td><td colspan="4"></td></tr>
</table>

<table>
<tr><td>S.H :</td><td>Occupation:</td><td>공무원</td><td>Alcohol/Smoking (+ / +)</td></tr>
<tr><td>ROS :</td><td>A/N/V/D/C
fever/chill
C/S/R
기타:</td><td colspan="2">(- / - / - / - / -)
(- / -)
(- / - / -)</td></tr>
<tr><td>P/Ex :</td><td>Head & Neck</td><td colspan="2">mild swelling with pus discharge on #48 area
partially impacted of #48, local heating(+), ROM=2 fingers</td></tr>
</table>

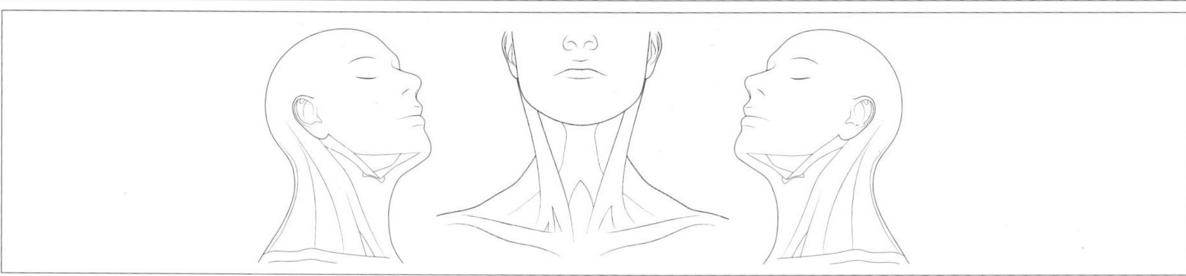

Impression :	Pericoronitis with impacted tooth of #48
Plan :	#1. Surgical curettage with antibiotics therapy #2. Surgical extraction of #48

작성일시 : 2015/11/29　　　　작성자 : R. 김한국

한국대학교병원

약어 설명:

C/S/R: cough/sputum/rhinorrhea

입원기록지

등록 번호			
성명		성별	
진료과		연령	
입원 일시		입원 호실	

○○ 대학교병원
입원 기록지

Date	Note		Sign
	CC		
	PI		
	PMH		
	FH		
	SH		
	ROS		
	P/Ex		
	Imp		
	Tx/P		

협의진료기록지

등록 번호			
성명		성별	
진료과		연령	
입원 일시		입원 호실	

☑ 응급
☐ 비응급 **협의진료기록지**

선생님 귀하

의뢰내용

의뢰일시 : 의뢰과 : 의뢰의사 :

회신

회신의사: 김민국

경과기록지

DATE	NOTE	SIGN

외래기록지

등록 번호		구강악안면외과 외래기록
성명		
성별/나이	/	
생년월일		

C.C :	
P. I :	

PMHx : DM:		HTN:		Hepatitis:	
Tbc:		기타:			
Op. Hx :	□ 없음: □ 있음:				
Medication Hx:	aspirin/palavix	(/)			
Allergy:	□ 없음: □ 있음:				

S.H : Occupation:		Alcohol/Smoking	(/)
ROS :			
기타:			
P / E x : Head & Neck			

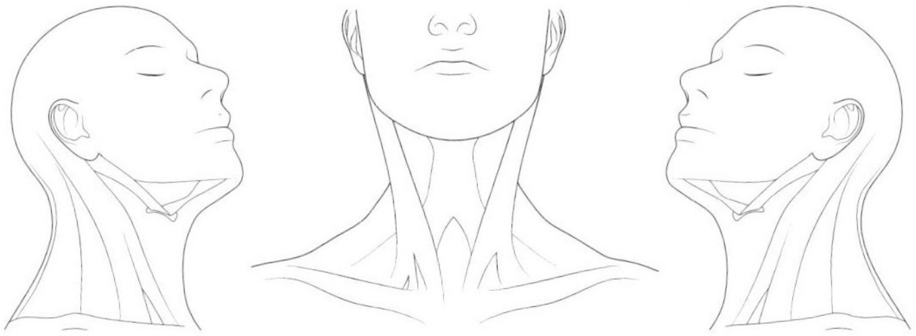

Impression :	
Plan :	

작성일시 :

작성자 :

한국대학교병원

수술동의서

15098765
홍 길 동(M/68)
470715-1

수술 동의서(OMS)

(Operation Informed Consent : OMS)

진 단 명(환자의 현 상태 포함)	특이사항 :
수술(시술, 검사) 명	
수술(시술) 부위(방향)	
수술(시술) 집도의	

1. 수술(시술, 검사)의 목적 및 필요성	
2. 수술(시술, 검사)의 과정 및 방법	
3. 수술(시술, 검사) 과정 중 발생할 수 있는 문제점	
4. 회복과 관련하여 발생 가능한 합병증 및 후유증	
5. 수술(시술, 검사) 이외의 가능한 대안법	6. 치료를 하지 않았을 경우 발생 가능한 문제점
7. 안전한 수술(시술, 검사)을 위한 수술부위 표식이 필요합니다.	

수술 동의서(MS)
(Operation Informed Consent(MS))

한국대학교병원

0 6 2 8 0 1

실습평가표

실습제목	환자면담, 병력청취, 진단 및 치료계획 수립		
학생 번호		성명	
지도의 성명		서명(인)	

구분	평가 항목	점수
입원기록지	환자의 병력, 주소, 증상, 신체검진, 진단 및 향후 치료계획을 적절히 기록하였는가?	
경과기록지	환자의 진단, 검사 및 치료 과정을 발생 순서대로 적절히 기록하였는가?	
협의진료기록지	의뢰서에 환자의 신원, 의뢰하는 임상가의 평가, 동봉하는 자료, 협의진단에 대한 기대, 의뢰하는 임상가의 신원에 대하여 적절히 기록하였는가?	
수술동의서	환자에게 수술이 필요한 이유, 부위, 정도와 후유증 등에 대하여 구체적인 설명 후, 환자의 동의를 적절히 받을 수 있는가?	
외래기록지	환자의 내원일, 주소, 병력, 신체검진, 검사명, 검사결과, 치료 및 의사의 서명이 적절히 기록되었는가?	
의사지시 기록지	환자에 대한 생징후 측정이나 활동도, 각종 투약, 필요한 검사 및 수술, 간호사에게 요구하는 환자에 대한 처치에 대한 내용이 적절히 기록되었는가?	
총점		

참고문헌

1. 대한구강악안면외과학회 교과서 편찬위원회. 구강악안면외과학교과서, 제3판, 의치학사; 2013
2. Huffman, Edna K. Medical record management, 8th ed. Berwyn: Physician's record Co.; 1992
3. Sandlow, Leslie J, Bashook Phillip G. Problem oriented medical record. Chicago: Micheal Reese hospital and medical center; 1978
4. James R. Hupp, Edward Ellis III, Myron R. Tucker. Contemporary Oral and Maxillofacial Surgery, 5th ed. St. Louis: Mosby; 2008
5. Barbara Bates. A guide to physical examination and history taking, 4th edition. Philadelphia: Lippincott; 1987
6. Baum BJ. Inadequate training in the biological sciences and medicine for dental students. J Am Dent Assoc 2007;138:16-25
7. Boland BJ, Wollan PC, Silverstein MD. Review of systems, physical examination, and routine test for case-finding in ambulatory patients. Am J Med Sci 1995;309:1994-2000
8. Cole AS, Bird J. The medical interview, 2nd ed. St. Louis: Mosby; 2000
9. Lipkin M Jr, Quill TE, Napodano RJ. The medical interview: a core curriculum for residencies in internal medicine. Ann Intern Med 1984;100:277-84
10. Coleman GC, Nelson JF. Principles of ora diagnosis. St. Louis: Mosby; 1993
11. Lewis MAO, Lamey P. Clinical oral medicine. Oxford: Butterworth-Heinemann Ltd.; 1993
12. Little JW, Falace DA, Miller CS, Rhodus NL. Dental management of the medically compromised patient, 6th ed. St. Louis: Mosby; 2002
13. van Klei WA, Grobbee DE, Rutten CL, et al. Role of history and physical examination in preoperative evaluation. Eur J Anaesthesiol 2003;20:612
14. Michota FA, Frost SD. The preoperative evaluation: use the history and physical rather than routine testing. Cleve Clin J Med

Chapter 03

소독 및 수술실에서의 Procedure

학·습·목·표

- 술사, 환자 및 수술실의 무균적 처치 방법을 설명할 수 있다.
- 외과적으로 손 씻기를 올바르게 할 수 있다.
- 수술실에서 수술 가운 착용을 올바르게 할 수 있다.
- 외래에서 일반적인 글로브 착용을 올바르게 할 수 있다.
- 수술 가운과 글로브 착용을 올바르게 할 수 있다.
- 기구소독법의 종류와 그 장단점을 설명할 수 있다.

이 장은 구강악안면외과 진료 및 수술시 기초가 되는 소독 및 무균처치의 개념 등을 숙지하고 실제 손 씻기, 수술 가운 및 글로브 착용 등을 정확히 할 수 있도록 하는데 그 목적이 있다.

1 수술실에서의 무균처치 개념

감염 방지는 외과 시술에서 필수적인 것이며 기구, 설비 및 부품의 소독이나 올바른 드레싱에만 국한되는 것이 아니므로 주위 환경의 병원균 감소에 대한 필요성을 인식하는 것도 매우 중요하다. 외과의사는 병원 직원 및 환자들간의 교차감염 방지와 실내공기 중 미생물 감소 및 무균상태를 파괴하는 직원의 실수나 부주의 등을 항상 유의해야 한다.

1) 수술팀의 무균처치

(1) 무균처치를 위한 기본준비

수술실에서의 무균처치를 위하여 술자 자신을 포함한 수술팀 모두가 다음의 장비들을 착용한다.

① 소독가운
② 수술모자
③ 수술신발
④ 소독마스크 : 최근 섬유유리(fiber glass)가 함유된 마스크가 개발되어 술자의 입이나 코에서 기인되는 오염인자들을 95~100% 까지 여과해내고 있다. 수술실의 오염은 수술실내의 인원수, 움직임 및 수실팀 간의 대화량에 정비례한다는 연구결과도 있는 만큼 수술실에서는 될 수 있는 대로 필요없는 움직임을 삼가고 정숙한 분위기를 유지하도록 한다. 경미하나마 상기도 감염 등이 있는 수술 인원은 오염원이 될 수 있으므로 수술팀 구성원에서 제외시킬 수 있다.

(2) 술자 손의 소독

술자 손의 소독은 피부표면의 세균과 부착품을 기계적으로 제거해내고 동시에 소독약을 이용해서 화학적으로 처치하는 행위를 말한다.

(3) 수술 가운 및 수술 장갑의 착용

소독가운을 착용할 때에는 보조자의 도움이 필요하지만 수술장갑의 착용은 보조자의 도움이 없이도 착용 가능하다.

2) 환자의 소독

(1) 구강 내 소독

구강 내 소독은 수술부위가 구강 내 일부에 국한된다 하더라도 구강 전체를 모두 소독해야 한다. 왜냐하면 구강은 점막으로 덮여 구석구석 까지 연결이 되어 있고 타액에 의하여 항상 노출되어 있기 때문이다. 구강내의 치아와 점막 모두를 소독하는데 이용되는 소독약은 10% 베타딘 용액이나 요오드팅크(iodine tincture), H_2O_2 및 chlorhexidine 등이 있다 가 있다. 구강 내 접근을 하더라도 구강주위 소독은 필요한데 구강 내 소독 후 비첨, 비익, 구각부 및 하악골 하연 등 구강을 중심으로 10~15cm의 범위는 소독한다. 구순부는 구강 내 소독약을, 안면 피부는 피부 소독에 이용된 소독약을 이용하는 것이 보통이다.

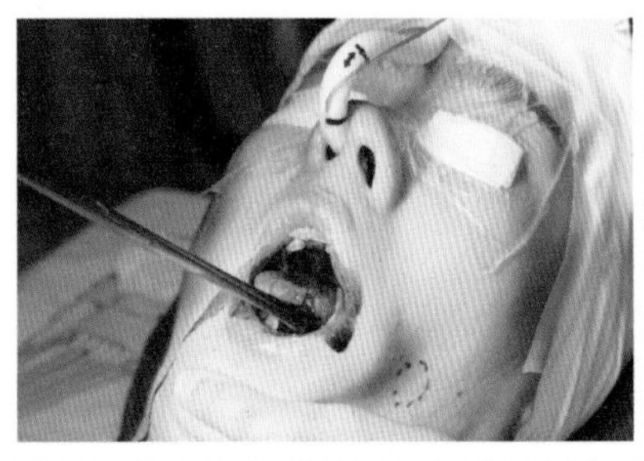
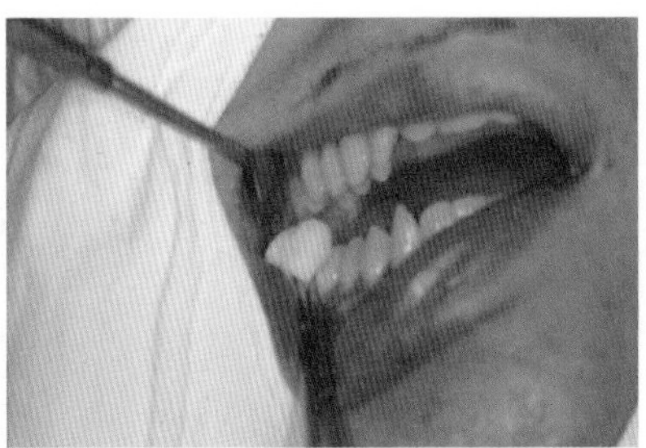
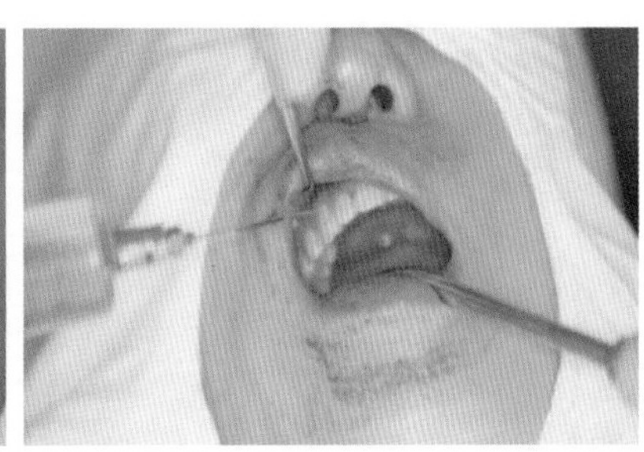

그림 3-1. 구강내 소독

(2) 피부의 소독

술전에 수술부위의 모발은 제거하도록 하는데 단순한 면도는 오히려 절개부위의 감염을 증가시킬 우려가 있다. 모발을 탈모제를 이용하여 제거하거나 전혀 제거하지 않는 것은 수술부위 감염에 미치는 영향에 큰 차이가 없다고 하며 술전 모발 제거는 필요할 경우에만 국한하여 시행하도록 한다.

피부소독에 가장 많이 쓰이는 소독제는 요오드 화합물인 베타딘이며, 이는 자극성이 적고 요오드가 복합체로부터 천천히 유리되어 소독효과가 좋다. 구체적인 소독 방법은 다음과 같다.

① $10 \times 15cm^2$ 당 1ml의 베타딘을 도포하고 멸균 브러쉬 혹은 멸균 브러쉬 혹은 멸균 스폰지로 5분간 충분히 마찰시킨다. 이때 절개가 가해질 부위를 가장 먼저 닦고 점차 원심방향으로 동심원을 그려나가도록 하여 한번 소독된 부위가 브러쉬에 의해 다시 접촉되는 일이 없도록 한다.

② 멸균거즈를 이용하여 소독 시 발생한 거품을 닦고 다시 베타딘을 도포한다.

③ 두 번째 도포한 후에는 닦아내지 않고 그대로 건조시킨다.

④ 필요한 경우 70% ethyl alcohol로 탈색한다.

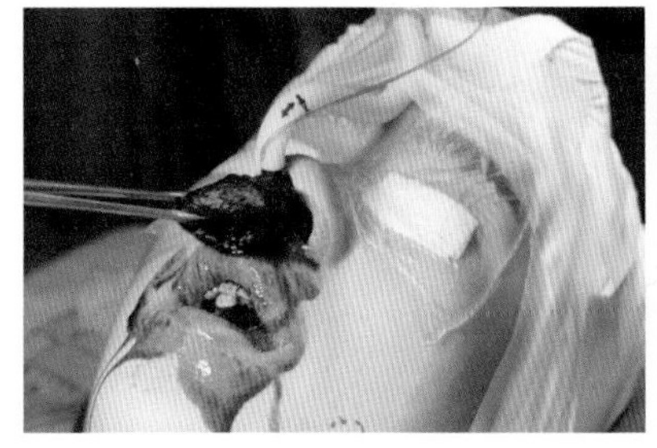
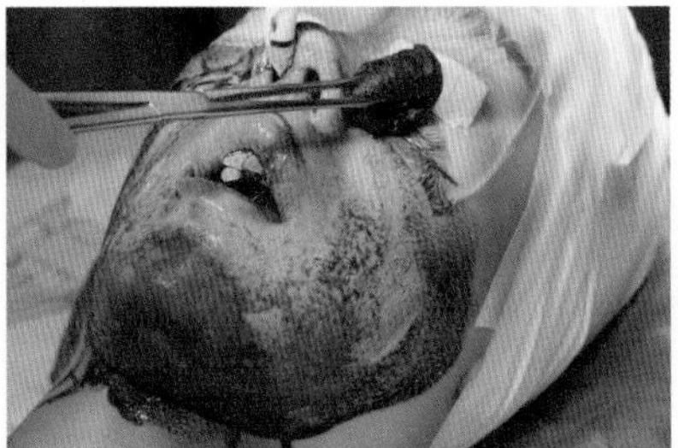
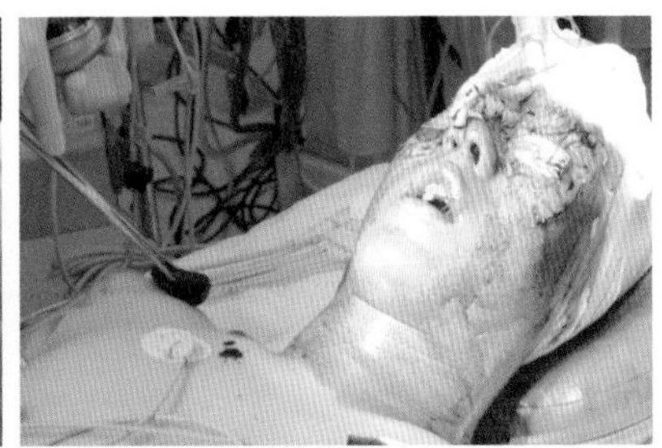

그림 3-2. 피부의 소독

(3) 방포(drapping)

소독되지 않은 부분은 멸균천으로 완전히 피복하고 소독된 수술부위 만을 노출시키는 것을 원칙으로 한다. 구강악안면 영역의 수술인 경우는 우선 두부를 감싸는 double head drap을 실시하고 수술부위의 주변에 멸균포를 덮은 다음 멸균된 공포(가운데 구멍이 뚫린 천)로 덮어 수술부위만을 노출시킨다.

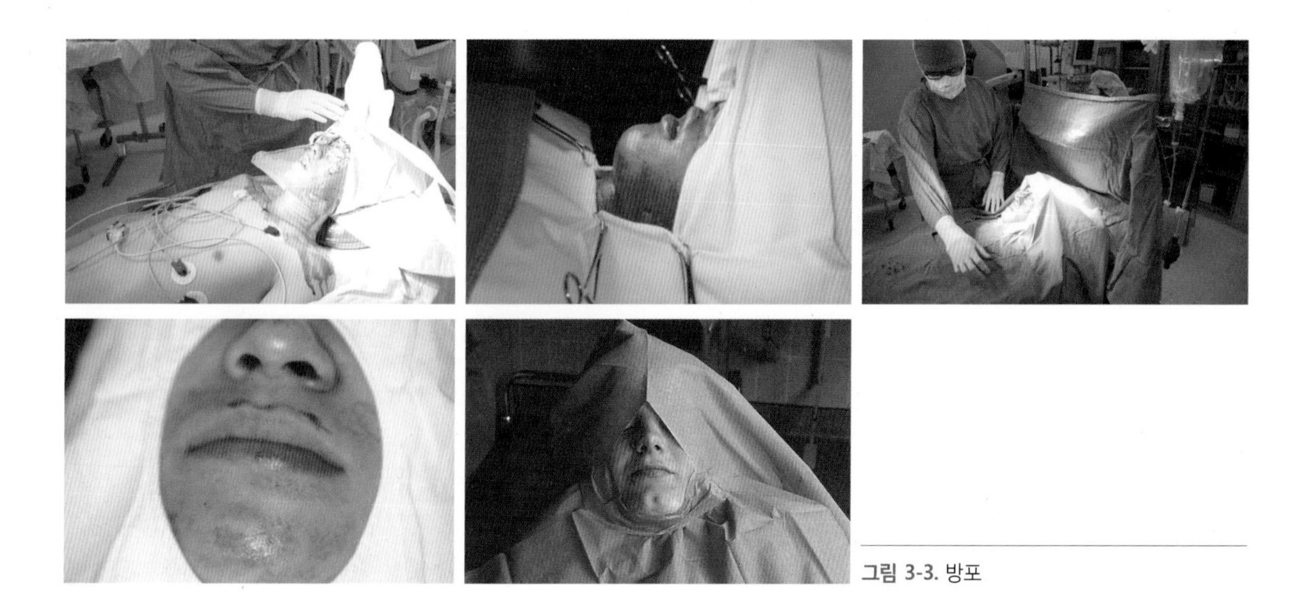

그림 3-3. 방포

수술부위 이외에 술자와 조수의 몸이 닿기 쉬운 곳과 수술대와 마취기의 사이 등에도 멸균천을 덮어 소독부위를 불결 부위와 격리시킨다. 수술부위의 소독 후 멸균처리된 폴리비닐 제제의 surgical drap을 공기가 사이에 들어가지 않도록 소독 부위에 밀착시키고 이 위에 절개를 직접 가하기도 하는데 피부소독의 관점에서 유용한 방법이다.

3) 수술실의 무균처치

수술실 크기는 통상 합리적인 동선확보를 위해 최소한 $6 \times 6m^2$ 이상 되는 것이 바람직하며 또한 수술실내 천정, 벽 및 바닥 등은 소독약품을 반복사용해도 마모나 표면박리를 일으키지 않는 편평하고 내구성이 강한 재질로 이루어져야 한다.

수술실 출입 시 실내공기 오염을 방지하기 위해서는 문이 한 번에 한쪽만 열리는 에어락커(air locker)라든지 에어샤워(air shower) 등의 설비가 바람직하며 또한 안정된 실내로부터 수술실내로 오염된 공기의 흡인을 피하기 위해서는 양압식 여과환기가 필요하다.

현재 많은 병원에서 수술실내 환기되는 공기의 청정도를 유지하기 위해 HEPA(high frequency efficiency particular air) 필터 설치와 실내온도, 공기의 흐름을 조절할 수 있는 고가의 장비를 설치하여 수술실 무균처치를 위해 운영하고 있다.

그밖에 수술실내 기구 등은 2% phenol 용액, 3% cresol 용액, iodoform 용액 등 여러 가지 소독약품을 이용해 청소 및 소독을 시행한다.

2 손 씻기

1) 외래에서의 손 씻기

2009년 WHO(World health organization)에서 제공하는 가이드라인은 다음과 같다.

① 손목시계, 반지, 팔찌 등을 외과적 손 세척 전에 제거한다. 매니큐어는 금한다.

② 세수대는 물 튀김을 최소로 하여 설계되어야 한다.

③ 만약 손이 가시적으로 더럽다면 외과적 손 세척 전에 손비누로 간단히 씻는다. 손톱 세정제 등을 이용하여 손톱 밑에 존재하는 때와 먼지를 제거하며 흐르는 물에 씻을 것을 추천한다.

④ 외과적 손 세척에 브러쉬는 추천되지 않는다.

⑤ 외과적 손 소독은 적절한 항균 세정제나 알코올 손 청결제를 이용하며 가능하면 멸균 장갑을 끼기 전에 세균의 활동을 억제할 수 있어야 한다.

⑥ 만약 물의 질이 적당하지 않는다면 멸균 장갑을 끼기 전에 알코올 손 청결제를 사용할 것을 추천한다.

⑦ 외과적 손 소독은 항균 세정제를 이용하여 손과 전완부를 제조사의 지시에 따라 대개 2~5분간 시행한다. 10분 이상의 긴 스크럽 시간은 불필요하다.

⑧ 알코올 성분의 외과적 손 청결제를 사용한다면 세정 시간은 제조사의 지시를 따른다. 청결제는 건조한 손에만 사용한다. 외과적 손 세척과 손 청결제 사용을 함께 순차적으로 시행하지 않도록 한다.

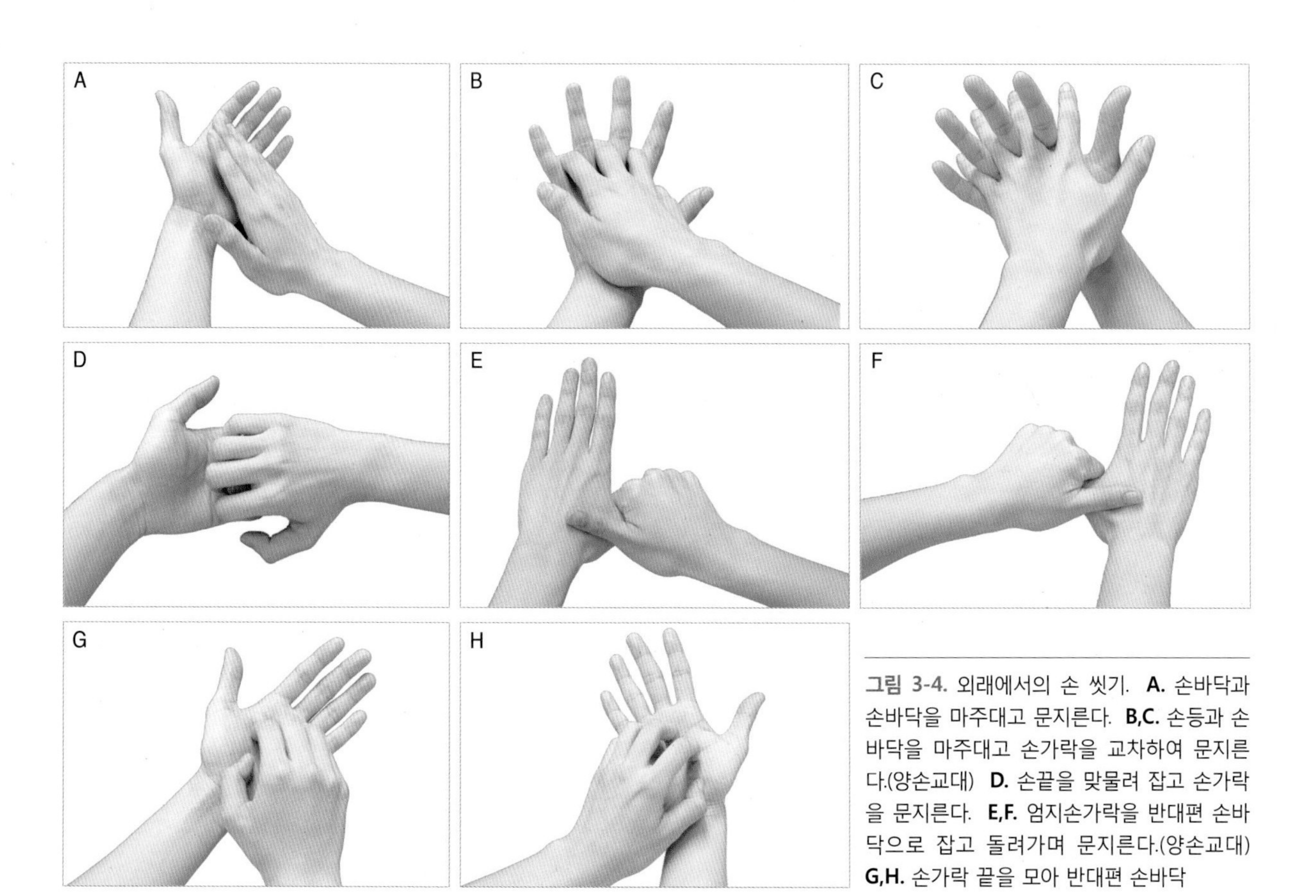

그림 3-4. 외래에서의 손 씻기. **A.** 손바닥과 손바닥을 마주대고 문지른다. **B,C.** 손등과 손바닥을 마주대고 손가락을 교차하여 문지른다.(양손교대) **D.** 손끝을 맞물려 잡고 손가락을 문지른다. **E,F.** 엄지손가락을 반대편 손바닥으로 잡고 돌려가며 문지른다.(양손교대) **G,H.** 손가락 끝을 모아 반대편 손바닥

⑨ 알코올 성분의 손 청결제를 사용할 때는 손과 전완부에 충분한 양의 세정제를 사용하며 세정하는 동안 건조되지 않도록 한다.

⑩ 알코올 성분의 손 청결제를 사용한 뒤에는 멸균 장갑을 끼기 전에 철저하게 말린다.

2) 수술실에서의 손 씻기

술자 손의 소독은 피부표면의 세균과 부착품을 기계적으로 제거해내고 동시에 소독약을 이용해서 화학적으로 처치하는 행위를 말한다. 구체적인 방법은 다음과 같다.

① 손톱은 짧게 유지하고 손톱 때가 없도록 한다. 멸균수로 손에서 주관절(팔꿈치)까지 손으로 문질러 씻는다.

② 브러쉬(brush)와 소독약을 이용하여 손가락의 첨단에서 손, 팔꿈치 상부까지 3분간 마찰, 세척한다.

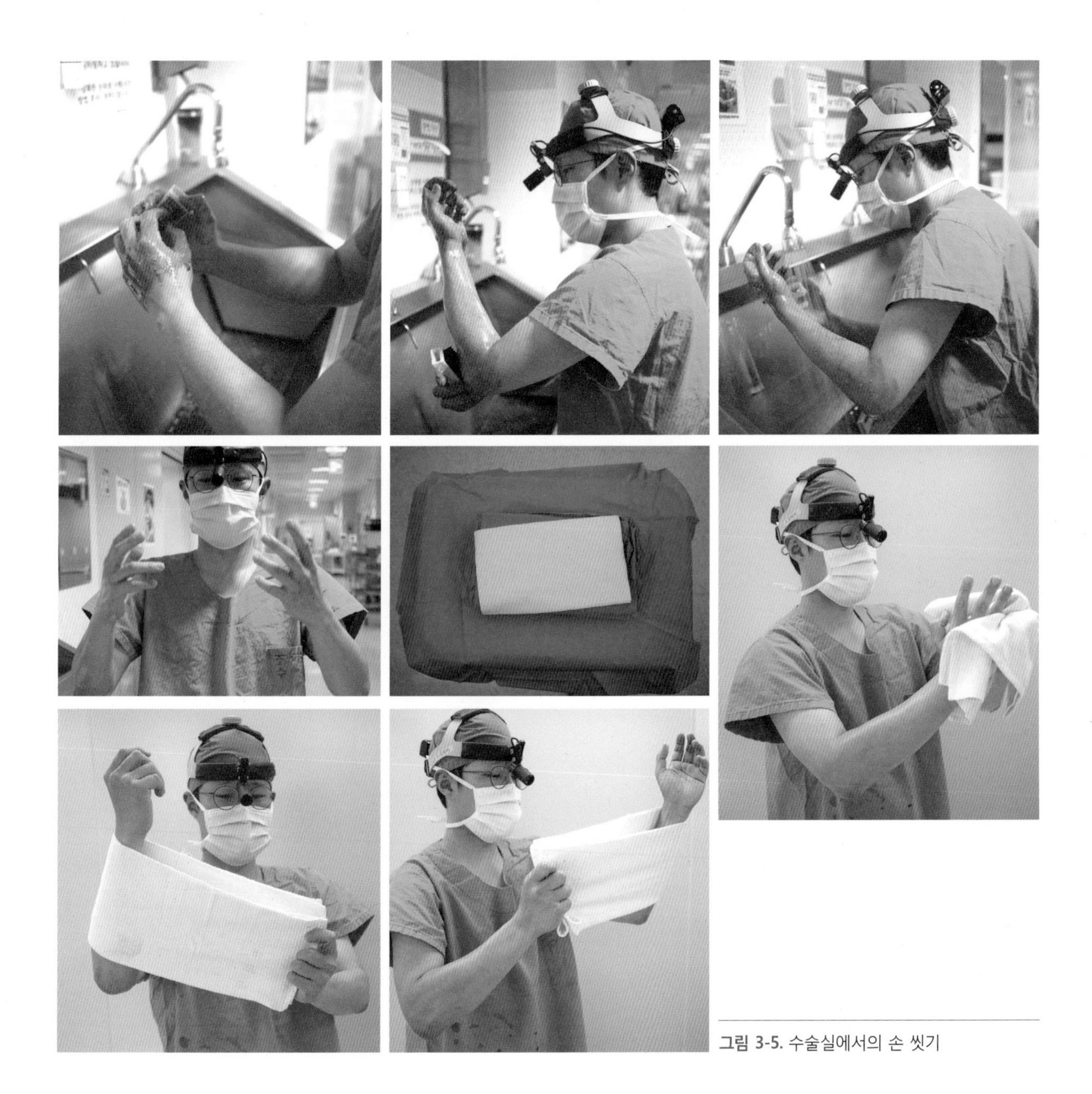

그림 3-5. 수술실에서의 손 씻기

③ 멸균수와 함께 브러쉬를 이용하여 손톱, 손을 닦는다. 브러쉬를 버리고 멸균수로 손에서 팔꿈치까지의 거품을 씻어낸다. 필요한 경우 브러쉬를 바꾸어 소독약에 의한 브러쉬 세척을 3분간 행한다.
④ 다 씻은 후 멸균타올로 손가락, 전완부의 순으로 물기를 제거한다.

소독약으로 자주 사용하는 베타딘(Betadine : iodohpore)이나 세척제와 결합된 히비탄(Hibitan :chlorhexidine gluconate) 모두 상처감염방지에 효과적으로 알려져 있다. 또한 3분 세척과 5분 혹은 그 이상의 세척을 비교했을 때 세척시간에 따른 상처감염의 차이도 없는 것으로 조사되었으며 브러쉬와 스폰지 같은 스크럽(scrub) 재료에 의한 차이도 없는 것으로 판명되었다.

3 수술 가운 착용법

수술 가운을 착용할 때는 보조자의 도움이 필요하다. 외과적 수술 가운 착용법의 원칙은 오직 가운의 안쪽만 손과 접촉하는 것이다. 만약 가운의 바깥쪽에 손이 닿게 된다면, 이는 이미 오염된 것으로 간주된다. 외과적 손 씻기를 시행한 손과 팔은 만약 그것들이 허리 아래로 떨어지거나 몸을 만질 경우에는 오염되었다고 간주된다. 따라서 손과 팔을 허리 위로 유지해야 하며 팔꿈치 위로 20도에서 30도 사이로 들고 있어야 한다. 외과적 수술 가운을 다 입은 후에 가운에서 멸균된 상태로 간주되는 것은 오직 소매 부위(겨드랑이 부위는 제외됨)와 목 부위 아래에서 허리 높이의 전면까지이다. 수술 가운을 착용하는 순서는 다음과 같다.

① 가운을 들어 올릴 땐 가운 목둘레선 안으로 조심스럽게 터치하여 가운의 모든 층을 잡고 전체적으로 들어올린다. 이 작업은 테이블에서 어느 정도 간격을 유지한 채로 이뤄져야 한다.
② 몸에서 떨어져서 가운을 잡고 안쪽에서 착용자쪽으로 가운을 펴준다. 이 작업시엔 착용자의 몸이나 다른 비멸균된 사물이 닿지 않도록 조심해야 한다. 가운을 완전히 펼 동안 손은 항상 가운의 안쪽에 위치하도록 해야한다. 두손을 소매안으로 넣을 땐 손의 위치가 어깨 높이이며 몸에서 떨어져 있는 상태에서 시행한다.
③ 폐식 장갑 착용법을 사용할 경우 전완을 가운의 소매 바깥 가장자리만 전진시켜 팔을 가운 안으로 넣는다. 개방형 장갑 착용법을 이용할 경우 진완을 완전히 소매 바깥으로 전진시켜 가운을 착용한다.
④ 보조자(circulator)는 어깨의 내부와 옆 솔기만 닿으며 스크럽한 사람의 어깨에서 가운을 당긴다. 목둘레선을 단단히 묶어 잠그고 내부의 허리 끈 또한 가운의 안쪽면만을 닿으면서 묶어준다.
⑤ 스크럽한 사람이 글러브를 착용하기 전에 가운이 펄럭여 오염되는 것을 막기 위해 보조자(circulator)는 가운을 단단히 매어야한다.

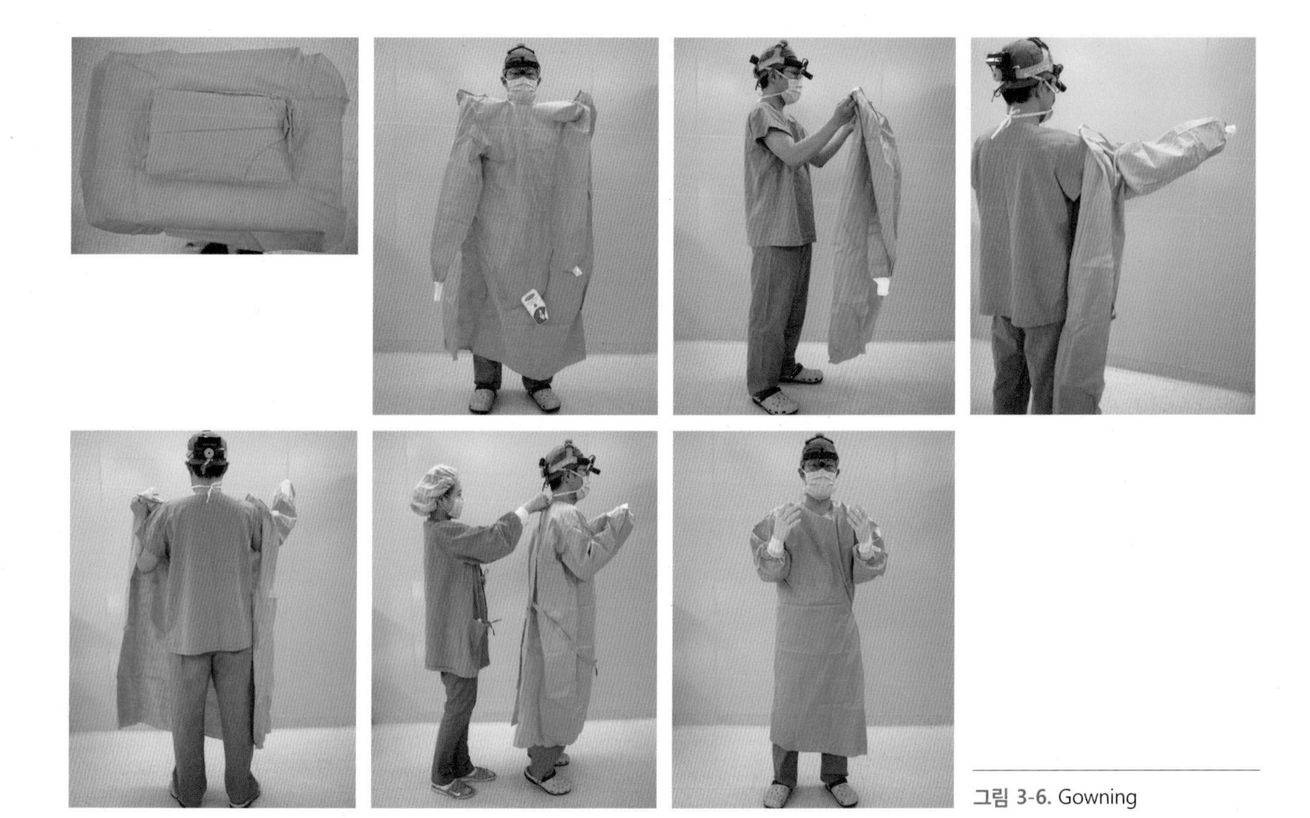

그림 3-6. Gowning

4 수술 장갑의 착용법

❖ 외래에서의 글로브 착용

1) 멸균되지 않은 장갑의 착용 및 제거

(1) 착용

① 장갑을 보관 상자에서 꺼낸다.

② 손목 주변(소매 가장자리) 만 접촉되도록 한다.

③ 첫번째 장갑을 착용한다.

④ 손목 주변(소매 가장자리) 만 접촉되도록 두 번째 장갑을 꺼낸다.

⑤ 전완부의 피부에 접촉되는 것을 피하며 장갑의 바깥쪽 표면을 장갑을 낀 손가락으로 잡은 채로 두 번째 장갑을 착용한다.

⑥ 장갑을 착용한 후에는 사용 대상을 제외한 곳에 접촉을 피한다.

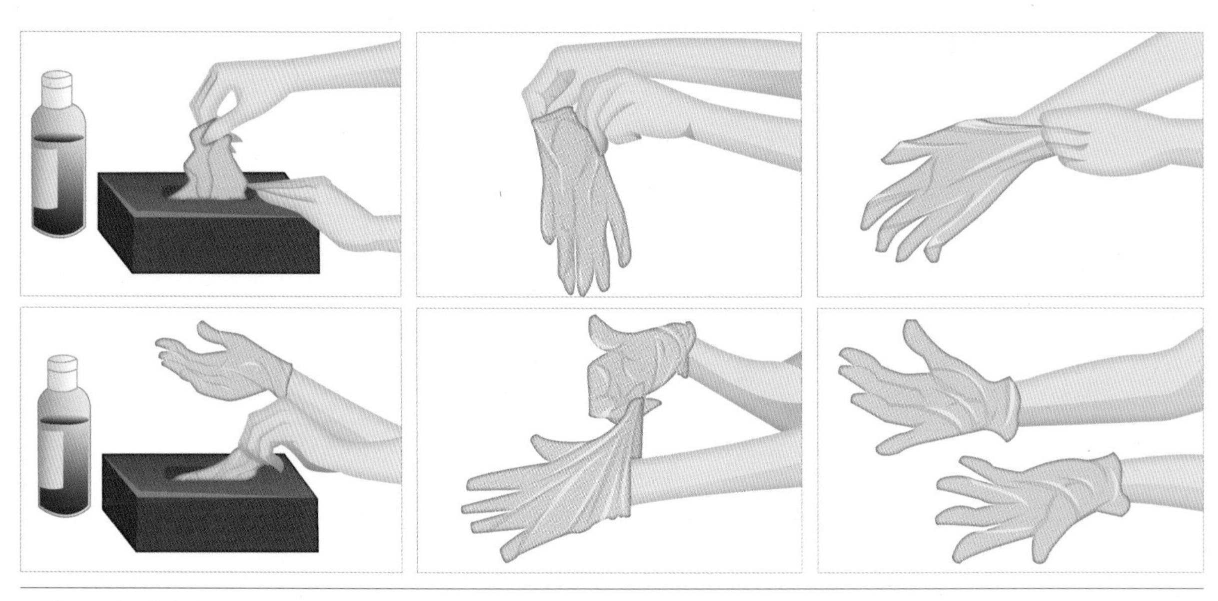

그림 3-7. 멸균되지 않은 장갑의 착용

(2) 제거

① 전완부의 피부에 접촉되지 않도록 손목부위의 장갑 표면을 집어서 뒤집어지게 벗겨낸다.

② 장갑을 벗은 손을 다른쪽 장갑의 손목부위에 집어넣는다. 첫 번째 장갑이 두 번째 장갑 안으로 들어가도록 두 번째 장갑을 말아서 벗는다.

③ 벗은 장갑을 버린다.

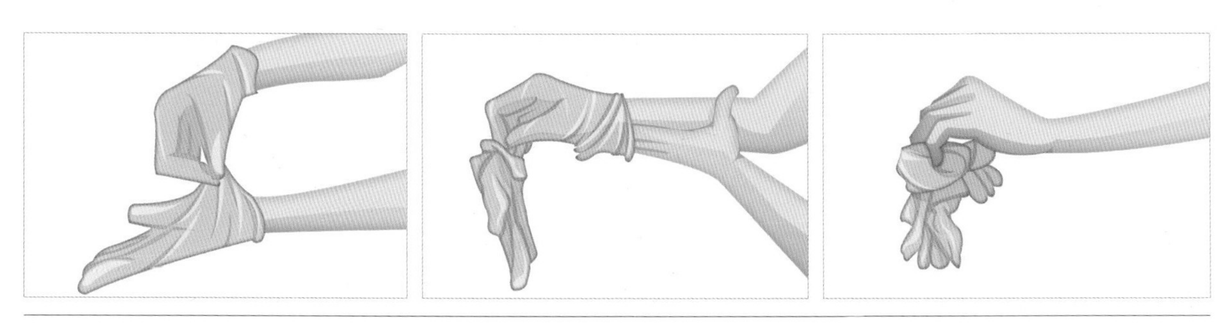

그림 3-8. 멸균되지 않은 장갑의 제거

2) 멸균된 수술용 장갑의 착용 및 제거

(1) 착용

① "무균 과정"전에 손을 청결히 한다.

② 장갑의 포장을 확인한다. 첫 번째 멸균되지 않은 포장부분을 벗겨 소독된 포장 부분을 노출시킨다.

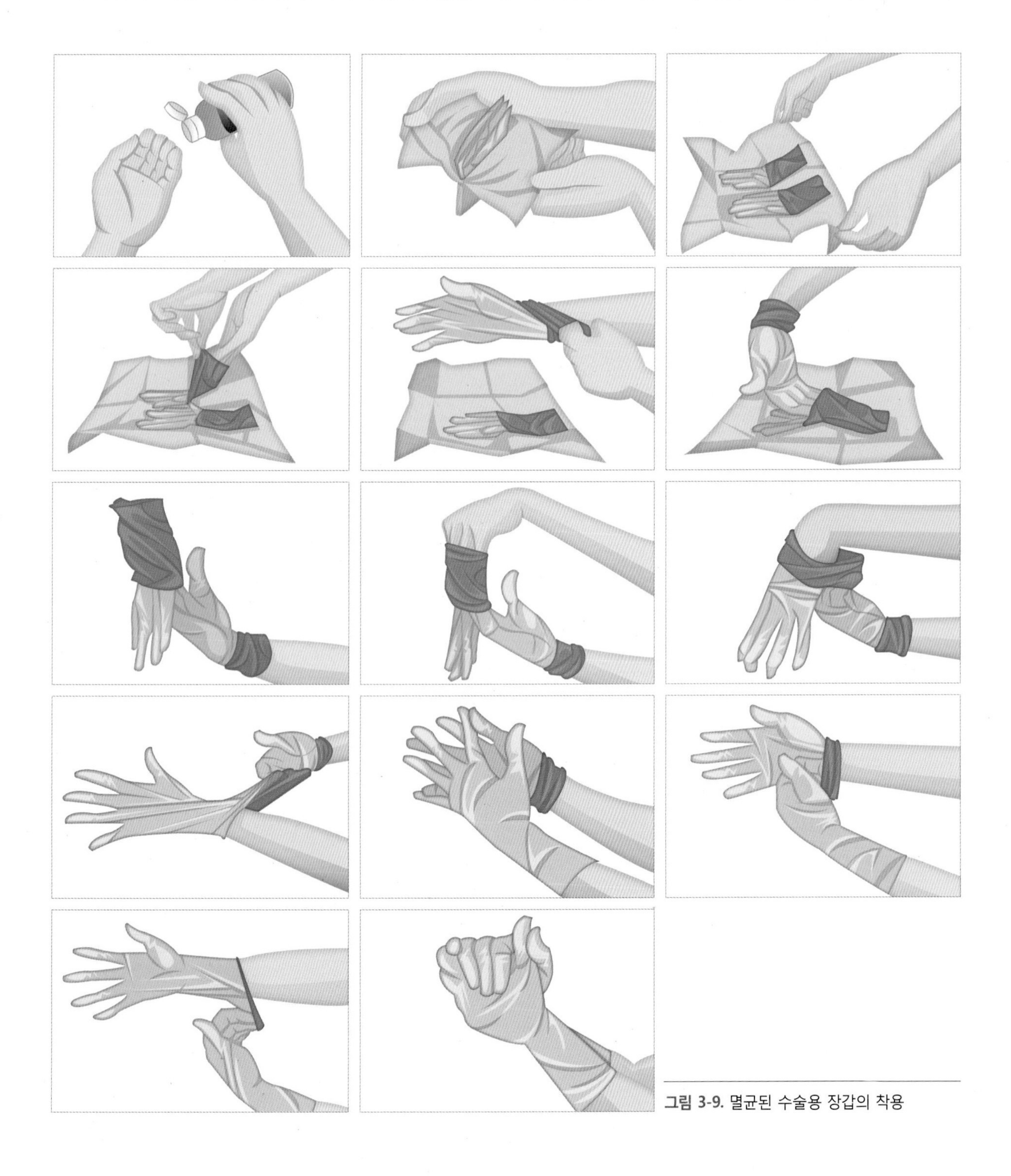

그림 3-9. 멸균된 수술용 장갑의 착용

③ 내부에 소독되어 포장된 부분을 깨끗하고 건조된 곳에 놓는다. 소독된 포장부분의 끝을 잡고 열어 바닥쪽으로 접어서 다시 접히지 않고 열린채로 있게 한다.
④ 엄지와 검지를 이용하여 첫 번째 장갑의 접혀있는 소매쪽 가장자리를 조심히 잡는다.
⑤ 반대쪽 손을 미끄러지듯이 한번의 동작으로 장갑에 넣는다. 이 때 손목의 소매는 접힌채로 둔다.
⑥ 장갑을 착용한 쪽 손가락을 다른 장갑의 접힌 부분에 넣어 들어올린다.
⑦ 한번의 동작으로, 두 번째 장갑을 착용한다. 이 때 이미 착용한 장갑에 접촉되지 않도록 주의한다.
⑧ 필요하다면 장갑이 편안하게 장착되도록 손가락 사이 공간을 맞게 조정한다.
⑨ 첫 번째 장갑의 접힌 부분에 다른쪽 손가락을 넣어서 접힌부분을 펴준다. 이 때 바깥 면에 접촉되지 않도록 주의한다(무균상태가 소실될 경우 장갑을 교체해야 한다).
⑩ 장갑을 착용한 손은 멸균된 기구와 소독된 환자의 신체 부위만 접촉하도록 한다.

(2) 제거

① 반대쪽 손가락으로 집어서 첫 번째 장갑을 제거한다. 손가락 두 번째 마디까지 뒤집어지면서 말리도록 벗겨낸다(완전히 제거하지 않는다).
② 장갑을 부분쪽으로 벗은 쪽의 손가락을 이용해 반대쪽 장갑을 제거한다.
③ 술자의 피부는 오직 장갑의 안쪽 면에만 접촉하도록 두 번째 장갑이 첫 번째 장갑 안으로 들어가게 제거한다.
④ 벗은 장갑을 폐기한다.
⑤ 손을 청결히 한다.

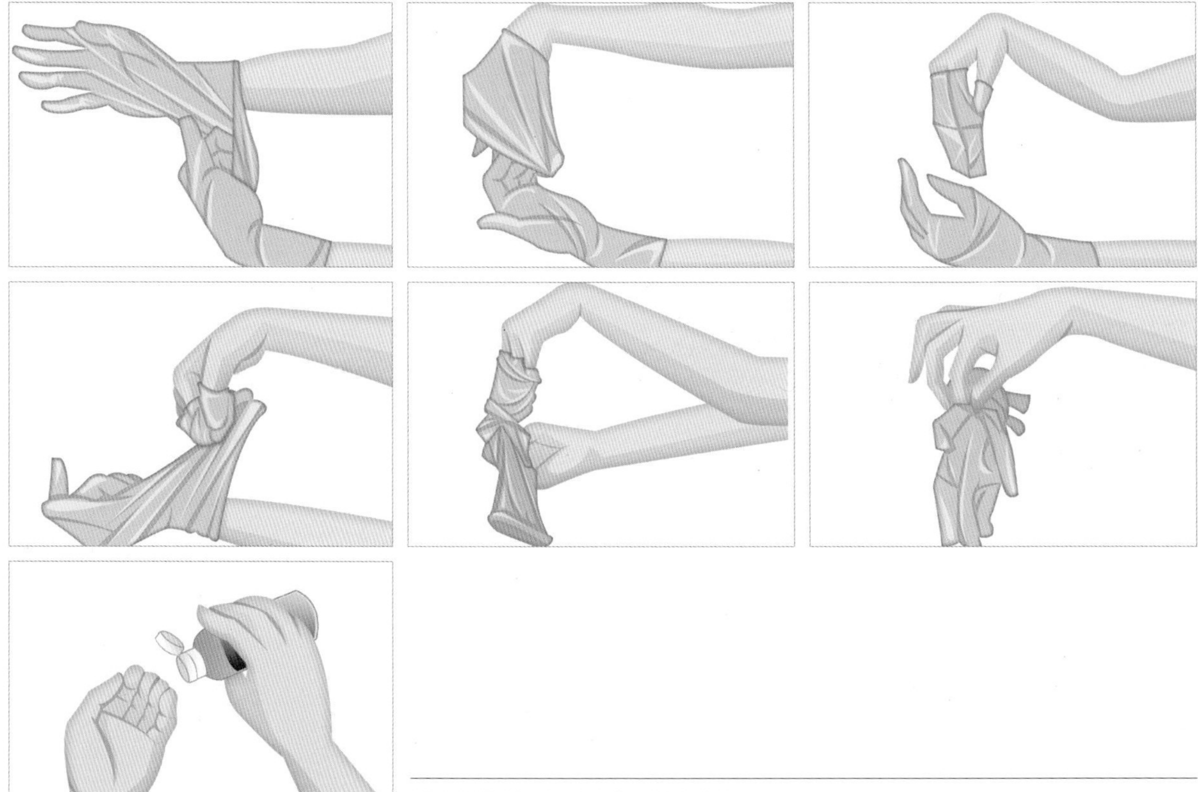

그림 3-10. 멸균된 수술용 장갑의 제거

❖ 수술실에서의 글로브 착용

소독가운을 착용할 때에는 보조자의 도움이 필요하지만 수술장갑의 착용은 보조자의 도움이 없이도 착용 가능한데 이 경우 다음과 같은 방법을 사용한다.

① 양손을 소매 밖으로 빼지 않은 상태에서 먼저 오른쪽 장갑을 왼손으로 잡아서 오른손 위에 악수를 하듯이 올려놓는다.

② 오른손 엄지손가락으로 장갑의 밴드부위를 잡고 왼손을 이용하여 장갑을 뒤집으면서 오른손에 씌운다.

③ 손가락을 장갑에 마저 끼워서 오른쪽 장갑을 완전히 착용한다. 왼쪽 장갑도 같은 방법으로 왼손에 착용한다.

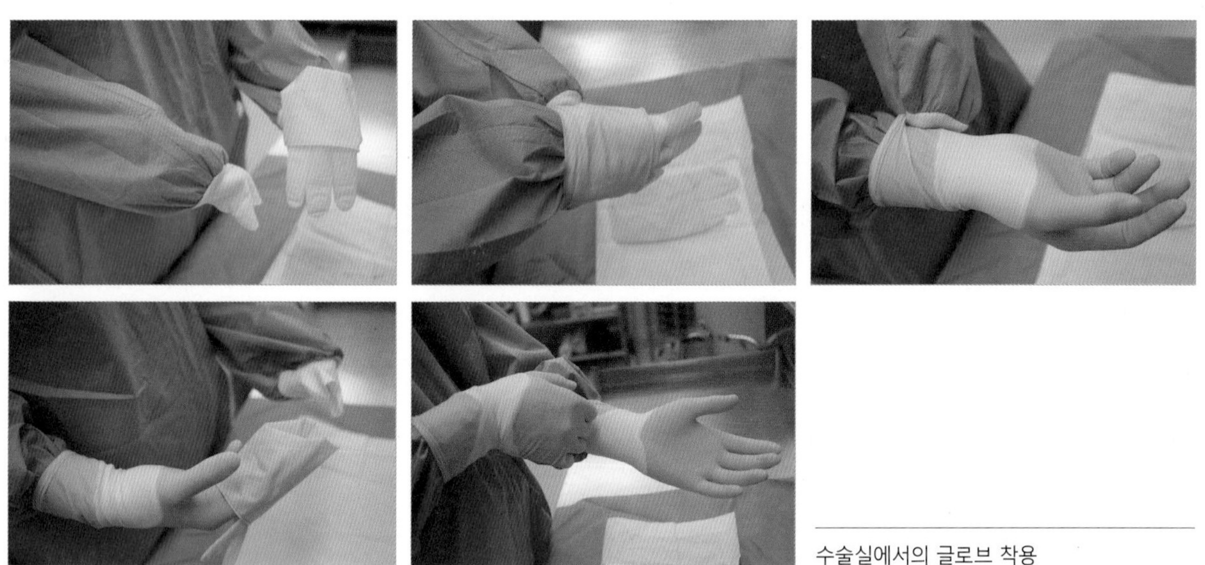

수술실에서의 글로브 착용

5 기구 소독법

기구의 멸균법은 다음과 같이 세 가지로 분류한다

- 열멸균법 : 고압증기멸균, 불포화화학증기멸균, 건열멸균, 열전도멸균
- 화학멸균법 : EO gas, 글루타르 알데하이드, chlorine dlioxide
- 방사선멸균법 : γ 선, 방사선동위원소

1) 고압증기멸균법(autoclave)

압력 증가에 의한 소독은 포자 형성균, 바이러스 및 진균을 포함한 미생물을 확실하게 파괴할 수 있는 가장 효과적인 방법이다. 고압증기 멸균기는 공기 차단실이 있는 탱크로서 기구를 고압증기에 노출시킨다. 고압증기 소독기는

기기의 기능을 감지할 수 있도록 압력계기가 부착되어 있고, 기구 소독실 내부에 진공상태를 유지하기 위하여 하나 이상의 진공 펌프를 사용하고 있다. 치과 외래시술에 가장 적절한 고압증기 소독기는 다음 범위 내에서 작동될 수 있도록 제작되어 있다.

① 15 psi의 압력하에서 121℃(250°F)로 15분간 작동
② 30 psi의 압력하에서 134℃(270°F)로 최소 3분간 작동

모든 생물체를 확실하게 파괴하기 위한 최소의 온도는 121℃이다. 멸균시간은 소독하려는 기구의 크기에 따라 변화되며 포장하지 않은 기구들은 3분 'flash cycle'이 적절하다. 포장된 기구와 외과용 팩의 경우에는 증기의 충분한 침투를 위하여 좀 더 긴 소독시간이 필요하며 색변화 테이프와 지시지 등을 이용하여 정확한 소독이 되었는지를 확인할 수 있다.

Air turbine을 사용하는 치과용 핸드피스는 고압증기 멸균소독법에 의해 적절히 소독할 수 있으므로 무균상태의 수술실에서도 사용 가능하다. 액체도 고압증기소독이 가능하지만 이때는 소독온도에서 불활성화 되지 않아야 한다. 고압증기소독은 녹슬기 쉬운 물품에서는 사용할 수 없으며, 광섬유 케이블(fiberoptic cable)과 관절경 등 정밀한 기구에서는 수명을 감소시키므로 사용을 피하는 것이 좋다.

2) 건열멸균법

이 방법은 치과분야에서 광범위하게 사용되는 소독법으로 일부 치과용 핸드피스, 분말, 기름, 종이 및 천으로 된 제품과 170℃(340°F)이상의 온도에는 노출이 금지된 물품 그리고 증기, 끓는 물 및 화학 소독법으로는 소독할 수 없는 광범위한 물품들을 매우 효과적이고 경제적으로 소독할 수 있는 방법이다.

건열은 유리제품을 파괴하지 않고 기구들을 부식시키지도 않는다. 더욱이 대류오븐을 사용할 수 있는데 이는 고압증기소독기보다 비용이 저렴한 반면에 적절한 사용 시간이 지나면 가열장치가 타 버리고 주기적으로 오븐의 온도조절장치를 조절해야 할 필요가 있다. 건열소독은 보통 160℃에서 2시간, 140℃에서는 3시간 이상 지속되어야 멸균된다.

3) 열전도멸균법

Bead sterilizer를 이용하여 주로 bur와 같이 작은 기구나 근관치료 도중에 오염된 근관치료 기구를 짧은 시간 내에 멸균시킬 수 있으나 일상의 멸균법으로 활용한다든지 장시간 사용하는 기구를 멸균하기에는 부적합하다.

Glass beads, molten metal, salt medium 등을 이용한 열전달기구들(heat transfer devices)도 건열소독의 한 방법이다.

4) 화학 또는 한냉멸균법

기구를 소독액에 담궈서 소독을 하는 방법은 아마도 가장 널리 사용되는 방법이다. 전문가들 사이에서는 좋지 않은 방법으로 여겨지고 있다. 70~90%의 isopropyl alcohol을 이용한 화학소독법이 아직까지 많은 의료기관들에서 사용되고 있으나 알코올의 효과에 대한 평가가 정립되어져 있지는 않다. 한냉멸균을 위한 수단으로 사용되는 알코올은 모든 미생물에 대해 거의 효과가 없으며 특히 포자 형성균에 대해서는 전혀 효과가 없다. 알코올은 혈액, 농 및 기타 체액 등이 존재할 경우 실제적으로 효과가 없으며 휘발성과 빠른 증발 속도 때문에 비용이 많이 드는 편이고 용액 내 기구를 부식시키는 경향이 있다.

수용성 4가 암모늄 화합물인 benazlkonium chloride는 시험관 연구에서 매우 효과적인 물질로 규명되어 많이 사용되어 왔으나 수년간 사용한 결과 4가 암모늄 화합물들은 병원성감염에서 나타나는 많은 저항 균주들에 대하여 거의 효과가 없는 것으로 나타났다. 따라서 일반 위생이나 가정에서의 사용을 제외하고는 병원에서는 거의 사용되고 있지 않다.

화학멸균법에 있어서 오랜 역사를 가진 aldehyde는 산과 알코올의 중간체이다. 최근에 2% glutaraldehyde 화합물 수용액이 한냉 멸균법에 약간의 효과가 있음이 입증되었으며 알칼리성 용액이나 강화된 산성용액의 형태로 시판되고 있다.

Chloride bisphenol 또는 2~5% 농도의 hexachlorophene은 그람 양성균과 음성균에 대해 효과적인 제균제로 작용한다. 그럼에도 불구하고 화학 소독액에 기구를 담가서 소독을 하는 한냉 멸균법은 세균을 죽이기 위해서는 18~24시간 정도의 장시간을 요하며 그 후에도 모든 포자형성균과 진균들이 적절히 제거되었는가에 대한 의문점으로 인해 현재 별로 각광을 받고 있지 못하다.

5) 가스멸균법

Ethylene oxide 가스는 온도, 습도 및 가스가 조절되는 환경조건 속에서 사용될 때 매우 효과적으로 세균을 파괴시킬 수 있고 열과 물에 약한 기구의 소독에 효과적이다. 현재 사용하는 일반적인 방법은 상온 30%의 습도에서 ethylene oxide를 12시간 정도 기구에 노출시키는 것으로 적절한 소독시간은 소독하려는 기구들의 양에 따라 결정된다. 기본적인 사용 방법은 가스가 통과할 수 있는 플라스틱 주머니에 기구를 넣어 금속 탱크 소독기에서 일정한 속도로 ethylene oxide를 공급하는 것이다. 이 방법은 치과용 핸드피스나 다른 작동 부품이 달려 있는 기구들을 손상 없이 소독할 수 있다는 점에서 치과 영역에서 많이 사용되어 왔다.

ethylene oxide 소독기들은 비교적 경제적이나, 카트리지형태로 공급되는 가스는 비싸고 또한 다시 사용할 수 없는 단점이 있다. 장시간 동안 가스를 유지시키기 위해서 소독기는 완전히 밀봉되어야 하며 보통 밤사이에 소독을 시행한다. 대기 중에서 가스 농도가 3% 이상이 되면 폭발 위험이 있고, 인화성이 강하므로 안전하게 사용하기 위해 프레온, 이산화탄소 또는 질소와 혼합하여 사용되고 소독실은 적절히 환기시켜야 한다. ethylene oxide는 투과성이 매우 높기 때문에 포장되어 소독한 물건들은 소독이 완결된 뒤에 반드시 24시간 정도 환기를 시켜야 한다. 그러나 포장되지 않은 견고한 기구들은 ethylene oxide가 투과할 수 없기 때문에 환기를 시키지 않고 사용할 수 있다. ethylene oxide를 이용한 소독법은 일회용품의 소독을 위해 산업체에서 많이 이용한다.

저온의 hydrogen peroxide(H_2O_2) 가스를 이용한 멸균법(STERRAD® system)은 넓은 범위의 의학 장비와 외과적 기구들의 미생물들을 효과적으로 불활성화시킬 수 있는 방법이다. 46℃~55℃의 저온에서 30~40분 정도의 짧은 시간으로 멸균을 시행하기 때문에 열이나 습기에 민감한 기구들의 멸균도 안전하게 시행할 수 있으며 과정이 간단하다는 장점이 있다.

표 3-1에서는 여러 종류의 멸균 방법을 비교해서 정리하였다.

표 3-1. 여러 가지 멸균법의 비교

멸균법	고압증기 Autoclave	건열 Dry Heat	EO gas	글루타르알데하이드 (Glutaraldehyde)
작용 기전	단백질 파괴	산화	알킬화	알킬화
멸균 조건	121℃ 15 psi 15분 132℃ 30 psi 6~7분	160℃ 2시간 120℃ 5시간 이상	상온 36시간 49℃ 2~3시간	6 3/4~10시간 (제품마다 다름)
단점	금속(탄소강)에 녹과 부식을 일으킴. 기구의 날을 무디게 함. 합성수지에 손상을 줌. 멸균 후 건조과정을 별도로 거쳐야 한다.	멸균시간이 길다. 온도가 높아 금속성이 변하든가, 납착부가 떨어질 수 있다. 반복 사용하면 날이 무디어 진다.	멸균시간이 매우 길다. 하루 정도 환기를 요함. 독성이 있고 발암물질이므로 취급 시 주의를 요함	멸균포장이 어렵다. 관리가 까다롭다. 계속 사용하면 비경제적 멸균확인이 어렵다.
장점	침투력이 우수하여 커다란 포장, 다공성 제품, 면제품에 좋다. 물, 화학용액, 배지의 멸균에 좋다.	멸균기의 값이 싸다. 유리, 건조된 화합물, 분말제품에 좋다.	고무제품에 좋다. 규모가 큰 병원용으로 적합하다.	금속에 부식성이 있다. 피부, 점막에 유해하다. 열에 민감한 제품에 좋다. (합성수지, 화이버옵틱 등)

6) 열탕소독법

끓는 물에 기구를 넣어서 소독하는 이 방법은 포자 형성균을 제거할 수 없기 때문에 오늘날에는 사용이 제한되고 있다. 끓는 물의 온도는 100℃(212℉)이나 모든 미생물을 파괴하기 위한 온도는 최소 121℃이다. 모든 기구들을 완전히 담근 상태에서 최소한 30분 정도 끓여야 한다. 열탕 소독법은 임시 기구의 소독을 위한 응급적인 수단으로 사용될 수 있으며 조직을 통과하는 기구의 멸균에는 부적절하다.

실습평가표

실습제목	소독 및 수술실에서의 procedure		
학생 번호		성명	
지도의 성명		서명(인)	

구분	평가항목	점수
수술실에서의 무균처치 개념	소독가운, 수술모자, 수술신발, 소독마스크를 착용하였는가?	
	환자 구강내 및 구강외(피부) 소독 시 베타딘 등으로 빠진 곳 없이 적절히 소독되었는가?	
손 씻기	외래에서 손 씻기의 경우 진료 전후 올바른 손 씻기를 하는가?	
	수술실에서 손 씻기의 경우 팔꿈치 상부까지 적절한 시간(약 3분)동안 손 씻기를 하는가?	
가운 착용	보조자의 도움을 받아 능숙하게 가운을 착용할 수 있는가?	
	가운 착용 시 멸균부위를 오염시키지 않는가?	
글로브 착용	외래에서 글로브 착용 시 멸균부위를 오염시키지 않고 글로브를 착용하는가?	
	수술실에서 글로브 착용 시 보조자의 도움이 없는 경우에도 무균상태를 유지하면서 글로브를 착용할 수 있는가?	
기구소독법	각각의 기구의 특성에 따라 올바른 소독법을 선택하는가?	

참고문헌

1. 민병일. 악안면성형외과학. 군자출판사; 1990. p.34-68
2. 이귀녕. 권오헌. 임상병리 파일, 제3판. 의학문화사; 2000. p.232-4, 872-942
3. Peterson LJ, et al. Contemporary oral and maxillofacial surgery, 3rd ed. C.V. Mosby; 1998. p.2-21
4. 대한구강악안면외과학회. 구강악안면외과학교과서, 제3판. 의치학사; 2013. p.35-40
5. WHO Guidelines on Hand Hygiene in Health Care; 2009

Chapter 04

Chair side procedure

학·습·목·표

- 근육주사(IM : Intramuscular Injection) 부위의 해부학적 이해와 방법을 숙지한다.
- 정맥주사(IV : Intravenous Injection)와 관련된 혈관의 해부학적 이해 및 그 술기를 시행할 수있다.
- 혈액채취(blood sampling)부위의 해부학적 이해그 술기를 시행할 수 있다.
- 정맥혈 채혈(Blood sampling) 술기를 시행할 수 있다.
- 동맥혈 채혈(Arterial puncture) 부위의 해부학적 이해 및 그 방법을 설명할 수 있다

이 장은 약물의 비경구 투여 방법인 근육 및 정맥주사법과, 임상 병리 검사를 위한 정맥혈 샘플링을 시행할 수 있게 하며, 또한, 신체의 산염기균형과 산소공급 상태를 파악하기 위해 시행되는 ABGA(arterial blood gas anaysis, 동맥혈가스검사) 채혈법을 이해할 수 있도록 하는데 그 목적이 있다.

1 근육주사(IM : IntraMuscular Injection)

실습준비물

- 토니켓 1개
- 알코올솜
- 22 게이지 정맥주사 카테터 1~3개
- 수액 세트 1set
- 반창고 10ml 시린지
- 21게이지 바늘 1~3개
- 검체용기와 레이블

근육주사는 연령별로 부위별로 적절한 주사침 길이와 직경을 선택해야 한다. 소아와 성인으로 나누어서 분류하고 소아의 경우는 18개월 이하와 18세 이하로 분류한다.

표 4-1.

INTRAMUSCULAR(IM)		Location of Injection	Needle Length	Needle Gauge	Needle Angle
Pediatric	Infants <18months	• Vastus lateralis muscle(<0.5ml vol.)	7/8"~1"	25~27G	90˚
	Children (≥18months and walking to 18years)	• Deltoid muscle • Ventrogluteal site • Dorsogluteal site-not recommended for <3years • Vastus lateralis muscle	7/8"~ 1 1/4"	22~25G	90˚
Adult	>18years	• Deltoid muscle, Ventrogluteal site-may be best site for cachectic adults • Dorsogluteal site-avoid in obese adults • Vastus lateralis muscle	1"~1 1/2" (up to 3" for large adults)	19~25G	90˚

통상 피부를 팽팽하게 하고 주사침을 직각으로 삽입한다. 흡인(aspiration)을 시행하여 혈관 유무를 확인 후 천천히 주사액을 주입한다. 만일 흡인시 혈액이 관찰되면 새로운 주사침을 사용하도록 한다. Vastus lateralis부위에 주입할 경우는 피부를 팽팽하게 하지 말고 살짝 들어올리는 느낌으로 손가락으로 근육을 모아서 고정시킨 뒤 주사침을 삽입한다.

❖ 주사 전 준비

글러브, 주사용제 앰플, 2cc 실린지(약품용량에 따른 실린지 준비), 소독용 알코올솜 등을 준비한다. 앰플 개방시에는 알코올솜으로 감싸고 원형 마킹이 술자가 보이는 방향으로 둔 상태에서 상부를 깨드린다. 앰플의 하방으로 가라앉는 미세 유리조각을 흡입하지 않도록 앰플을 기울이고, 니들의 베벨은 상방을 보도록 하여 천천히 약품을 흡입한다. 가장 하방에 고인 약물은 흡입하지 않도록 하며, 실린지에 남은 공기층을 제거한다(그림 4-1).

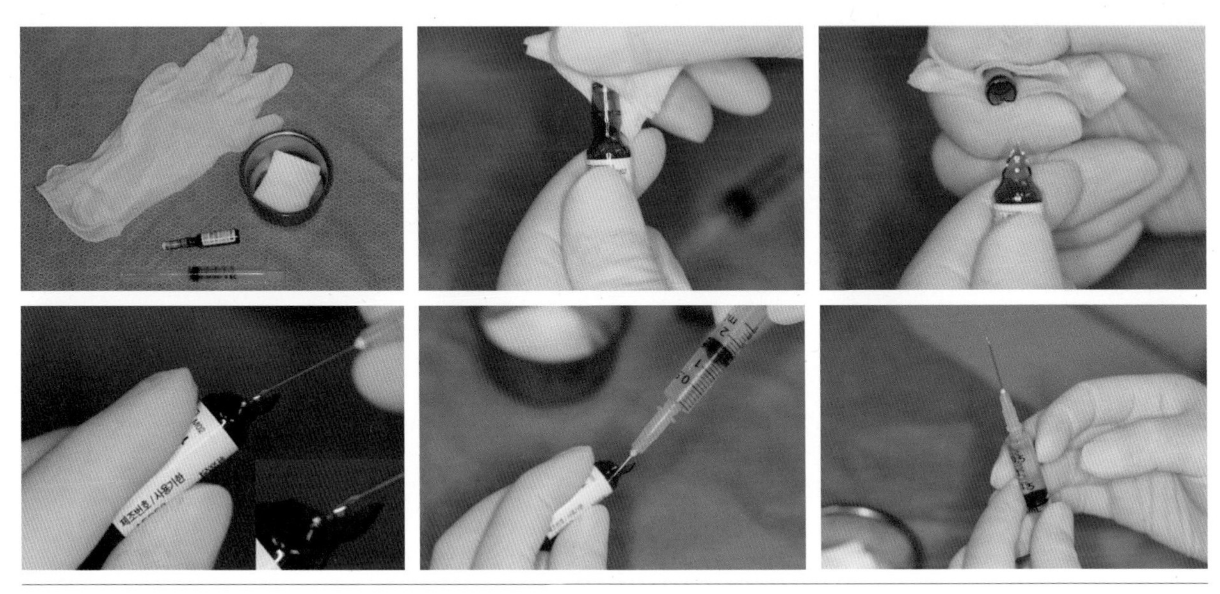

그림 4-1. 주사 전 준비

1) 근육주사가 가능한 부위

(1) 둔부의 배면(dorsogluteal site)

Greater trochanter와 posterior superior iliac crest를 연결하는 가상선을 기준으로 측상방(supero-laterally)이 자입점이 된다. 일반적인 자세는 복위자세로 바르게 뒤집어 눕게한 뒤 발끝을 안으로 모은 자세이다. 근육주사에서 일반적으로 가장 많이 쓰이는 부위로 중둔근(gluteus medius muscle)과 대둔근(glugeus maximus muscle)이 목표 근육이다. 3세 미만은 둔근의 발육이 저조하므로 다른 부위를 선택한다.

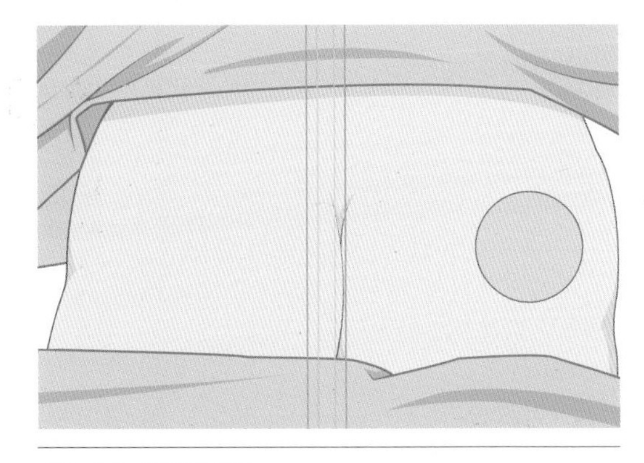

그림 4-2. 둔부의 배면

(2) 둔부의 측면

항문으로부터 멀리 있어 오염 우려가 적어 실금환자에게 적합하고 어느 체위에서도 근육이 이완되어 있어 편리하게 사용할 수 있다. 주로 신생아나 소아에게 많이 사용되며 중둔근과 소둔근이 목표 근육이 된다.

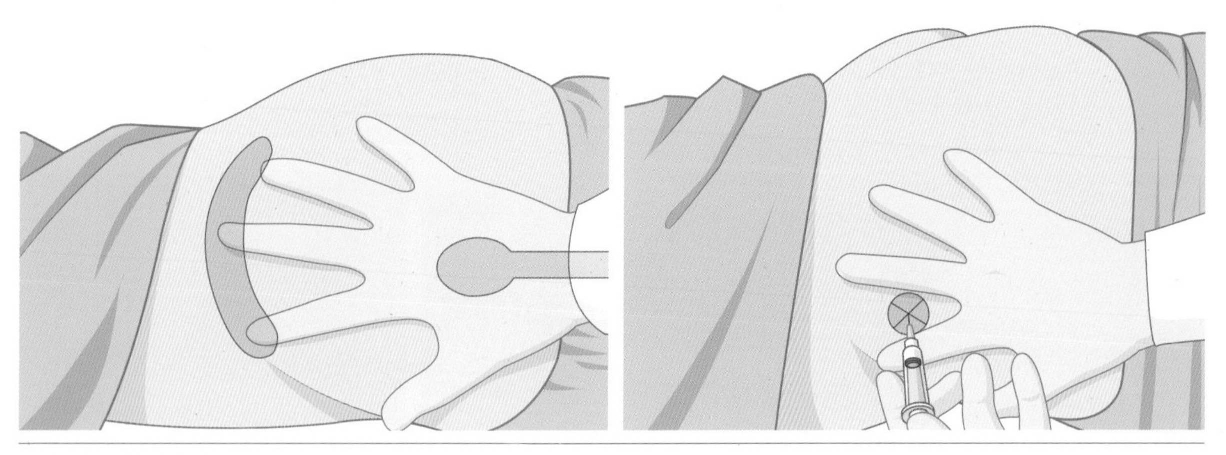

그림 4-3. 둔부의 측면

(3) 삼각근(deltoid muscle) 부위

근육층이 잘 발달되지 않아서 흡수력이 떨어지므로 소량(1ml)의 주사에 적합하다.

요골신경(radial nerve)이 손상될 가능성이 있으므로 주의한다.

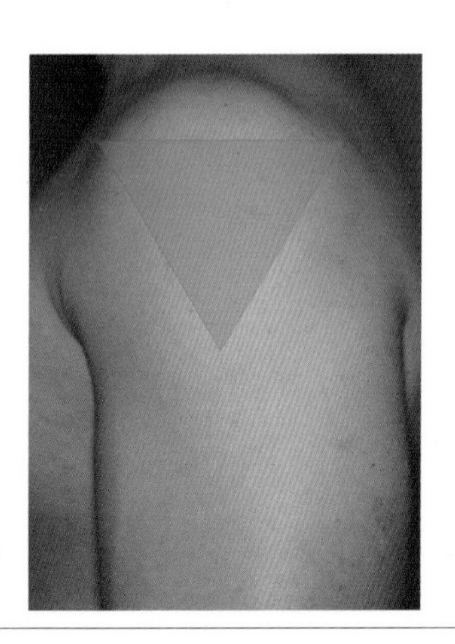

그림 4-4. 삼각근 부위

(4) 외측광근(vastus lateralis muscle)과 대퇴직근(rectus femoralis muscle)

주요 신경이나 혈관이 없어 최근에 많이 선호되는 부위이다.

외측광근 부위는 둔근 발달이 충분하지 않은 영아에게 유용하고 대퇴직근 부위는 환자 스스로 주사하기에 적합하다. 자세는 앙와위나 앉은 자세가 적합하다.

2 정맥주사(Intravenous Injection)

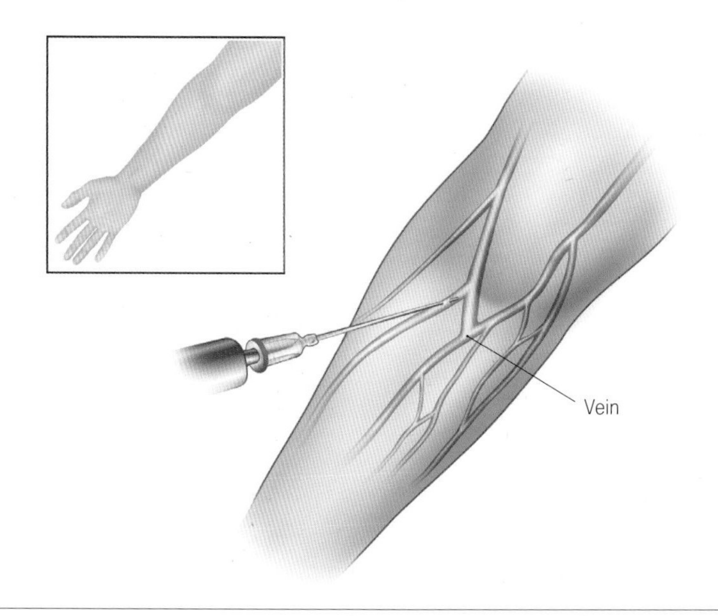

그림 4-5. 주사기를 이용한 정맥 주사

1) 주사기를 이용하여 직접 정맥 주사를 할 경우

① 투여하고자 하는 부위의 상부에 지혈대를 단단히 위치시키고 주사부위를 소독한다(그림 4-6A).

② 주사할 정맥의 1~2cm 원위부를 좌측 손의 엄지손가락으로 누르며 살짝 당겨서 조직을 팽팽하게 한다(그림 4-6B).

③ 약 30도의 각도로 정맥방향과 평행하게 주사 바늘을 삽입한다. 주사 바늘은 비스듬한 경사면이 위로 향하도록 한다. 주사 바늘이 제대로 삽입되면 약 1cm 정도 더 전진시킨다(그림 4-6C).

④ 흡인 후 혈액이 나오는지 확인 후 지혈대를 좌측 손으로 푼다(그림 4-6D).

⑤ 약제를 30~60초 정도에 걸쳐 천천히 주입한다.

⑥ 거즈로 2분이상 압박하도록 한다(그림 4-6E).

2) 카테터를 이용한 정맥 주사

① 혈관을 확보한 뒤 즉시 투여할 수 있도록 수액과 약재를 준비한다

② 지혈대를 단단히 위치시키고 환자의 주먹을 오므렸다 폈다를 반복적으로 시킨다(그림 4-7A).

③ 잘 보이는 정맥보다 촉진 시 두꺼운 정맥이나 두 정맥이 합쳐지는 정맥을 선택한다

④ 소독 후 카테터를 10~30도 각도로 삽입한다(그림 4-7B).

⑤ 삽입을 시작하고 카테터 챔버에 혈액이 맺히면 5mm 정도 약간 더 전진 후 주사바늘은 그대로 유지한 뒤 카테터만 전진시킨다(그림 4-7C).

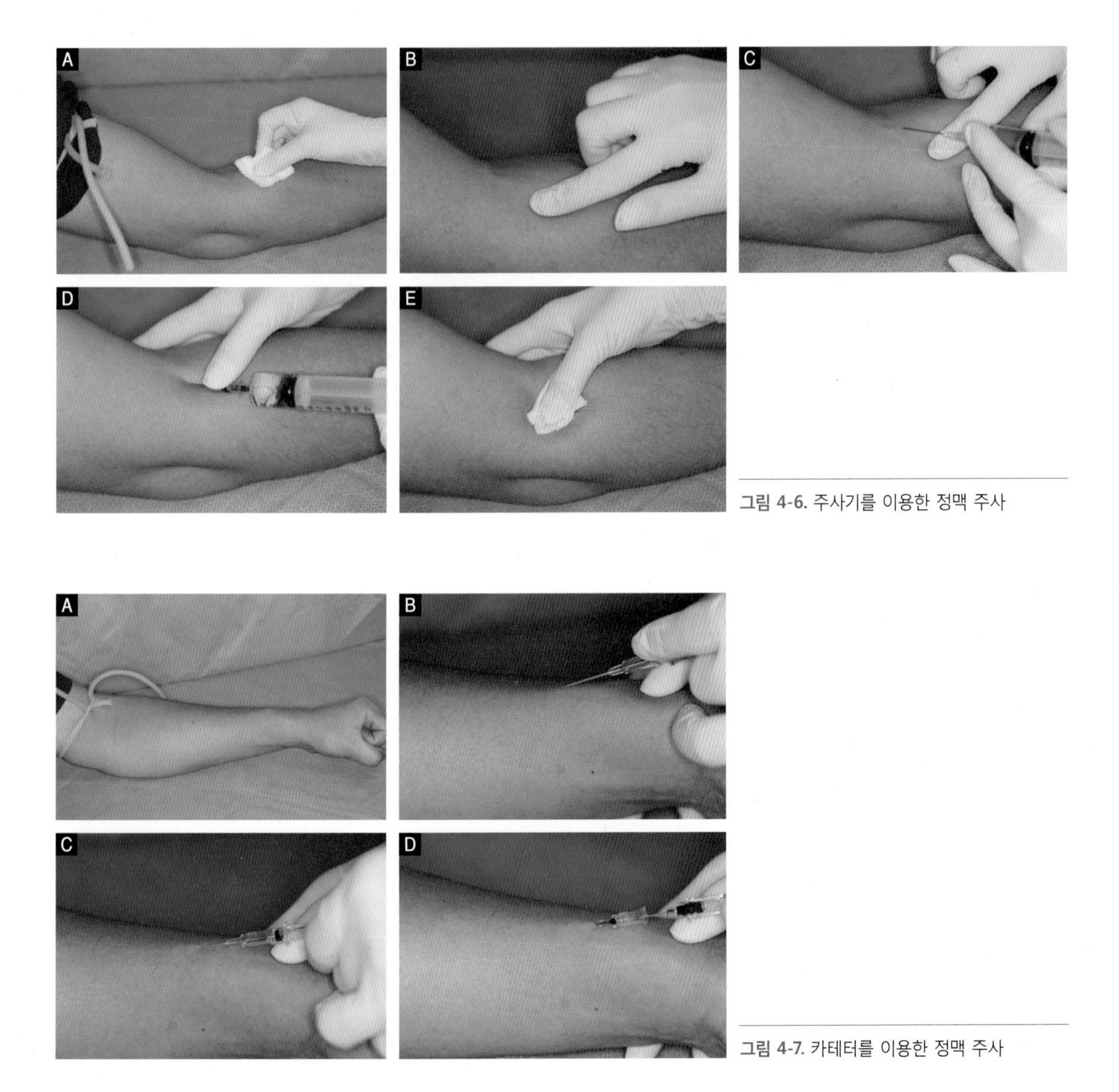

그림 4-6. 주사기를 이용한 정맥 주사

그림 4-7. 카테터를 이용한 정맥 주사

⑥ 카테터가 다 삽입되면 주사바늘을 빼낸다(그림 4-7D).

⑦ 준비된 약재와 수액을 연결한 뒤 처음에는 빠른 속도로 투여하여 혈액 응고를 방지한다.

⑧ 부종이 있나 관찰한 뒤 없는 경우 플라스터로 단단히 고정한다.

3 정맥혈 채혈(Blood sampling)

임상 병리 검사에서 가장 많이 쓰이는 검체는 혈액이며 대부분의 검사는 정맥혈로 이루어 진다. 정맥혈 채혈을 병원에서는 보통 샘플링이라고 한다. 정맥혈 채혈은 정맥 주사와 함께 병원에서 가장 기본이 되는 술기로 실습을 통해 철저히 익히도록 한다.

1) 정맥혈 채혈 방법

① 토니켓 1개, 알코올솜, 10ml 시린지, 21게이지 바늘 1-3개, 또는 진공채혈관을 준비하고(그림 4-8A), 검체용기와 레이블 환자이름과 검체 용기에 붙은 레이블이 일치하는 것을 확인한 다음, 어떤 채혈인지, 왜 채혈을 하는지 설명을 해준다.

② 환자의 팔을 걷고 팔오금위 약 10cm부위에 투르니켓을 묶는다. 투르니켓을 너무 꽉 묶으면 환자가 아파하므로 적당한 정도로 묶는다. 또 혈관을 찾기 힘들다고 투르니켓을 1분이상 묶어 두면 안된다.

③ 환자에게 주먹을 3-4번 쥐었다 폈다 하라고 말한다.

④ 적당한 정맥을 찾는다. 대개 1-2개의 눈에 잘띄는 정맥이 팔오금 부위에 있다.

⑤ 적당한 혈관을 찾았으면 시린지를 준비한다. 보통 정맥 채혈에는 21G바늘을 사용한다. 23G를 사용해도 무방하지만 10ml정도되는 양의 혈액을 뽑기에는 무리가 있다. 23G로 3ml정도의 혈액은 아무 문제없이 채혈 가능하다.

⑥ 알코올솜으로 정맥 위 피부를 닦는다(그림 4-8B).

⑦ 피부를 뚫는다. 이때 배벨의 방향을 반드시 하늘 방향으로 하고 찔러야 한다. 바늘의 각도는 20-30도 정도가 적당하다. 각도를 너무 세우면 정맥 뒷벽을 뚫을수 있다. 피부를 뚫을 때 정맥이 심하게 좌우로 도망가는 경우가 많으므로 왼손으로 피부를 달기면서 신속하게 찌르는 것이 중요하다. 하지만 빠르게 찌른다고 해서 정맥의 뒷벽을 뚫어서는 안되다(그림 4-8C).

⑧ 시린지-바늘 연결부에 혈액이 맺히면 시린지를 들고 있는 손을 잘 지탱하면서 반대편 손으로 플런저를 천천히 당긴다. 손을 바꾸어 잡는 사람도 있으나 그 과정에서 바늘이 빠지는 경우가 많아 추천하지 않는다반면에, 진공채혈관을 사용하는 경우에는 검체용 주사기에 튜브를 연결한다(그림 4-8D).

⑨ 채혈이 끝난 주사기를 들지 않은 손으로 트르니켓을 풀고 준비한 알코올솜, 거즈 등으로 채혈부위 누르면서 바늘을 빼낸다(그림 4 8E).

⑩ 검체 용기에 혈액을 채운다.

⑪ 주사바늘통에 주사바늘을 버린다(그림 4-8F).

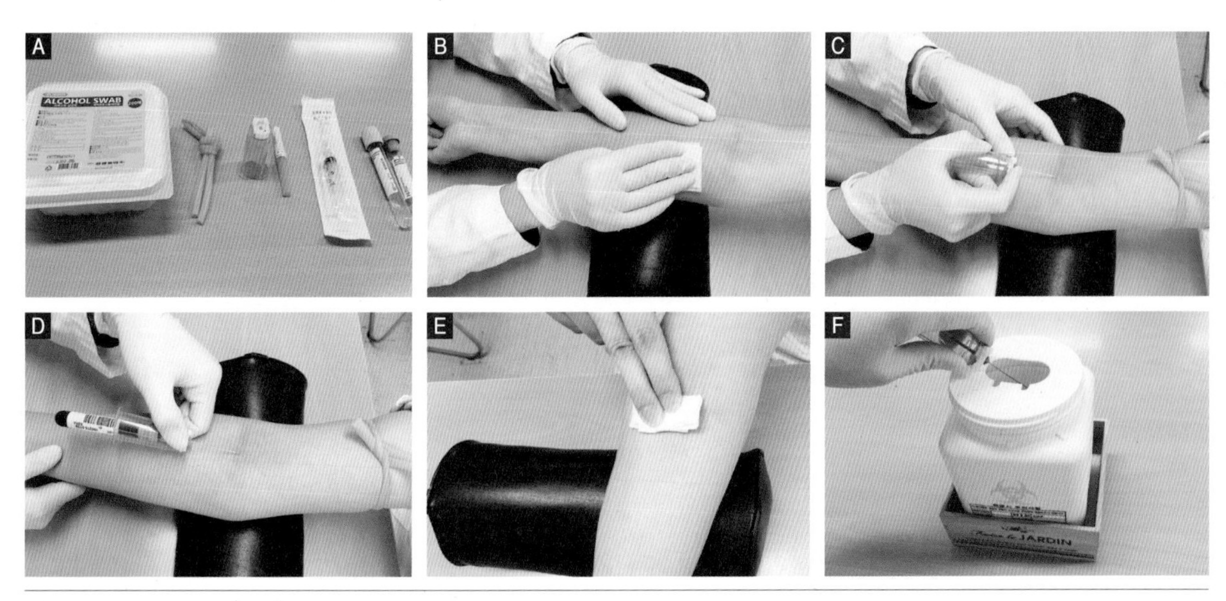

그림 4-8. 정맥혈 채혈

4 동맥혈 채혈(Arterial puncture)

1) 요골 동맥혈 채혈(radial artery puncture)

① Allen's test를 시행하여 안전성을 확인한다.

② 자세는 눕거나 앉은 자세로 시행한다. 손목 뒤에 타올 같은 것으로 손목이 꺾이게 하여 동맥을 확보한다.

③ 주사기에 약간의(0.2ml 정도) 헤파린을 뽑은 뒤 주사기를 끝까지 뽑아 주사기 내부를 헤파린화(heparinization)시킨 후 헤파린을 모두 배출시킨다.

④ 알코올로 천자부위를 소독한다.

⑤ 좌측손가락을 요골 동맥이 가장 잘 촉지되는 부위에 위치시킨 후 약 60도 정도의 각도로 바늘을 삽입한다.

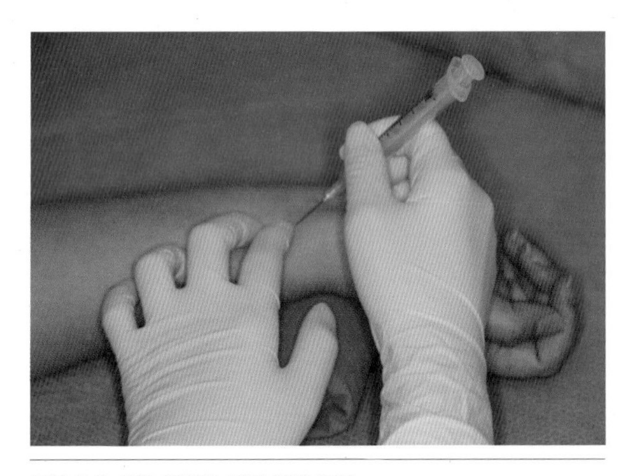

그림 4-9. 요골 동맥혈 채혈 정맥 주사

⑥ 채혈이 실패할 경우 주사기를 다 빼지 말고 피부 바로 아래까지만 뺀 뒤 다시 삽입한다.

⑦ 채혈이 완료되면 채혈 부위를 10분이상 단단히 압박시킨다.

⑧ 채혈된 주사기는 공기를 완전히 뺀 뒤 여러 방향으로 돌려서 응고되지 않도록 한다.

⑨ 15분 뒤 채혈부위에 혈종을 확인해야 한다.

2) 상완 동맥혈 채혈

자주 사용되지는 않으나 요골 동맥에서 채혈이 실패할 경우 선택할 수 있다.

다음은 임상병리검사항목들과 동맥혈가스검사항목의 소견을 나타내는 표로 참고하기 바란다.

표 4-2. 일반 혈액검사

	Normal Value	Increased Value	Decreased Value
Hemoglobin	M : 13.5~18g/dl F : 12~16g/dl	polycythemia	anemia, hyperthyroidism, liver cirrhosis, severe hemorrhage, hemolytic anemia
Hematocrit	M : 40~54% F : 37~47%	erythrocytosis, shock, severe dehydration, polycythemia	viral infection, hypersplenism, bone marrow depression
White Blood Cell	5,000 ~10,000mm^3	leukemia, hemorrhage, tissue necrosis, trauma or tissue injury, malignant disease	anemia, leukemia, Hodgkin's disease, multiple myeloma, pernicious anemia, lupus erythematosus, Addison's disease, rheumatic fever, subacute endocarditis
Red Blood Cell	M : 450만~550만 F : 400만~500만	polycythemia vera, secondary polycythemia, severe diarrhea, dehydration, acute, poisoning, pulmonary fibrosis, hemorrhage	acute viral infection(influenza, infectious hepatitis, measles, mumps, poliomyelitis), aplastic anemia, pernicious anemia, Addison's disease, thyrotoxicity, acromegaly Hodgkin's disease,
Neutrophil	50~70%	infection, hemorrhage, leukemia	
Lymphocyte	25~40%	infection, hemorrhage, stress, infectious, hepatitis, infectious, mononucleosis, cytomegalovirus infection, mumps, rubella, lymphocytic leukemia, radiation, lead intoxication	lupus erythematosus, after administration of ACTH and cortisone, burn, trauma, chronic uremia, Cushing's syndrome, acute radiation syndrome
Eosinophil	0~5%	allergy, parasitic infection, Addison's disease, lung and bone cancer, chronic skin infection, Hodgkin's disease, myelogenous leukemia, polycythemia	infectious mononucleosis, hypersplenism, congestive heart failure, Cushing's syndrome, aplastic anemia, pernicious anemia
Basophil	0~1%	chronic inflammation, polycythemia vera, chronic hemolytic anemia, following splenectomy, following radiation, healing phase of inflam-mation, collagen disease, infection	acute allergic reaction, hyperthyroidism, myocardial infarction, bleeding, peptic ulcer, prolonged steroid therapy, urticaria, anaphylactic shock
Erythrocyte Sedimentation Rate(ESR)	M : 0~9 mm/hr F : 0~15 mm/hr	inflammatory disease, acute heavy metallic poisoning, carcinoma, cell or tissue destruction, toxemia, syphilis, nephritis, pneumonia, severe anemia, rheumatoid arthritis	polycythemia vera, sickle cell anemia, congestive heart failure, hypofibrinogenemia

표 4-3. 출혈 및 혈액응고장애 검사

	Normal Value	Increased Value	Decreased Value
Bleeding Time (BT)	3~10분 Duke법 : 8분 미만 (earlobe) Ivy법 : 2~9.5분 (forearm)	thrombocytopenia, platelet dysfunction syndrome, vascular defect, severe liver disease, leukemia, aplastic anemia, DIC	
Prothrombin Time (PT)	10~14초	prothrombin deficiency, vit. K deficiency, hemorrhagic disease of the newborn, liver disease, anticoagulant therapy, biliary obstruction, salicylate intoxication, hypervitaminosis A, DIC, menstruation	
Partial Thromboplastin Time(PTT)	30~45초	hemophilia, liver disease, vit. K deficiency, presence of circulating anticoagulants, menstruation, DIC disease	extensive cancer, immediately after acute hemorrhage, very early stages of DIC
Platelet Count	15만~45만/mm^3	cancer, leukemia, trauma, splenectomy, asphyxiation, polycythemia vera, iron deficiency and posthemorrhagic anemia, acute infection, heart disease, liver cirrhosis, chronic pancreatitis, tuberculosis	Idiopathic thrombocytopenic purpura, pernicious, aplastic and hemolytic anemias, pneumonia, allergic condition, after massive blood transfusion, infection, toxic effects of drugs

표 4-4. 혈액화학 검사

	Normal Value	Increased Value	Decreased Value
Bilirubin	total : 0.2~1.0mg/dl	hepatocellular jaundice (viral hepatitis, liver cirrhosis, infectious mononucleosis), obstructive jaundice, hemolytic jaundice(anemia)	
Blood Urea Nitrogen (BUN)	8~23mg/dl	dehydration, shock, diabetes mellitus, infection, impaired renal function, GI bleeding, chronic gout, acute myocardial infarction, malignancy	severe liver disease, over hydration, negative nitrogen balance, impaired absorption, nephrotic syndrome

	Normal Value	Increased Value	Decreased Value
Creatinine	M : 0.7~1.4mg/dl F : 0.6~1.2mg/dl	impaired renal function, muscle disease(gigantism, acromegaly), chronic nephritis, obstruction of the urinary tract	muscular dystrophy
Protein	total : 6~8g/dl albumin : 3.8~5.0 globulin : 2.3~3.5 A/G ratio : 1.5 : 1~3.0 : 1	dehydration, lupus erythematosus, rheumatoid arthritis, chronic infection, multiple myeloma, acute liver disease	nephrotic syndrome, severe liver disease, malabsorption, diarrhea, severe burn
Glucose	70~110mg/100ml	diabetes mellitus, stress, hyperthyroidism, pancreatitis, Cushing's disease, chronic malnutrition, chronic liver disease, chronic illness	hypothyroidism, Addison's disease, overdose of insulin, bacterial sepsis, hepatic necrosis, psychogenic causes
Calcium	adult : 8.5~10.5mg/dl infant : 11.0~13.0mg/dl	hyperparathyroidism, vit. D intoxication, cancer, Addison's disease, hyperthyroidism, Paget's disease of bone, respiratory acidosis	Hypoparathyroidism, hyperphosphatemia, malabsorption, alkalosis, acute pancreatitis, osteomalacia, diarrhea, rickets
Lactic Acid Dehydrogenase (LDH)	95~200U/L	acute myocardial infarction, acute leukemia, hemolytic anemia, hepatic disease, skeletal muscle necrosis, acute pulmonary infarction	cancer therapy
Alkaline Phosphatase (ALP)	25~92U/L	obstructive jaundice, hepatocellular cirrhosis, biliary cirrhosis, hepatitis, Paget's disease, rickets, osteomalacia, leukemia, hyperparathyroidism	hypophosphatasia, malnutrtion, scurvy, hypothyroidism, pernicious anemia, milk-alkali syndrome, placental insufficiency
Serum Glutamic Oxaloacetic Transaminase (SGOT, AST)	0~40 U/L	myocardial infaction, liver disease, acute pancreatitis, severe burn, acute renal disease, crushing injury, trauma and irradiation of skeletal muscle	
Serum Glutamic Pyrubic Transaminase (SGPT, ALT)	0~40 U/L	hepatocellular disease, active liver cirrhosis, metastatic liver tumor, obstructive jaundice, infection, toxic hepatitis, liver congestion, pancreatitis	

표 4-5. 혈청 전해질 검사

	Normal Value	Increased Value	Decreased Value
Sodium	135~148mEq/L	dehydration, coma, diabetes insipidus, primary aldosteronism, tracheobronchitis, Cushing's disease	severe burn, severe diarrhea, vomiting, Addison's disease, severe nephritis, drug, edema, sweating
Potassium	3.5~5.0mEq/L	renal failure, burm, trauma, infection, acidosis, Addison's disease, internal hemorrhage	severe vomiting, diarrhea, severe burn, starvation, chronic stress, malabsorption
Chloride	98~106mEq/L	dehydration, anemia, Cushing's syndrome, hyperventilation, renal disorder	severe vomiting, severe diarrhea, fever, Addison's disease, ulcerative colitis, severe burn, acute infection(pneumonia)
HCO_3^-	19~25mEq/L	Metabolic alkalosis(Blood pH>7.35) : Persistent Vomitting, decreased blood Volme, hyperaldostreronism, excessive diuetic dosage Respiratory acidosis(pH<7.35) : Acute or Chronic respiratory failure	Metabotic acidosis(pH<7.37) : Ethanol toxicity, diabetic ketoacidosis renal failure gastrointestinal loss, shock Respiratory alkalosis(pH>7.45) : Hyperventilation

표 4-6. 정상 동맥혈 가스분석(ABGA) 소견

검사 항목	정상치
	7.35~7.45
PCO_2	35~45mmHg
PO_2	80~100mmHg
bicarbonate	22~28mmHg
SaO_2	98%
CO_2 content	4.8vol %
O_2 content	20vol %

실습평가표

실습제목	Chair side Procedure(근육주사, 정맥주사, 동맥혈 채혈)		
학생 번호		성명	
지도의 성명		서명(인)	

구분	평가항목	점수
근육주사	환자의 시술 자세를 정확하게 하는가?	
	주사할 부위의 해부학적 지식은 정확한가?	
정맥주사	시술 전과정을 세세하게 설명할 수 있는가?	
	시술전 준비가 정확한가?	
	시술이 착오없이 능숙하게 시행되는가?	
정맥혈 채혈	환자의 시술 자세를 정확히 하는가?	
	채취하고자 하는 동맥의 해부학적 지식을 숙지하고 있는가?	
	시술이 착오없이 능숙하게 시행되는가?	
동맥혈 채혈	동맥혈 채혈법을 설명할 수 있는가?	

참고문헌

1. Adapted from Fundamentals of Nursing: Human Health and Function, R. Craven, C. Hirnle, 4th ed. Lippincott Williams & Wilkins 2003
2. 마취통증의학. 대한마취과학회편저.여운각

Chapter 05

절개 및 봉합

학•습•목•표

- 절개 및 봉합기구의 성확한 파지법을 알고 시행 할 수 있다.
- 절개의 방법 및 원칙에 숙지하고 그에 따라 시행할 수 있다.
- 봉합사의 봉합침과 재료에 따른 차이와 쓰임을 숙지한다.
- 봉합의 원칙을 숙지하고 그에 따라 시행할 수 있다.
- 기구를 이용한 여러 봉합법을 시행할 수 있다.
- 손 결찰 방법을 알고 시행 할 수 있다.

이 장은 모든 수술의 기본적인 술식인 절개와 봉합에 사용되는 수술기구, 재료, 방법 및 원칙들을 이해하고, 그 술기를 시행할 수 있도록 하는데 목적이 있다.

1 절개 및 봉합의 기본술식

1) 기구

(1) 외과용 칼날(surgical blade)(그림 5-1)

① 10번 칼날은 넓은 부위의 피부에 절개를 가할 때 사용한다.

② 11번 칼날은 피부에 예리한 surgical blade, scalpel을 가할 때 사용한다.

③ 12번 칼날은 직선 형태의 칼날(blade)로는 접근이 어려운 구강내 부위 등에서 유용하게 사용될 수 있다.

④ 15번 칼날은 가장 많이 사용되는 칼날로, 피부나 점막 절개 모두에서 사용이 가능하다.

⑤ 15c 칼날은 피부성형 수술과 같이 미세한 절개가 필요할 때 사용된다.

(2) 칼대(blade holder)

칼대(그림 5-2)에 일회용(disposable) 칼날을 장착한 후 절개를 시행한다. 일회용 칼날을 장착할 때는 지침기(needle holder)와 같은 기구를 이용하여, 손을 다치지 않도록 주의한다(그림 5-3).

(3) 지침기(needle holder)

구강 내에서는 주로 15cm 길이의 지침기(그림 5-4)가 많이 사용된다. 지침기에서 beak 즉 봉합침(suture needle)을 잡는 부분은 crosshatch가 되어 있어서, 봉합침이 쉽게 미끄러지거나 회전하지 못하게 도와준다. 지침기는 엄지손가락(thumb)과 넷째손가락(ring finger)을 손잡이 구멍에 넣어 파지하며, 집게손가락(index finger)을 앞쪽으로 뻗어, 기구 조작 시 미세한 조절을 돕도록 한다. 가운데 손가락(middle finger)은 needle holder의 잠금 장치를 잠그는데 보조적인 역할을 한다(그림 5-5).

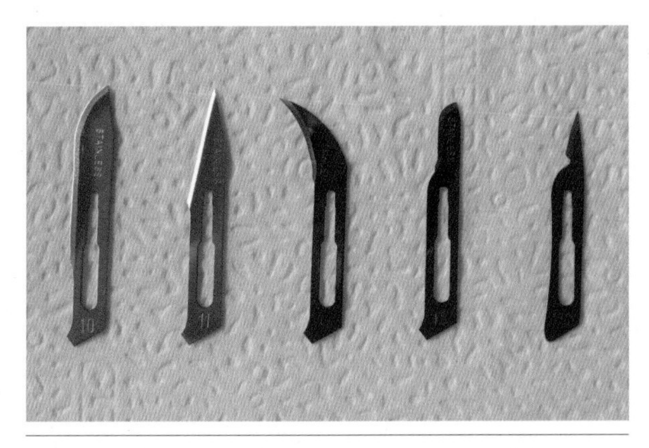

그림 5-1. 좌측부터 차례대로 No. 10, 11, 12, 15, 15c 칼날

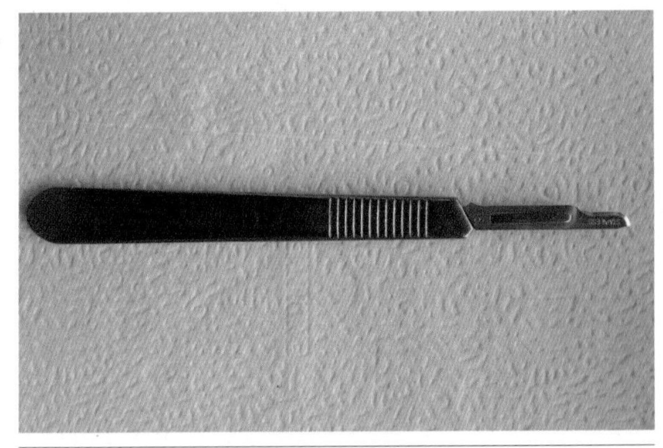

그림 5-2. 칼대에 10번 칼날을 장착한 사진

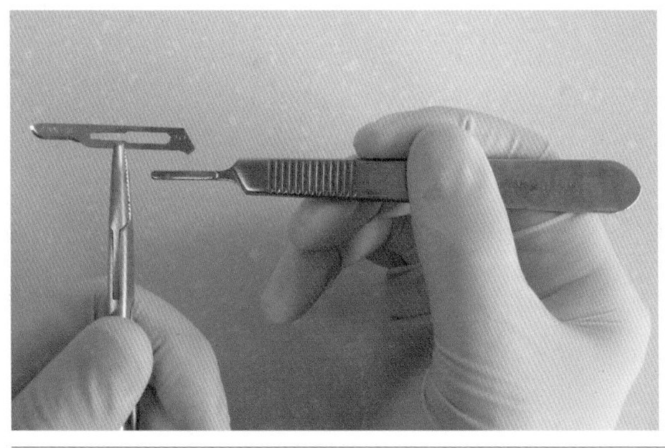

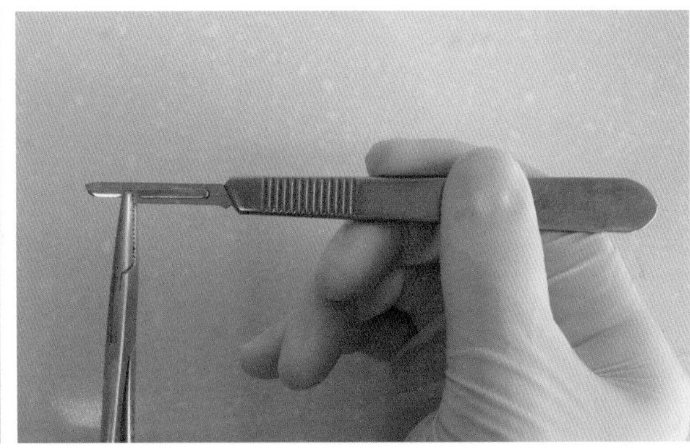

그림 5-3. 칼대에 칼날을 장착하는 방법

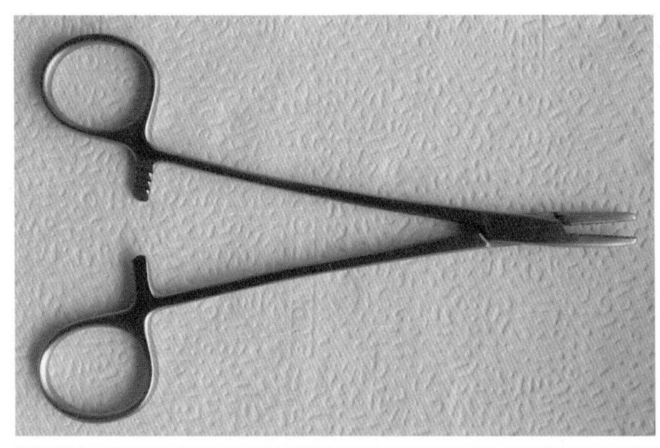

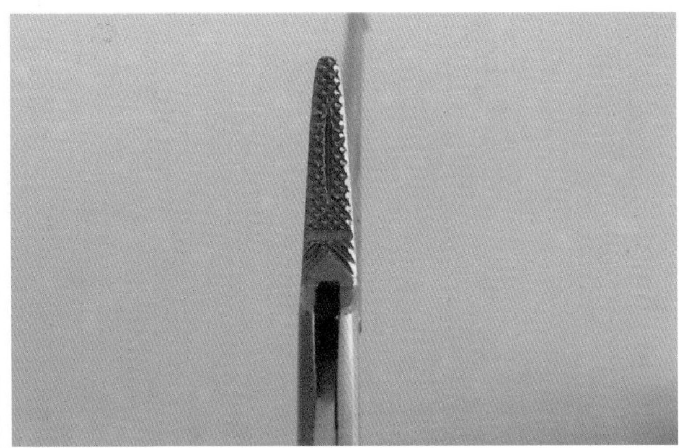

그림 5-4. 지침기와 지침기 beak 부위의 crosshatch

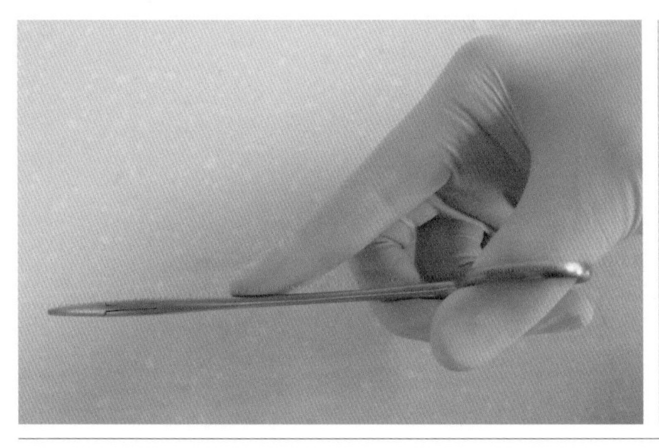

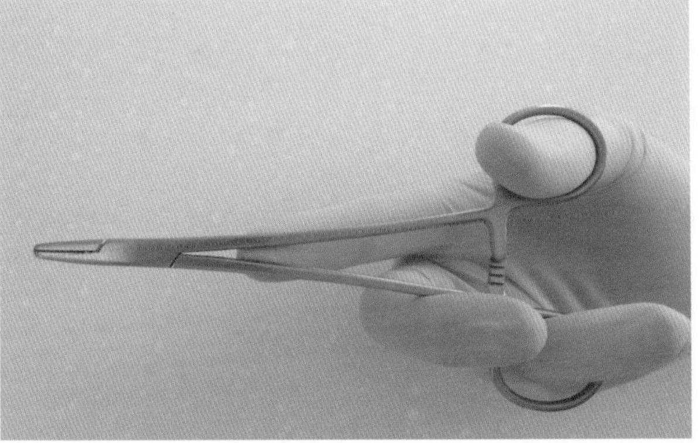

그림 5-5. 지침기를 잡는 방법

(4) 조직 겸자(tissue forcep, Adson's forcep)

조직 겸자(그림 5-6)는 심부 절개 시 연조직을 잡아 견인하는 역할을 하며, 봉합 시 조직을 움직이지 않게 하여, 봉합침이 잘 통과할 수 있게 한다. 조직 겸자로 연조직을 너무 강하게 잡으면, 잡은 부위의 조직이 뭉개질 수 있는데, 특히 tip 부위에 teeth가 있는 조직 겸자의 경우에는 조직이 찢어질 수 있기 때문에 더욱 주의가 필요하다.

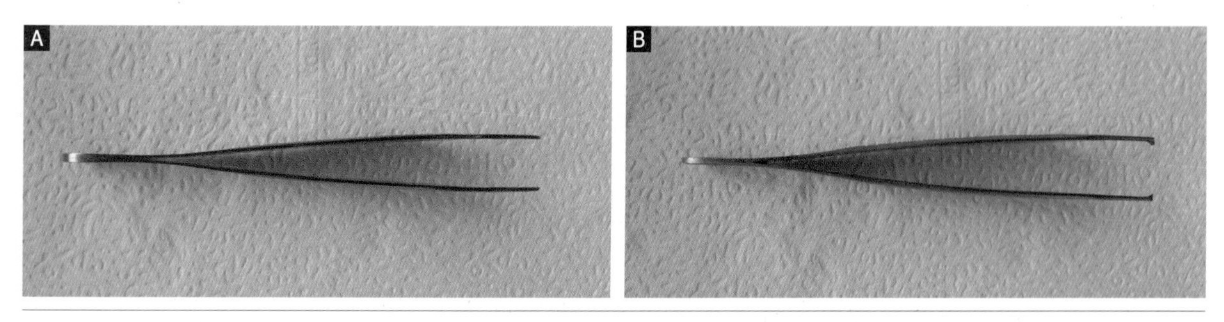

그림 5-6. 조직 겸자. A. tooth가 없는 조직 겸자 B. tooth가 있는 조직 겸자

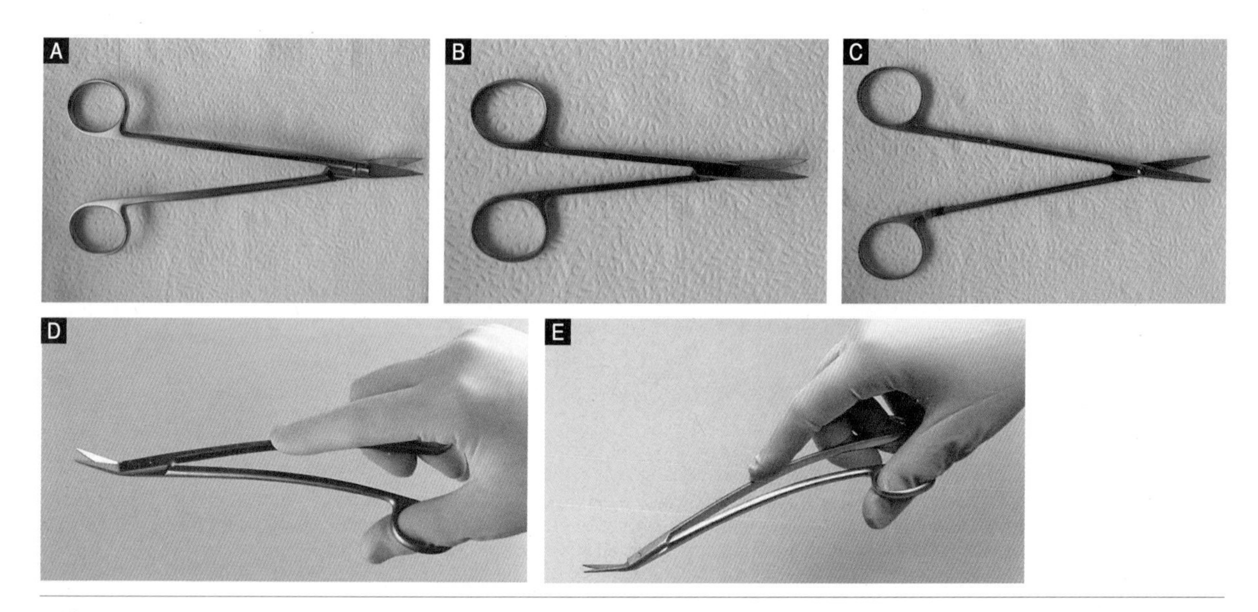

그림 5-7. A. Dean scissor B. iris scissor C. metzenbaum scissor D,E. 외과용 가위를 잡는 법

(5) 외과용 가위(scissors)

외과용 가위의 종류로는 Dean scissor, iris scissor, metzenbaum scissor 등이 있다(그림 5-7). 외과용 가위는 지침기와 동일한 방법으로 파지하며, 주로 봉합사를 제거하거나 연조직 절개 시 사용한다. 구강 내에서 봉합사를 제거할 때는 주로 Dean scissor가 사용되며, 피부 부위의 가는 실을 자를 때는 작고 뾰족한 날을 가지고 있는 iris scissor가 주로 사용된다. Metzenbaum scissor는 날의 끝 부분이 날카롭지 않기 때문에 심부 조직에 대한 blunt dissection 시에 사용된다.

(6) 지혈겸자(hemostat)

지혈겸자(Hemostat)(그림 5-8)는 지혈 목적으로 조직이나 혈관을 잡을 때 사용한다. Halsted와 kelly 등이 있는데, 5인치의 halsted 지혈겸자를 mosquito라고 한다. Mosquito는 kelly와 비교할 때 더 작은 beak를 가지고 있으며, 각각은 beak의 휘어짐 여부에 따라 curved 와 straight 두 가지 형태를 가진다.

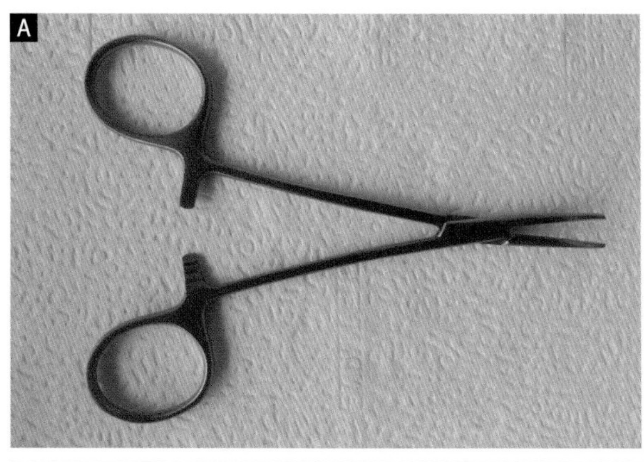

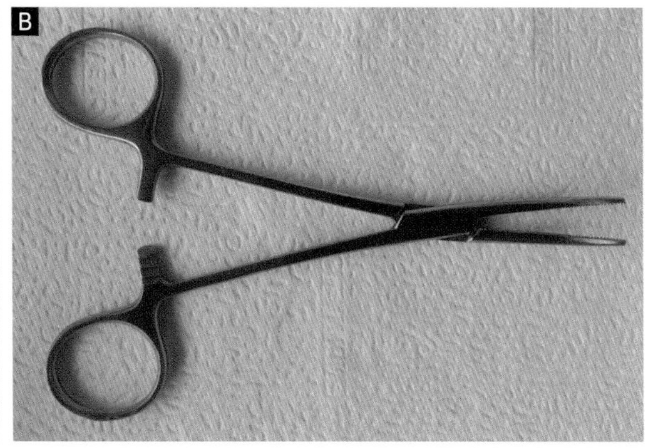

그림 5-8. 지혈겸자 **A.** Mosquito **B.** Kelly

2) 절개 방법 및 원칙

구강악안면외과 의사는 절개방법을 크게 구강내 절개와 구강외 절개, 혹은 피부절개로 나눈다. 구강내 절개(intra-oral incision)란 기본적으로 상, 하악 모두에서 각화치은(attached gingiva) 하방 5mm의 구강점막에 수평으로 골막까지 전층절개를 하는 것을 말한다. 추가적으로 수술의 필요에 따라 치아쪽으로 수직절개를 가하거나 하악지의 외사선(oblique ridge)을 따라 절개선을 연장할 수 있으며, 골막을 남기고 점막에만 절개선을 가할 수도 있다.

턱얼굴 부위의 수술을 위한 피부절개는 해당부위의 해부학적 위치에 따른 특성을 고려하여 수행하여야 하며 다음의 원칙에 따른다.

(1) 절개선은 주름선(wrinkle line)이나, 이완된 피부긴장선(relaxed skin tension line; RSTL) 등을 고려하여 디자인하여야 한다(그림 5-9, 10).

(2) 머리카락이 덮이는 부위나 주름이 생기는 부위 같이 눈에 잘 보이지 않는 부분에 절개선을 위치시킨다.

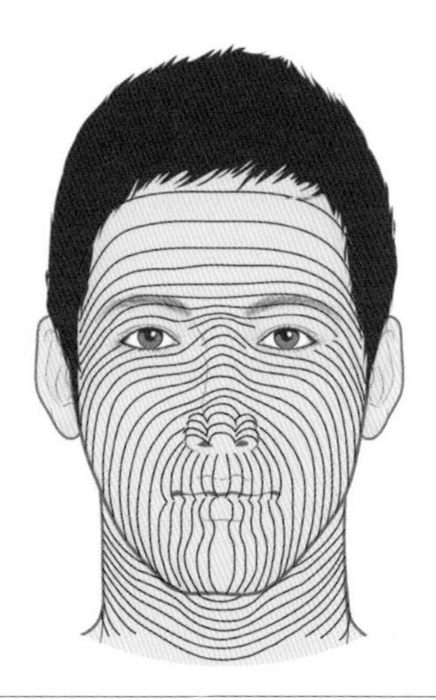

그림 5-9. 얼굴 전체 부위의 이완된 피부긴장선(RSTL)

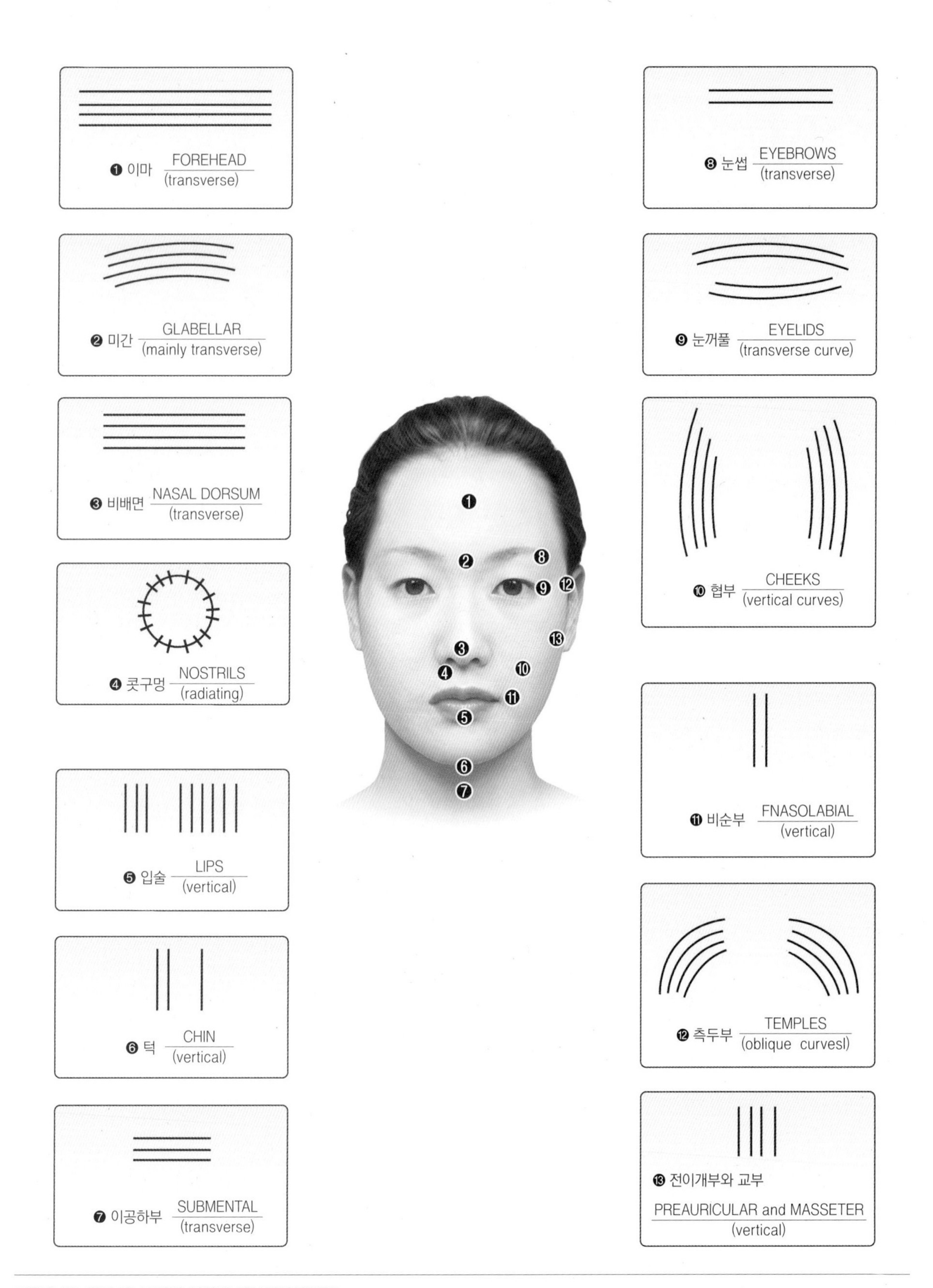

그림 5-10. 얼굴 각 부위의 이완된 피부긴장선(RSTL

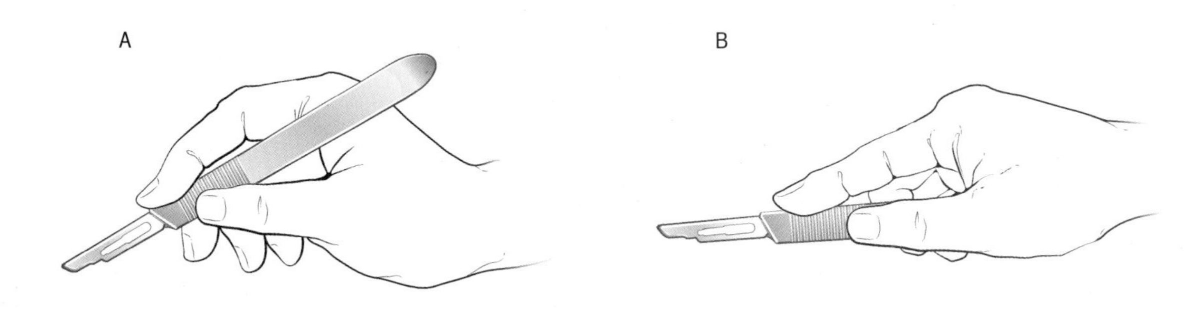

그림 5-11. Blade holder를 잡은 모습. **A.** 펜홀더식(pen holding) **B.** 나이프식(table-knife holding)

(3) 수술 시 절개선의 길이는 가장 좋은 수술 시야를 확보할 수 있는 범위 내에서 최소한으로 연장되어야 한다. 절개선의 디자인이 잘못되어 수술 시야가 좁아질 경우, 이로 인하여 수술 시간이 연장될 수가 있으며, 그에 따른 과도한 조직 견인은 주변 조직에 추가적인 손상을 야기할 수 있다.

(4) 절개 시 칼대를 잡는 방법은 펜 파지법(pen grasp)과 테이블칼 파지법(table knife grasp) 등이 있다(그림 5-11). 어떤 파지법을 하든 절개 시에는 인접 조직에 다른 손가락을 잘 지지하여 안정되게 한다.

(5) 절개 시 칼대를 잡을 때 너무 힘을 주어서는 안 된다.

(6) 가동성 조직은 움직이지 않도록 견고하게 고정시킨 후 절개를 한다.

(7) 절개는 예리하게 시행할수록 wound에 외상(trauma)이 적다.

(8) 한 번의 stroke로 피부 전층까지 절개를 시행하여야 하며, 절개선의 깊이는 일정한 깊이를 유지하도록 한다.

(9) 예리한 절개를 하기 위해서는 여러 번 사용하거나 단단한 조직에 닿아서 둔해진 칼날은 사용하지 않는다.

(10) 절개 시 모낭, 혈관, 신경의 주행 방향을 고려하여 절개를 시행하여 가능한 이런 구조물들의 손상이 없도록 한다.

3) 봉합사의 종류

봉합사의 굵기는 단면의 직경과 관련이 있으며 3-0, 4-0, 5-0, 6-0와 같이 숫자로 그 크기를 구분한다. 전체적으로 1-0에서부터 12-0까지 있으며, 1-0의 경우 굵은 직경의 봉합침과 봉합사를 말하는 것이고, 숫자가 올라갈수록 미세한 직경의 봉합침과 봉합사를 가리킨다. 구강 내 봉합에 있어서는 3-0, 4-0 봉합사를 많이 사용하며, 얼굴 부위의 피부 봉합에 있어서는 5-0, 6-0 봉합사를 주로 사용한다. 또한 턱얼굴 부위 재건수술(reconstructive surgery) 중의 미세혈관 수술에 있어서는 8-0부터 10-0 봉합사를 사용한다.

봉합사는 다음과 같이 분류할 수 있다.

(1) 봉합침의 특성에 따른 분류

봉합침은 직선형과 만곡형의 2가지 기본 형태를 가지며 기저부(base)에서 첨부(tip)로 갈수록 가늘어진다. 구강악안면외과 영역에서 봉합 시에는 주로 1/2이나 3/8의 만곡도를 가진 curved needle이 많이 사용된다(그림 5-12).

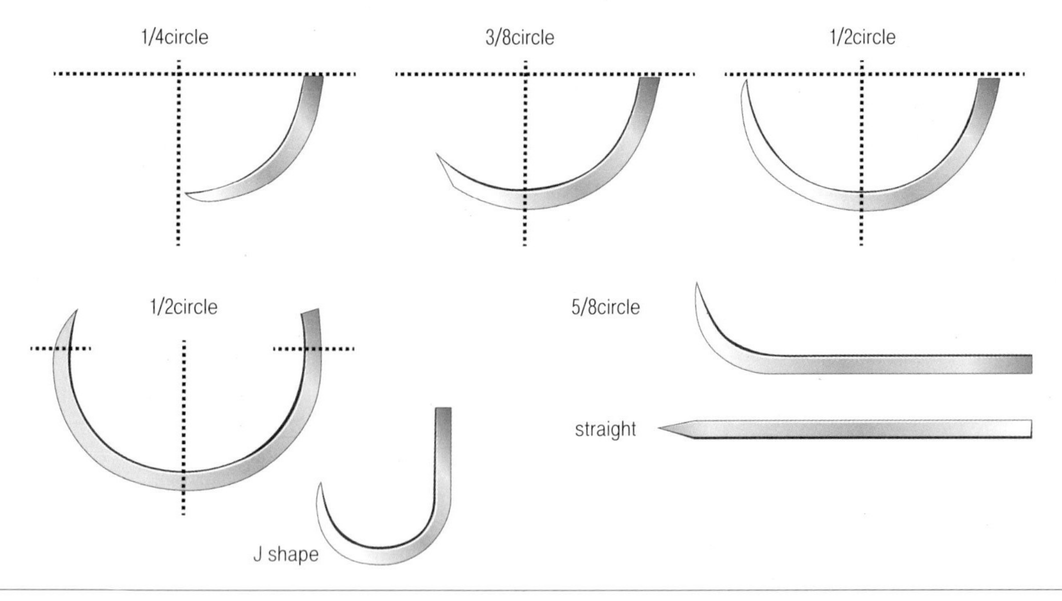

그림 5-12. 봉합침의 만곡도에 따른 비교. 창상연이 접근되어 있을수록 만곡도가 큰 것을 사용한다.

또한 봉합침은 몸체의 형태에 따라 둥근형(round), 삼각형(cutting), 그리고 역삼각형(reverse cutting)으로 분류한다(그림 5-13).

① 둥근(round) 형태의 단면을 가진 봉합침은 구강 내 수술에 가장 많이 사용되며, 주로 구강 점막이나 근육 봉합에 사용된다.

② 삼각형 형태의 단면을 가진 봉합침은 cutting needle로 불리며, 조직을 쉽게 통과하는 장점이 있다. 그러나 삼각형의 첨부가 창상의 변연부(margin)를 향하기 때문에 조직이 쉽게 찢어지는 단점이 있다. 주로 미세한 성형수술에 사용된다.

③ 역삼각형 형태의 단면을 가진 봉합침은 reverse cutting needle로 불리며, cutting needle과 비교했을 때, 조직을 쉽게 통과하는 점은 비슷하나, 삼각형의 기저부가 창상의 변연부를 향하기 때문에, 조직의 찢어짐이 좀 더 적은 장점이 있다. 주로 피부 봉합에 많이 사용된다.

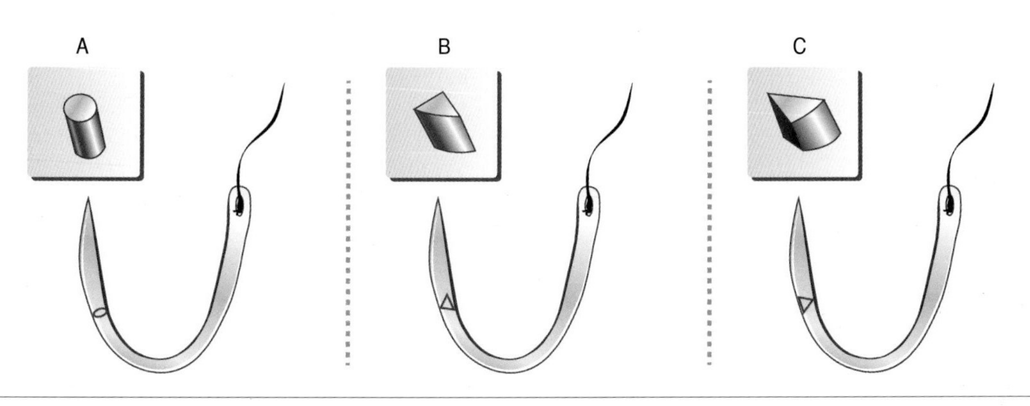

그림 5-13. 봉합침 단면에 따른 분류. **A.** 둥근 형태 **B.** 삼각형 형태 **C.** 역삼각형 형태

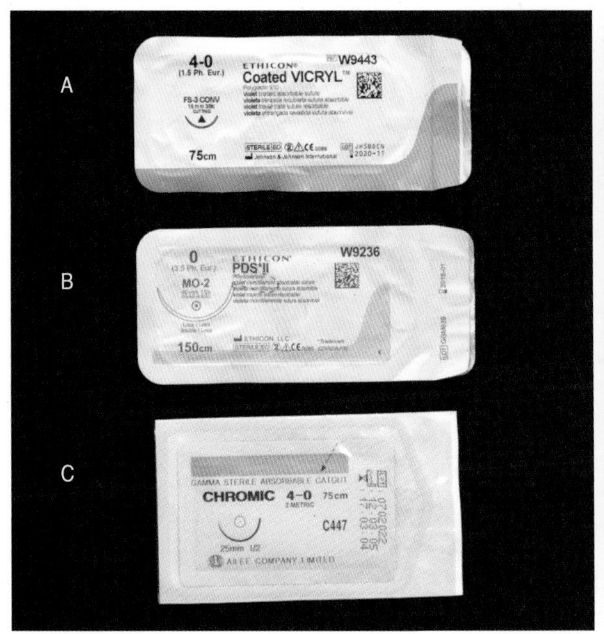

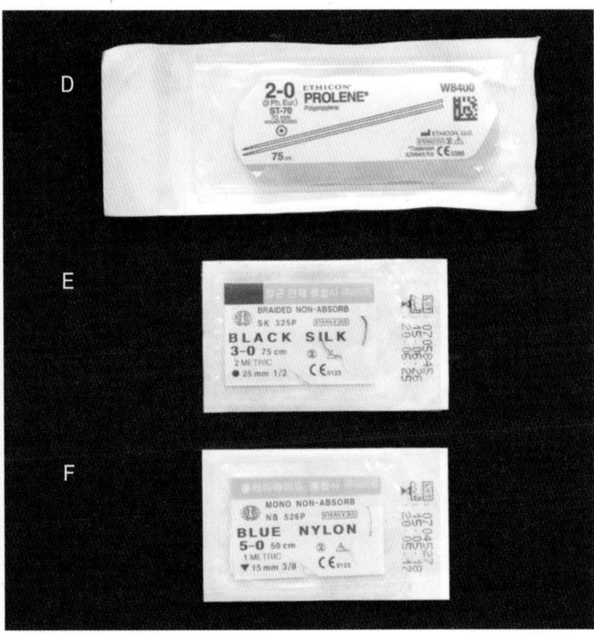

그림 5-14. 흡수성 봉합사 **A.** Polyglactin 910 **B.** Polydioxanone **C.** Chromic gut
비흡수성 봉합사 **D.** Polypropylene **E.** Silk **F.** Nylon

(2) 흡수 여부에 따른 분류

인체내에서 봉합사가 흡수되는 속도에 따라 흡수성 봉합사와 비흡수성 봉합사로 분류한다. 즉 조직내에서 빠르게 분해되어 60일 이내에 신장강도(tensile strength)가 없어지면 흡수성 봉합사라 부르고, 신장강도가 60일 이상 지속되면 비흡수성 봉합사라 부른다(그림 5-14).

① 흡수성 봉합사는 주로 피하조직, 근육, 구강점막 등의 봉합에 사용되는데 비흡수성 봉합사와 비교하여 이물반응을 더 심하게 일으킨다. 대표적으로 장선(catgut), Vicryl(polyglactin 910), PDS(polydioxanone) 등이 있다.

② 비흡수성 봉합사는 구강점막의 봉합에 사용되는 견사(mersilk), 피부에 사용되는 나일론(Nylon), 혈관 수술에 사용되는 Polypropylene(prolene), 그리고 두피의 봉합에 사용되는 스테인레스 스틸 등이 대표적이다.

(3) 구조에 따른 분류

봉합사는 구조에 따라 단선조(monofilament)와 다선조(polyfilament)로 구분한다(그림 5-15).

① Monofilament 봉합사는 한 가닥의 섬유로 이루어진 봉합사를 가리키며, Nylon이나 Vicryl이 여기에 해당된다. 뻣뻣한(stiff) 특성을 가지고 있어, 봉합 시 매듭(knot)을 만들기가 polyfilament 봉합사에 비해 어렵다.

② Polyfilament 봉합사는 여러 가닥의 섬유가 꼬여진 형태(braided)로 만들어진다. Silk가 대표적인 polyfilament 봉합사 중 하나이다. 봉합 시 부드러워 매듭이 쉽게 만들어지는 장점이 있으나, 봉합사가 구강 내에서 유지될 경우, 섬유 가닥 사이에 음식물이 끼어서 박테리아 등이 번식하기 쉬운 단점이 있다.

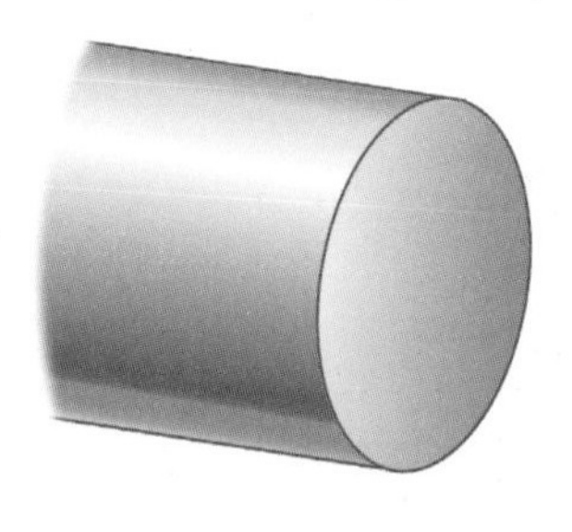
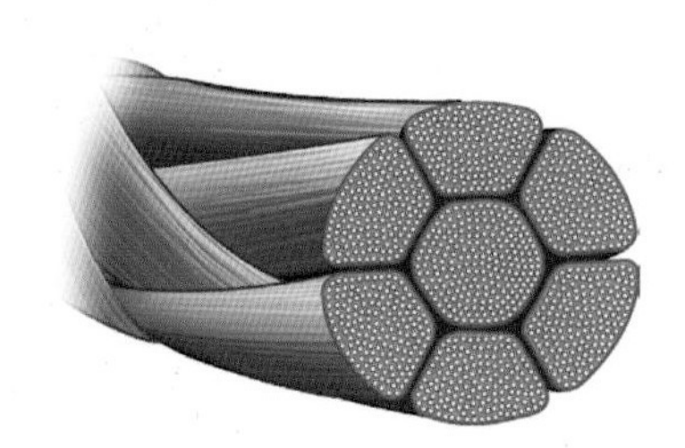

그림 5-15. monofilament 와 polyfilament 모식도

4) 봉합의 원칙

봉합(suture)은 손상 받은 조직의 양쪽 창상(wound) 변연을 접합(approximation)시키는 과정이다. 절개 부위에 출혈이 있을 때 봉합은 지혈을 도와주는 역할을 하기도 하며 궁극적으로 봉합을 함으로써 수술창상의 치유를 도모할 수 있다. 외과적 창상의 치유과정에서 일차치유(primary intention)는 양쪽 창상변연 사이의 공간이 최대한 적은 상태에서 창상의 치유가 일어나는 것을 말하며, 이차치유(secondary intention)는 창상변연이 찢어지거나, 근접하지 못했을 때 일어나는 치유를 말한다. 특별한 이유가 없다면, 가능한 일차 치유가 일어날 수 있도록 봉합을 시행하되 다음의 원칙에 따른다.

(1) 지침기로 봉합침을 잡을 때는 봉합침의 첨부로부터 3/4위치를 잡는다(그림 5-16).

(2) 피부나 점막을 조심스럽게 다루는 것이 중요하다. 조직 겸자로 인한 손상을 적게 주기 위해서는 teeth가 없는 조직 겸자를 사용하는 것이 유리하다.

(3) 봉합침이 조직을 통과할 때는 조직에 수직으로 통과해야 한다. 만약 비스듬하게 통과하게 되면, 봉합 매듭을 형성할 때 창상 변연부가 찢어질 수 있어 주의가 필요하다(그림 5-17).

(4) 봉합침이 조직 내를 통과할 때는 봉합침의 만곡도를 따라 진행해야 한다.

(5) 피판(flap)을 제자리에 위치시키고자 할 때는 가동성이 있는 조직에 봉합침을 먼저 통과시키고, 그 다음 고정되어 움직이지 않는 조직에 봉합침을 통과시켜 봉합하도록 한다(그림 5-18).

(6) 봉합의 정확성을 위해서 조직에 봉합침을 한번에 통과시켜 봉합하기보다는 두 번으로 나누어 봉합침을 통과시킨 후 봉합하는 것이 유리하다(그림 5-19).

(7) 봉합침이 조직 안으로 들어가는 깊이는 창상 변연에서 봉합침이 들어간 곳까지의 거리보다 크게 해서 봉합 후에 조직이 외반(eversion)되게 한다(그림 5-20).

(8) 봉합 시 조직에 가해지는 긴장(tension)이 과도하면 안 된다. 봉합 후 조직이 창백해질 경우, 조직에 긴장이 많이 가해지고 있음을 의심해야 한다. 심한 경우에는 피판의 변연부가 괴사(necrosis)되는 경우도 있으므로 주의한다.

(9) 턱얼굴 부위에서 단순단속봉합(interrupted suture)을 시행할 때 봉합과 봉합 사이 간격은 3~4mm 정도이다(그림 5-21).

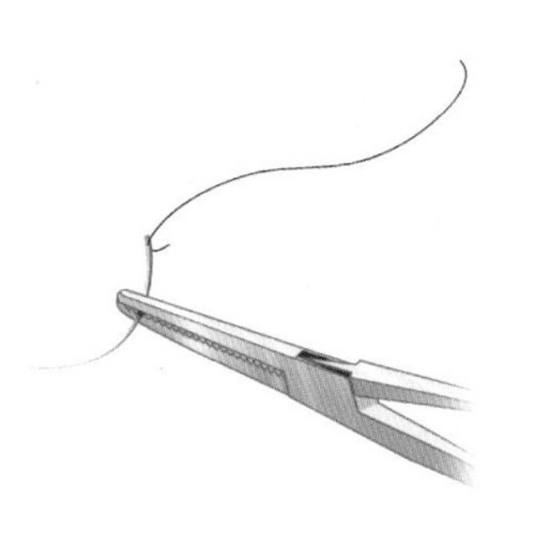

그림 5-16. 지침기로 봉합침을 잡는 위치

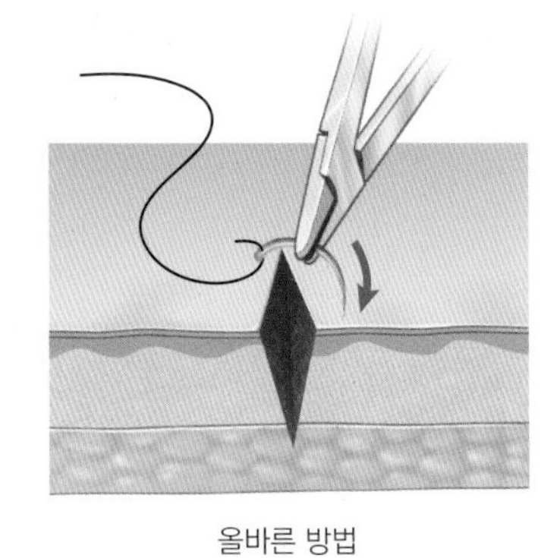

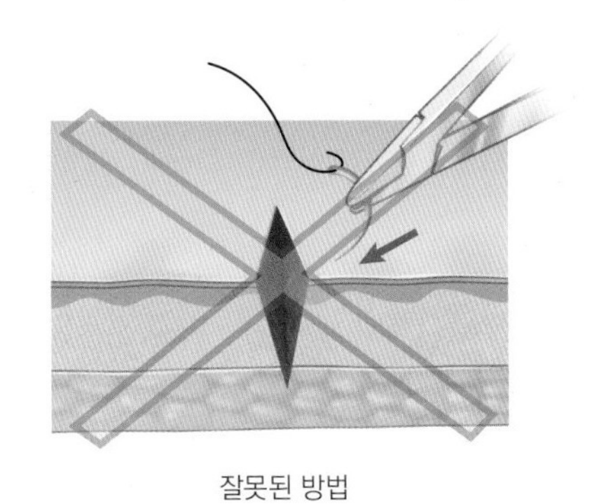

그림 5-17. 지침기로 봉합침을 잡는 위치봉합침을 조직 내로 통과시키는 방법

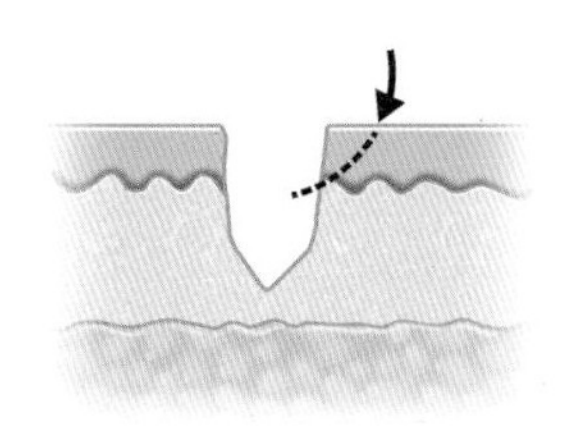
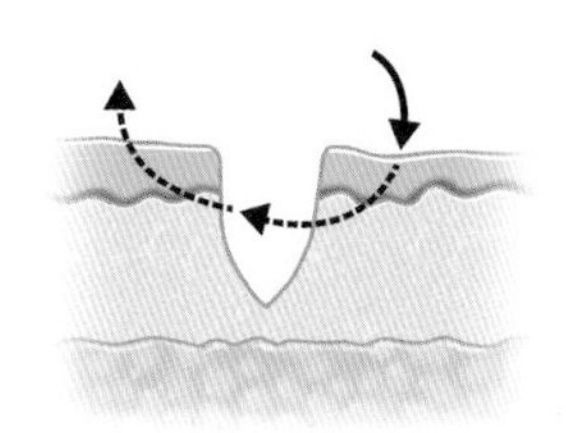
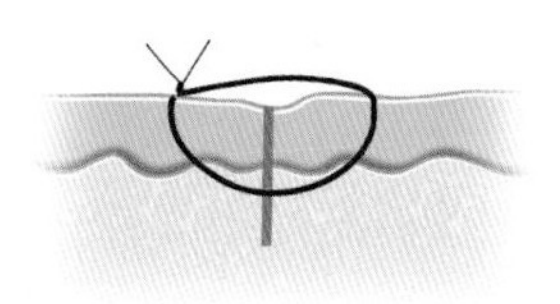
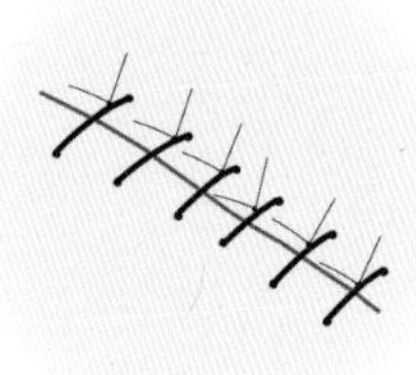

그림 5-18. 잘못된 봉합법

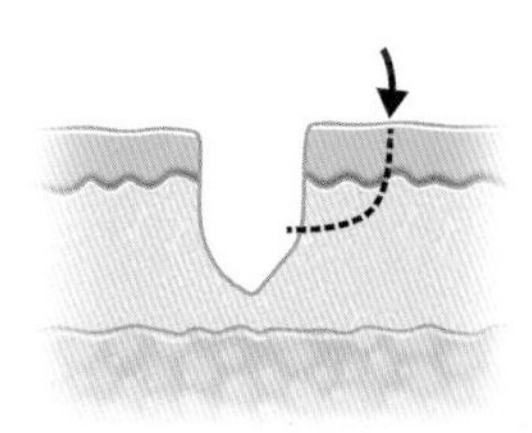
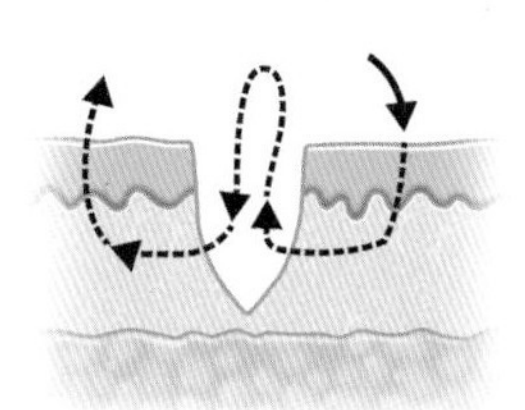
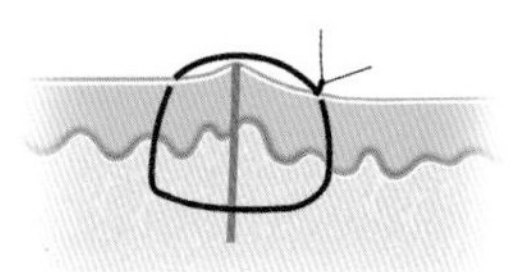

그림 5-19. 올바른 봉합법

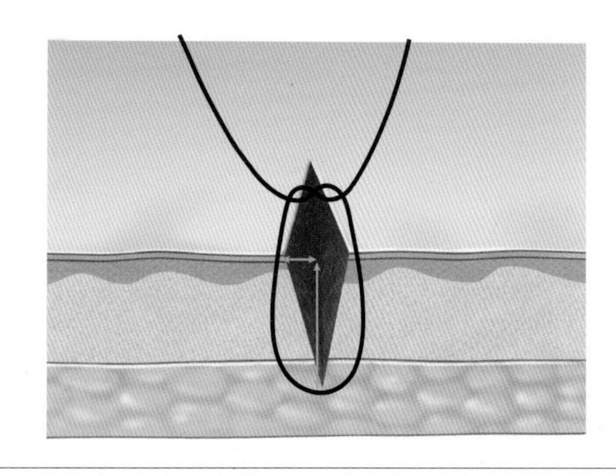

그림 5-20. 올바른 봉합법

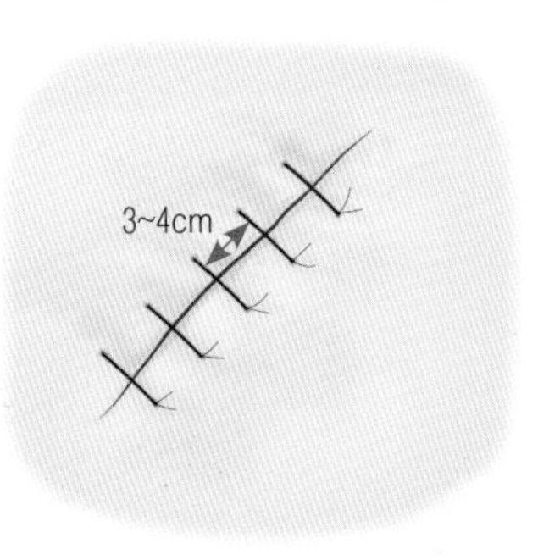

그림 5-21. 올바른 봉합법

(10) 결찰 후 매듭(knot)은 절개선 직상방에 위치하지 않도록 하며, 일정한 방향으로 매듭이 위치하도록 봉합한다(그림 5-22).

(11) Dog-ear가 발생하지 않도록 하며, 만약 dog-ear가 발생할 경우 피판을 적절히 디자인하여 제거하여 심미적으로 봉합한다(그림 5-23).

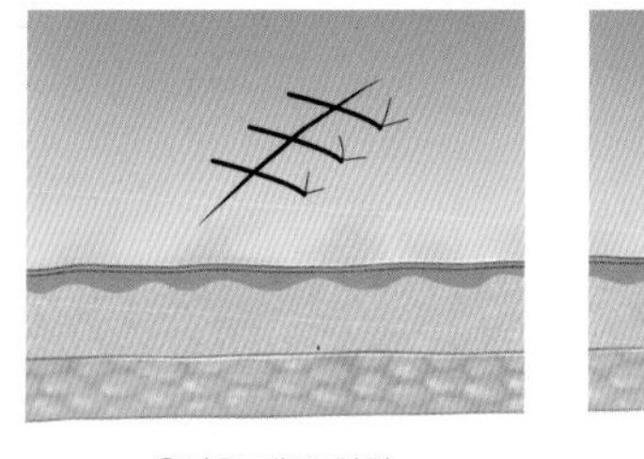

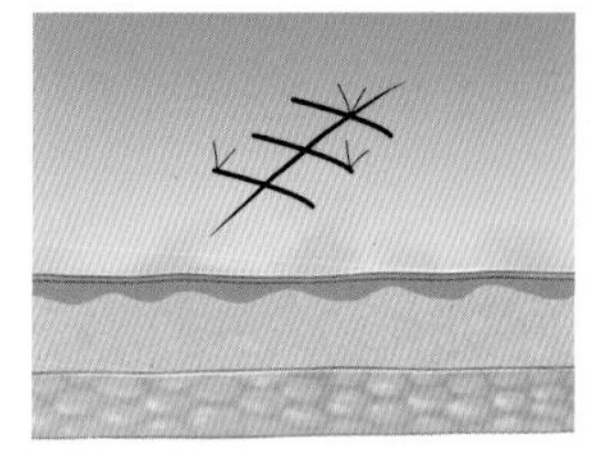

그림 5-22.

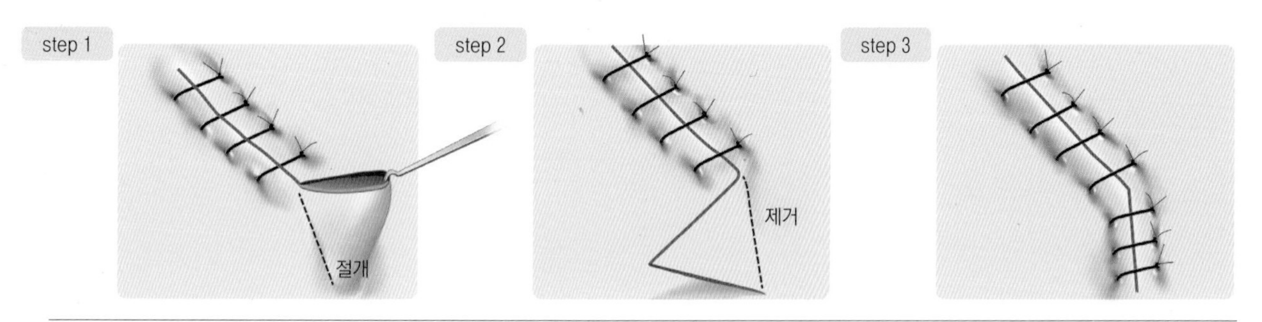

그림 5-23. 하키스틱 교정법

5) 봉합방법

(1) 단순단속 봉합(simple interrupted suture)

단순단속 봉합은 기본적으로 가장 많이 사용되는 봉합이다. 각각의 봉합이 독립적이다(그림 5-24).

(2) 8자형 봉합(figure of 8 suture)

발치창 봉합 시 창상의 크기를 줄여주고자 할 때 유용하게 사용할 수 있다. 또한 발치창안에 지혈을 위한 솜(sponge)을 적용할 경우, 8자형 봉합을 하면 솜의 탈락을 방지할 수 있다(그림 5-25).

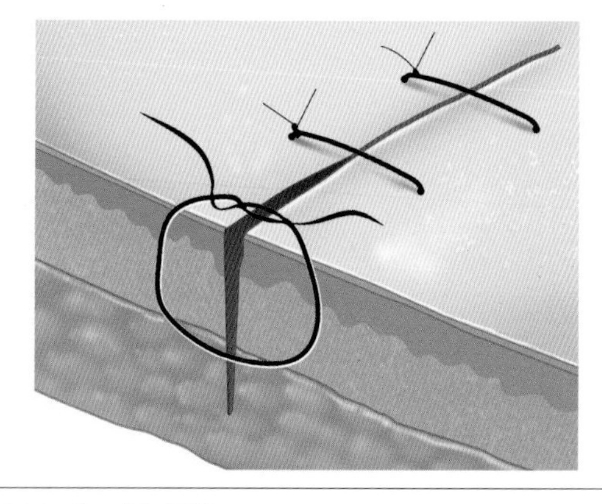

그림 5-24. 단순단속 봉합

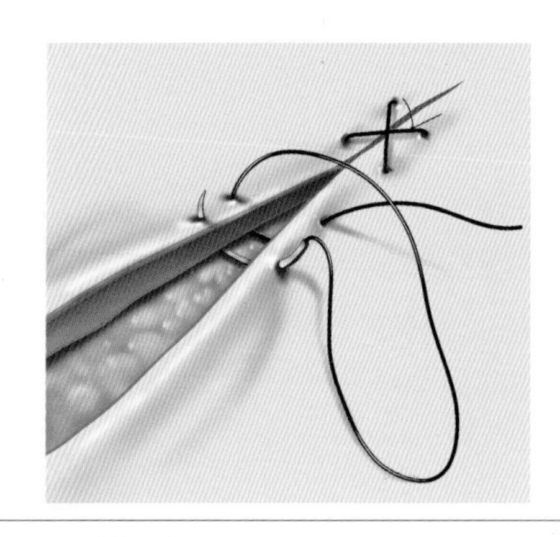

그림 5-25. 8자형 봉합

(3) 피하 봉합(subcutaneous suture)

피부 절개 시 피부 봉합 전에 피하 조직(subcutaneous tissue)에서 시행하는 봉합이다. 매듭을 조직 심부에 위치시켜 피부 밖으로 나오지 않게 한다(그림 5-26).

(4) 연속 봉합(continuous suture)

연속 봉합은 locking과 non-locking으로 나눌 수 있다. 연속 봉합은 매듭이 적으며, 긴 길이의 절개선도 빠르게 봉합할 수 있다. 또한, 적은 수의 매듭으로 인해 음식물의 침착이 적은 장점이 있다. 연속 봉합의 단점은 하나의 매듭이 풀리면 전체 봉합이 느슨해질 수 있는 점이다. 연속 봉합을 시행할 때 첫 번째 봉합은 단순단속 봉합을 사용해야 한다. 연속 봉합의 마지막 봉합은 완전히 당겨지지 않은 상태의 봉합사 loop를 잡고 매듭을 지어 마무리 한다. 연속 봉합은 심미성이 요구되는 부위에서 사용하기 부적절하며, 어느 정도 장력이 필요한 부위에서는 연속 봉합보다는 연속잠금 봉합(locking continuous suture)을 하는 것이 유리하다(그림 5-27).

(5) 수평매트리스 봉합(horizontal mattress suture)

수평매트리스 봉합은 절개 부위를 접합시킴과 동시에 절개 부위가 외번(eversion)될 수 있도록 해준다. 봉합 시 긴장(tension)이 많이 걸리는 부위에서 유용하게 사용할 수 있으며, 조직 변연의 찢어짐이 거의 없는 장점이 있다. 봉합 흉터를 남기지 않기 위해서 gauze roll을 사이에 넣고 봉합할 수도 있다(그림 5-28)

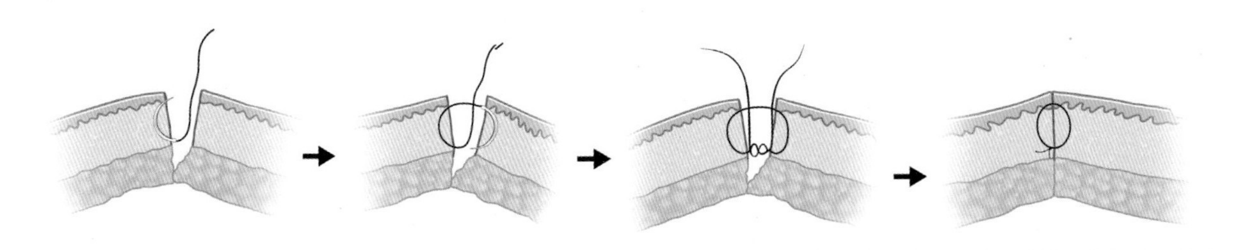

그림 5-26. 피하 봉합

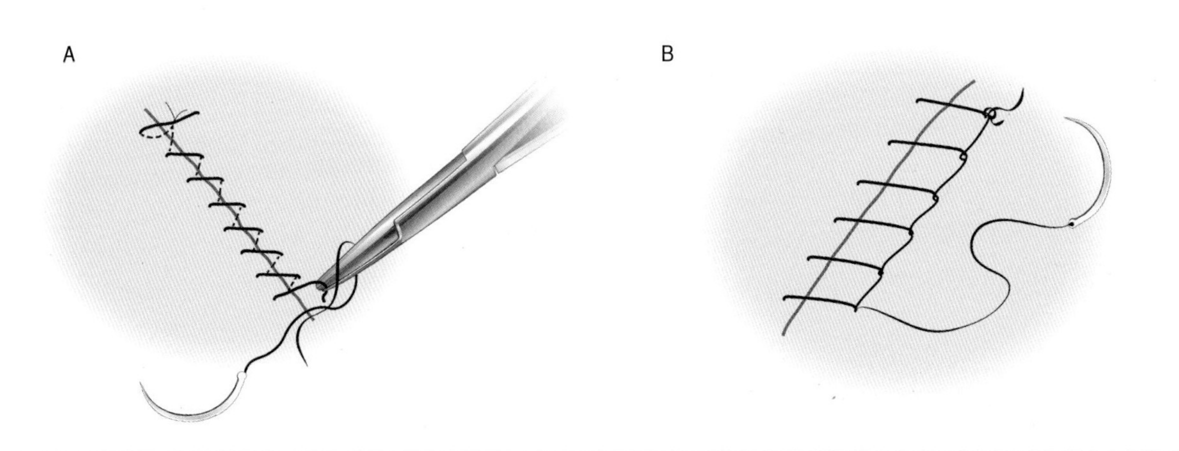

그림 5-27. A. 연속 봉합 B. 연속잠금 봉합

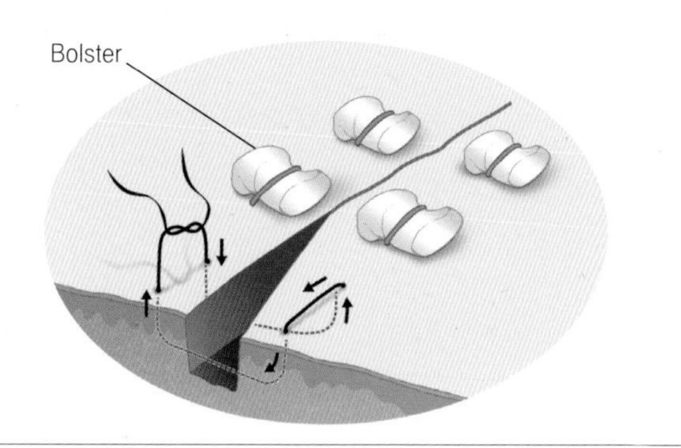

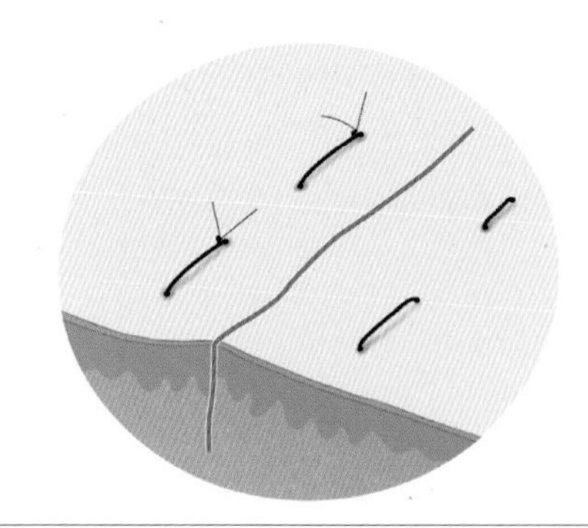

그림 5-28. 수평매트리스 봉합

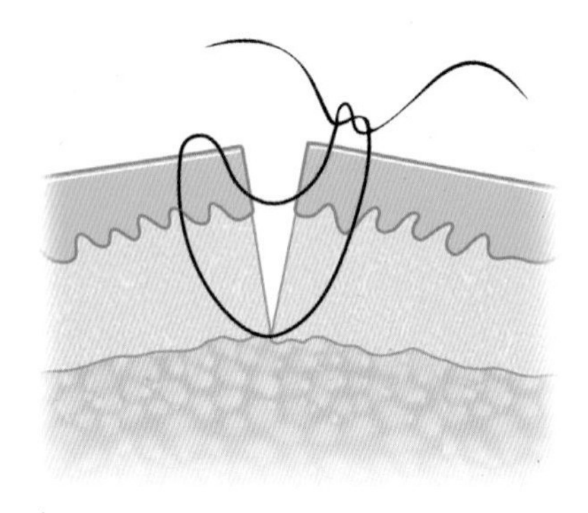

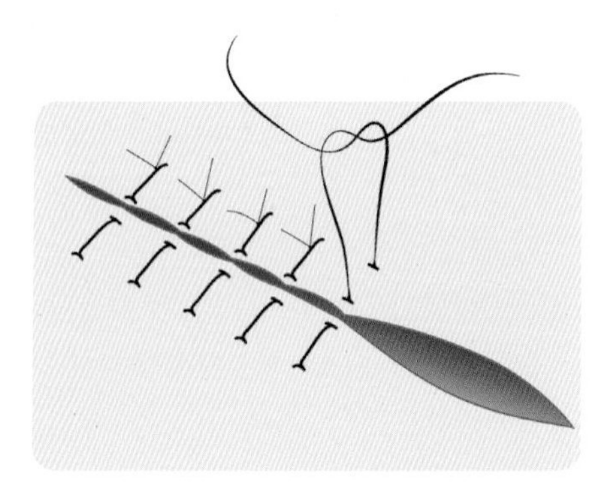

그림 5-29. 수직매트리스봉합

(6) 수직매트리스봉합(vertical mattress suture)

수평매트리스봉합과 마찬가지로 봉합 시 tension이 많이 걸리는 부위에서 key suture로 유용하게 사용할 수 있다. 수평매트리스 봉합에 비해 조직 변연 부위로의 혈액공급이 더 많이 이루어지는 장점이 있다(그림 5-29).

6) 매듭 형성법(knot tying)

외과의사들이 사용하는 매듭 형성법에는 손 결찰법(hand tie)과 기구 결찰법이 있다. 턱얼굴 부위의 수술에서는 기구 결찰법이 편리하게 사용되나, 목수술 시 혈관을 묶을 때와 같은 경우에서는 손 결찰법이 널리 사용된다.

(1) 한손 혹은 두손 결찰법

그림에서와 같이 한손(그림 5-30) 혹은 두손(그림 5-31)을 이용하여 매듭을 형성한다.

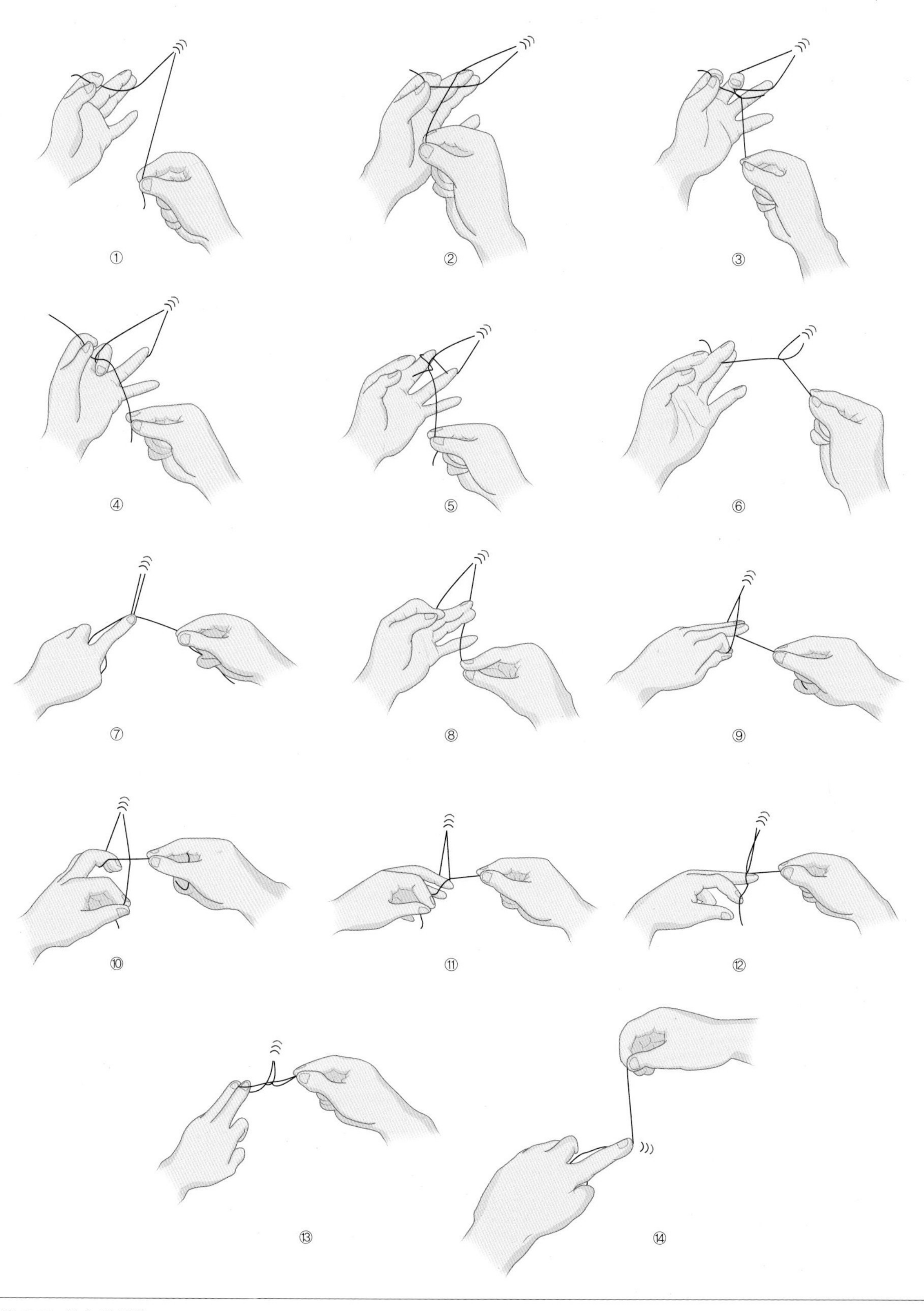

그림 5-30. 한손 결찰법

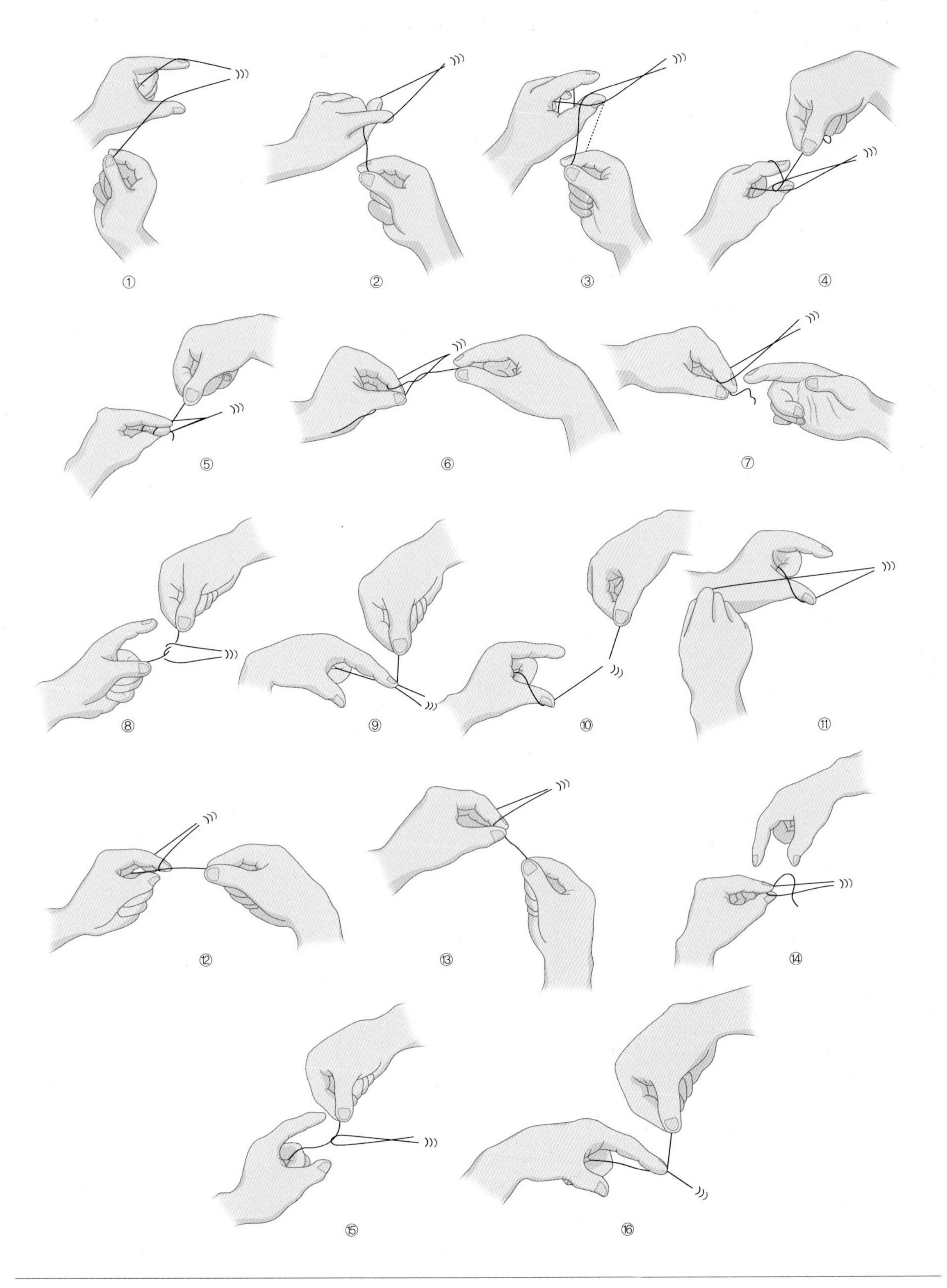

그림 5-31. 두손 결찰법

(2)기구 결찰법

① 스퀘어 매듭(square knot)

스퀘어 매듭은 가장 기본적인 결찰법으로 시계방향으로 한 번의 loop를 만든 후 반 시계 방향으로 한 번의 loop를 만들어 매듭을 만든다. 실크 봉합사에 적용할 수 있다.

② 외과의사의 매듭(surgeon's knot)

surgeon's knot은 가장 많이 사용되는 매듭으로 시계방향으로 두 번의 loop를 만들고 반 시계 방향으로 한 번의 loop를 만들어 매듭을 만든다(그림 5-32).

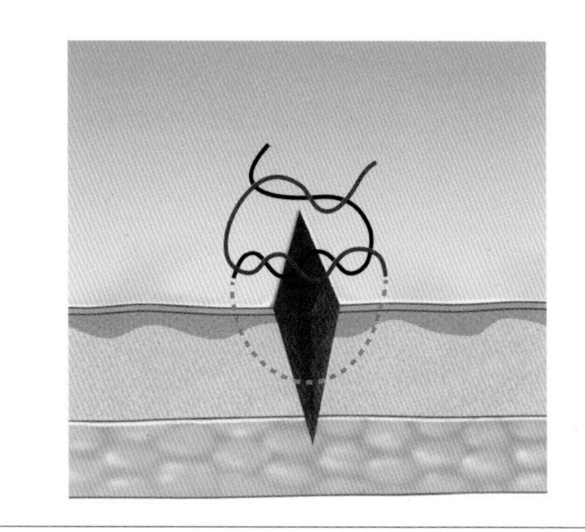

그림 5-32. surgeon's knot

③ 그라니 매듭(granny knot)

그라니 매듭은 피부 봉합에 많이 적용되는 것으로 스퀘어 매듭에 시계방향으로 한번 더 매듭을 한 상태로 마무리한다.

7) 봉합사의 제거

핀셋으로 매듭을 잡아 당겨 봉합사와 조직 사이에 공간이 생기게 한 후 Dean scissor나 iris scissor를 이용하여 봉합사를 자른다. 잘려진 봉합사의 매듭을 핀셋으로 잡은 후 조심스럽게 잡아당겨 봉합사를 완전히 제거하게 된다.

피부 봉합의 경우 봉합에 의한 반흔이 생기기 전에 봉합사를 제거하는 것이 좋다. 상이 벌어지지 않는 한 최대한 빨리 봉합사를 제거해야 한다. 얼굴과 목에서는 약 5일 후, 구강 내에서는 약 7일 후 봉합사를 제거하는 것이 적당하다.

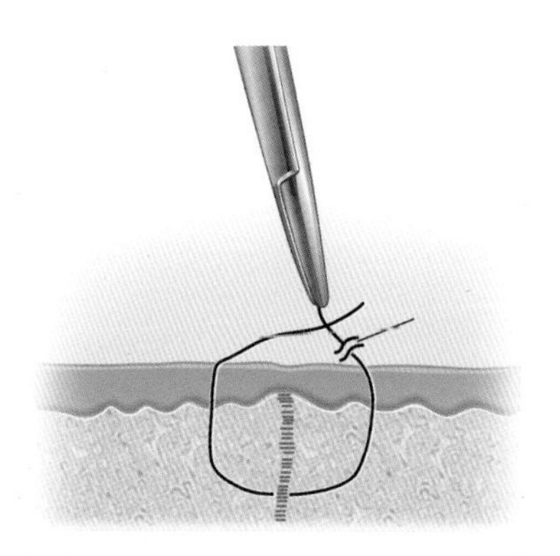

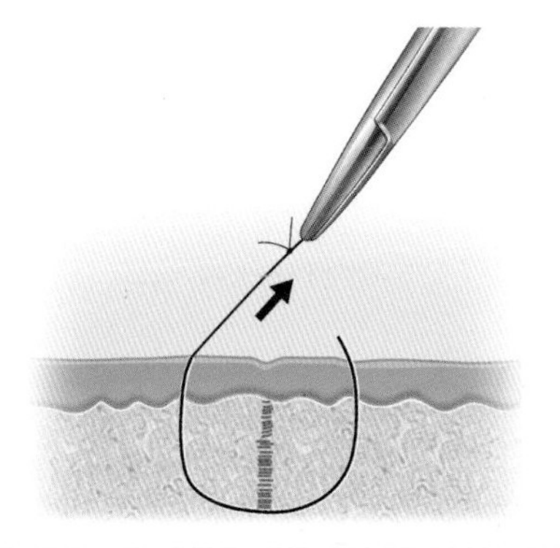

그림 5-33. 봉합사의 제거

 2 절개 및 봉합의 실습

1) 실습 준비물

인공 피부 패드, 외과용 칼날, 칼대, 지침기, 조직 겸자, 외과용 가위, 봉합사

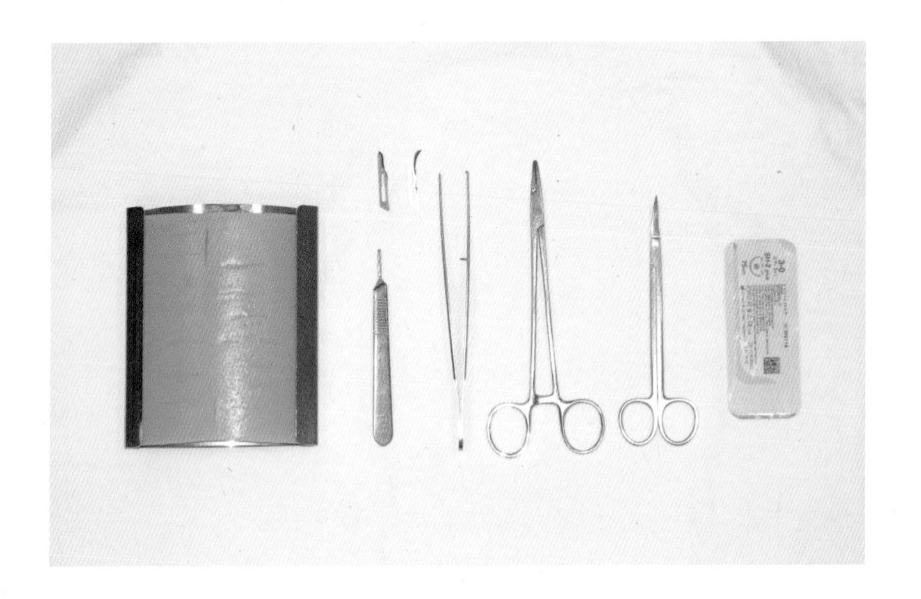

2) 실습 과정

(1) 단순단속봉합

① 한쪽 피판의 외측면에서부터 봉합침을 통과시킨다.

② 반대측 피판의 내측면으로 봉합침을 통과시킨다.

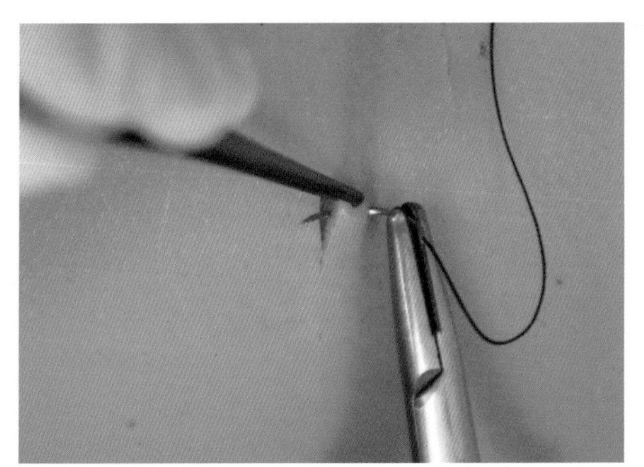

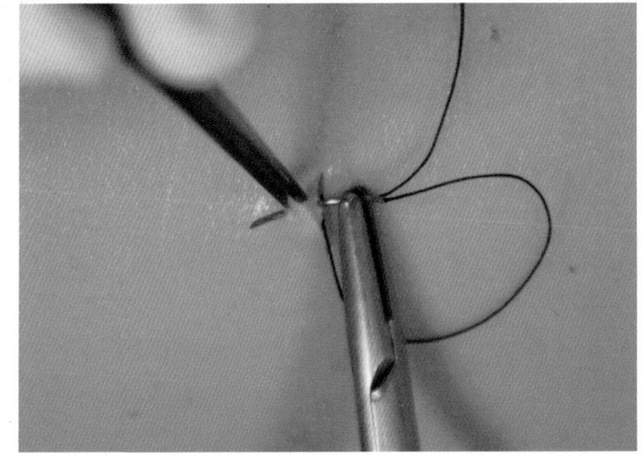

③ 적절한 장력으로 square knot 또는 surgeon's knot 등을 시행한다.

④ 매듭이 절개선에 위치하지 않도록 하며 봉합사를 절단한다.

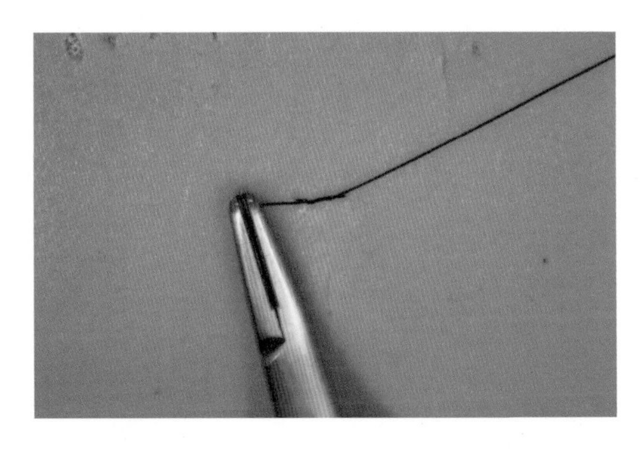
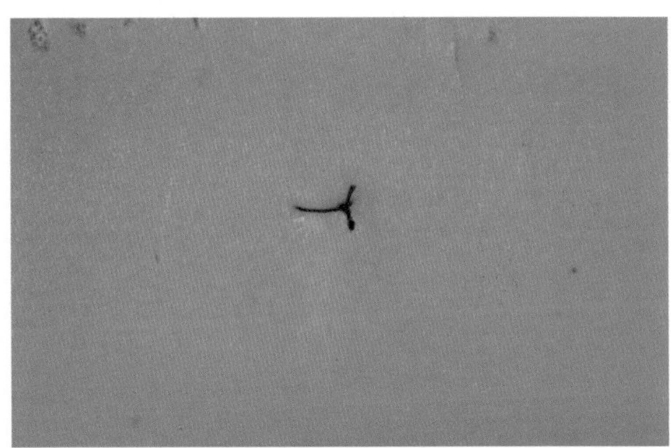

(2) 8자형 봉합

① 단순단속봉합과 마찬가지로, 피판의 외측면에서부터 봉합침을 통과시켜 반대측 피판의 내측면으로 봉합침을 통과시킨다.

② A과정에서 시행한 봉합사로부터 피판의 근위부측으로 적절한 거리를 두고 A과정과 동일하게 시행한다.

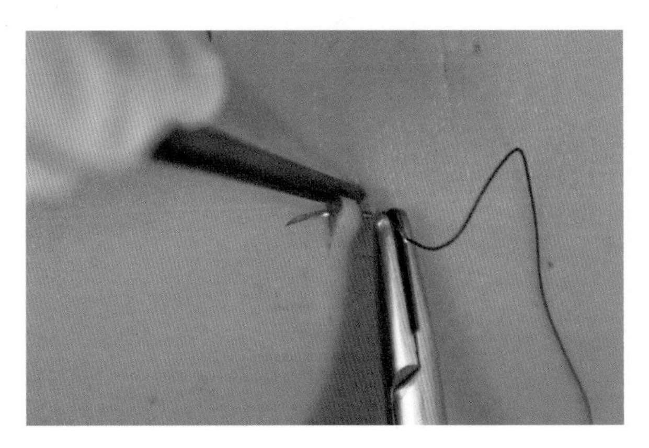
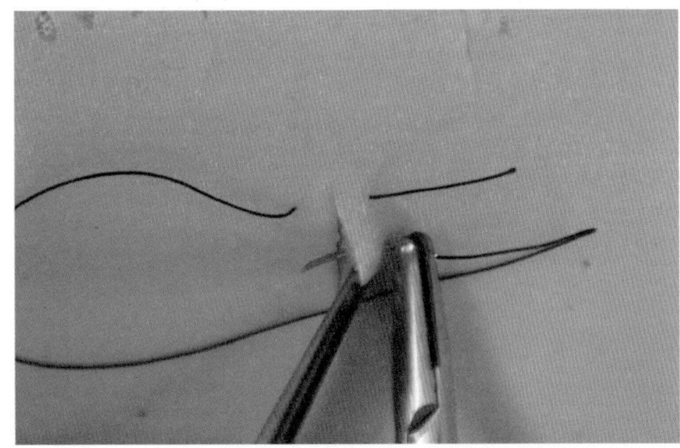

③ 적절한 장력으로 square knot 또는 surgeon's knot 등을 시행한다.

④ 매듭이 절개선에 위치하지 않도록 하며 봉합사를 절단한다.

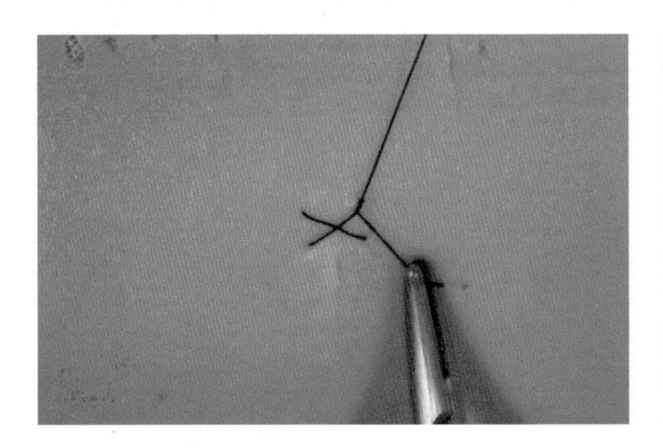
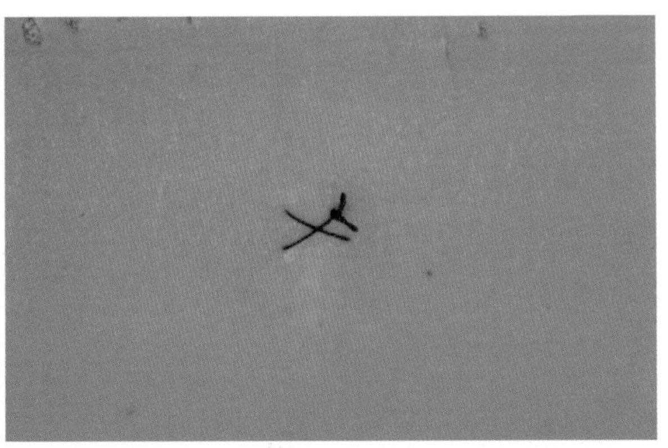

(3) 피하 봉합

① 피판의 한쪽면에서 봉합침을 심부에서 상층부로 삽입한다.

② 반대측 피판에서는 피판의 상층부에서 심부로 봉합침을 삽입한다.

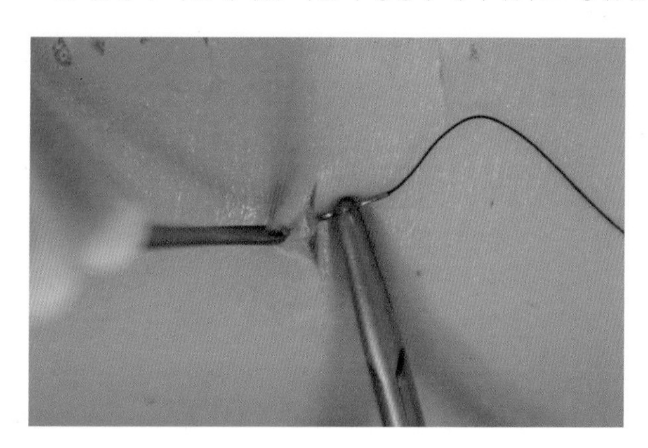

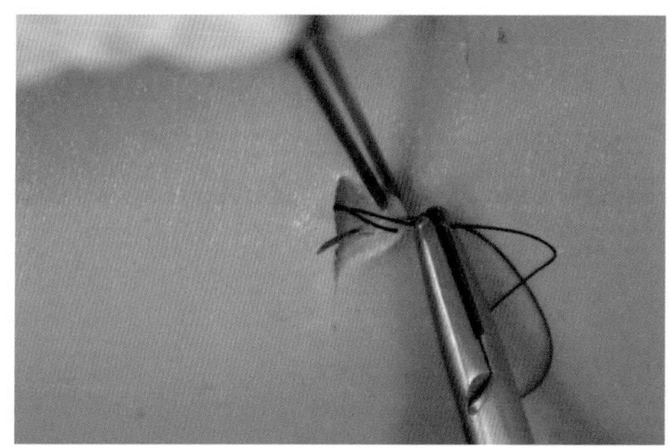

③ 표층의 피부가 굴곡되지 않을 정도의 적절한 장력으로 square knot 또는 surgeon's knot 등을 시행한다.

④ 매듭을 가능하면 짧게 절단하여 조직에 매몰되는 봉합사를 최소로 한다.

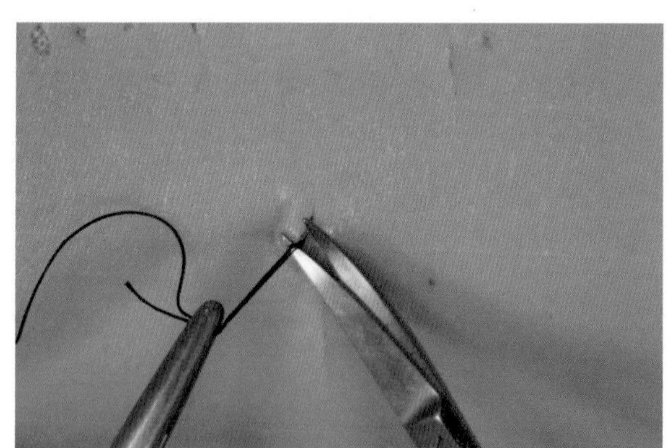

(4) 연속 봉합

① 절개부의 원위부에서 하나의 단순단속봉합을 시행한다.

② 봉합사의 절단 시, 봉합침이 연결된 봉합사는 절단하지 않는다.

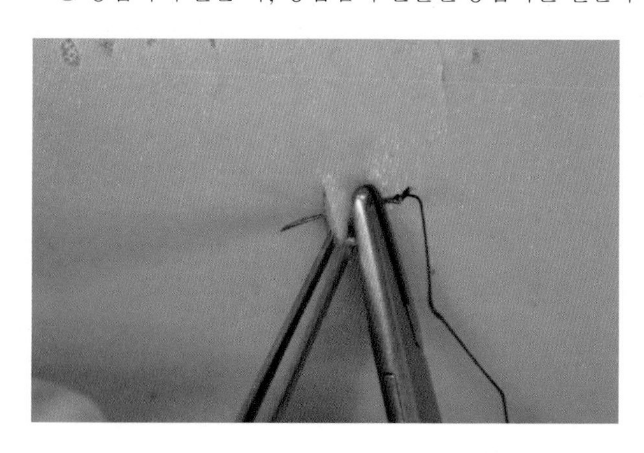

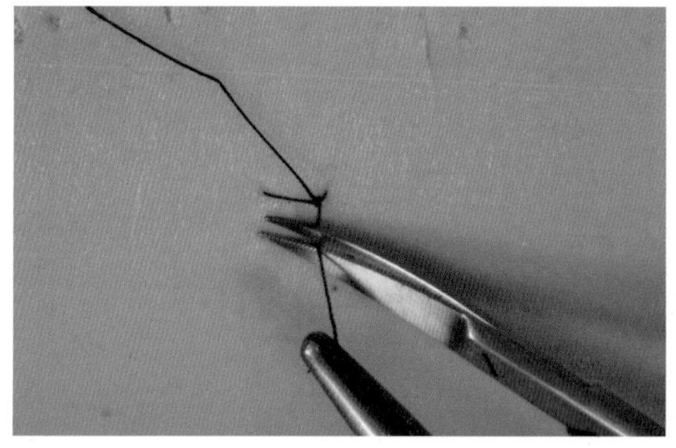

③ 단순단속봉합부위에서 약 3-5mm 떨어진 부위에 한쪽 피판의 외측면과 반대측 피판의 내측면에 봉합침을 통과시킨다.

④ 봉합사를 단단하게 당겨 봉합이 느슨해지지 않고 적절한 장력을 유지하도록 한다.

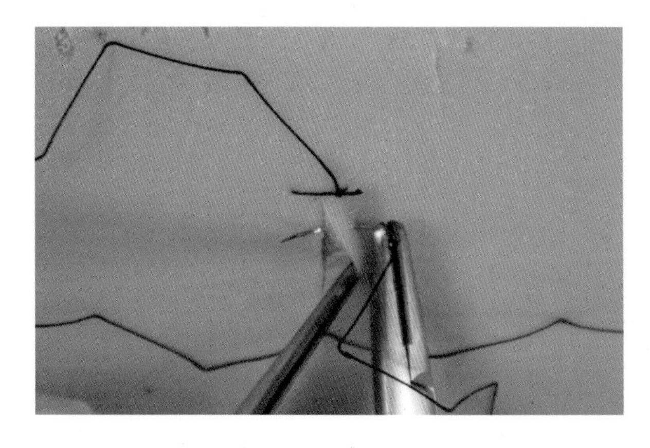
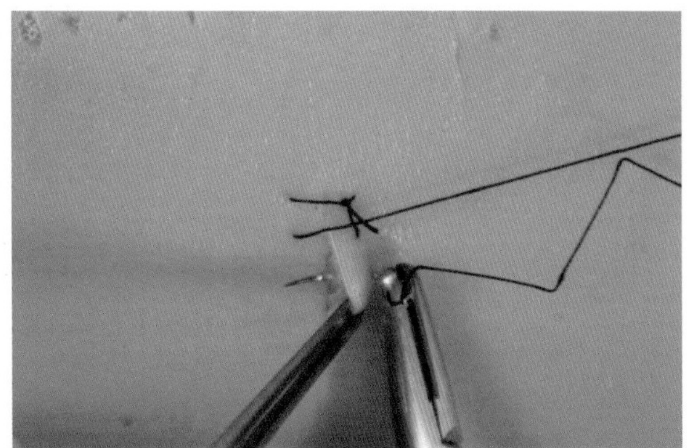

⑤ 앞서 시행한 봉합사로부터 피판의 근위부측으로 적절한 거리를 두고 동일하게 시행한다.

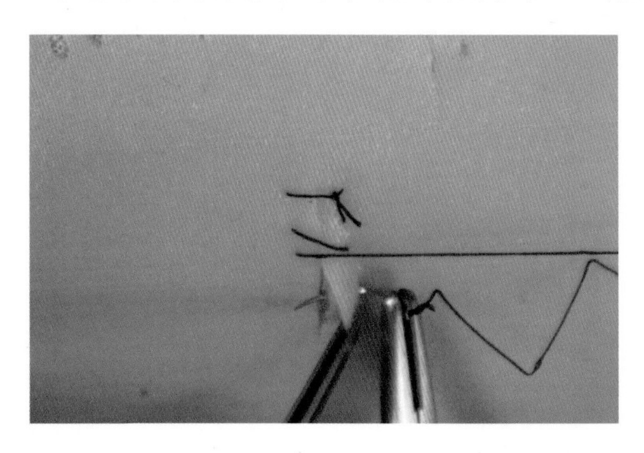
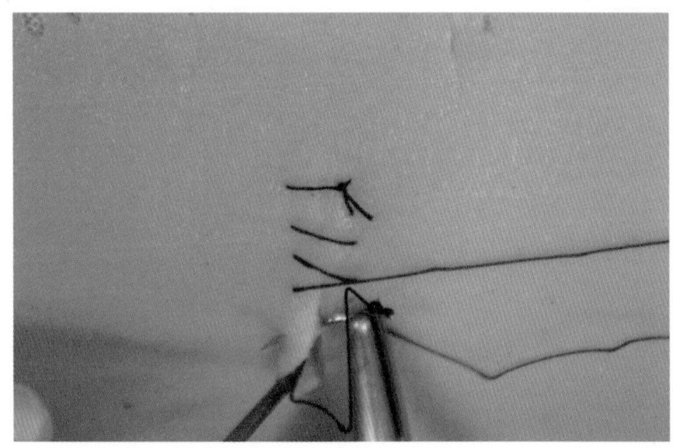

⑥ 매듭은 마지막 고리에 약간의 여유를 제공하여 이 고리를 이용하여 짓는다.

⑧ 매듭의 형성 후, 모든 봉합사를 절단한다.

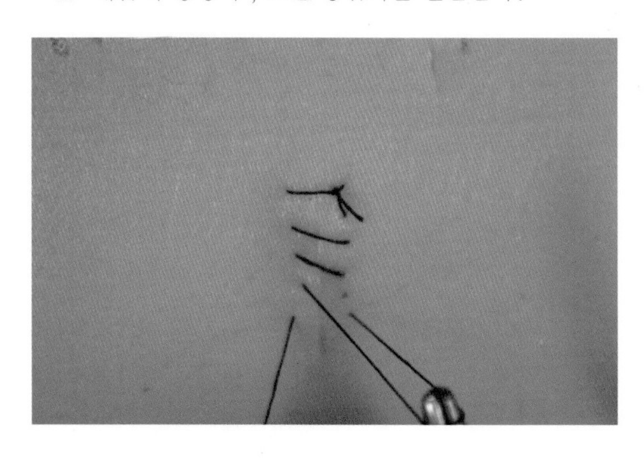
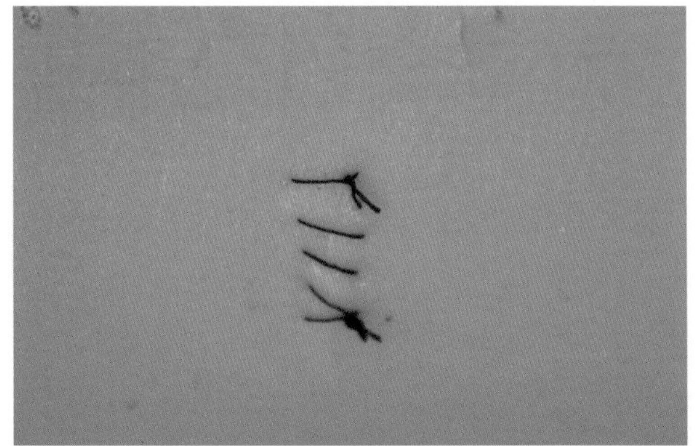

(5) 연속잠금봉합

① 절개부의 원위부에서 하나의 단순단속봉합을 시행한다.

② 봉합사의 절단 시, 봉합침이 연결된 봉합사는 절단하지 않는다.

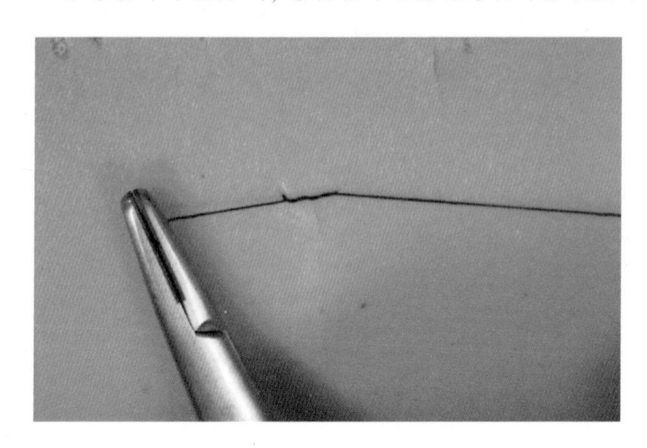

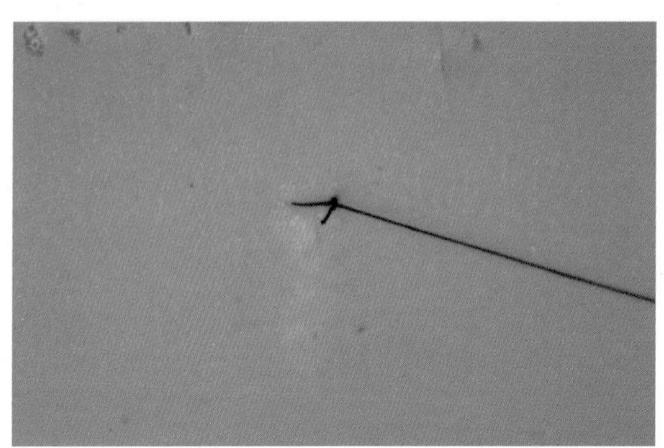

③ 단순단속봉합부위에서 약 3-5mm 떨어진 부위에 한쪽 피판의 외측면과 반대측 피판의 내측면에 봉합침을 통과시킨다.

④ 봉합 시 형성되는 고리로 봉합침을 통과시킨다.

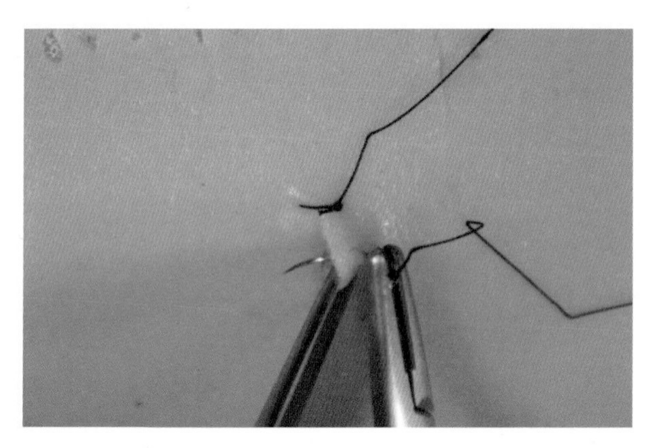

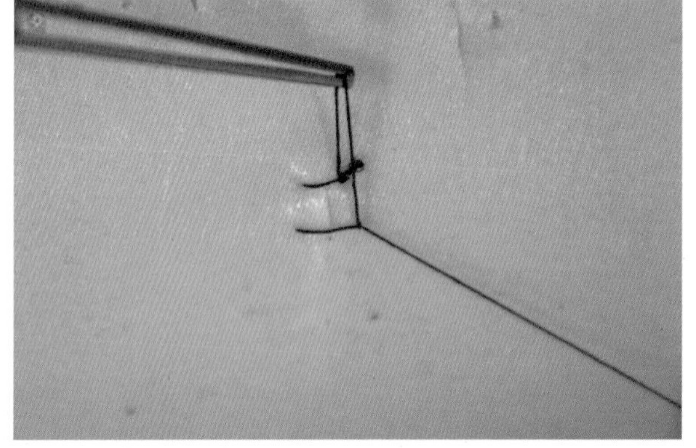

⑤ 봉합사를 단단하게 당겨 봉합이 느슨해지지 않고 적절한 장력을 유지하도록 한다.

⑥ ⑤ 과정에서 시행한 봉합사로부터 피판의 근위부로 적절한 거리를 두고 동일하게 시행한다.

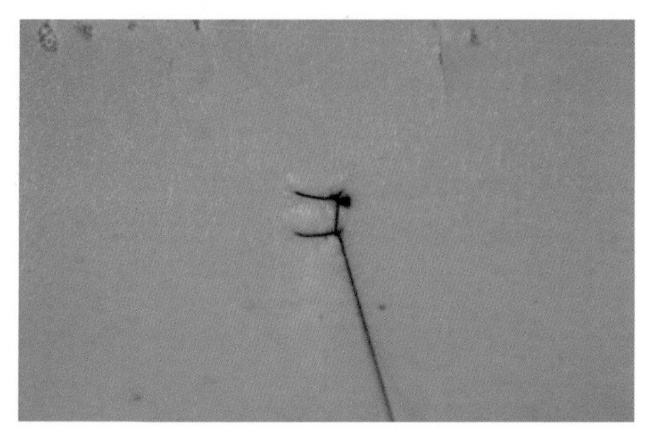

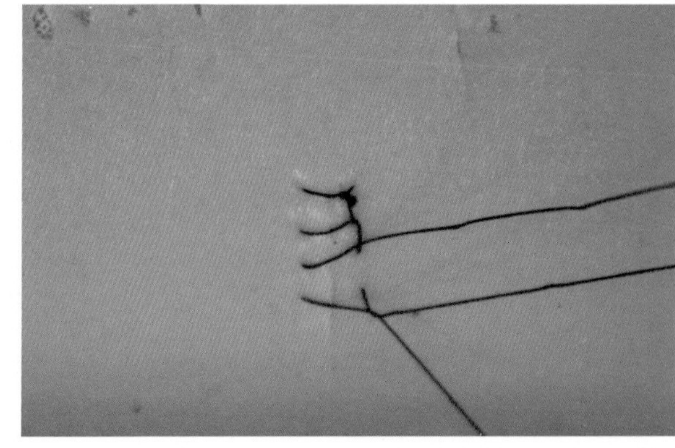

⑦ 매듭은 마지막 고리에 약간의 여유를 제공하여 이 고리를 이용하여 짓는다.

⑧ 매듭의 형성 후, 모든 봉합사를 절단한다.

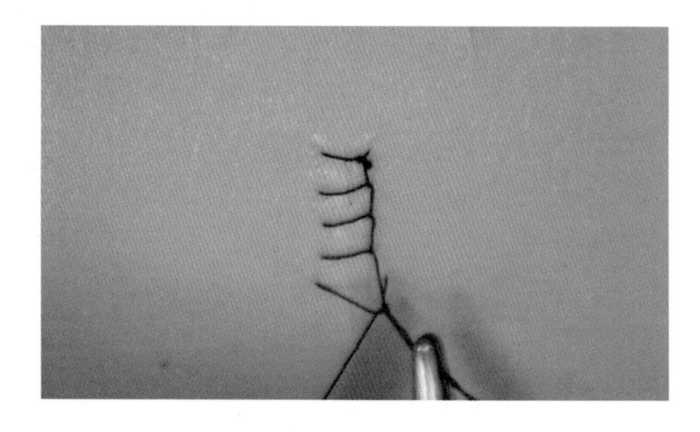

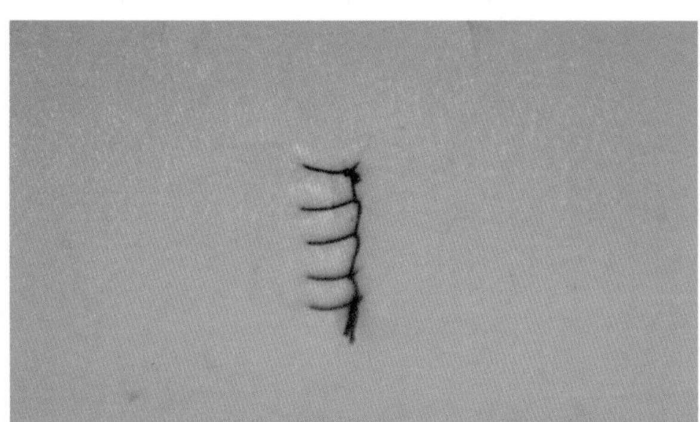

(6) 수평매트리스 봉합

① 단순단속봉합과 마찬가지로, 피판의 외측면에서부터 봉합침을 통과시켜 반대측 피판의 내측면으로 봉합침을 통과시킨다.

② 피판의 근심 또는 원심부쪽으로 약 5mm 가량 떨어져서, 동일한 피판의 외측면에서부터 봉합침을 다시 통과시킨다.

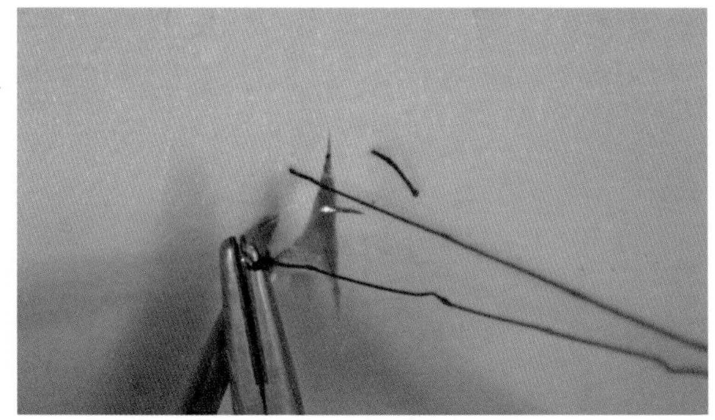

③ 반대측 피판의 내측면으로 봉합침을 통과시킨다.

④ 적절한 장력으로 square knot 또는 surgeon's knot를 시행한 후, 매듭이 절개선에 있지 않도록 위치시키며 봉합사를 자른다.

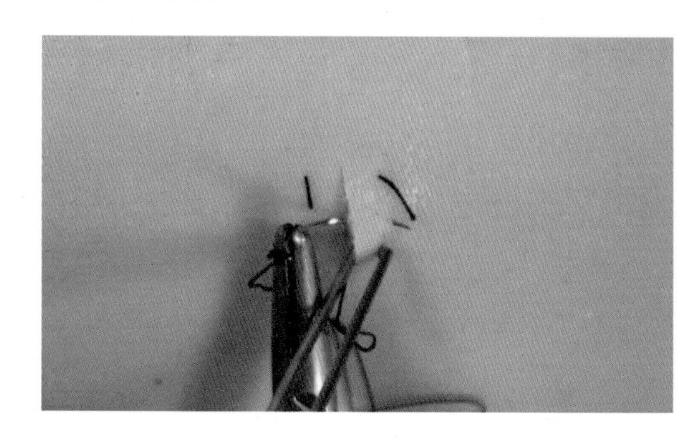

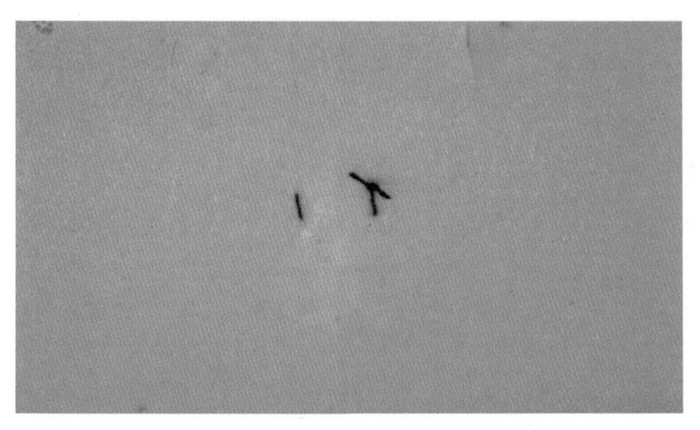

(7) 수직매트리스 봉합

① 피판의 가장자리로부터 4~6mm 떨어진 부위에서 피판의 외측면에 봉합침을 통과시켜 반대측 피판의 내측면으로도 동일한 방식으로 봉합침을 통과시킨다.

② 피판의 가장자리에서 2~-3mm 떨어진 부위에서 좌측 피판의 외측면에 봉합침을 통과시킨다.

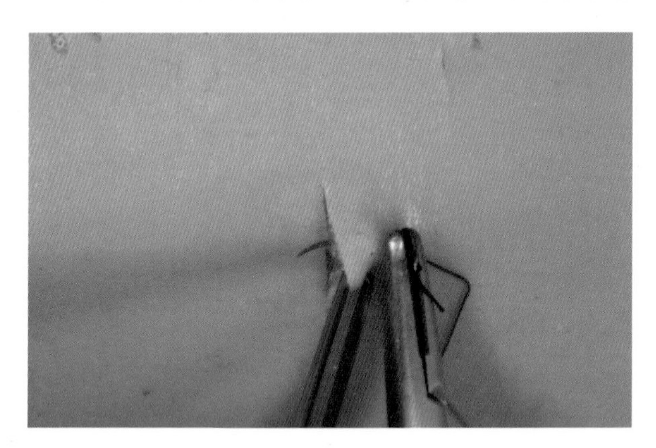

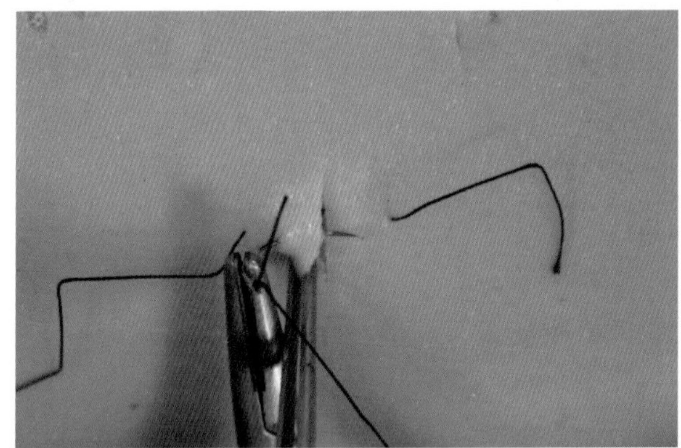

③ 반대측 피판의 내측면으로 동일한 방식으로 봉합침을 다시 통과시킨다.

④ 조직이 적절히 외반될 수 있는 장력으로 square knot 또는 surgeon's knot를 시행한 후, 매듭이 절개선에 있지 않도록 위치시키며 봉합사를 자른다.

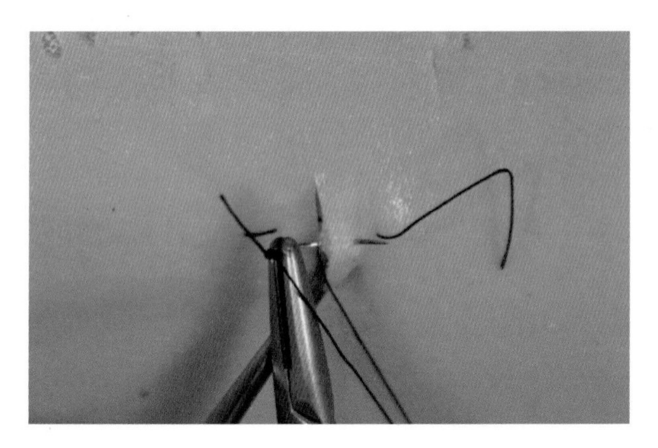

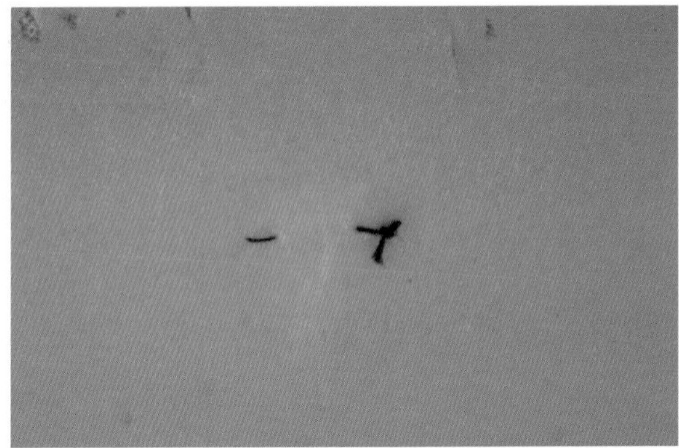

참고문헌

1. 대한구강악안면외과학회. 구강악안면외과학교과서 제3판. 서울: 도서출판 의치학사; 2013
2. 대한악안면성형재건외과학회. 악안면성형재건외과학 제2판. 서울: 도서출판 의치학사; 2009
3. James R. Hupp, et al. Contemporary Oral and Maxillofacial Surgery, 5th edition. St. Louis: Mosby Elsevier; 2008
4. 대한구강악안면외과학회. 치과위생사를 위한 구강악안면외과학. 서울: 군자출판사; 2015
5. 대한악안면성형재건외과학회. 악안면성형재건외과학 제3판. 서울: 군자출판사; 2016

실습평가표

실습제목	절개 및 봉합(돼지 피부조직이나 봉합 실습용 실리콘 모형에서)		
학생 번호		성명	
지도의 성명		서명(인)	

구분	평가항목	점수
절개를 위한 준비	외과용 칼날을 칼대에 제대로 장착하였는가?	
	칼날 파지법은 적절한가?	
절개	절개를 주저하지 않고 한번에 수행하는가?	
	절개 시 주변조직을 적절하게 고정하는가?	
봉합	지침기를 잡는 방법은 적절한가?	
	지침기로 봉합침을 잡는 위치는 적절한가?	
	니들 자입 각도와 깊이가 적절한가?	
	각각의 봉합방법을 맞게 수행하는가?	
	지정한 매듭 형성법을 올바르게 수행하는가?	
봉합 후의 평가	조직이 적정하게 외번(eversion)되었는가?	
	매듭의 위치(피하봉합 포함)가 적절한가?	
	외과용 가위를 잡는 방법이 적절한가?	
	봉합사의 제거를 올바르게 수행하는가?	

Chapter 06

발치

학·습·목·표

- 발치에 사용되는 기구의 용도와 작용원리를 숙지하고 올바르게 파지하여 발거에 이용할 수 있다.
- 발치 후 처치와 주의사항을 설명할 수 있다.
- 하악매복지치의 난이도를 평가하여 적절히 의뢰할 수 있다.
- 단순매복된 하악매복지치의 발거 과정을 이해하고 설명할 수 있다.

이 장은 발치기구의 작용원리와 발치의 기본술기를 습득하고, 단순 발치를 올바른 자세로 수행할 수 있고, 발치할 치아의 난이도 평가를 할 수 있으며, 단순매복발치의 올바른 술식을 이해하는데 그 목적이 있다.

1 발치 기구 및 수술 준비

1) 발치 기구

(1) 발치 겸자(forcep)

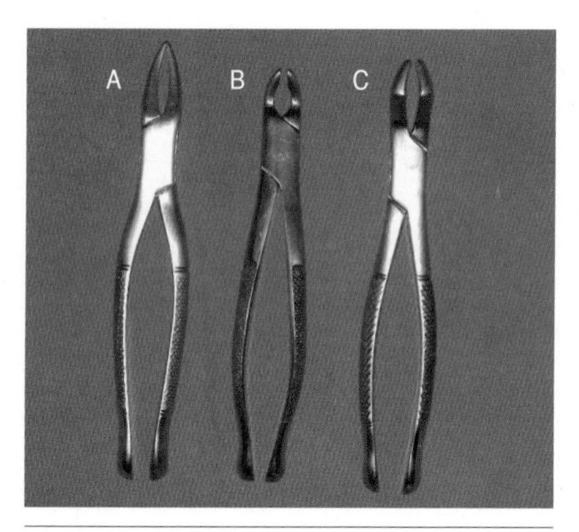

그림 6-1. 발치 겸자(상악용). **A.** 상악 전치용 **B.** 상악 소구치용 **C.** 상악 대구치용

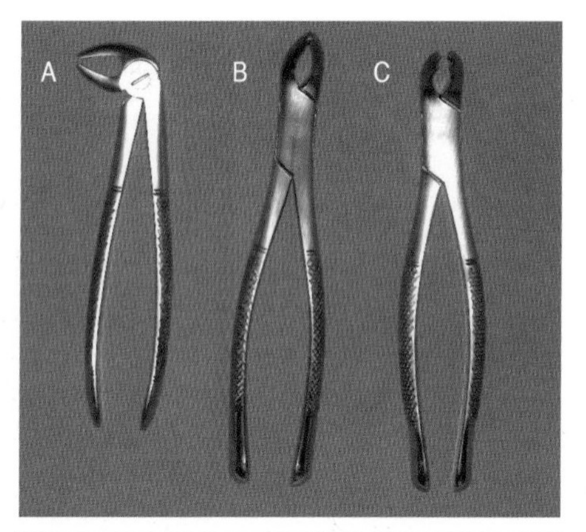

그림 6-2. 발치 겸자(하악용). **A.** 하악 전치용 **B.** 하악 소구치용 **C.** 하악 대구치용

(2) 발치 기자(elevator)

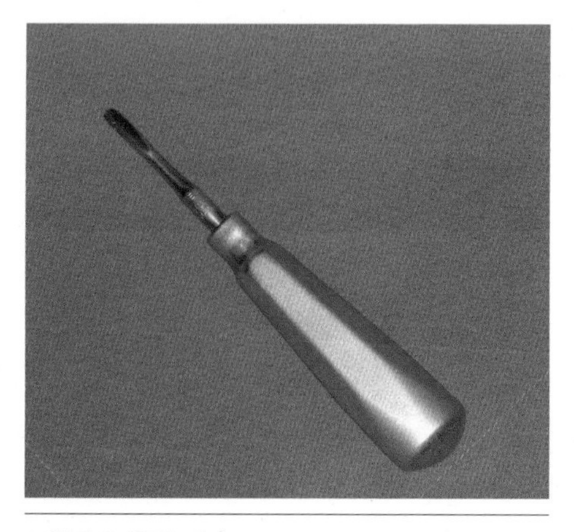

그림 6-3. 발치 기자.

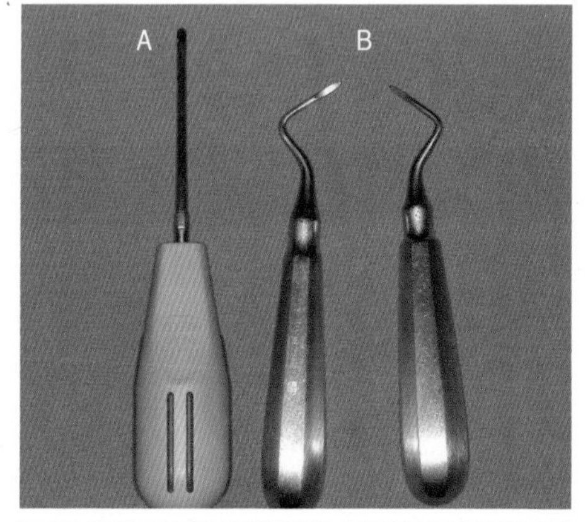

그림 6-4. 여러 가지 발치 기자. A. luxator **B.** root elevator

(3) 여러 가지 발치 기구

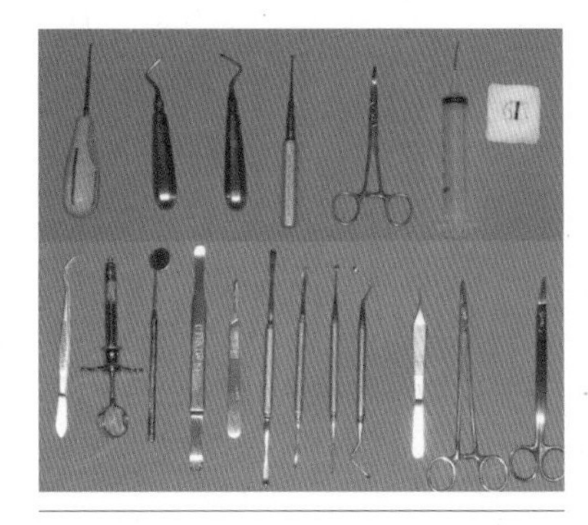

그림 6-5. 발치 시에 필요한 여러 가지 기구들

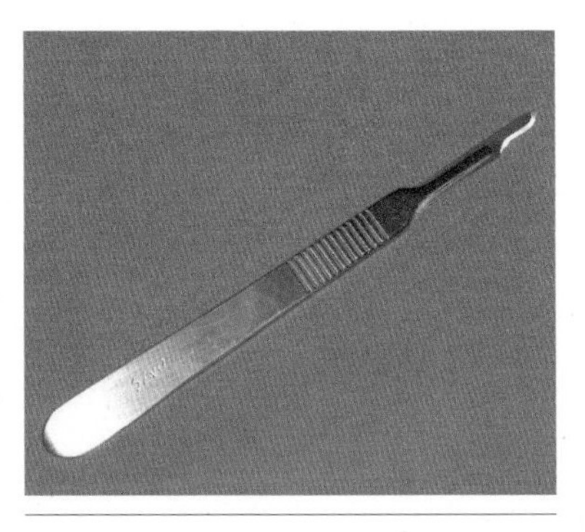

그림 6-6. #15 blade, blade holder

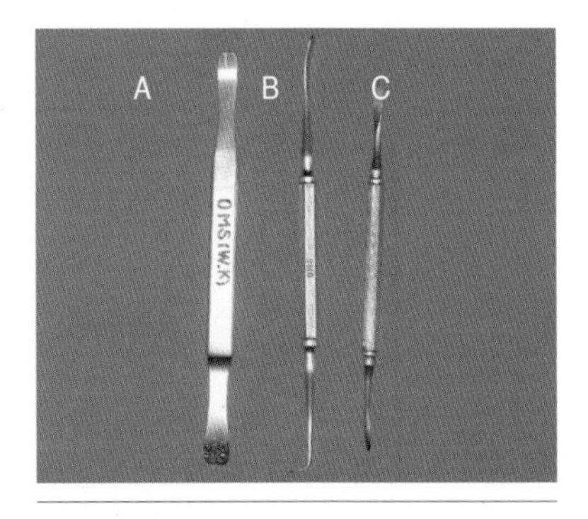

그림 6-7. **A.** Seldin **B.** Freer **C.** Molt no.9 periosteal elevator

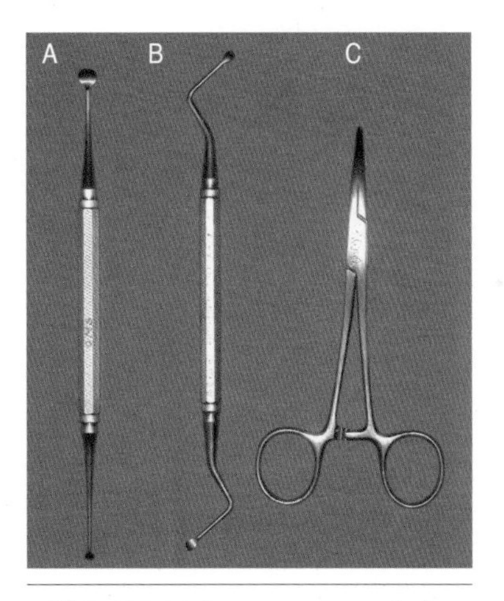

그림 6-8. **A.** Molt curette **B.** surgical curette **C.** hemostat

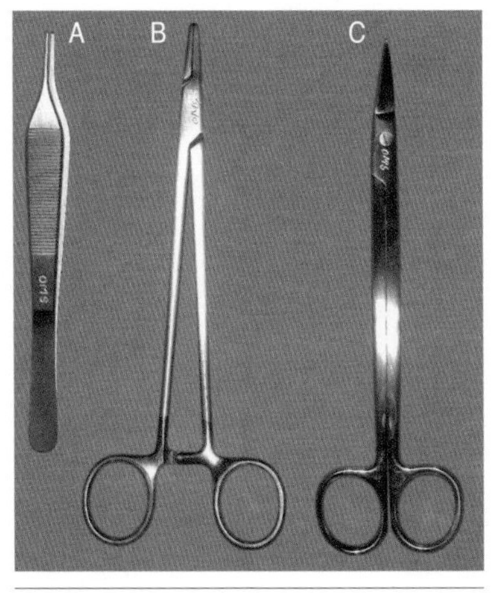

그림 6-9. **A.** tissue forcep **B.** needle holder **C.** Dean scissor

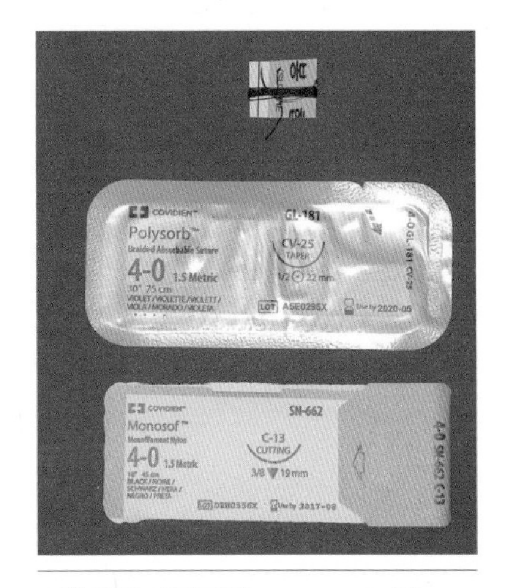

그림 6-10. 여러 가지 suture material

2) 수술 준비

① 술자와 보조자는 모두 수술복, 수술 장갑, 수술모, 마스크를 착용한다.

② 환자의 구강 및 구강 주위를 소독한 후 소공포, 대공포를 이용하여 수술 부위를 격리한다.

③ Light handle, unit chair 손잡이 등을 소독된 은박지 등을 이용하여 감싼다.

④ 수술에 필요한 기구를 모두 준비한다.

2 발치 겸자와 발치 기자의 적용

1) 발치 겸자의 적용

(1) 발치 겸자의 구성

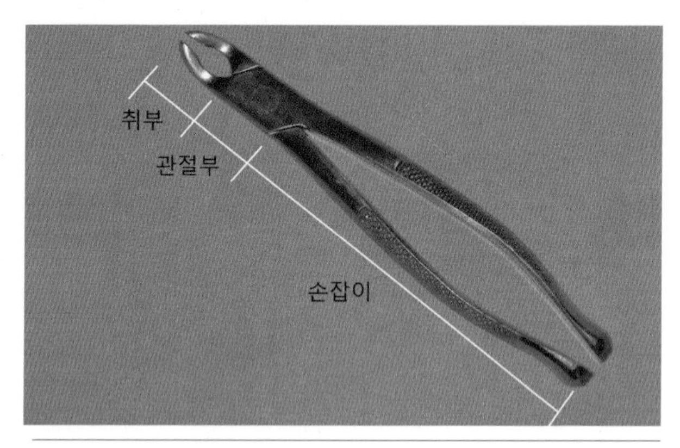

그림 6-11. 발치 겸자의 구성

(2) 발치 겸자의 파지법

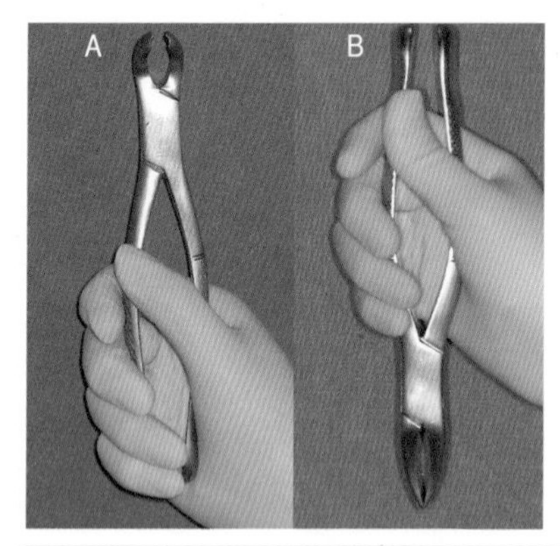

그림 6-12. A. 바른 그립 **B.** 역수 그립

(3) 발치 겸자의 적용

① 상악 전치

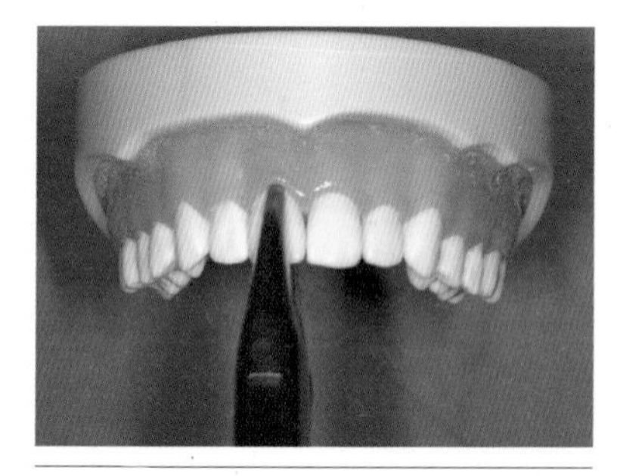

그림 6-13. 상악 전치 겸자의 적용(#11) ; #11 치은 연하에 겸자를 적합시킨다.

② 상악 소구치

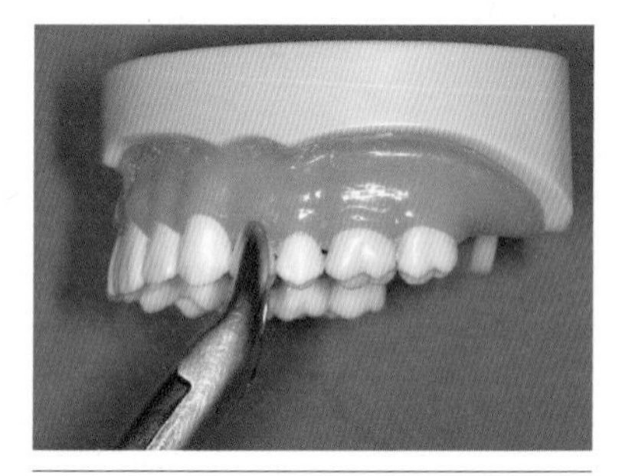

그림 6-14. 상악 소구치 겸자의 적용(#24) ; #24 치은 연하에 겸자를 적합시킨다.

③ 상악 대구치

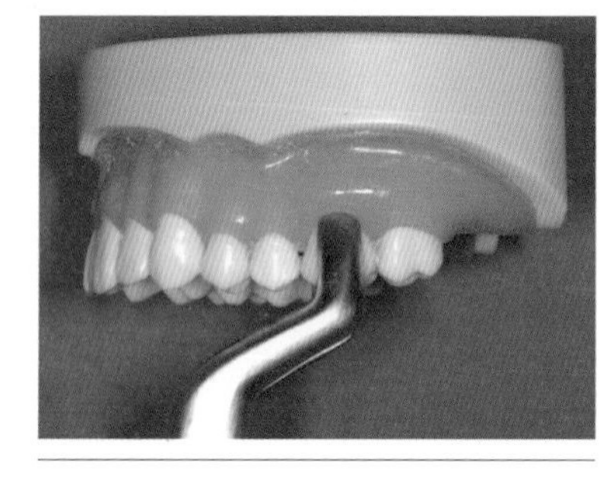

그림 6-15. 상악 대구치 겸자의 적용(#26) ; #26 치은 연하에 겸자를 적합시킨다.

④ 하악 전치

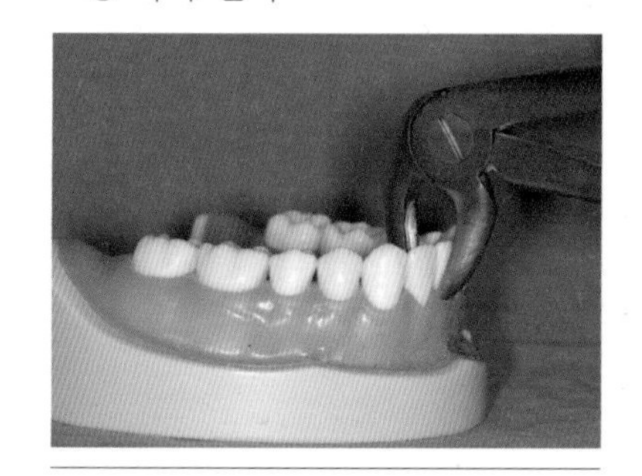

그림 6-16. 하악 전치 겸자의 적용(#41) ; #41 치은 연하에 겸자를 적합시킨다.

⑤ 하악 소구치

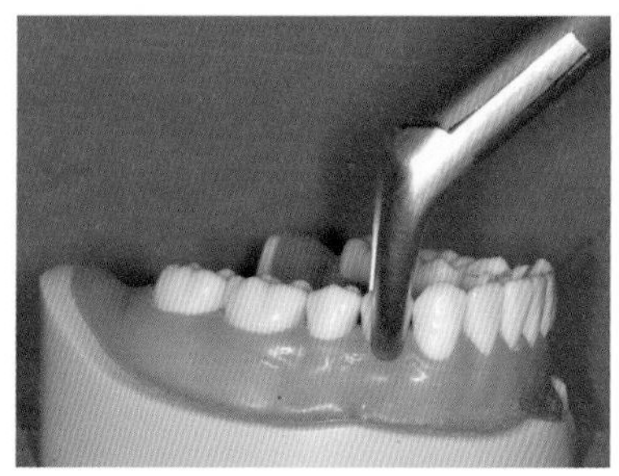

그림 6-17. 하악 소구치 겸자의 적용(#44) ; #44 치은 연하에 겸자를 적합시킨다.

⑥ 하악 대구치

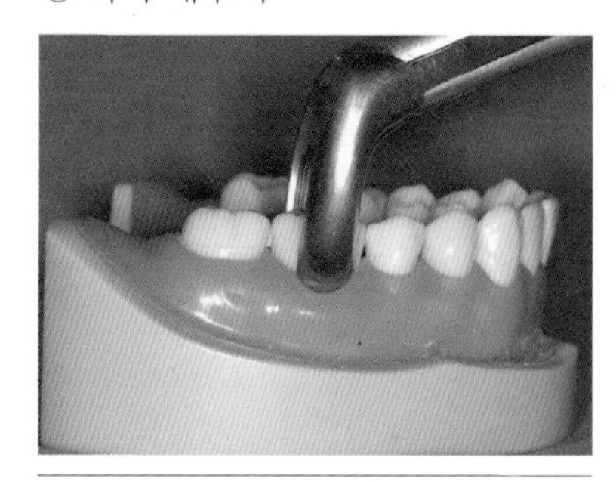

그림 6-18. 하악 대구치 겸자의 적용(#46) ; #46 치은 연하에 겸자를 적합시킨다.

2) 발치 기자의 적용

(1) 발치 기자의 구성

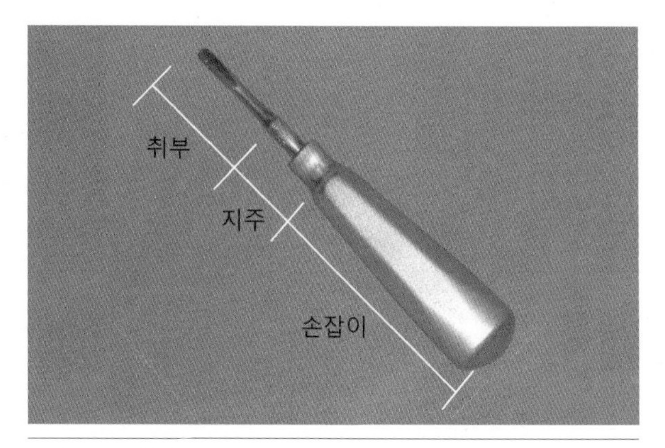

그림 6-19. 발치 기자의 구성

(2) 발치 기자의 파지법

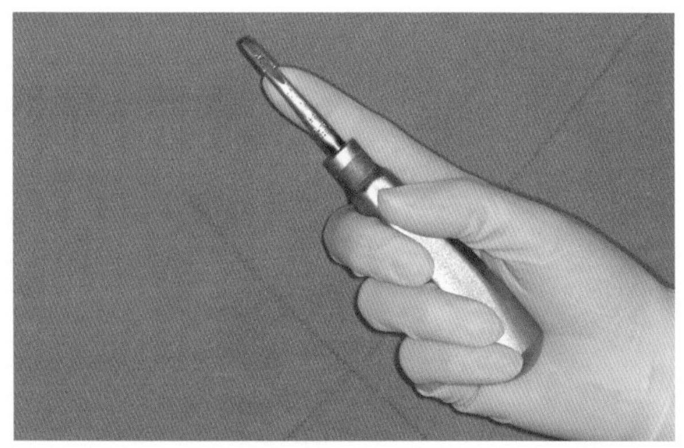

그림 6-20. 발치 기자의 파지법

(3) 발치 기자의 적용

① 상악 우측 구치부

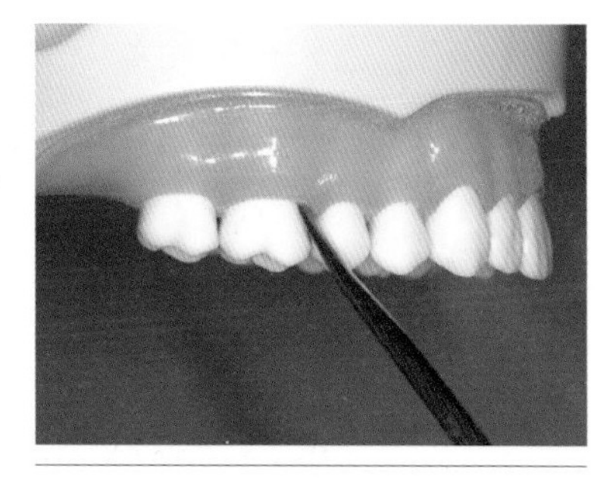

그림 6-21. 기자의 적용(#16) ; 기자를 #16 근심 협측 치근막 공간에 삽입한다.

② 상악 좌측 구치부

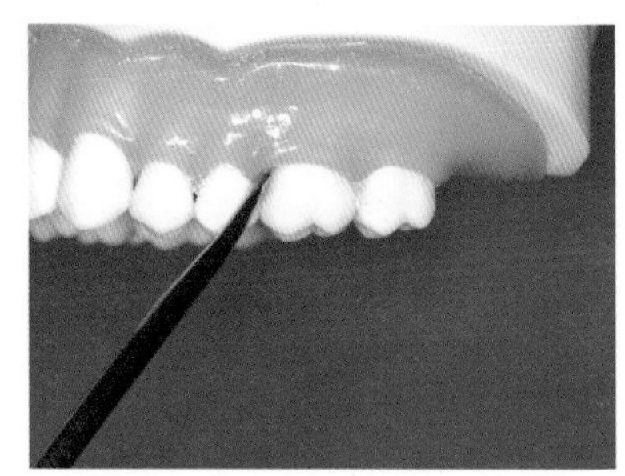

그림 6-22. 기자의 적용(#26) ; 기자를 #26 근심 협측 치근막 공간에 삽입한다.

③ 하악 좌측 구치부

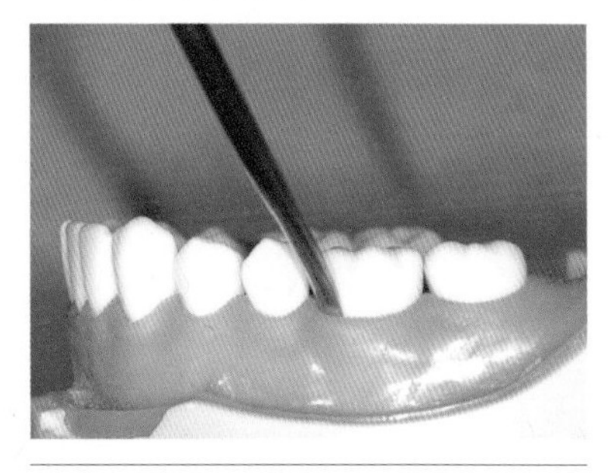

그림 6-23. 기자의 적용(#36) ; 기자를 #36 근심 협측 치근막 공간에 삽입한다.

④ 하악 우측 구치부

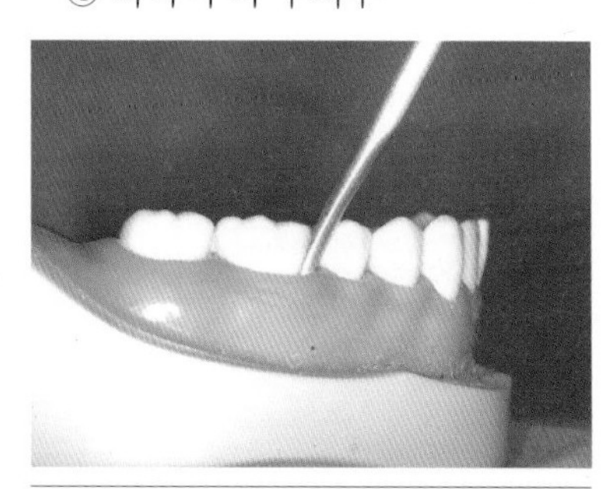

그림 6-24. 기자의 적용(#46) ; 기자를 #46 근심 협측 치근막 공간에 삽입한다.

3 발치의 실제

1) 코와 입 주변 소독

① 코와 입 주변 소독에는 povidone-iodine 솜을 사용한다.

② 입술을 가장 먼저 닦고 점차 원심 방향으로 동심원을 그려나가도록 하여 한 번 소독된 부위가 솜에 의해 다시 접촉되는 일이 없도록 한다.

③ 멸균거즈를 이용하여 닦아낸다.

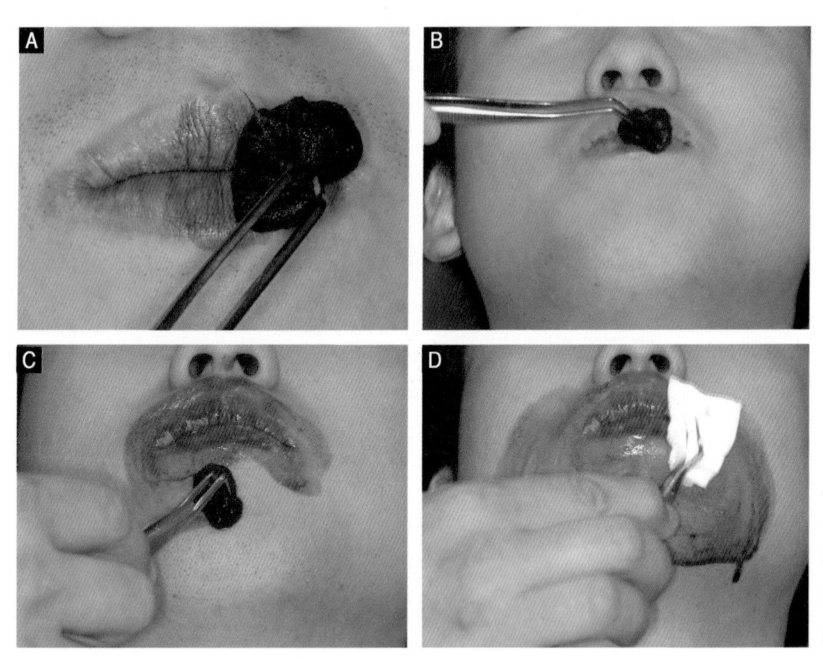

그림 6-25. **A,B.** 입술을 가장 먼저 닦는다. **C.** 점차 원심 방향으로 동심원을 그려나간다. **D.** 소독제가 완전히 건조된 후 멸균된 saline gauze를 이용하여 닦아낸다.

2) 구강 내 소독

① 구강 내 소독에는 히비탄(Hibitane : chlorhexdine gluconate) 솜을 이용한다.

② 치아 주변, 구강 전정, 구강 점막, 혀를 빠짐 없이 소독한다.

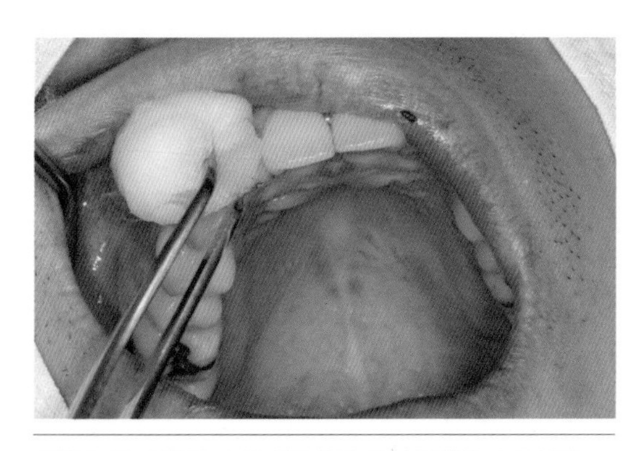

그림 6-26. 히비탄 솜을 이용하여 치아 주변을 소독한다.

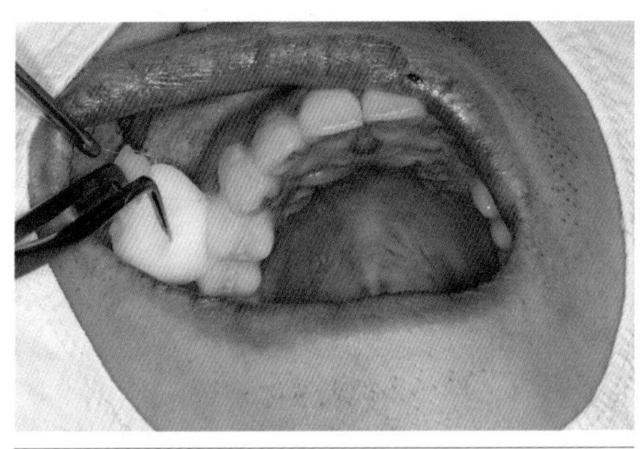

그림 6-27. 구강 전정, 구강 점막, 혀를 빠짐 없이 소독한다.

3) 국소 마취

해당 치아에 적절한 국소 마취를 시행한다(10장 참조).

4) 발치시 술자의 자세

정확하고 안전한 발치를 위해서는 술자가 가장 용이하게 발치조작을 할 수 있는 동시에 환자에게도 안락한 자세를 유지하는 것이 중요하다. 발치의 자세는 일어선 자세가 기본이지만, 앉은 자세가 정착되고 있는 추세이다.

술자는 양발을 어깨 폭보다 약간 벌리고 자연스럽게 서거나 앉는다. 두 팔꿈치를 가볍게 구부린 후 사용하는 팔의 팔꿈치를 가능한 몸 쪽에 붙인다. 팔의 전반부를 앞으로 내밀어서 양손의 손가락 끝을 가볍게 합친 자세를 취한다.

환자의 턱이 술자의 손의 위치에 오도록 환자가 앉은 의자의 높이와 머리 받침대를 조절한다. 발치겸자를 사용하는 경우 술자의 보조손은 치조골에 위치시켜, 치아의 움직임을 감지하고 입술과 혀를 견인하고 반대악 치아를 보호하며 턱에 무리한 힘이 가해지지 않도록 반작용의 힘을 가하는 데 사용한다. 술자는 목을 현저하게 전방으로 구부리거나 옆으로 기울여 비스듬히 하는 자세는 피하는 것이 좋다.

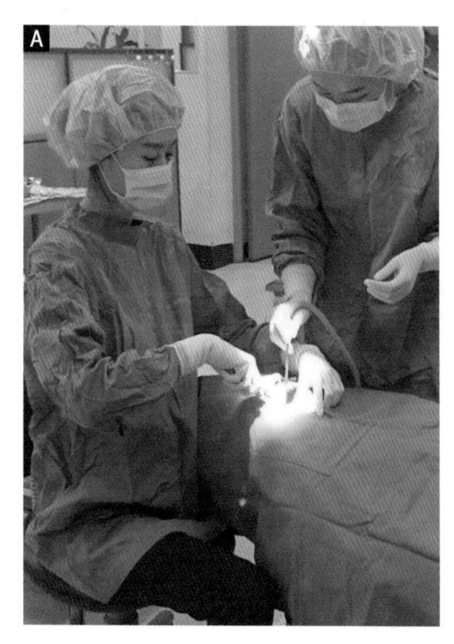

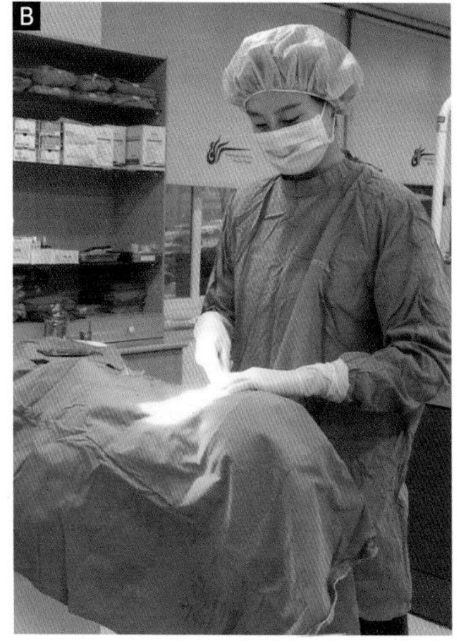

그림 6-28. 술자의 자세. **A.** 앉은 자세 **B.** 선 자세

5) 치경부 섬유다발(circular ligament, 환상인대)의 절단

① 치경부 섬유다발을 확실하게 절단하지 않은 채 발치할 때의 문제점으로는 발치겸자의 정확한 적합이 불가능하므로 겸자가 미끄러지거나 치은연에 열상과 같은 손상을 줄 수 있다. 또한 환상인대 절단은 마취의 심도를 평가하는데 도움이 된다.

② 절단 기구로는 #12 blade, surgical curette, explorer 등을 이용한다.

Surgical curette를 이용한 치경부 섬유다발의 절단

Surgical curette을 발거를 시행 할 치아의 치은 연하에 삽입한 후 치아 주변의 치경부 섬유다발을 절단한다.

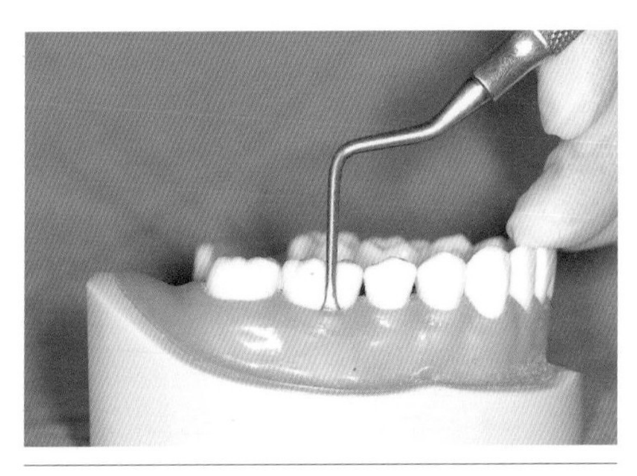

그림 6-29. Surgical curette을 모형의 #46 치은 연하에 삽입하였다.

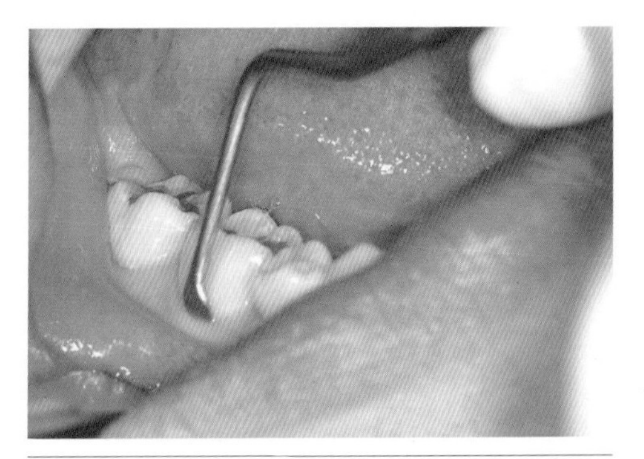

그림 6-30. 치경부 섬유다발 절단을 위해 #46 치아에 surgical curette을 적용하였다.

6) 발치 겸자와 발치 기자의 적용

(1) 상악 전치

- 술자의 위치 : 환자의 7~9시 방향
- 환자의 자세 : 지면과 수평
- 기구의 선택 : 상악 전치용 발치 겸자

① 왼손 엄지와 검지로 겸자의 취부가 치은연과 치아 사이에 들어가도록 유도한다.

② 상악 전치 겸자 취부의 선단을 치아의 최대 풍융부를 넘어 우선 구개측에 접합 시키고 그 다음에 순측에 접합 시켜 깊게 치조골연까지 밀어 넣는다.

③ 보조손은 겸자 주변에 위치하여 치아가 탈구될 때 발치 겸자에 의한 반대편의 치아의 손상을 방지한다.

④ 겸자를 천천히 순측으로 움직인다.

⑤ 천천히 구개측으로 움직인다.

⑥ 원심으로 회전시키면서 하방으로 치아를 발거한다.

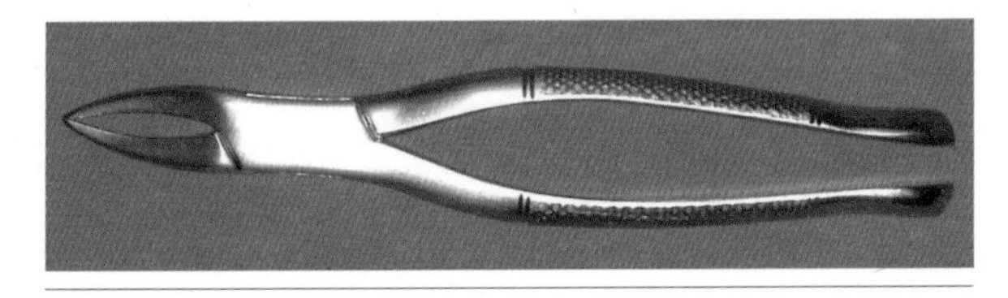

그림 6-31. 상악 전치용 겸자를 준비한다.

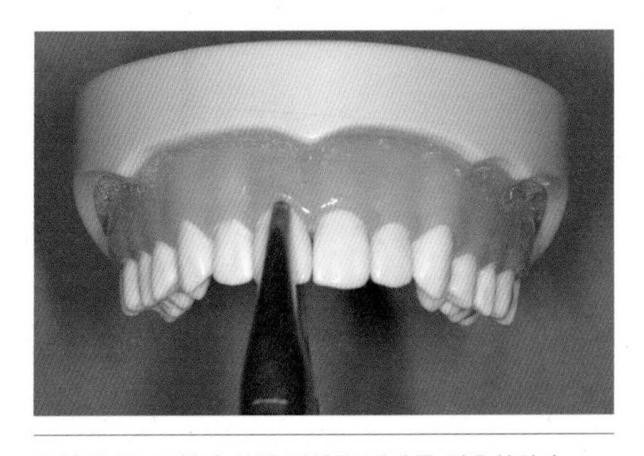

그림 6-32. 모형에 상악 전치용 겸자를 적용하였다.

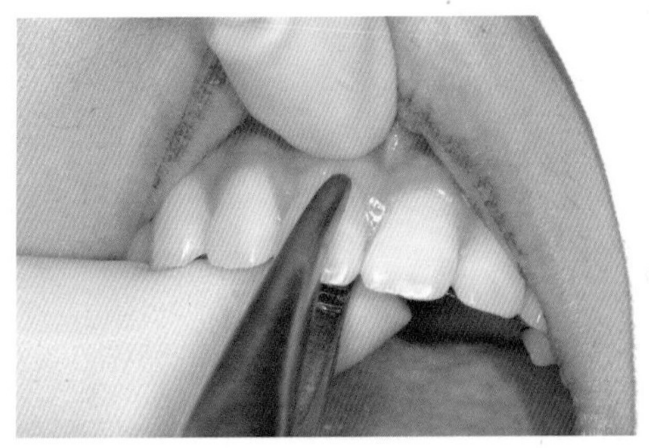

그림 6-33. #11 치아에 상악 전치용 겸자를 적용하였다.

(2) 상악 소구치

- 술자의 위치 : 환자의 10~12시 방향
- 환자의 자세 : 지면과 수평
- 기구의 선택 : 상악 소구치용 발치 겸자

① 왼손 엄지와 검지로 겸자의 취부가 치은연과 치아 사이에 들어가도록 유도한다.
② 상악 소구치용 겸자 취부의 선단을 치아의 최대 풍융부를 넘어 우선 구개측에 접합 시키고 그 다음에 협측에 접합 시켜 깊게 치조골연까지 밀어 넣는다.
③ 보조손은 겸자 주변에 위치하여 치아가 탈구될 때 발치 겸자에 의해 반대편의 치아가 손상받는 것을 방지한다.
④ 겸자를 천천히 협측으로 움직인다.
⑤ 천천히 구개측으로 움직인다.
⑥ 협측으로 움직인 후 하방으로 치아를 발거한다.

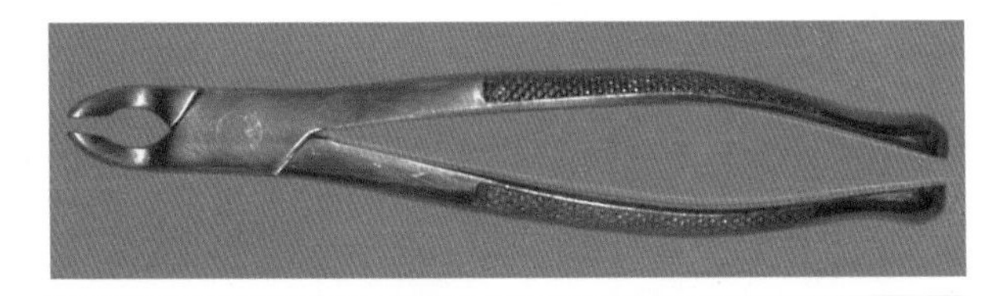

그림 6-34. 상악 소구치용 겸자를 준비한다.

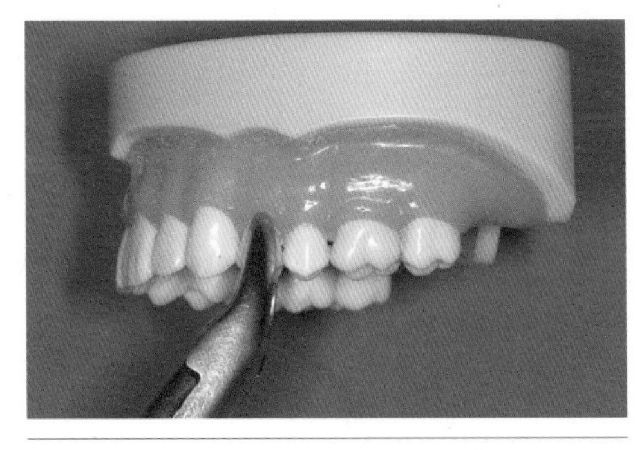

그림 6-35. 모형에 상악 소구치용 겸자를 적용하였다.

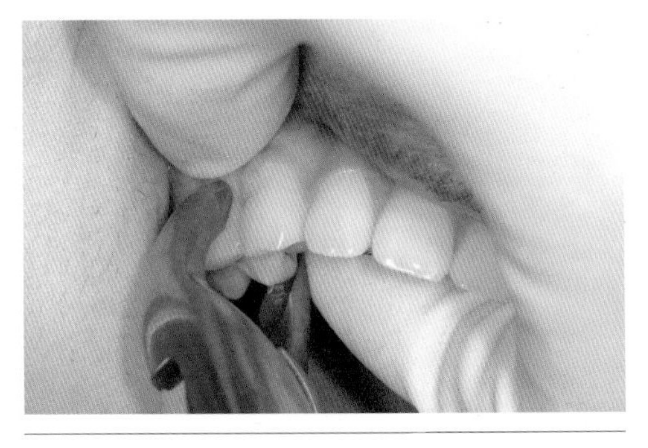

그림 6-36. #14 치아에 상악 소구치용 겸자를 적용하였다.

(3) 상악 대구치

- 술자의 위치 : 환자의 7~9시 방향
- 환자의 자세 : 지면과 수평
- 기구의 선택 : 상악 대구치용 발치 겸자 또는 발치 기자

상악 대구치용 발치 겸자를 이용한 발치

① 왼손 엄지와 검지로 겸자의 취부가 치은연과 치아 사이에 들어가도록 유도한다.
② 상악 대구치용 겸자 취부의 선단을 치아의 최대 풍융부를 넘어 우선 구개측에 접합 시키고 그 다음에 협측에 접합 시켜 깊게 치조골연까지 밀어 넣는다.

③ 보조손은 겸자 주변에 위치하여 치아가 탈구될 때 발치 겸자에 의해 반대편의 치아가 손상받는 것을 방지한다.
④ 천천히 협측으로 움직인다.
⑤ 천천히 구개측으로 움직인다.
⑥ 협설측으로 눕히는 진폭을 크게하여 하방으로 발거한다.

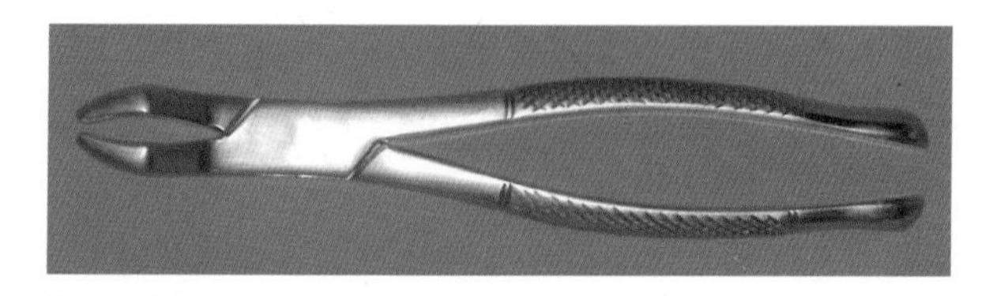

그림 6-37. 상악 대구치용 겸자를 준비한다.

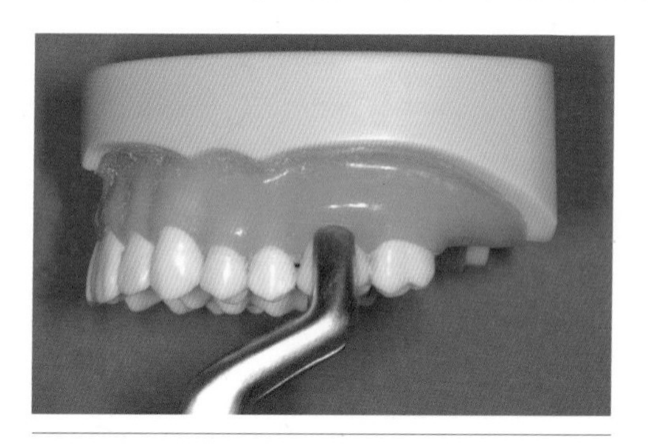

그림 6-38. 모형에 상악 대구치용 겸자를 적용하였다.

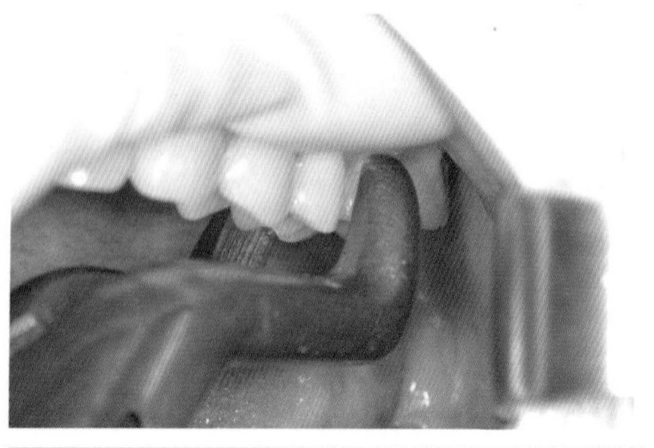

그림 6-39. #26 치아에 상악 대구치용 겸자를 적용하였다.

발치 기자를 이용한 상악 대구치 발치
① 치아에 적절한 발치 기자를 선택하고 기자를 손바닥으로 감싸듯이 쥔다.
② 구강 내 손상을 방지하기 위해 반대 손가락을 위치 시킨다.
③ 발치 기자를 치근막 공간에 삽입한다.
④ 기자의 끝 축과 치축을 일치시킨 후 회전운동을 하여 치아를 발거한다.

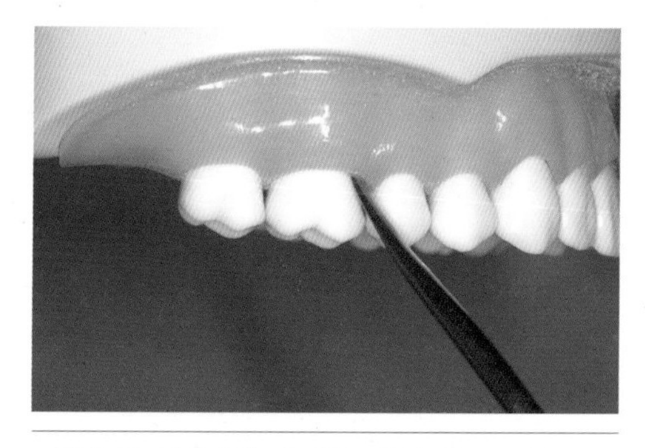

그림 6-40. 상악 우측 대구치 모형에 발치 기자를 적용하였다.

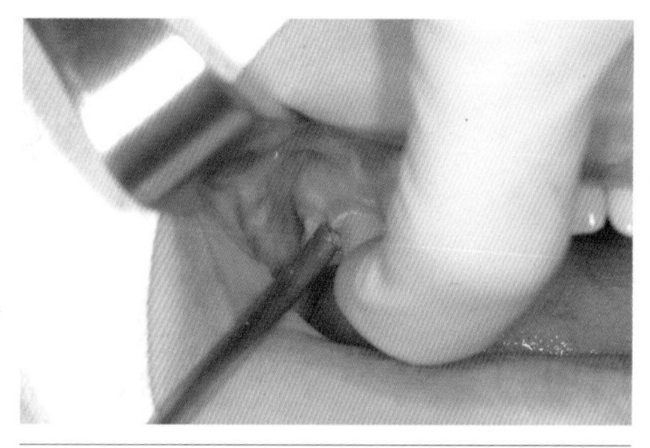

그림 6-41. #16 치아에 발치 기자를 적용하였다.

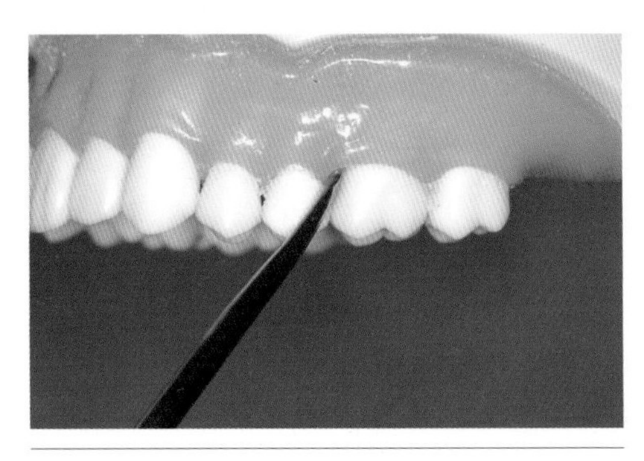

그림 6-42. 상악 좌측 대구치 모형에 발치 기자를 적용하였다.

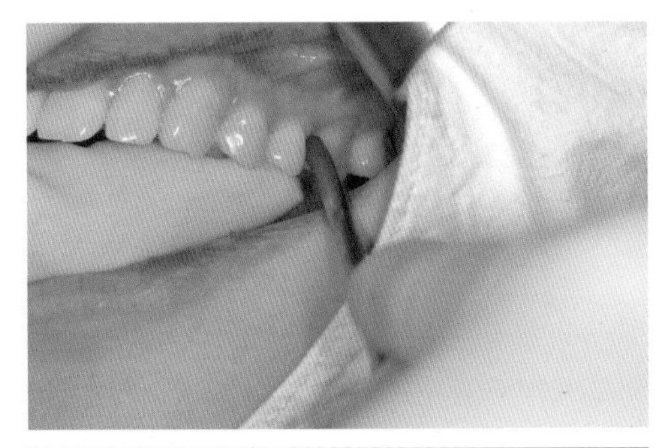

그림 6-43. #26 치아에 발치 기자를 적용하였다.

(4) 하악 전치

- 술자의 위치 : 환자의 7~9시 방향
- 환자의 자세 : 지면에서 15~30도
- 기구의 선택 : 하악 전치용 발치 겸자

① 왼손 엄지와 검지로 겸자의 취부가 치은연과 치아 사이에 들어가도록 유도한다.
② 하악 전치용 겸자 취부의 선단을 치아의 최대 풍융부를 넘어 우선 설측에 접합 시키고 그 다음에 순측에 접합 시켜 깊게 치조골연까지 밀어 넣는다.
③ 보조손은 겸자 주변에 위치하여 치아가 탈구될 때 발치 겸자에 의해 반대편의 치아가 손상받는 것을 방지한다.
④ 천천히 순측으로 움직인다.
⑤ 천천히 설측으로 움직인다.
⑥ 순설측으로 눕히는 진폭을 크게하여 상방으로 발거한다.

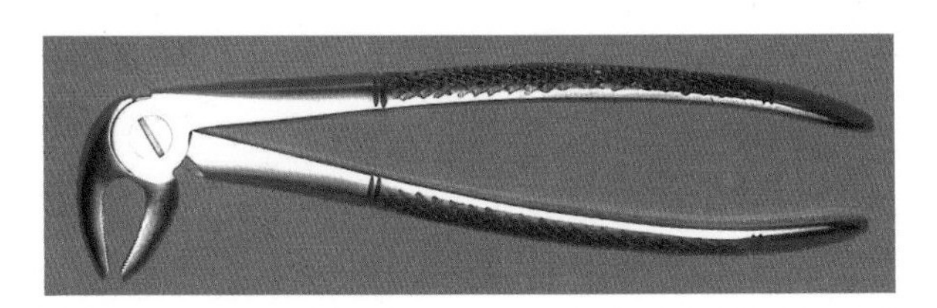

그림 6-44. 하악 전치용 겸자를 준비한다.

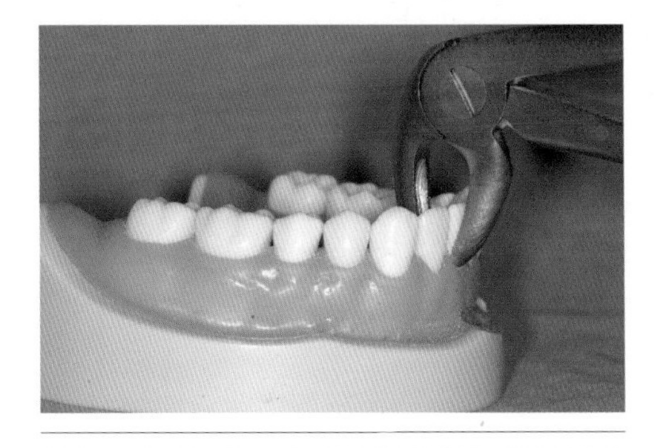

그림 6-45. 하악 우측 중절치 모형에 발치 겸자를 적용하였다.

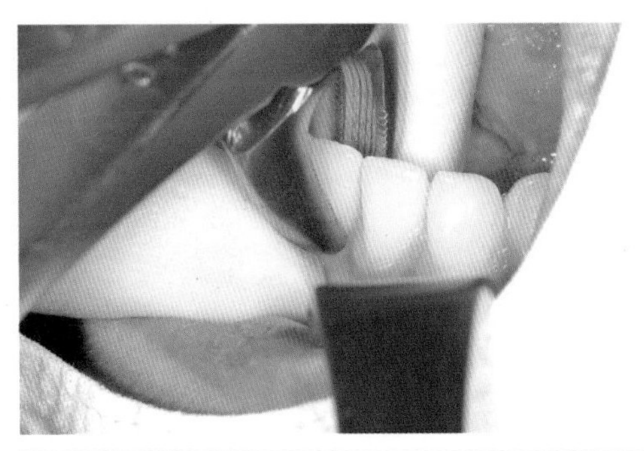

그림 6-46. #41 치아에 발치 겸자를 적용하였다.

(5) 하악 소구치

- 술자의 위치 : 환자의 10~12시 방향
- 환자의 자세 : 지면에서 15~30도
- 기구의 선택 : 하악 소구치용 발치 겸자

① 왼손 엄지와 검지로 겸자의 취부가 치은연과 치아 사이에 들어가도록 유도한다.
② 하악 소구치용 겸자 취부의 선단을 치아의 최대 풍융부를 넘어 우선 설측에 접합 시키고 그 다음에 협측에 접합 시켜 깊게 치조골연까지 밀어 넣는다.
③ 보조손은 겸자 주변에 위치하여 치아가 탈구될 때 발치 겸자에 의해 반대편의 치아가 손상받는 것을 방지한다.
④ 천천히 협측으로 움직인다.
⑤ 천천히 설측으로 움직인다.
⑥ 회전운동을 하여 치아를 발거한다.

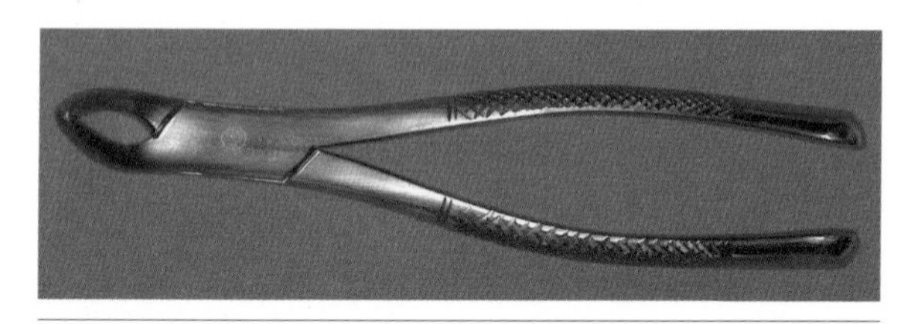

그림 6-47. 하악 소구치용 겸자를 준비한다.

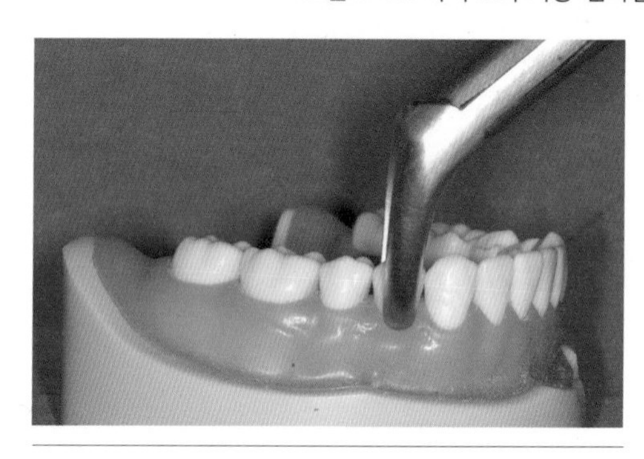

그림 6-48. 모형에 하악 소구치용 겸자를 적용하였다.

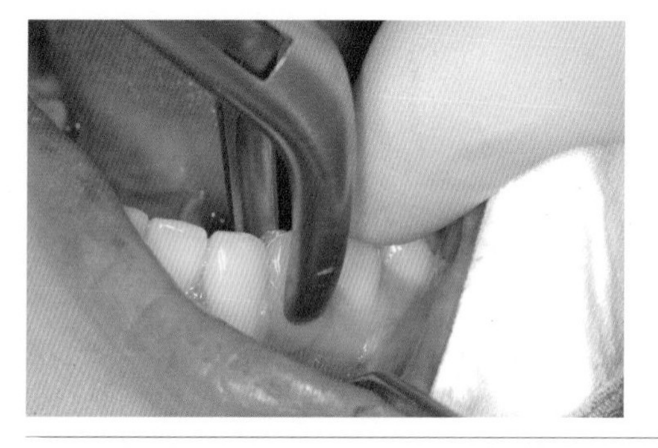

그림 6-49. #34 치아에 하악 소구치용 겸자를 적용하였다.

(6) 하악 대구치

- 술자의 위치 : 환자의 10~12시 방향
- 환자의 자세 : 지면에서 15~30도
- 기구의 선택 : 하악 대구치용 발치 겸자 또는 발치 기자

하악 대구치용 발치 겸자를 이용한 발치

① 왼손 엄지와 검지로 겸자의 취부가 치은연과 치아 사이에 들어가도록 유도한다.
② 하악 대구치용 겸자 취부의 선단을 치아의 최대 풍융부를 넘어 우선 설측에 접합 시키고 그 다음에 협측에 접합 시켜 깊게 치조골연까지 밀어 넣는다.

③ 보조손은 겸자 주변에 위치하여 치아가 탈구될 때 발치 겸자에 의해 반대편의 치아가 손상받는 것을 방지한다.
④ 천천히 협측으로 움직인다.
⑤ 천천히 설측으로 움직인다.
⑥ 협설측으로 눕히는 진폭을 크게하여 설측으로 치아를 발거한다.

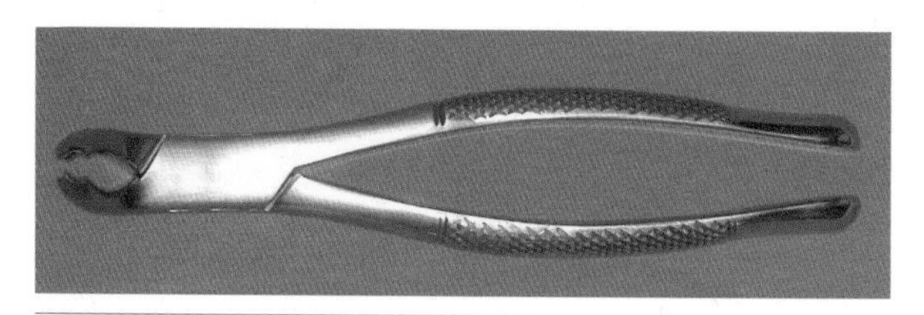

그림 6-50. 하악 대구치용 겸자를 준비한다.

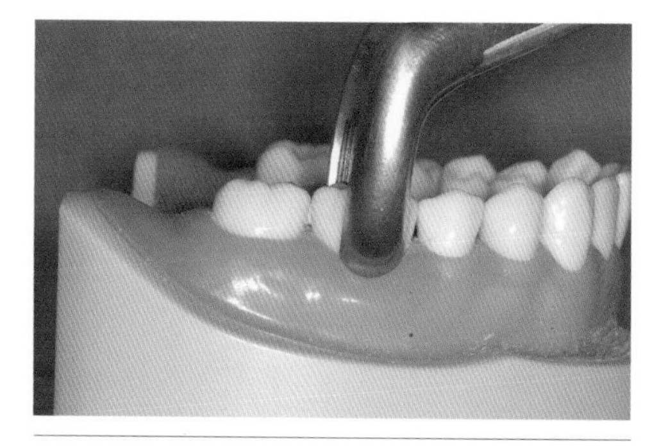

그림 6-51. 모형에 하악 대구치용 겸자를 적용하였다.

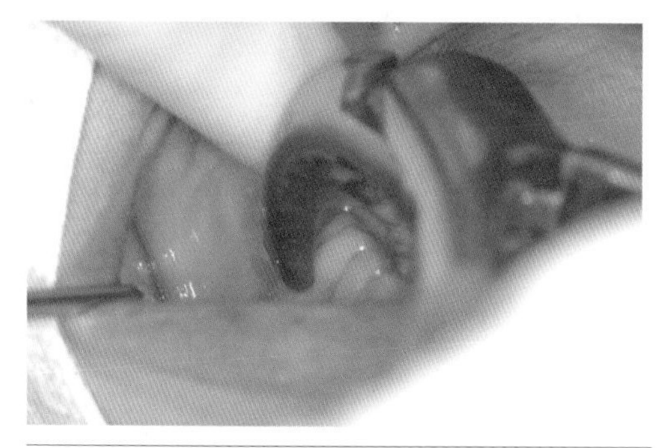

그림 6-52. #46 치아에 하악 대구치용 겸자를 적용하였다.

발치 기자를 이용한 하악 대구치 발치
① 치아에 적절한 발치 기자를 선택하고 기자를 손바닥으로 감싸듯이 쥔다.
② 구강 내 손상을 방지하기 위해 반대 손가락을 위치 시킨다.
③ 발치 기자를 치근막 공간에 삽입한다.
④ 기자의 끝 축과 치축을 일치시킨 후 회전운동을 하여 치아를 발거한다.

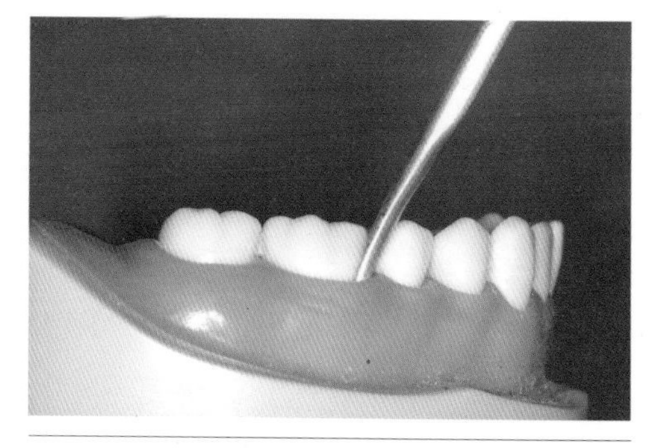

그림 6-53. 하악 우측 대구치 모형에 발치 기자를 적용하였다.

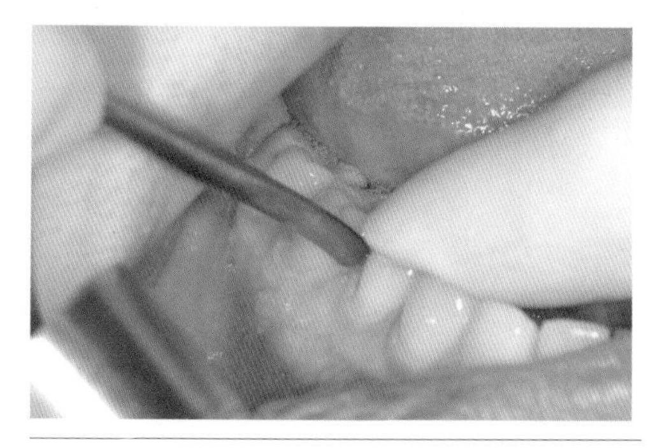

그림 6-54. #46 치아에 발치 기자를 적용하였다.

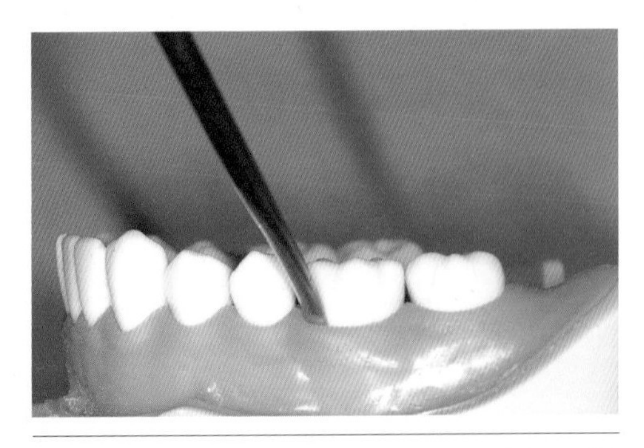

그림 6-55. 하악 좌측 대구치 모형에 발치 기자를 적용하였다.

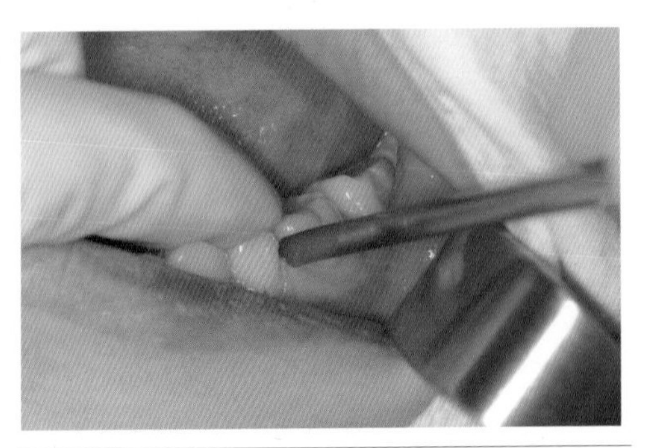

그림 6-56. #36 치아에 발치 기자를 적용하였다.

6) 염증조직 제거 및 조직 검사

① 치주염이나 치근단 병소를 수반하거나 질병의 원인을 야기한 치아를 발거한 후에는 치경부나 치근단부에 존재하는 불량 육아조직이나 병적 연조직을 제거한다. 이러한 염증성 조직은 혈관이 풍부하고 남아 있을 경우 술 후 출혈의 원인이 되므로 소파기(curette)로 소파하여 제거한다. 만약 병적인 조직을 제거하지 않고 남겨두면 발치창의 치유가 불량할 뿐만 아니라 감염이나 재발의 우려가 크다.

② 매복치의 경우는 치근단부에 육아조직이 있는 경우는 적은 편이고 치근단이 하악관에 가까운 경우도 있으므로 반드시 치근단부를 철저하게 소파할 필요는 없다.

③ 매복치의 치관부, 제2대구치의 원심 치경부에 육아조직이 있는 경우가 많고, 제3대구치를 발치한 후에 제2대구치 치근의 원심면이 노출되는 경우가 있다. 이 부분을 소파할 때는 치근면을 소파기로 소파하게 되면 치근을 손상시켜 지각과민이 되기 쉽다. 이러한 경우에는 육아조직을 지혈겸자로 잡아 제거하는 것이 좋다.

④ 필요한 경우 제거한 조직에 대해 조직 검사를 시행하여 확인한다.

7) 발치와의 세정(irrigation) 및 확인

① 발치와 내에 남아 있는 치아의 삭제편 및 이물질을 세정한다.

② 봉합한 후에 삭제편이나 이물질이 남으면 감염을 일으키거나 통증이 길어지는 원인이 된다.

③ 충분한 세정을 시행한 후 발치와 내부를 잘 흡인하고 발치와 내에 삭제편이나 이물질이 남아 있지 않은지 확인한다.

④ 하악 매복 제3대구치의 경우는 설측 치조골의 골절 유무를 확인하고, 치근단이 하악관에 가까운 경우에는 하악관의 노출 유무를 확인한다.

8) 지혈 및 봉합

① 발치와 내부에서 발생하는 활동성 출혈(active bleeding)은 거즈 혹은 혈관수축제를 적신 거즈를 이용하여 출혈점을 압박하여 지혈을 유도한다. 발치와 내에서 발생한 출혈은 적절한 압박을 통해서 충분하게 지혈을 유도할 수 있다.

② 발치와 내부에서 활동성 출혈(active bleeding)이 없는 것을 확인한 후 발치와의 치은 또는 치은판에 대해 봉합을 시행한다(5장 참조).

③ 거즈(gauze)를 접어 발치부 치은에 두고 1~2시간 정도 물고 있게 하여 지혈을 유도한다. 이 때 거즈가 발치와의 치은에 정확하게 닿아 있는 것을 확인한다. 환자는 발치와가 아닌 잔존치로 씹게 되므로 발치와가 압박되지 않아서 지혈되지 않는 경우가 있다.

9) 주의 사항 고지

1. 반드시 치과의사의 주의사항을 따르십시오.
2. 물고 있는 거즈를 꽉 물고 계십시오.
   지금 물고 있는 거즈는 지혈을 위한 압박 거즈입니다. 충분한 지혈을 위해 1~2시간 정도 유지하십시오.
3. 침이나 피는 뱉지 마시고 삼키십시오.
   침이나 피를 뱉는 것은 지혈을 방해하여 피가 나게 할 수 있습니다.
4. 피가 날 수 있습니다.
   발치 후 반나절 정도는 침에 피가 섞여 나오는 경우가 있지만 이것은 출혈이 아닙니다. 응고되었던 피가 조금씩 침에 섞여 나오는 것이므로 걱정하지 마십시오.
5. 항생제, 진통제를 처방 받게 됩니다.
   약국에서 약을 받으면 받은 즉시 진통제를 드십시오. 항생제는 매 식후에 3일간 드십시오.
6. 심하게 입을 헹구지 마십시오.
   수술 부위가 움직이면 통증이나 출혈이 발생 할 수 있습니다. 침에 피가 섞여 있어도 걱정하지 않으셔도 되므로 심하게 입을 헹구지 마시고 살짝만 헹구어 주십시오.
7. 식사는 3~4시간 후부터 하십시오.
   마취가 완전히 풀린 뒤에 부드러운 음식부터 드십시오.
8. 발치부 이외의 치아는 칫솔질을 해도 상관이 없습니다. 칫솔질 후에 입을 헹굴 때에는 심하게 입을 헹구지 않도록 주의하십시오.
9. 수술 당일과 다음날 음주와 심한 운동은 삼가십시오.
10. 출혈이 다시 발생한 경우 거즈, 티슈, 탈지면 등을 두껍게 접어서 발치한 부분에 대고 30분 정도 강하게 물고 계십시오. 그래도 지혈이 되지 않으면 병원으로 연락주시기 바랍니다.
11. 발치 후 4~5일 정도 지나 턱 부분의 피부에 내출혈로 인한 푸른 멍이 생기는 경우가 간혹 있지만, 이것은 발치할 때의 출혈이 서서히 피부 표면에 드러나는 것이지 출혈이 계속되고 있는 것은 아닙니다. 보편적으로 1주일 정도면 흔적을 남기지 않고 완전히 사라지므로 걱정하지 마시기 바랍니다.
12. 만일 예기치 않은 일이 생기거나 궁금한 점, 걱정되는 점 등이 있으시면 연락을 주시거나 다시 오셔서 상의하십시오.

치과병원 구강악안면외과 (02)1234-5678

4 단순매복된 하악지치의 발거

발치하기 전에 반드시 파노라마 사진 및 구강내 방사선 사진을 촬영하여 난이도를 평가하는 것이 필요하다.

1) 난이도를 평가한다.

(1) 위치

- 근원심경사(난이도: 근심경사 < 수평매복 < 수직매복 < 원심경사)
- 협설측 경사(난이도: 경사도가 적은 치아 < 경사도가 큰 치아 → 협측경사된 치아 < 설측경사된 치아
- 하악지 전방부와의 관계(난이도: 전방위치된 치아(1급) < 중간(2급) < 후방위치된 치아(3급))
- 교합평면과의 관계(난이도: 매복치 교합면이 제2대구치 교합면과 일치하는 치아 < 제2대구치 교합평면과 치경부 중간에 위치하는 치아 < 제2대구치 치경부 하방에 위치하는 치아)

(2) 치근의 형태

- 원추형 단근치, 동그랗고 불완전 형성된 치근단 < 길고 가는 치근, 벌어진 다근치
- 치근만곡이 없는 경우 < 치근만곡이 심한 경우
- 치주인대강이 넓은 경우 < 치주인대강이 좁은 경우
- 치아낭이 큰 경우(발치시 골삭제량을 감소시켜 발치를 용이하게 함) < 치아낭이 작은 경우

(3) 주위 조직

- 치근주위골이 유연한 경우 발치가 용이함: 밀도가 작으면 치조와 팽창이 가능하고 골삭제가 용이함.
- 제2대구치와의 분리된 관계
- 하치조신경과의 분리된 관계

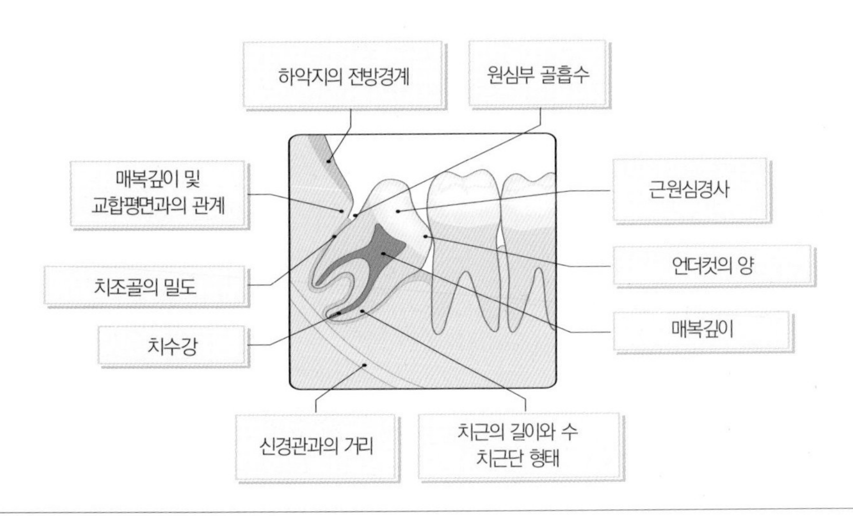

그림 6-57. 하악 매복지치의 발거를 위한 난이도 평가.

(4) 광범위한 우식이 있거나 치료를 받은 치아는 발치시 파절되기 쉽다.

- 치근에 내흡수가 있는 경우 파절되기 쉽다.
- 근관치료가 되어 있는 치아는 파절되기 쉽다.

2) 마취 심도의 확인(입술, 혀의 지각이 변하는지 촉진 및 문진)

3) 절개 및 박리한다.

- 연조직을 촉진하여 하방에 골조직이 있는지 확인한다.
- 후방연장 절개선은 설신경의 손상을 피하기 위해 하악지에 의해 지지되는 연조직 상에 설계한다. 하악 구치부 치아들의 중심열구를 이은 선과 외측으로 45도 각도를 형성하는 절개선이 하악 제2대구치의 원심우각부에서부터 원심측으로 설계되어야 한다.
- 미러나 골막기자로 설정한 절개선의 원심측 끝을 견인한 상태로 #15 혹은 #12 칼날로 원심부터 절개를 시행한다.
- 하악 제2대구치의 원심우각부 전방 절개는 대부분 삼각피판(triangular flap)이나 기낭/외포피판(envelope flap)의 형태로 이루어진다.
- 일격에 전층 절개를 시행하며, 매복 지치 주위는 follicular tissue를 따라 충분히 절개해야 한다.
- 큐렛 혹은 골막기자를 이용하여 절개선의 전방에서부터 점막골막피판을 들어올려 골을 노출시킨다.

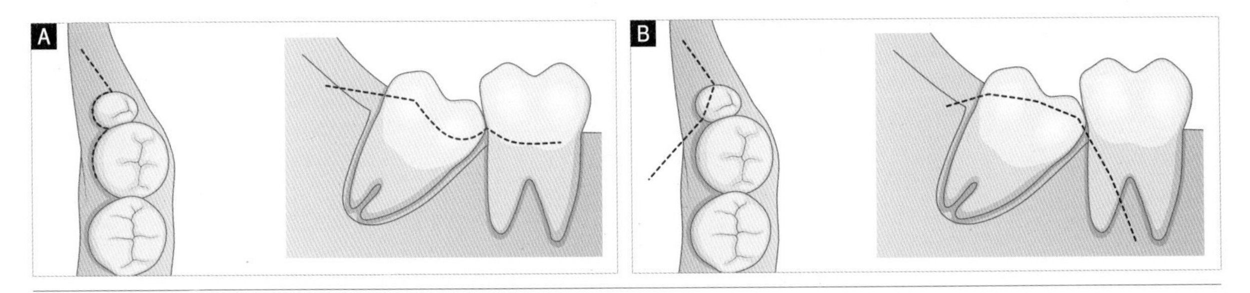

그림 6-58. A. 삼각피판(Triangular flap) B. 기낭/외포피판(Envelope flap).

4) 치아분리 및 제거

(1) High speed angled handpiece를 이용하는 경우

- Round bur 혹은 fissure bur를 이용해 수직적으로 치아를 분할한다.
- Pulp cavity까지 연장하여 충분한 깊이로 분할하되, bur가 치아의 설측면은 넘어가지 않도록 주의한다. 설측의 연조직이 bur에 감기지 않도록, 필요한 경우에는 설측 연조직을 조심스럽게 견인한다.
- 치아의 약 3/4정도가 분할되면 발치기자를 삭제된 분할선에 삽입하고 지렛대 작용을 이용해 치아를 파절시킨다.
- 분할된 근심의 치관과 치조골 사이에 발치기자를 삽입하여 탈구시킨 후 지혈겸자 등의 기구로 제거한다.
- 남은 치근 부분을 발치기자를 이용해 탈구시킨 후 지혈겸자 등의 기구로 제거한다.
- 제거된 치아의 치근단에 파절된 흔적이 없는지 확인한다.

(2) Low speed straight handpiece를 이용하는 경우

- Fissure bur를 이용해 치아의 근원심을 분할한다.
- 치아의 약 3/4정도가 분할되면 발치기자를 분할선에 끼우고 지렛대 작용을 이용해 치아를 파절 및 탈구시킨다.
- 탈구된 원심 부분을 지혈겸자 등의 기구로 제거한다.
- 남은 근심 부분과 치조골 사이에 발치기자를 삽입해 원심으로 탈구시킨 후 지혈겸자 등의 기구로 제거한다.
- 제거된 치아의 치근단에 파절된 흔적이 없는지 확인한다.

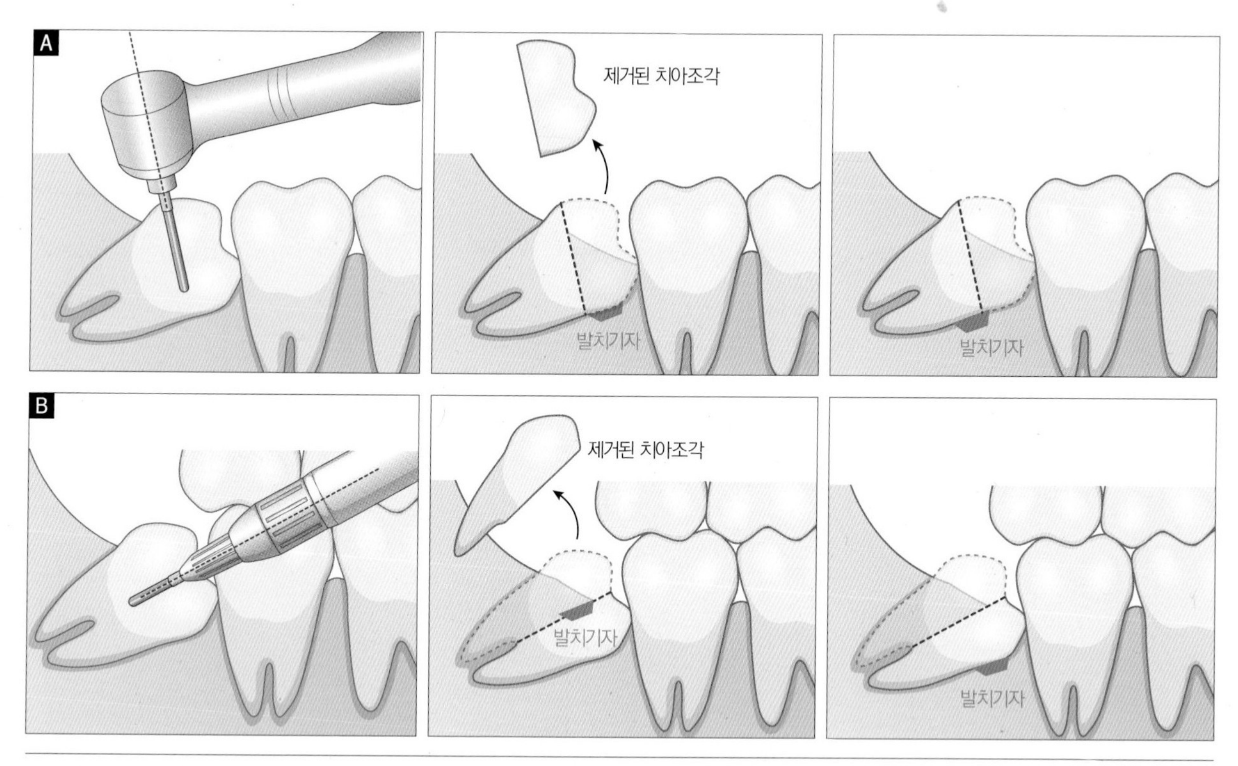

그림 6-59. **A.** High speed angled handpiece를 이용한 치아분리. **B.** Low speed straight handpiece를 이용한 치아분리.

5) 병적조직 제거

- 치근에 염증조직이 있는 경우
- 치관부분에 follicular tissue가 잔존하는 경우
- 제2대구치의 원심측 치은에 염증조직이 있는 경우
- 큐렛과 지혈겸자 등으로 제거한다.

6) 발치와의 세정 및 확인(6장 3-7, p126 참조)

7) 지혈 및 봉합(6장 3-8, p126 참조)

실습평가표

실습제목	발치		
학생 번호		성명	
지도의 성명		서명(인)	

구분	평가항목	점수
소독 및 준비	구강 외 소독을 프로토콜에 따라 시행하였는가?	
	구강 내 소독을 적절하게 시행하였는가?	
	적절한 기구로 치경부 섬유다발을 정확하게 절단하였는가?	
	발치 치아에 따라 술자의 위치와 환자의 자세를 적절하게 선택하였는가?	
기구 및 발치 술식	발치 치아에 맞는 적절한 기구를 선택하였는가?	
	기구를 올바르게 조작하여 발치를 시행하였는가?	
발치 후 처치	발치와의 소파를 적절하게 시행하였는가?	
	발치와의 세정을 적절하게 시행하였는가?	
	발치와의 출혈을 적절하게 지혈하였는가?	
	발치와의 봉합을 올바르게 시행하였는가?	
	발치 후 주의사항을 정확하게 전달하였는가?	

참고문헌

1. 대한구강악안면외과학회. 구강악안면외과학교과서, 3판. 의치학사; 2013
2. Horinouchi Yasufumi 저, 이종호, 김여갑 역. 달인이 될 수 있는 발치기법. 대한나래출판사; 2011
3. Karl RK, Lloyd VT, Kenneth RJ. Color Atlas of Minor Oral Surgery. Mosby-Wolfe; 1994

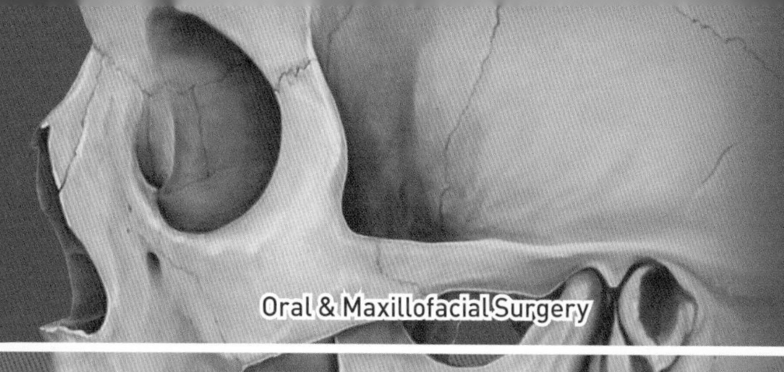

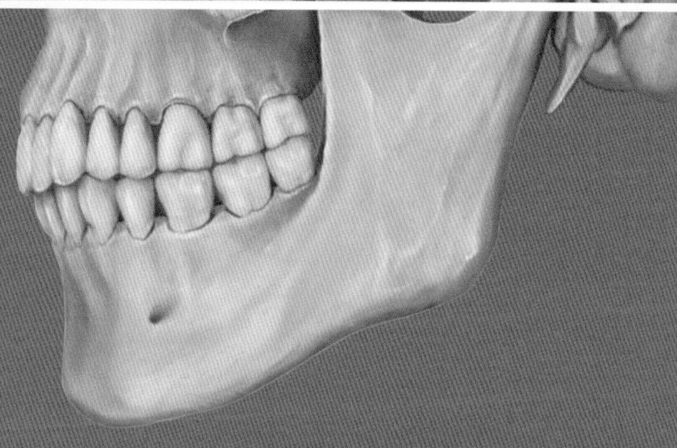

Chapter 07
치아 및 치조골 외상 환자의 처치법

학·습·목·표

- 치아 및 치조골 외상을 진단할 수 있다.
- 치아탈구 시의 치아의 상태에 따라 적절한 처치를 할 수 있다.
- 동요도를 보이는 치아나 탈구된 치아를 고정할 수 있다.
- 아치바를 적용할 수 있다.

본 장에서는 치아 및 치조골의 외상을 진단하고 이에 대한 적절한 처치와 치아 및 치조골의 손상 후 동요도를 보이는 치아 및 치조골편을 고정하는 방법으로 사용되는 wire-resin 고정법과 아치바를 이용한 고정법을 실습한다.

1 치아손상의 분류

치아의 손상은 치질의 손상이 있는 치아의 파절과 치질의 손상이 없이 나타나는 치주조직의 손상으로 구분될 수 있다.

1) 치아의 파절

치아의 파절은 상아질 및 치수의 노출과 손상정도에 따라 일반적으로 I급(법랑질 파절), II급(상아질 노출), III급(치수노출), IV급(치근의 파절)로 구분하게 된다(그림 7-1).

(1) 법랑질 균열(enamel crack,crown infraction)

crown infraction은 치질의 손실이 없는 법랑질의 불완전한 파절 혹은 균열을 의미한다.

(2) 치관의 파절(crown fracture)

치관의 파절은 치주가 노출되지 않은 비복잡와 치수가 노출된 복잡로 나눌 수 있다.

(3) 치관-치근 파절(crown-root fracture)

치관에서 시작하여 치근까지 파절된 것으로 치수의 노출여부에 따라 비복잡과 복잡으로 나눌 수 있다.

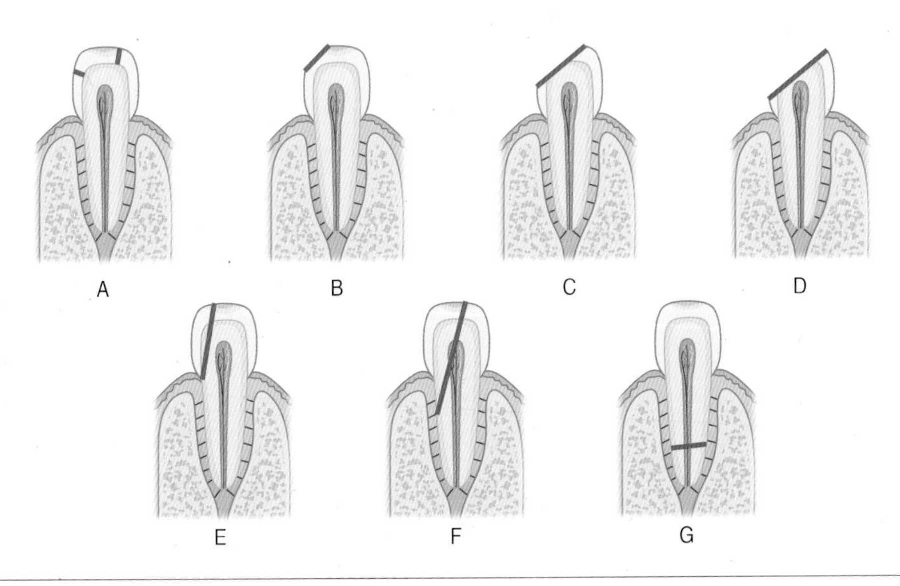

그림 7-1. 치아파절의 종류. **A.** 법랑질 균열 **B.** 법랑질 파절 **C.** 치관파절(비복잡) **D.** 치관파절(복잡), **E.** 치관-치근파절(비복잡), **F.** 치관-치근파절(복잡) **G.** 치근파절

(4) 치근파절(root fracture)

치근 파절은 치관은 손상없이 치근에서의 파절로 심한 동요도를 보이거나 치근단 방사선사진으로 판독할 수 있다. 파절선에 따라 방사선사진에서 잘 관찰되지 않을 수도 있으며, 이럴 경우 재 촬영이나 치료 도중에 발견되기도 한다.

2) 치주조직의 손상

(1) 진탕(concusion)

치아의 진탕은 치아의 동요나 변위없이 치아를 지지하는 구조물에 손상이 가해진 것으로 타진에 반응을 보이게 된다.

(2) 아탈구(subluxation)

아탈구는 비정상적인 동요를 보이나 치아의 변위는 없는 손상을 의미한다.

(3) 정출(extrusion)

정출은 치아가 치조와(aleolar socket) 밖으로 부분적으로 빠져나와 변위가 일어난 것이다(그림 7-2).

(4) 측방탈구 (lateral displacement)

측방탈구는 치조와의 분쇄나 골절이 동반되어 치아가 치축을 벗어나 옆으로 변위가 일어난 손상이다(그림 7-3).

(5) 함입(intrusion)

함입은 치아가 치조와의 분쇄나 골절과 함께 치아가 치조와 내로 변위가 일어난 손상이다(그림 7-4).

(6) 완전탈구 (avulsion)

완전탈구된 치아는 재식술을 시행할 수 있는데 탈구된 치아의 상태에 따라 예후에 큰 차이가 있을 수 있다. 특히 중요한 것은 탈구된 치아 치근 주위의 치주인대가 생활력을 유지하는지 여부인데, 탈구되어 공기중에 30분이상 경과된 경우 예후가 불량할 수 있다. 치료시까지 시간이 지체될 경우 생리식염수나 우유 등에 치아를 보관하여 두면 치주인대의 손상을 어느정도 예방할 수 있다.

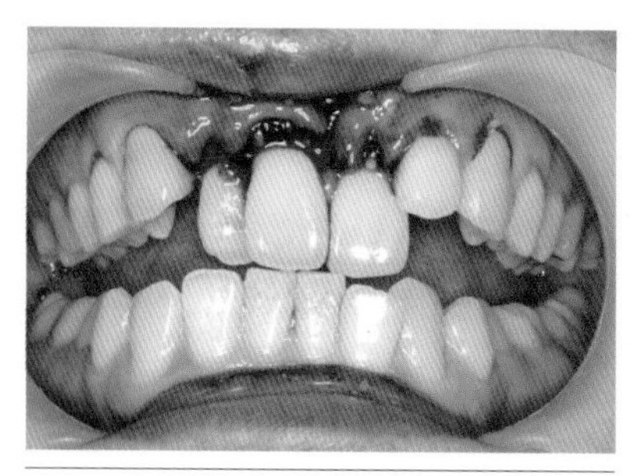

그림 7-2. 상악 전치부의 치아 정출이 관찰된다.

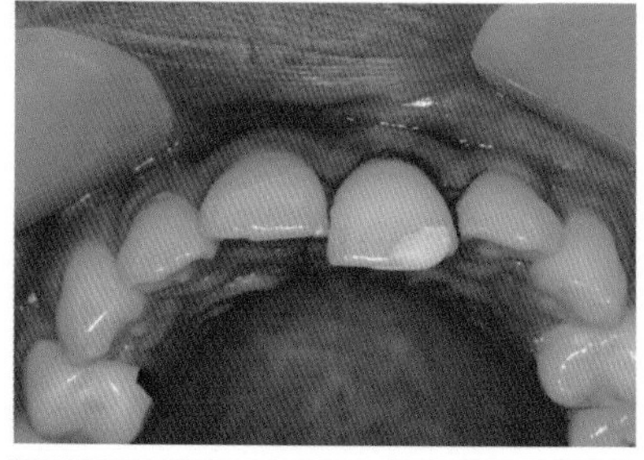

그림 7-3. 상악 좌측 중절치의 설측변위가 관찰된다.

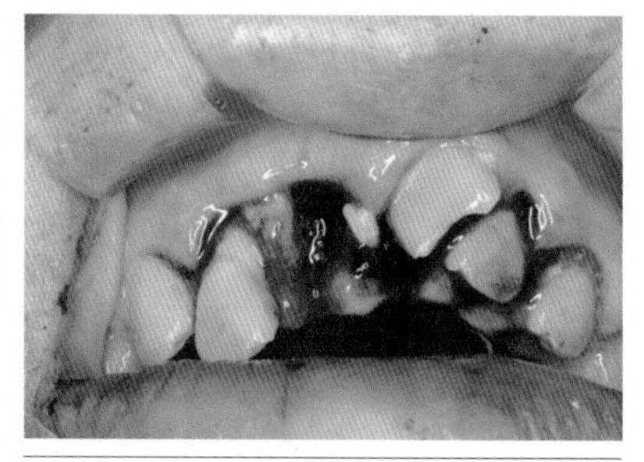

그림 7-4. 상악 좌측 중절치의 변위 및 치조골내로의 함입이 관찰된다.

2 치아 손상의 처치 및 Wire-resin 고정법

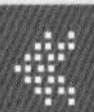

본 실습은 치아의 손상 후에 동요도가 발생하거나, 탈구 혹은 완전탈구로 인하여 재위치, 재식립된 치아를 고정하는 술식에 대한 실습이다.

치아의 고정은 주로 레진과 와이어를 이용하여 주변 치아와 고정하는 방법을 사용한다.

양측으로 최소한 하나 이상의 견고한 치아를 포함하여 고정을 한다. 치아 손상의 고정의 원칙은 견고하지 않고 유동적인 고정을 하여 치유기간동안 치아의 생리적인 움직임을 허용하는 것이다. 이렇게 함으로써 후에 발생할 수 있는 치근 흡수의 위험을 줄이게 된다. 낚시줄 같은 것이 추천되기도 하였지만, 치과에서 쉽게 구할 수 있는 교정용 와이어로 충분하다. 치조골 골절이 있을 경우에는 견고한 고정을 하는 것이 권장된다.

완전탈구된 치아의 경우 치료의 선택과 예후는 치근첨의 성숙여부와 치주인대의 상태에 영향을 받게 된다. 치주인대의 상태는 외부에서 건조된 상태로 유지된 시간에 의해 영향을 받게 되는데 보통 60분 이상 건조된 상태에 있게 되면 치주인대 세포가 살 수 없는 것으로 알려져 있다.

실습준비물

- 치아 모형
- Curing light
- 수복용 컴포지트 레진
- Acid-etching agent
- Bonding agent
- Flexible stainless steel ortho-wire(0.03 or 0.04mm)
- Wire cutter
- Wire bender

1) 외상부위의 처치

① 가능하면 손상된 치아를 바로 재식립 혹은 재위치시킨다. 오염이 되어 있다면 재식립하기 전에 생리식염수로 깨끗하게 씻어낸다.

② 바로 재식립이 가능하기 않을 경우 그자리에서 구할 수 있는 가장 적절한 운반 용액에 담구어 둔다.

2) 운반용액

① Hank's balanced salt solution(HBSS)

② 우유

③ 생리식염수

④ 타액(협측 치은 전정)

⑤ 상기의 용액이 없을 경우 물을 사용한다.

3) 치과에서의 처치

(1) 치아의 재식

① 구강외의 건조시간이 용액에 보관된 것과 상관없이 한시간 이내인 경우에는 바로 재식립을 시행한다.

② 구강외에서 건조시간이 한시간이 넘을 경우, 치과용 불소용액에 20분간 넣고 생리식염수로 씻은 다음 재식립한다.

(2) 치근 표면의 처리

① 치아는 항상 젖은 상태로 유지한다.

② 치근의 표면을 손으로 잡지 않도록 한다(치아는 치관 부위를 잡는다).

③ 치근 표면을 닦거나 문지르기 않으며, 치근첨을 제거하지 않는다.

④ 치근이 깨끗하게 보이면 생리식염수로 씻은 다음 재식립한다.

⑤ 치근 표면이 오염된 것으로 보이면, 생리식염수로 씻어내고, 치근 표면에 오염물질이 계속 묻어 있으면 핀셋으로 조심스럽게 제거한다.

(3) 치조와부위의 처치

① 발치와 부위는 석션을 발치와내로 넣지 않고 주변을 부드럽게 흡인해 낸다. 혈병이 있으면 생리식염수로 부드럽게 씻어낸다.

② 발치와 내부를 소파해 내지 않도록 한다.

③ 뼈 조각이 재식립을 방해하지 않는다면 외과적으로 연조직을 박리하지 않는다.

④ 치조골이 손상되어 재식립을 방해한다면, 날카롭지 않은 기구를 넣어 뼈를 원래의 위치로 재위치 시킨다.

⑤ 재식립이후 손으로 순측과 구개측에서 압박을 가한다.

(4) 연조직의 처지 : 연조직의 열상이 있는 경우 봉합을 시행한다.

(5) 스플린팅

① 레진과 부드러운 철사를 사용하거나 교정용 브라켓과 아치 와이어를 사용한다.
- 고정하는 치아는 동요도가 있는 치아와 그 주변의 견고한 치아를 최소한 양측에 하나씩 포함하여 고정치아로 결정한다.
- 에어 시린지로 치아를 건조시킨다.
- Etching agent gel을 30초간 바른 후 물로 씻어내고 에어로 말린다.
- Bonding agent를 바르고 부드러운 에어 스프레이로 5초간 건조시킨 후 curing light로 광중합을 한다.

② 스플린트는 적어도 7~10일은 유지되어야 한다. 그러나 치아가 과도한 동요를 보이는 경우 동요도가 임상적으로 허용되는 정도까지 감소할 때까지 다시 적용시켜야 한다.

(6) 가정에서의 주의사항

① 고정된 치아로 씹거나 하면 안됨.

② 부드러운 음식 섭취

③ 구강내 위생을 잘 유지할 것

(7) 필요한 약처방

① 전신적인 항생제

② 진통소염제

③ Chlorohexidine 가글

(8) 근관치료

① 치근첨이 열려있는 치아에서 구강외 건조시간이 한 시간 이내인 경우
- 치수의 재생을 경과 관찰
- 치수의 병변을 검사하기 위해 3~4주 간격으로 외래 검진
- 치수 병변이 관찰될 경우 calcium hydroxide를 이용한 근관의 충전

② 치근첨이 열려있는 치아에서 구강외 건조시간이 한 시간 이상일 경우
- 근관을 calcium hydroxide로 충전한다.
- 환자를 6~8주 간격으로 검진
- 예후가 좋지 않을 경우 추가적인 치료를 검토한다.

③ 치근첨이 부분적으로 혹은 완전히 닫혀있는 치아에서 구강외 건조시간이 1시간 이내인 경우
- 7~14일 이내에 근관을 깨끗이 하고,
- 가능한 한 오랫동안(보통 6~12개월) calcium hydoxide로 근관을 처치했다가
- 합병증이 없는 것으로 판단되면, 근관을 gutta percha와 sealer로 충전한다.

④ 치근첨이 부분적으로 혹은 완전히 닫혀있는 치아에서 구강외 건조시간이 2시간 이상인 경우
- 근관치료를 시행한다.
- 재식립전에 치근표면의 조직을 제거하고 치과용 불소용액에 담궜다가 재식을 시행한다.

(9) 추가적인 고려사항

① 유치가 완전 탈구된 경우에는 재식을 시행하지 않는다.

② 영구치의 재식인 경우 적어도 2~3년간은 추적 경과 관찰을 하는 것이 필요하다.

③ 치근의 흡수, 강직, 치아의 침강등의 합병증에 관하여 설명해야 한다.

(10) 치아의 고정기간

① Subluxation : 2주

② Extrusive luxation : 2주

③ Avulsion : 2주

④ Lateral luxation : 4주

⑤ Root fracture(middle third) : 4주

⑥ Root fracture(Cervical third) : 4달까지

⑦ Alveolar fracture : 4주(Data from Flores MT, et al. Guideline for the management of traumatic dental injuries. International Association of Dental Traumatology. 2009)

3) 실습 과정

① 덴티폼과 wire-resin 을 준비한다.

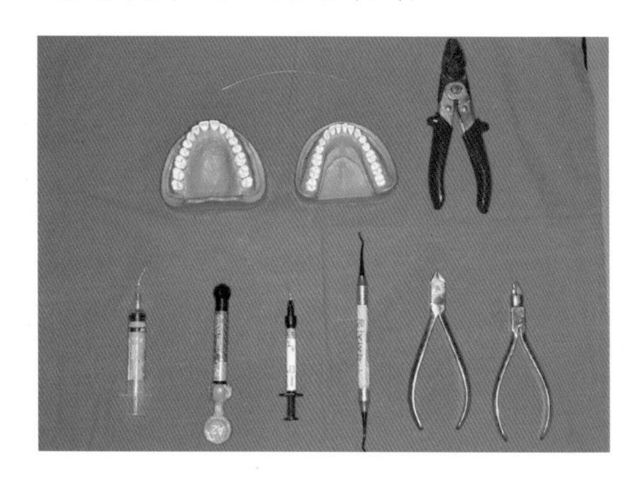

② 상악 우측 중절치 탈구를 가정하여 치아를 치조와에 재위치시킨다.

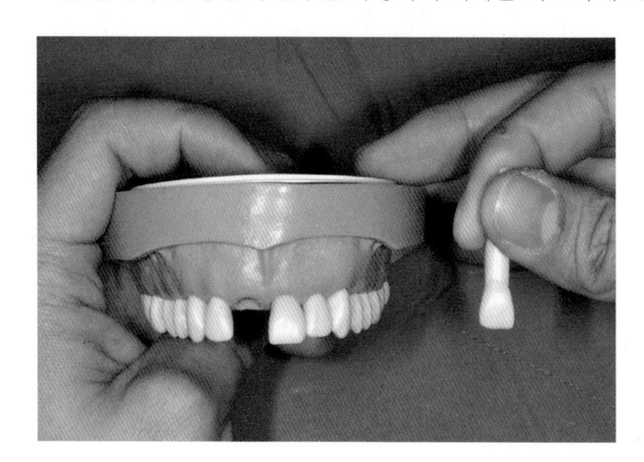

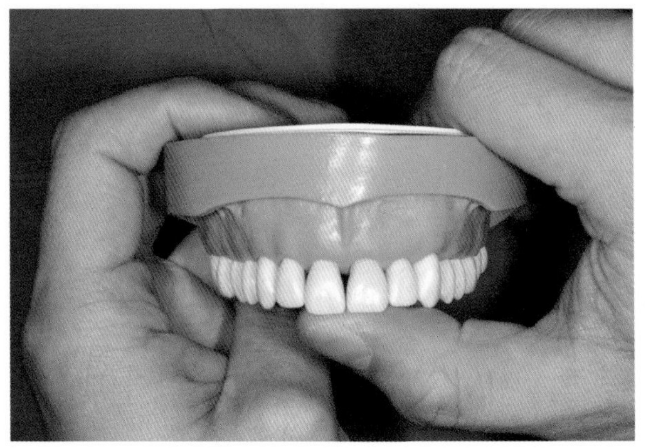

③ Wire를 양측 견치를 포함하는 길이로 준비하여 치열에 맞게 구부린다.

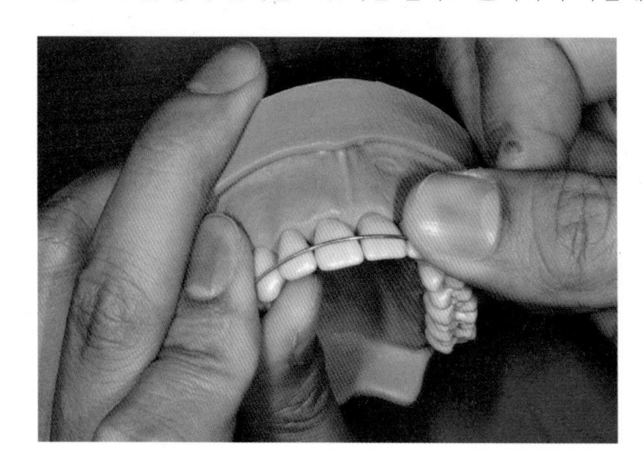

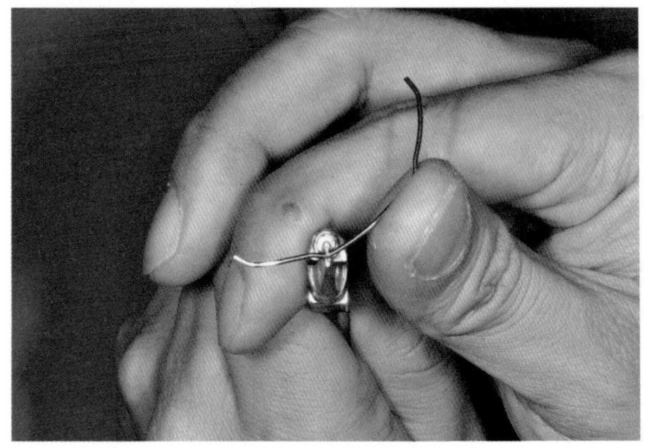

④ Etching용액을 바르고 30초간 기다려 물로 세척하고 건조시킨다. Bonding agent를 바르고 약한 에어로 건조시킨다.

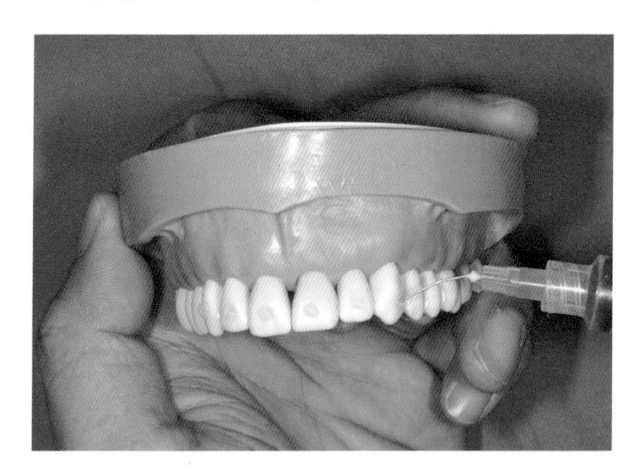

⑤ Wire를 치아에 접촉시킨 후 레진을 붙인다.

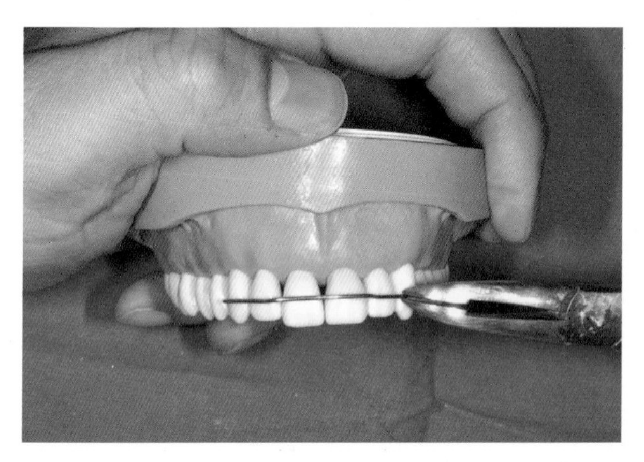

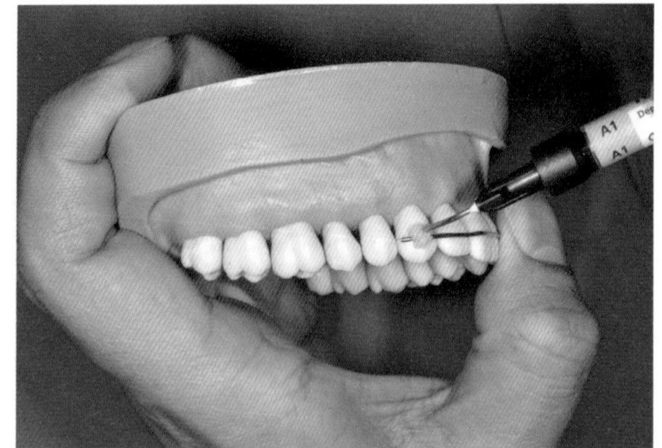

⑥ 광중합기를 이용하여 광중합을 시행한다.

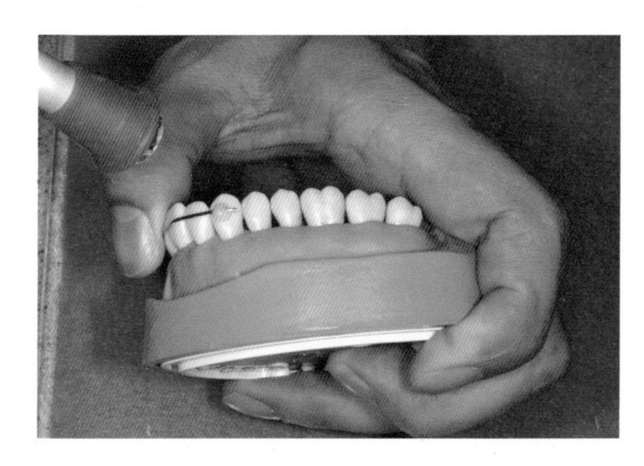

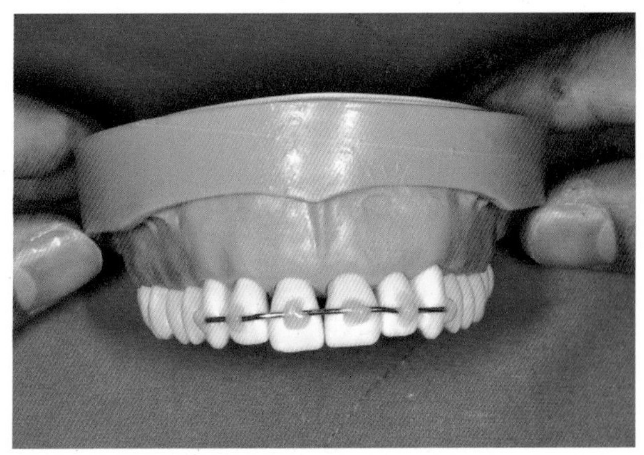

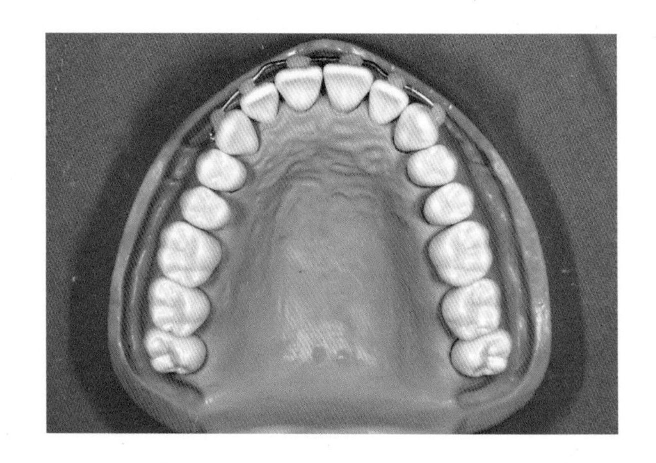

3 치조골 골절 및 악골 골절에서의 선부자(Arch Bar)의 적용

1) 치조골의 골절

치조골 골절은 주로 성인에서 발생하며, 상악전치부나 소구치 부에서 가장 많이 발생한다. 유치악과 무치악 모두에서 발생되며, 1개의 치아만을 포함하기도 하지만 대개 다수의 치아를 포함하여 발생한다. 치아는 치조골내에서 변이가 일어나지 않은 채 치조골과 함께 변이나 동요도를 보이는 경우가 많다. 치조골이 노출되거나 치은의 열상 등이 동반되기도 한다.

치조골 골절의 치료는 단순하여 골절편의 혈액공급을 잘 유지하는 것이 중요하다. 연조직에서 유리된 작은 골절편은 제거하는 것이 필요하다. 치아와 전위된 골편을 조심스럽게 정복해야 하며 대개 고정이 필요하다. 고정은 골절편의 변위가 적고 적은 수의 치아의 고정이 필요한 경우 wire-resin고정법으로도 가능하나, 골절의 범위가 넓고 악간고정이 필요한 경우 arch bar의 적용이 필요할 수 있다. 연조직은 필요한 경우 봉합을 시행한다.

본 실습에서는 arch bar의 고정법에 대해 실습을 시행하여, arch bar의 원리와 악간고정법에 대해 배우게 된다.

Arch bar(선부자)는 치조골 골절이나 악골의 골절 시 악간고정이나 치조골편의 고정을 위해 치아를 이용하여 고정하는 방법이다. 현재 주로 많이 사용되는 것은 Erich arch bar type으로 악골 골정, 악간고정 등이 필요한 다양한 구강악안면외과의 수술에 응용이 되는 술식이다.

실습준비물

- 석고 모형
- Arch bar – Erich arch bar
- Wire 26-28 gauge(0.018-0.014 Inch = 0.46-0.36mm)
- Wire holder
- Wire cutter
- 악간고정용 elastic
- 글로브

그림 7-1. Arch bar

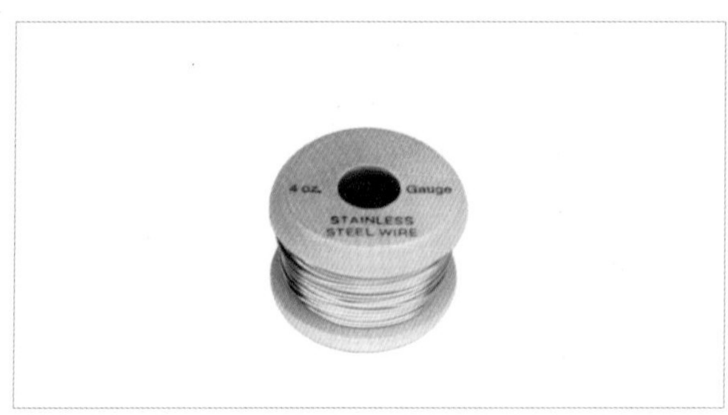

그림 7-2. Wire

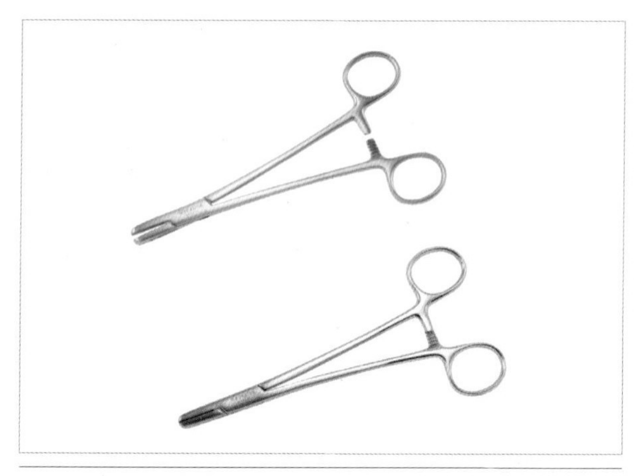

그림 7-3. Wire holder

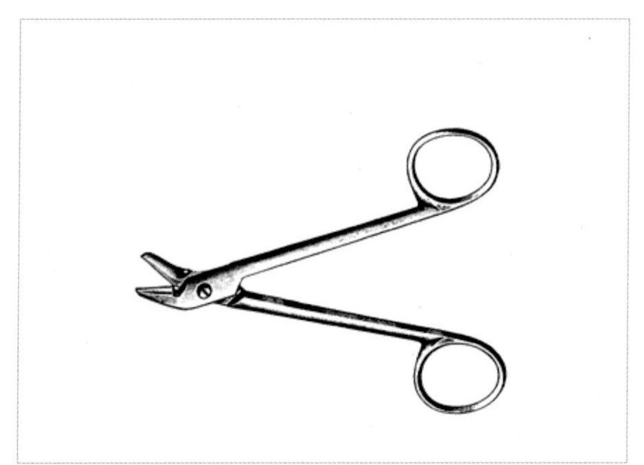

그림 7-4. Wire cutter

2) 실습과정

① 실습 준비물을 준비한다. 악간고정을 위하여 둥글게 만든 와이어와 elastic band를 준비한다.

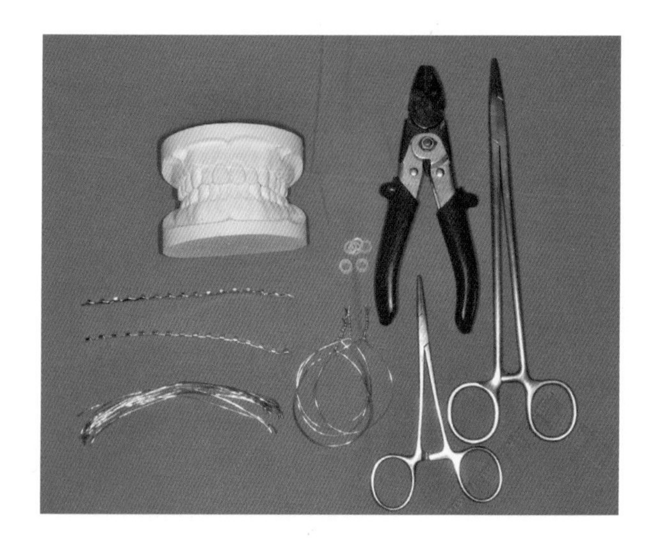

② 석고모형에 치간부위를 round bur를 이용하여 구멍을 뚫어 둔다.

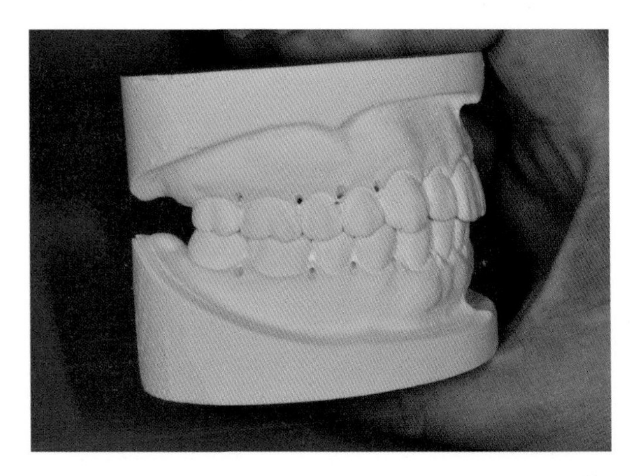

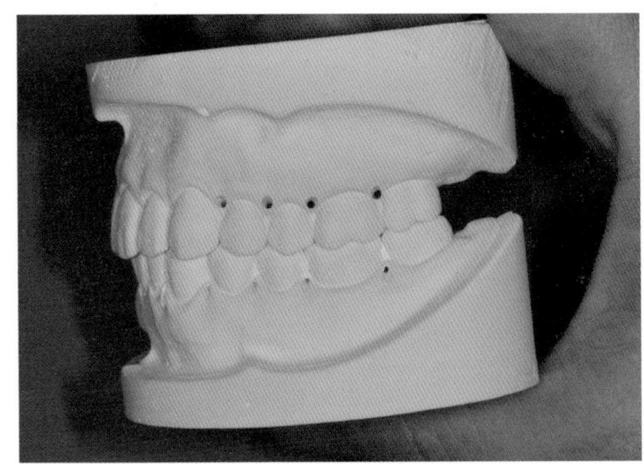

③ Arch bar를 적당한 길이로 잘라서 준비한다. 통상 악골골절의 경우 최후방은 제1대구치 부위에 결찰을 하기 때문에 양측 제1대구치 사이의 길이로 arch bar를 준비한다.

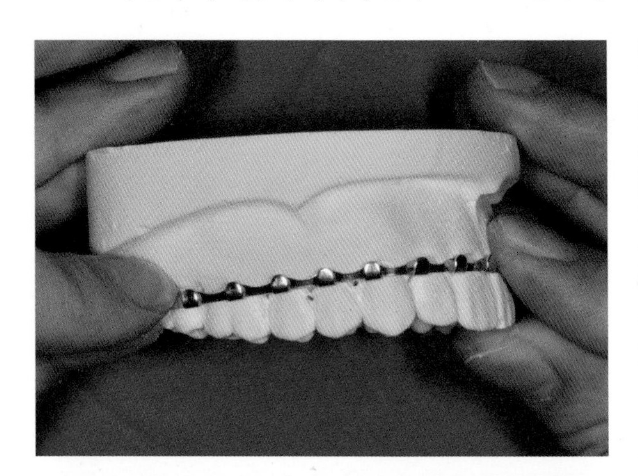

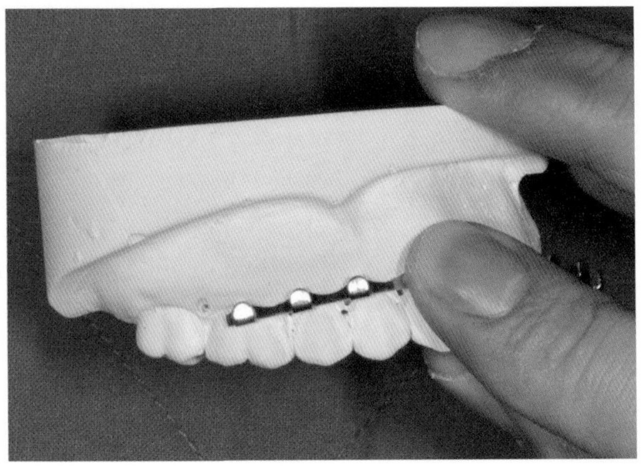

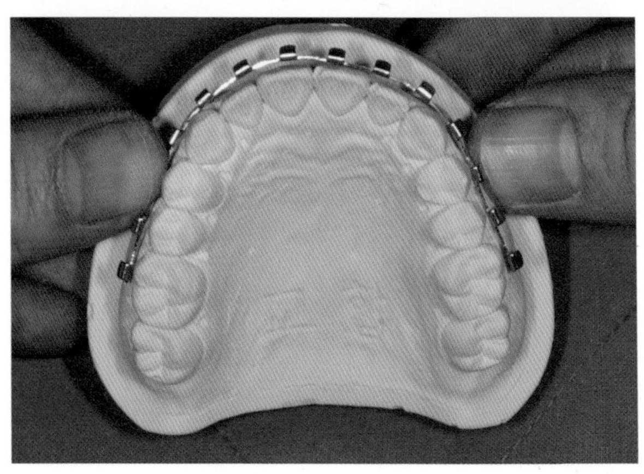

④ Wire를 한뼘 정도의 길이로 잘라 먼저 협측에서 들어가 치아를 감싸며 다시 협측으로 나오도록 감는다. 전치아를 다 wire로 감을 수 있지만 때에 따라서는 상하악 전치부는 생략하기도 한다.

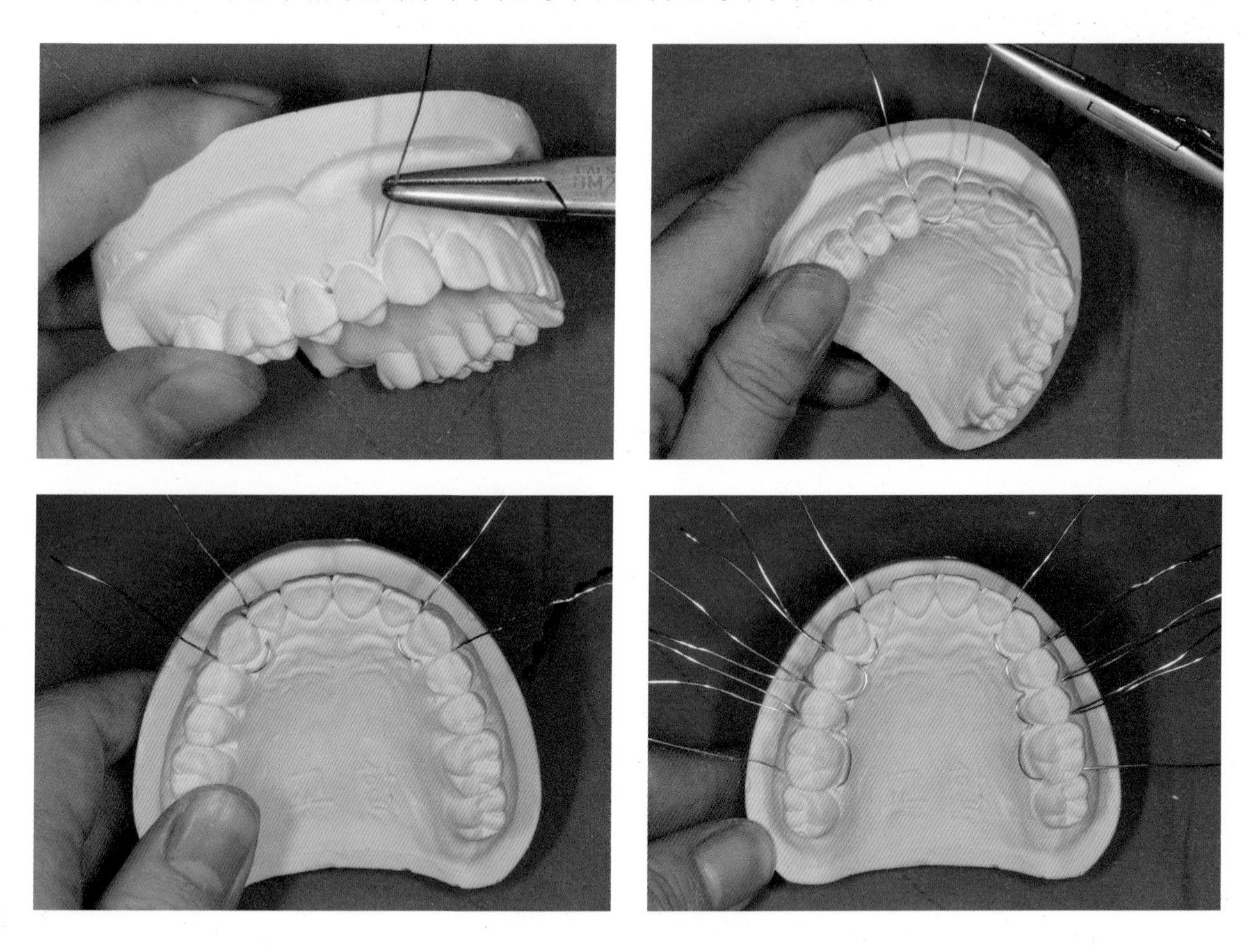

⑤ Wire가 arch bar를 감아 고정할 수 있도록 전방측을 교합면으로 후방을 치은 쪽으로 가도록 wire를 정돈한다.

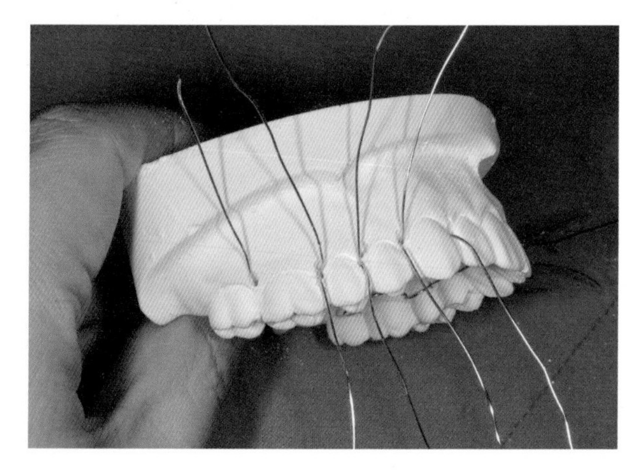

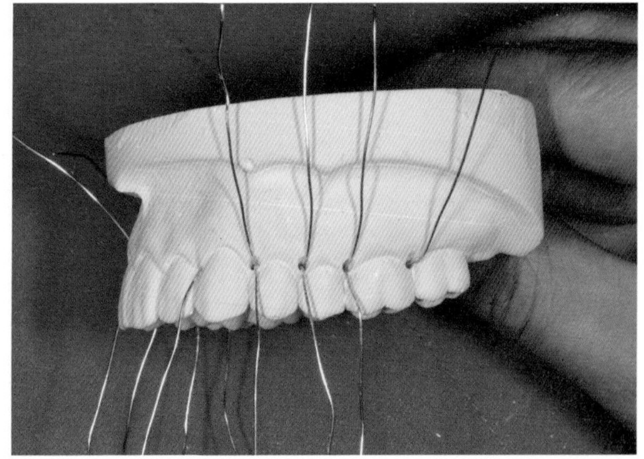

⑥ Wire사이를 arch bar가 지나가도록 위치시킨다. 이 때 고리(hook)이 치은 쪽을 향하도록 주의하여야 한다.

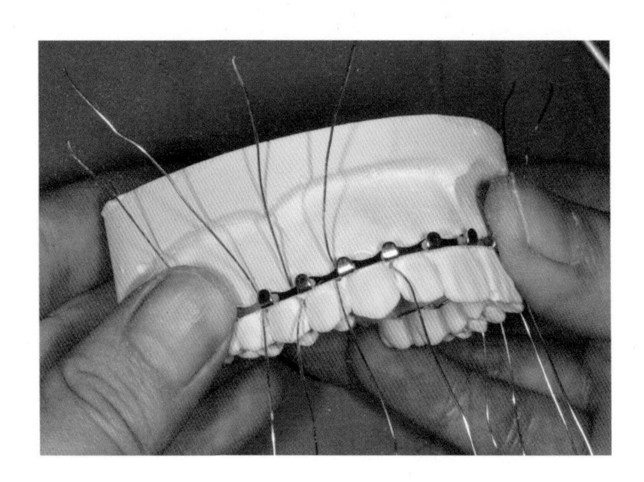

⑦ Wire를 wire를 wire holder로 감아서 고정한다. Wire의 순서가 바뀌지 않도록 주의하며, 균일하게 감겨서 조일 수 있도록 한다. 조이는 강도는 wire가 끊어지지 않으면서 최대한 강하게 조여지도록 한다.

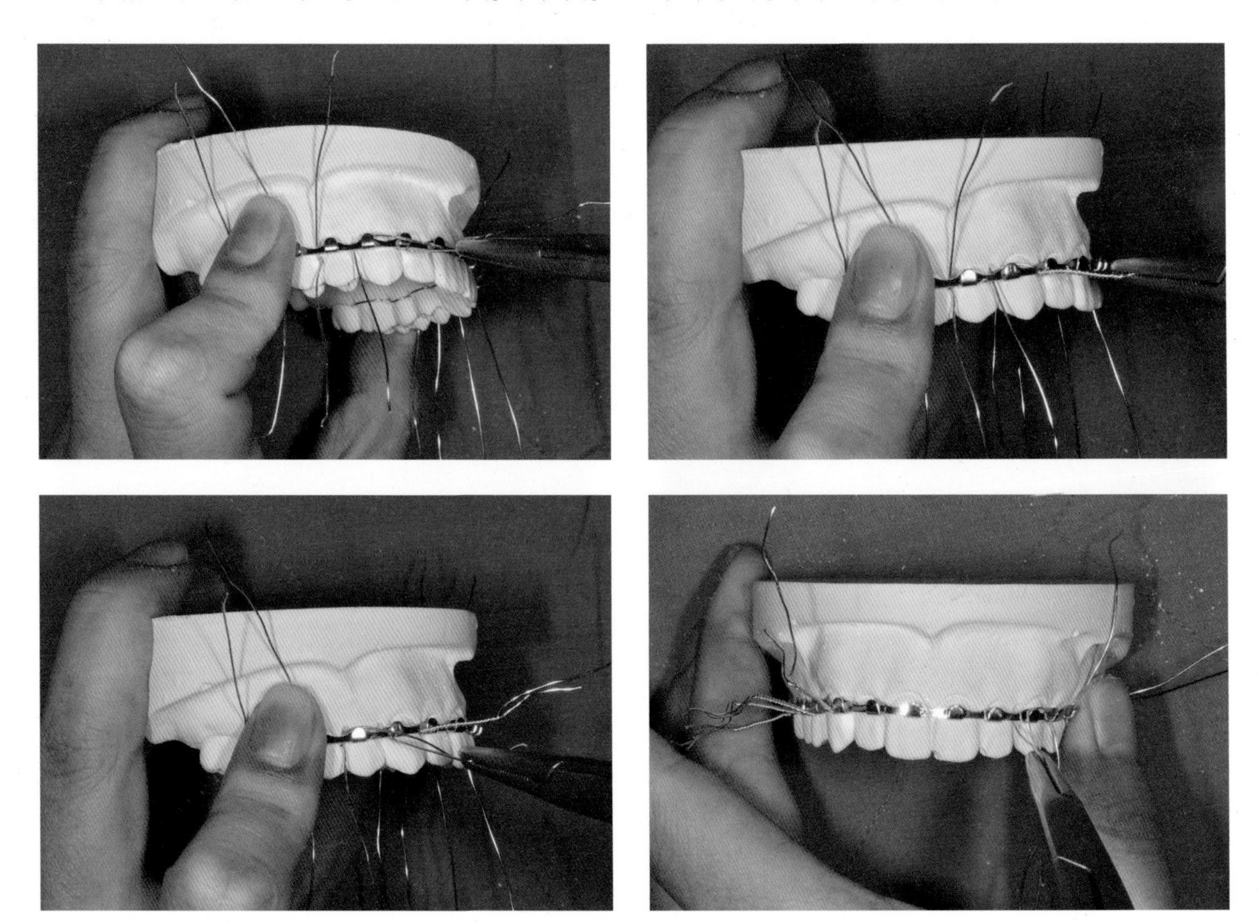

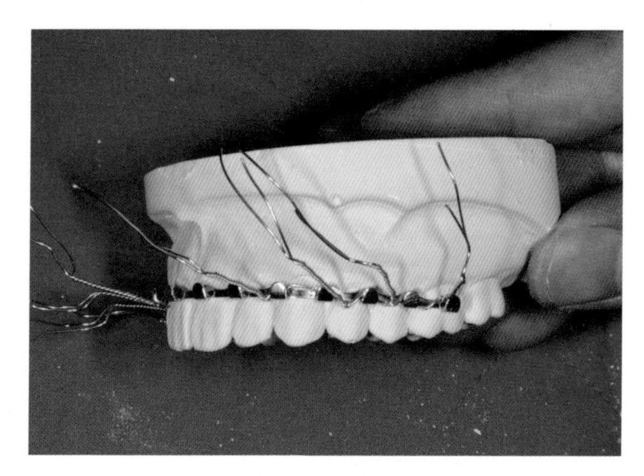

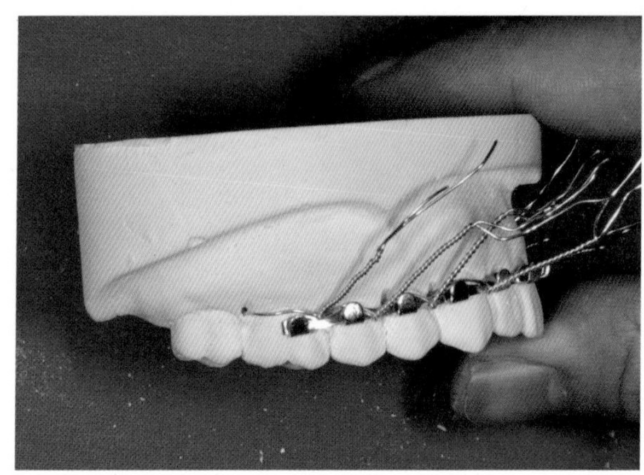

⑧ 조이고 난 wire는 약 3~4mm 정도를 남기고 잘라낸다.

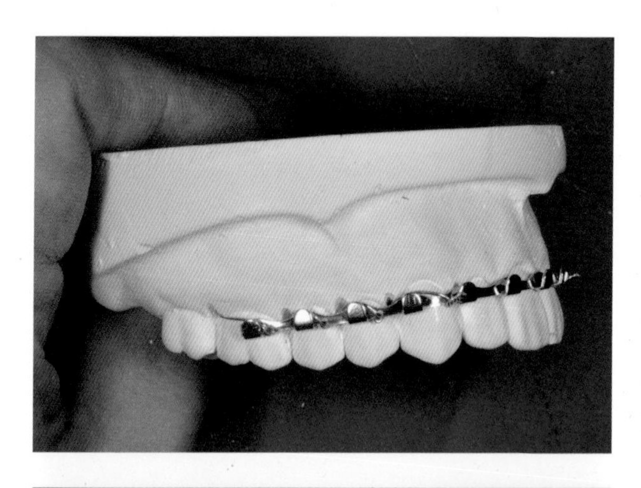

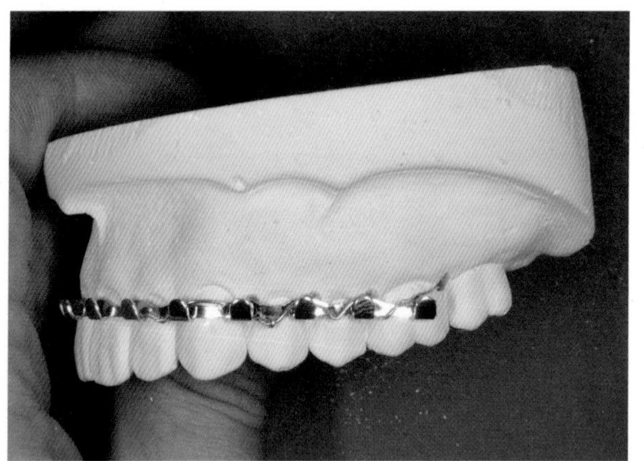

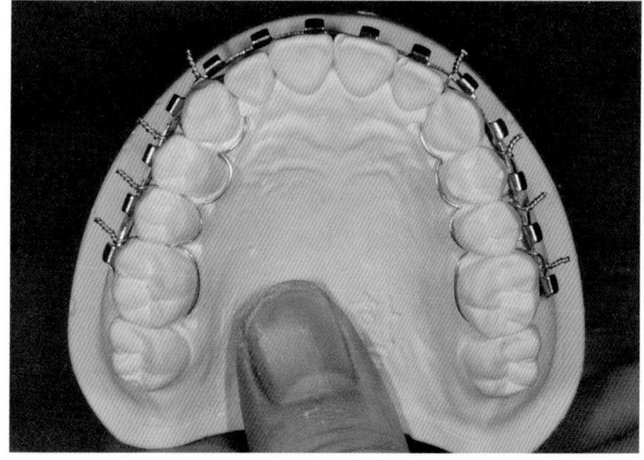

⑨ 남아서 튀어나와 있는 부분은 잘 돌려서 치아사이에 들어가도록 한다.

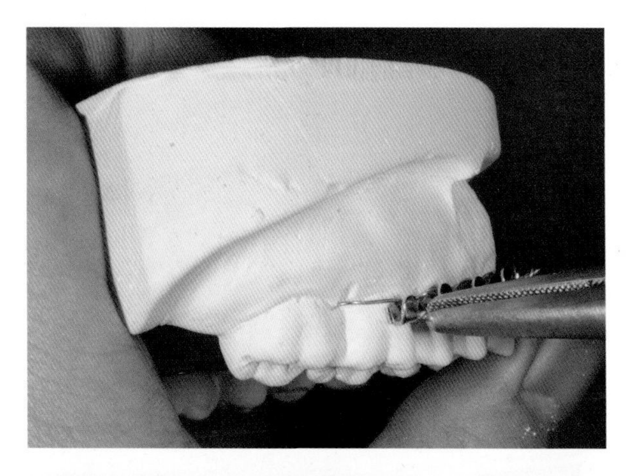
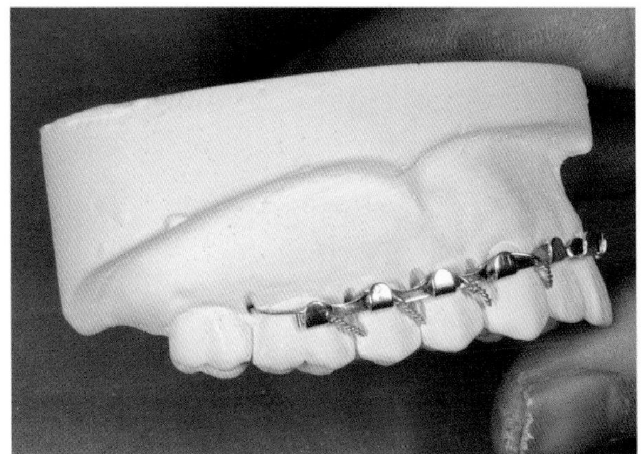
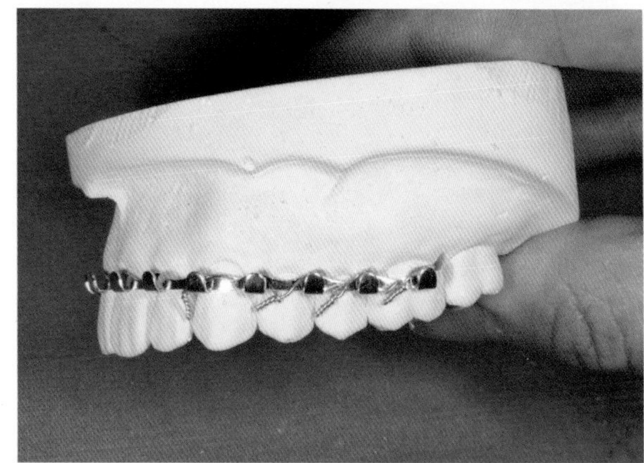
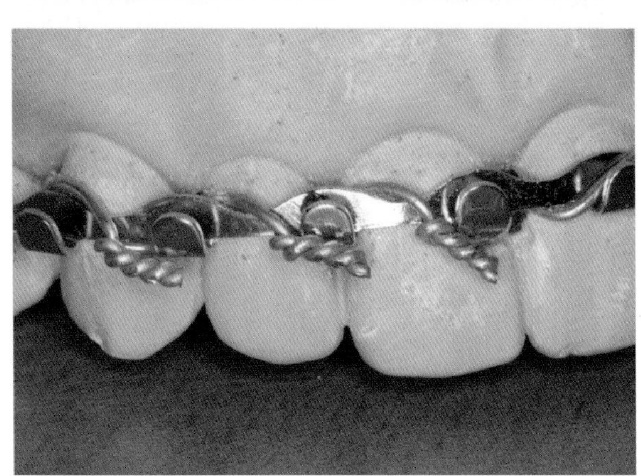
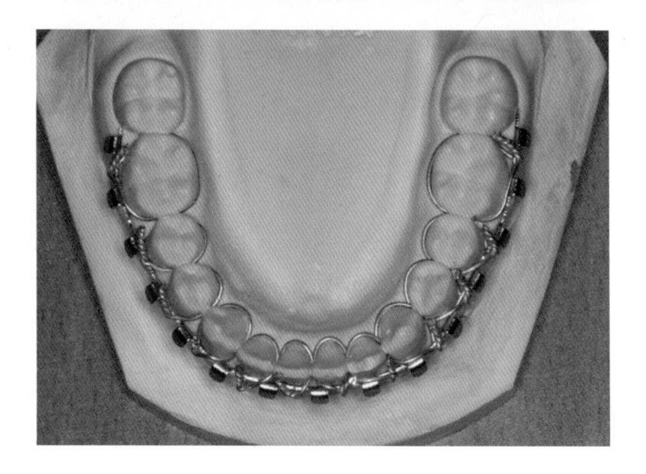

⑩ 하악모형에도 같은 방법으로 시행한다.

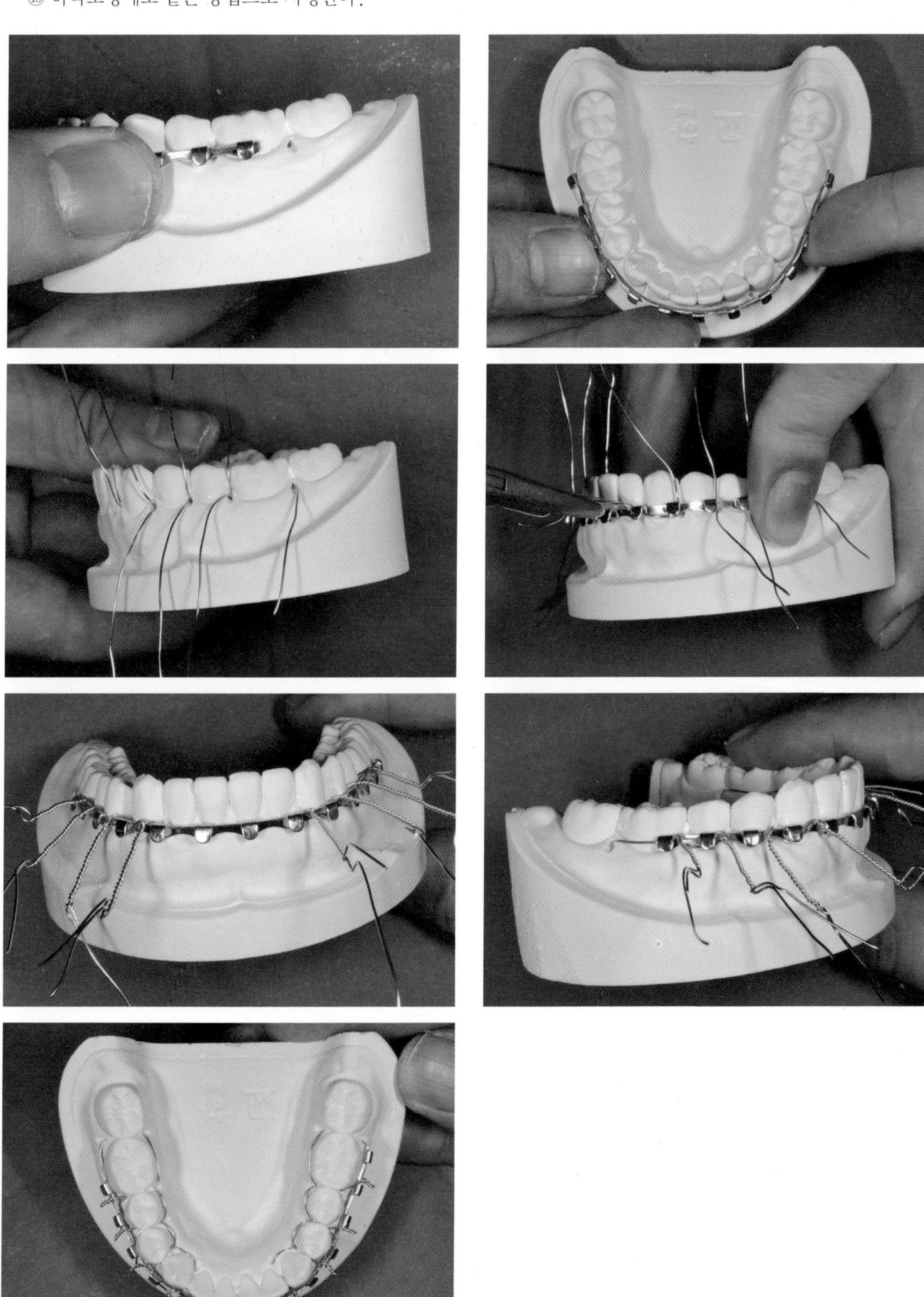

⑪ 상하악의 arch bar의 장착이 다 끝난 경우에는 악간 고정용 wire를 이용하여 고정을 한다.

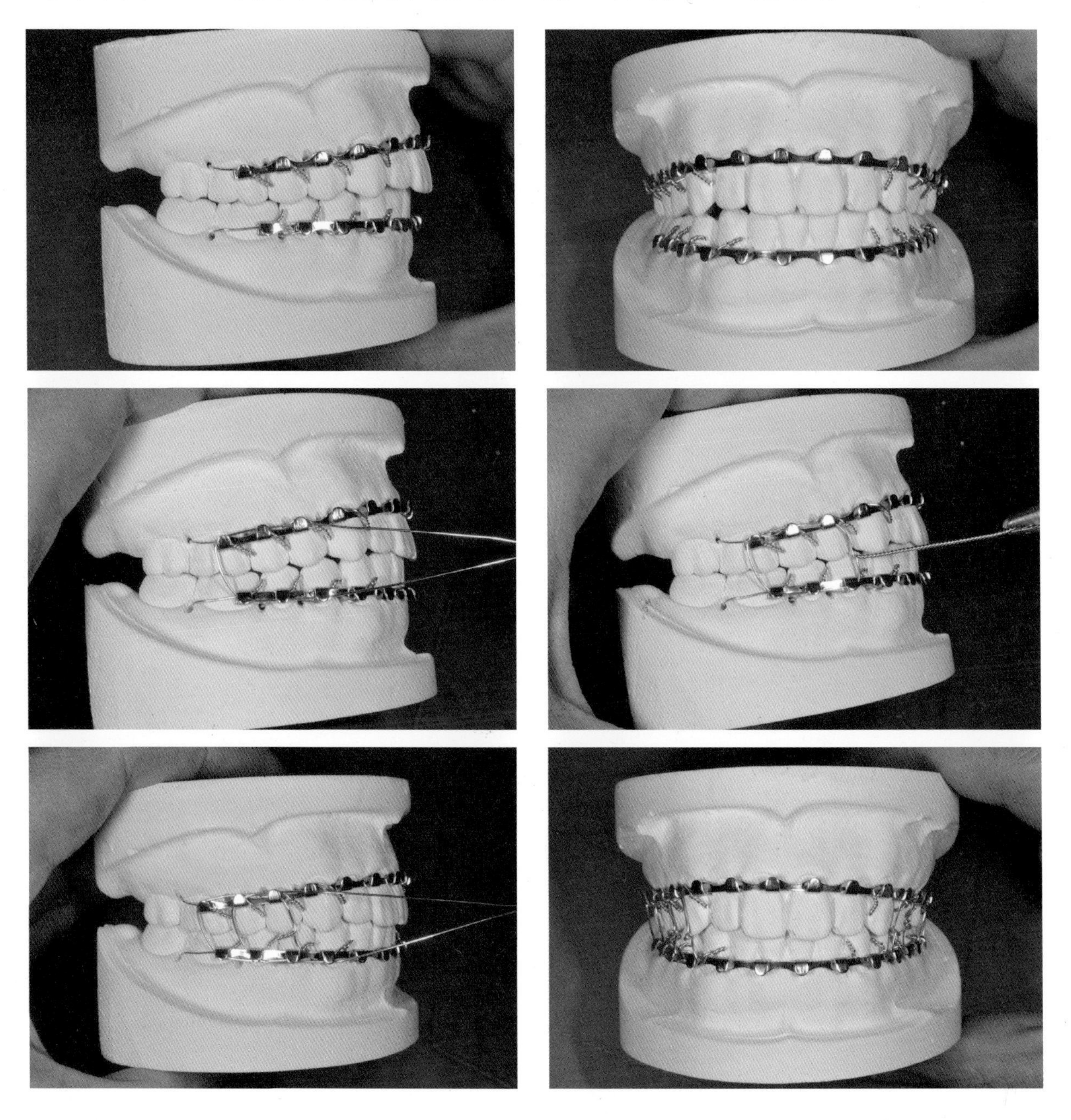

⑫ 악간 고정은 elastic을 이용하여 시행할 수도 있다.

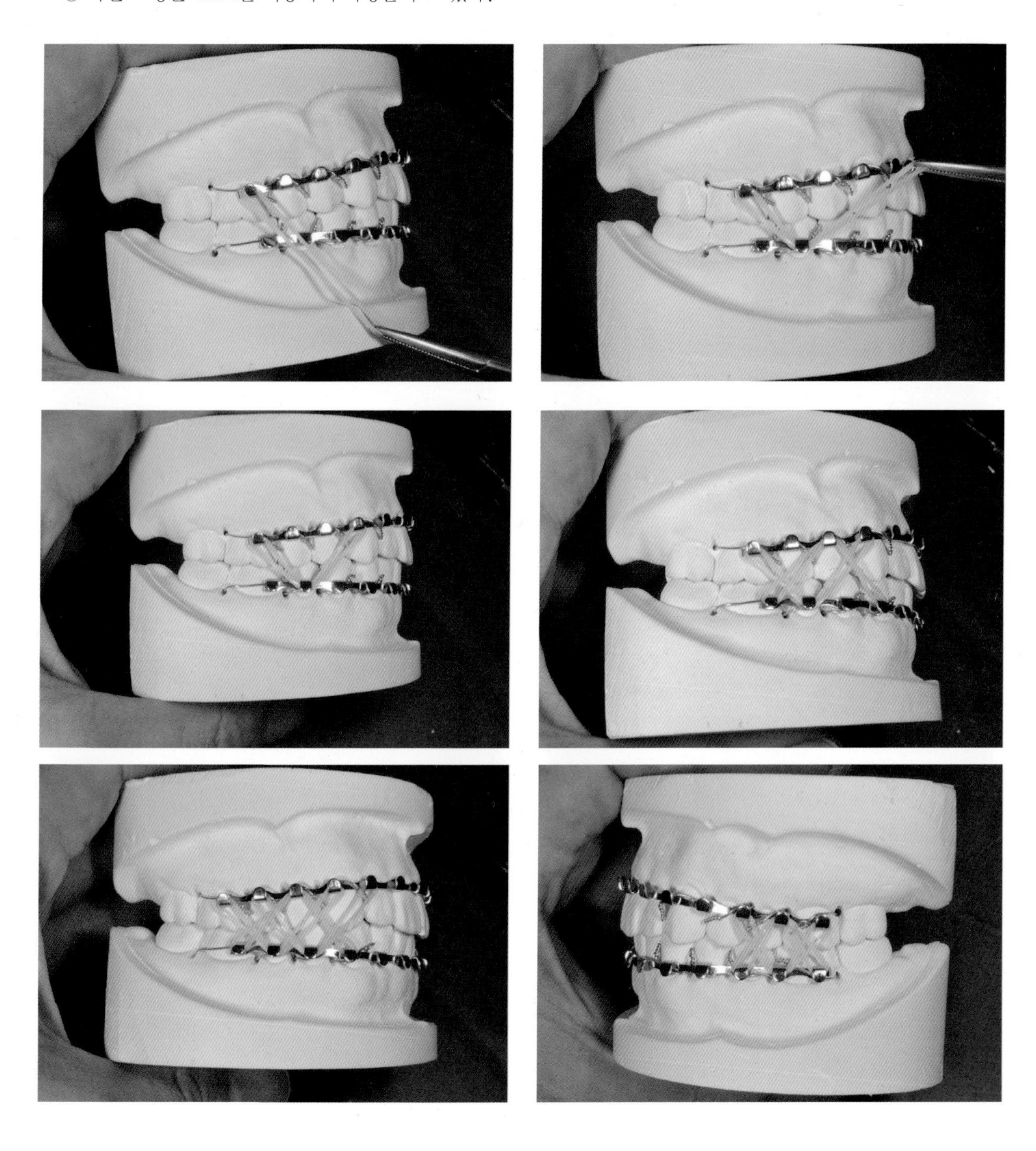

실습평가표

실습제목	치아의 Wire-resin 고정법		
학생 번호		성명	
지도의 성명		서명(인)	

구분	평가항목	점수
Wire-resin의 준비	wire를 적절한 길이로 준비하였는가?	
	기구는 충실히 준비하였는가?	
Wire의 적용	Wire는 치열을 따라 치아에 잘 적합되는가?	
	Wire를 능숙하게 다루는가?	
Resin의 전처치	Etching은 필요한 부위에만 하는가?	
	Etching시 충분한 시간을 기다리는가?	
	Etching 후 건조를 충분히 시행하였는가?	
	Bonding agent는 바른 후 적절히 건조를 시켰는가?	
Resin을 이용한 고정	Resin의 양이 너무 많거나 적지 않은가?	
	Resin의 고정력이 견고한가?	

실습평가표

실습제목	악간고정법- 선부자(arch bar), 치아간 결찰법		
학생 번호		성명	
지도의 성명		서명(인)	

구분	평가항목	점수
선부자 적용준비	Wire를 적절한 길이로 준비하였는가?	
	Arch bar의 길이는 치아에 적용하기에 충분한가?	
	모형의 치아 사이의 구멍은 적절히 뚫었는가?	
	기구는 충실히 준비하였는가?	
선부자의 적용	강선을 감을 때 가지런히 감는가?	
	강선을 능숙하게 다루는가?	
선부자 적용 후의 평가	절단된 강선의 길이는 적절한가?	
	절단된 강선을 깨끗하게 치아사이로 구부려 넣었는가?	
	적용된 선부자의 동요도는 없는가?	
	선부자가 치아에 공간없이 잘 접촉되어 있는가?	
강선 치아간 결찰법	간접치아간 결찰법에서 강선이 부드럽게 결찰되었는가?	
	간접치아간 결찰법으로 충분한 악간고정을 얻었는가?	

Chapter 08

구강전정농양의 처치법

학·습·목·표

- 치성감염의 진행양상을 설명할 수 있다.
- 항생제 요법의 적응증과 금기증을 설명할 수 있다.
- 항생제 선택과 투여의 원칙을 설명할 수 있다.
- 치성감염의 진단 및 수술법의 임상술기 등 시행할 수 있고, 합병증을 처치할 수 있다.

1 서론

감염이란 인간(숙주)과 그 환경(병균들)간에 불균형으로 발생되는 장애로서, 감염의 치료란 병균들의 환경을 파괴하고, 숙주의 방어기전을 높여서 이들 사이에 균형을 회복하는 것이다. 생활에서 음식물을 섭취하는 관문이 되는 구강은 항상 수 많은 병균들(미생물)이 존재하는 만큼 치과임상에서 감염관리는 중요한 의미를 갖는다.

감염성 질환은 치과임상에서 다루기 어려운 질환들 중 하나로, 일반적으로 국소화되어 통상적인 처치로 치유가 잘 되지만, 경우에 따라서는 그 파급의 양상이 각종 골수염, 봉와직염, 간극농양, 림프선염, 균혈증 등으로 진행되어 기도폐쇄, 패혈증, 종격동염, 해면정맥동 혈전증 등의 합병증으로 생명에 위협을 초래할 가능성이 있다.

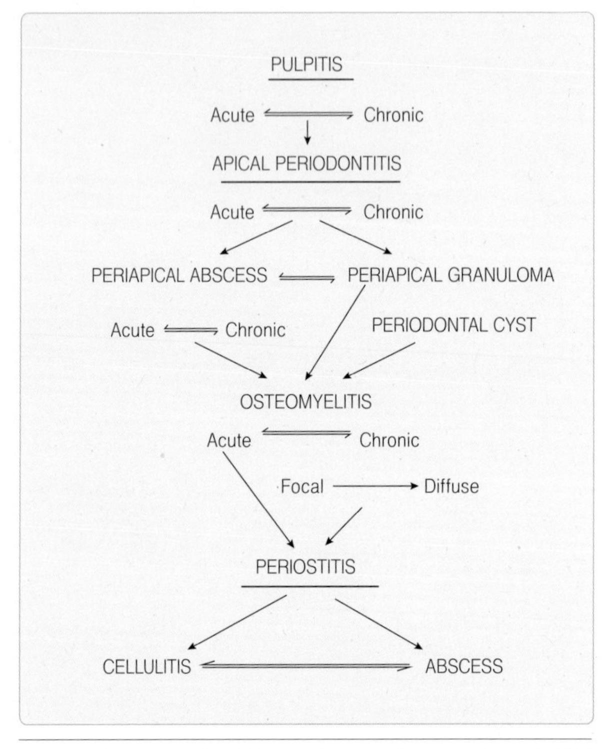

그림 8-1. 치수염과 치주염에서 봉와직염과 간극농양까지의 진행경로(상관관계)

또한, 심장병 등의 전신질환이 있는 쇠약한 환자에서의 치성감염은 원거리까지 전이(distant metastasis)되어 치명적인 감염이나 영구적인 장애를 유발할 우려도 있다. 더욱이 발치나 치조골 성형술 등 구강 내 외과적인 처치를 시행하는 치과의사들에게는 외과적 시술후의 창상감염으로 인해 환자와 술자 모두에게 당혹감과 고통을 초래하게 되므로 감염의 처치 및 예방은 치과임상에서는 항상 고려해야 할 사항이다.

치성감염은 치수괴사로 인한 치근단을 통한 감염 경로와, 깊은 치주낭을 통한 치주감염의 경로가 있는데, 이 중 치근단 경로를 통한 치성감염이 흔하게 발생된다. 치아우식에 의한 치수괴사는 세균이 치근단으로 확장될 수 있는 경로로서, 일단 조직 내에서 세균들이 번식되어 감염이 발생되면 모든 방향으로 동일하게 감염이 확산되지만, 가장 조직저항이 적은 곳으로 우선 확산된다. 감염은 우선 망상골을 뚫고 나가 치밀골에 이르게 되며, 만일 치밀골이 얇으면 감염은 치밀골을 침식시키고 연조직에 이르게 된다(그림 8-1).

감염이 치밀골을 뚫고 나와 확산되는 해부학적 위치는 예측할 수 있는 바, 감염의 원인이 되는 치아의 치근단부위 골의 두께와, 천공된 상 · 하악골 부위의 근육부착 관계 등에 의해 감염이 확산되는 경로가 결정된다(그림 8-2).

치성감염의 특징적인 임상소견은 염증 부위의 부종, 동통, 열, 발적 및 기능 상실이다. 그 외에 염증 부위에 농이 스며 나오거나, 주위 임파선의 염증을 동반할 수 있으며, 전신적으로는 고열과 피로감 또는 권태감(malaise)을 나타내며, 감염의 원인이 되는 치아가 반드시 존재한다(그림 8-3~5).

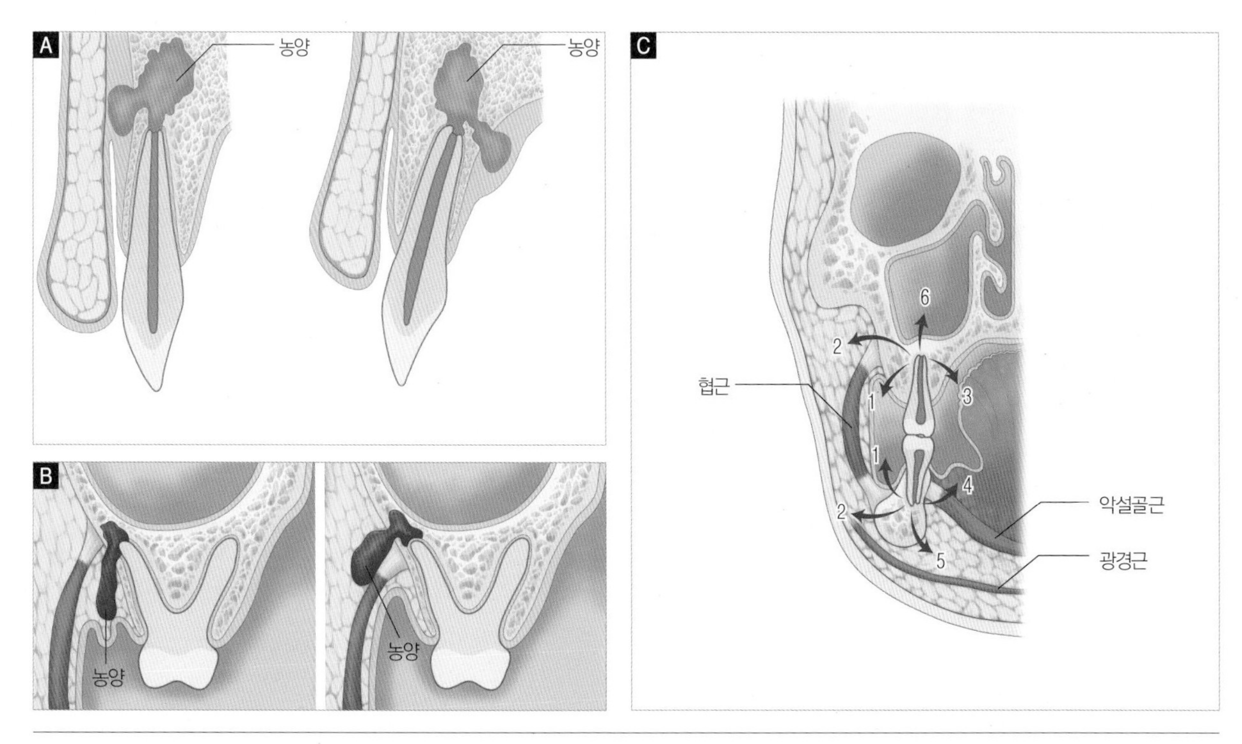

그림 8-2. 치성 감염의 확산 경로. **A.** 치근단 부위 골의 두께에 따라 협·구개부로 확산, **B.** 근육 부착 관계에 따라 구강내 및 구강외로 확산 **C.** 상·하악 구강내·외로 확산되는 모습(1. 구강전정, 2. 협부간극, 3. 구개부, 4. 설하간극, 5. 악하간극, 6. 상악동)

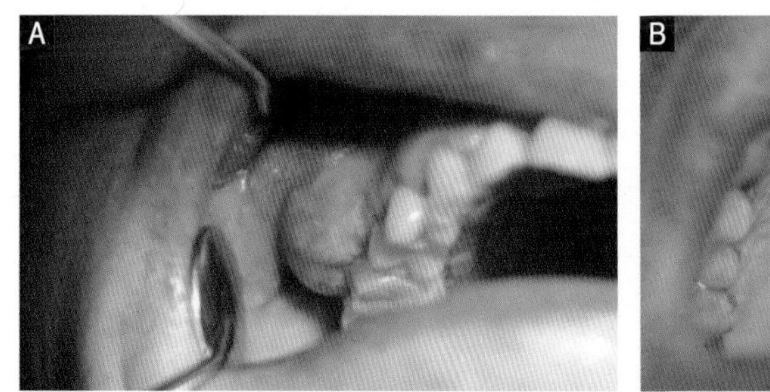

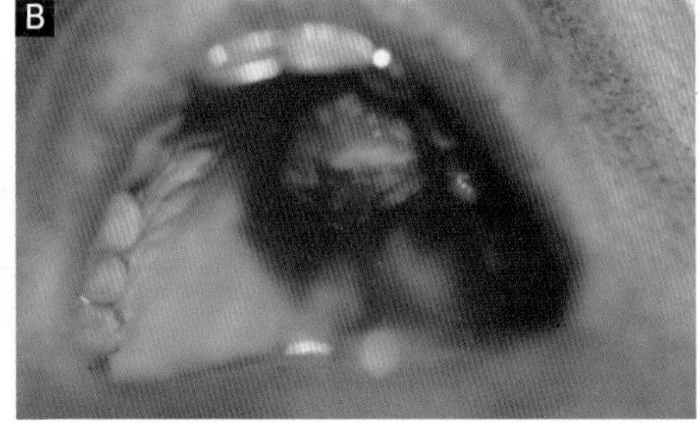

그림 8-3. 상악 구강내 농양.
A. 협부에 위치한 구강전정농양
B. 구개부에 위치한 농양

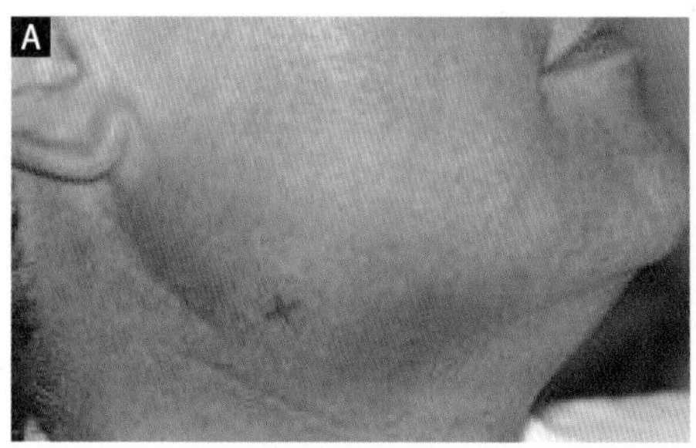

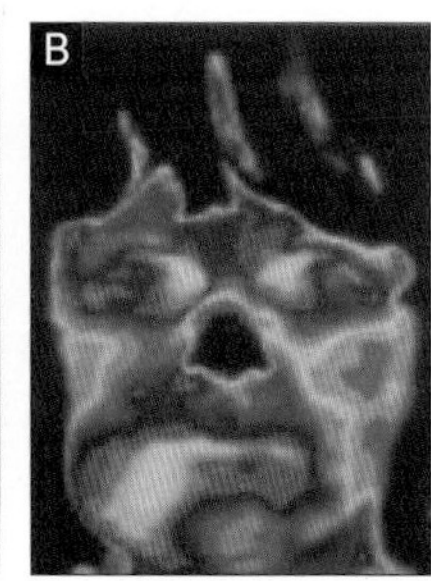

그림 8-4. 구강외 근막간극 감염.
A. 부종과 발적을 보이는 우측 악하부 농양
B. 동측부위에 열이 높아진 열화상(thermogram) 사진

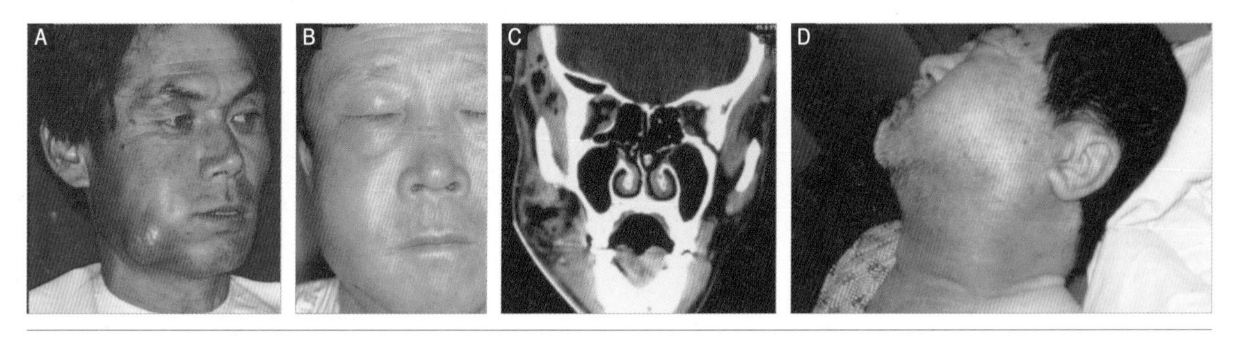

그림 8-5. 구강외 근막간극 감염. A. 우측 협부 간극 농양 B. 우측 협부, 교근하 및 측두간극 감염 C. B 환자의 CT 사진 D. 좌측 악하 및 측인두간극 감염

치성감염을 치료할 때는 그 원인균을 명확히 이해하고, 치성감염의 발생기전과 감염 시 확산될 수 있는 해부학적인 구조를 알고 있어야 하며, 이에 따른 감염 상태의 심각성(severity) 정도 및 환자의 신체 방어 기전 상태를 평가하여 구강악안면외과의사에게 의뢰할 것인지를 결정해야 한다. 임상적으로 볼 때 구강 전정 이외의 농양 즉 근막 간극을 침범한 치성 감염은 전문의에게 반드시 의뢰하도록 한다. 구강 전정 농양의 치료 방법은 외과적 처치인 절개 및 배농(incision and drainage, I & D), 적절한 항생제 처방, 감염의 원인이 되는 치아의 발치 또는 근관치료를 통해 감염원의 제거 및 약화된 환자의 전신상태를 개선시키는 것이다. 치료 후에는 지속적인 경과를 관찰하며, 감염이 호전되지 않을 경우에는, 치료법에 문제점을 파악하여 적절한 처치를 위한 노력이 필요하다(그림 8-6~8).

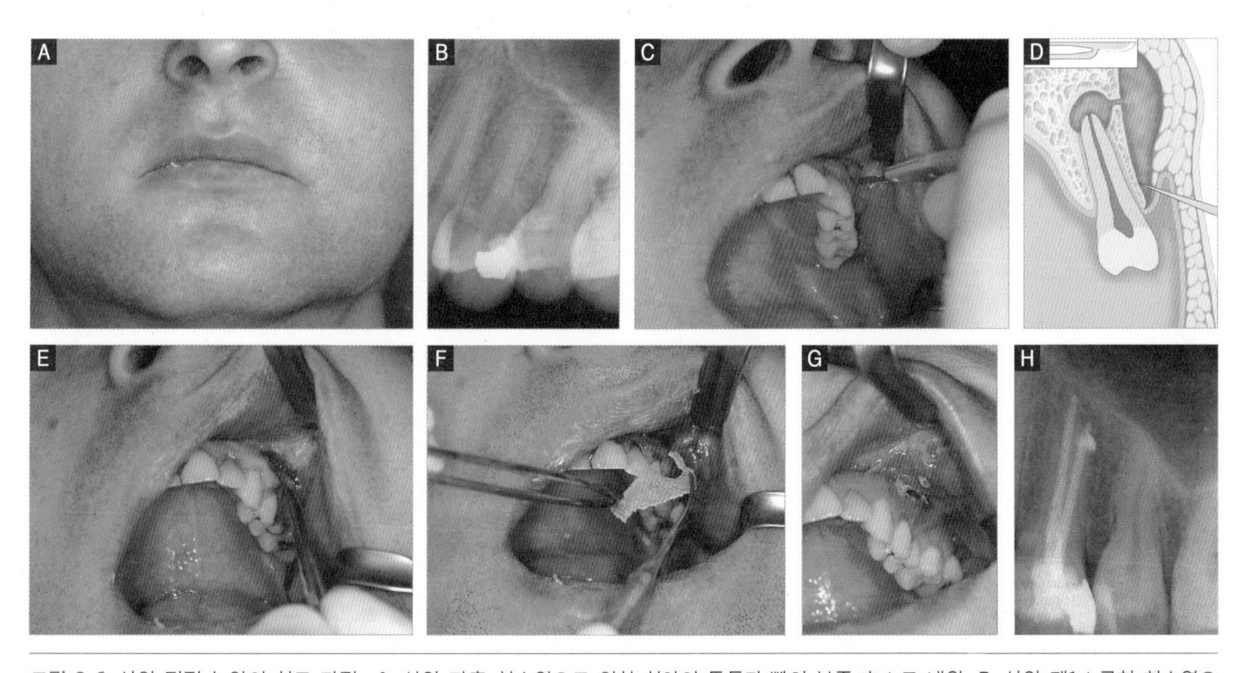

그림 8-6. 상악 전정 농양의 치료 과정. A. 상악 좌측 치수염으로 인한 치아의 동통과 뺨의 부종 호소로 내원 B. 상악 제1소구치 치수염으로 인한 치근단 염증을 보이는 치근단 방사선 사진 C. 마취 후 절개 D. 절개 모식도 E. 농양 내 접근 F. Nu-gauze 삽입 과정 G. Nu-gauze 삽입 H. 원인치 근관 치료

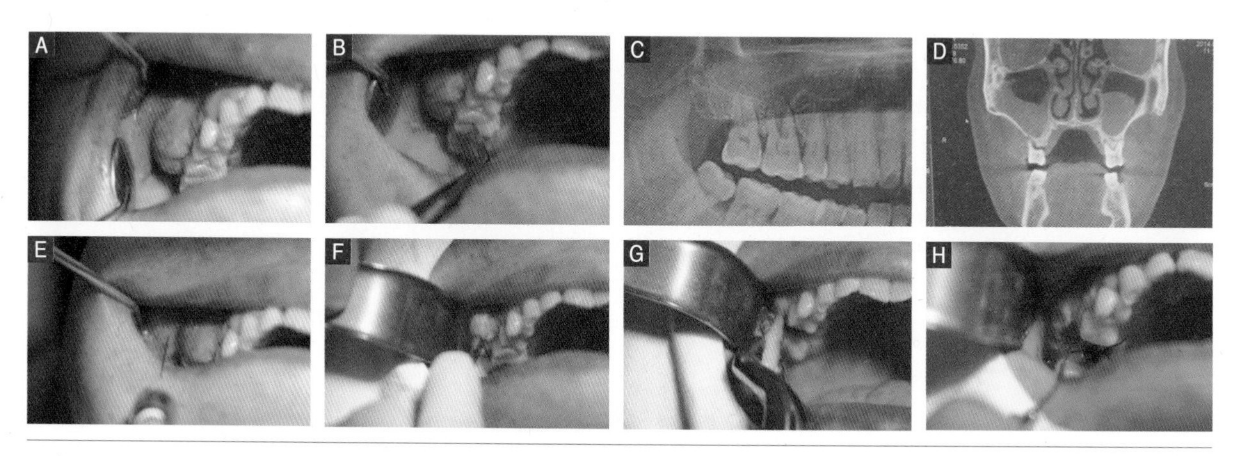

그림 8-7. 상악 전정 농양의 치료 과정. **A.** 상악 우측 제1대구치 부위의 동통 및 부종 **B.** 동요도 검사를 통한 원인치 확인 **C.** 상악 우측 제1대구치의 골흡수를 보이는 파노라마 사진 **D.** 상악동 천공 유무를 확인하기 위한 CT 사진 **E.** 농양 주변 침윤 마취 **F.** 절개 모습 **G.** 원인치 발치 **H.** 세척 및 봉합

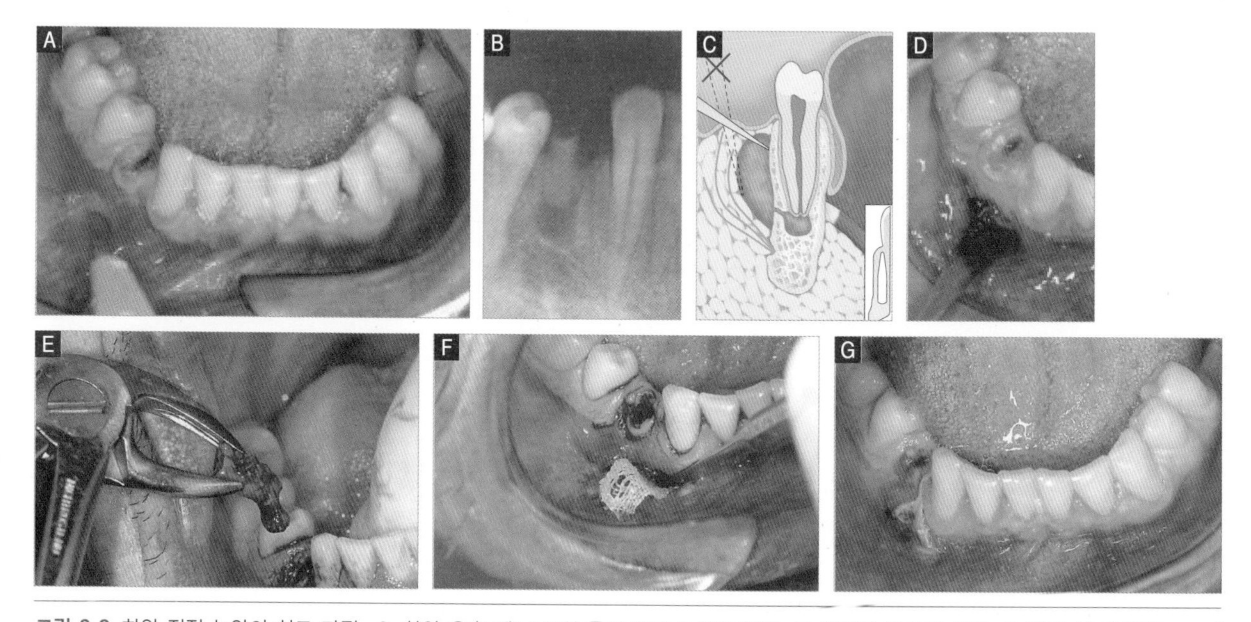

그림 8-8. 하악 전정 농양의 치료 과정. **A.** 하악 우측 제1소구치 구강 전정 농양의 절개 **B.** 치근단 방사선 사진 **C.** 절개 시 이신경(mental nerve) 손상 주의 **D.** 농양 부위 접근 **E.** 원인치 발치 **F.** 세척 후 Nu-gauze 삽입 **G.** 수술 후 다음날 치유되는 사진

2 절개 및 배농 방법

절개 및 배농은 연조직에 절개를 하고, 국소화된 농양(localized abscess) 내로 이를 연장시켜 개방창(open wound) 을 만들어 줌으로써 농양으로부터 농(suppuration : pus)이 유출되도록 하는 외과적 치료의 한 방법이다. 급성의 국소적 감염(acute localized abscess)을 해소시켜주기 위한 기본적이며, 또한 최종단계의 외과적 시술이다.

절개 및 배농의 외과적 술식 자체는 표면절개, 농양강 개방, 배농관 삽입 및 장착 등의 과정으로 매우 단순하나 감염경로 및 농양형성부위에 관한 해부학적 지식, 절개 및 배농시기의 선택, 절개부위의 선택, 절개 및 배농 방법, 수술 중이나 수술후의 동통조절(pain control) 및 적절한 항생제 요법 등 여러 가지 요인에 따라 진행과정이나 예후는 물론, 환자가 의사에 대한 신뢰여부 등에 의해 영향(dramatic effect)을 받게 된다. 따라서 비록 단순한 절개 및 배농의 과정을 수행할지라도 상기한 여러 가지 사항에 대한 해박한 지식을 갖추어야만 적절한 치료효과를 달성할 수 있다.

1)절개 및 배농의 장점

절개 및 배농술식은 다음의 여러 경로를 통해 국소적 급성감염을 해소하는데 기여하는 장점들을 갖고 있다.

① 파동성 농양(fluctuant abscess)으로부터 다량의 병원균(microorganisms)을 신속히 제거하는데 가장 효과적인 방법이다.
② 농양 내부의 내압(pressure)을 감소시켜 줌으로서 연조직 종창과 관련된 동통, 아관긴급(trismus), 다른 기능상실 등을 해소시켜 준다.
③ 농양부위의 압력을 감소시켜 줌으로서 국소적 혈액순환(localized blood circulation)을 개선시켜 영양공급, 약물 도달 및 면역적 방어 기능을 활성화시켜 준다.
④ 농양내부의 내압 증가로 인한 인접조직간극(adjacent fascial space)이나 인접 해부학적 부위로의 감염 파급 가능성을 줄여 준다.
⑤ 조직으로부터 농을 배출시켜 보다 신속한 연조직 치유를 증진시켜 준다.
⑥ 조직내의 산화-환원 잠재성(oxidation— reduction potential)을 자주 변화시켜 주어 통성(facultative) 혹은 혐기성(anaerobic) 미생물의 성장을 막는다.

그러나, 절개 및 배농은 일반적으로 급성의 봉와직염(cellulitis), 방선균증(actinomycosis) 및 진균 감염(fungal infection)등과 같은 비파동성 감염성 종창(non—fluctuant infectious swelling)의 치료에는 비효과적일 뿐만 아니라 오히려 쓸데없는 의과적 손상으로 인해 상태를 더욱 악화시킬 수 있음을 주의해야 한다.

2) 절개 및 배농을 위한 부위 선택

치성감염에 기인한 구강악안면부의 급성 국소적 감염을 해소하기 위한 절개 및 배농법으로는 크게 구내 접근법(intraoral approach)(그림 8-6~8)과, 구외접근법(extraoral approach)(그림 8-9, 10)으로 나눌 수 있으며, 만일 절개 및 배농을 위한 최상의 부위가 구강외부이거나 까다로운 구강내부일 경우에는 환자를 즉시 경험이 풍부한 구강악안면외과의사에게 보내는 것이 바람직하다. 따라서 먼저 술식의 난이도(difficulty)를 고려하여 직접 시술할 것인지, 전문의에게 의뢰할 것인지를 결정하는 것이 매우 중요한데, 절개부위와 관련된 상대적인 난이도(degree of difficulty)는 다음의 요소들과 관련된다.

① 외과적 접근의 용이성
② 신경, 동맥이나 타액선 및 타액선 도관등에 대한 손상 가능성
③ 영구적 반흔의 잔여 가능성 등이다.

구내접근법에 의한 절개 및 배농 시 먼저 육안적 관찰이나 촉진에 의해 파동부위 및 파동여부를 정확히 식별하는 것이 중요하며, 가능한 파동부위에 직접 절개를 가하되 하부의 중요한 해부학적 구조물들(신경, 동맥 혹은 타액선 및 타액선 도관 등)을 피해야 한다. 특히, 심한 종창에 의해 정상시의 연조직 경계부(landmarks)가 변형되어 모호해져 있을 때에는 상기한 중요 구조물들의 손상을 피하기 위한 세심한 주의가 필요하다.

3) 동통에 대한 처치 및 마취

절개 및 배농술을 진행하는 동안 외과적 자극에 의한 동통을 적절히 제어하는 것은 환자에게 안정을 줄 뿐만 아니라 환자로부터 협조를 얻는데 필수적이다. 만일 동통 제어의 실패로 인해 술식 중 극심한 동통을 유발하게 되면 술식

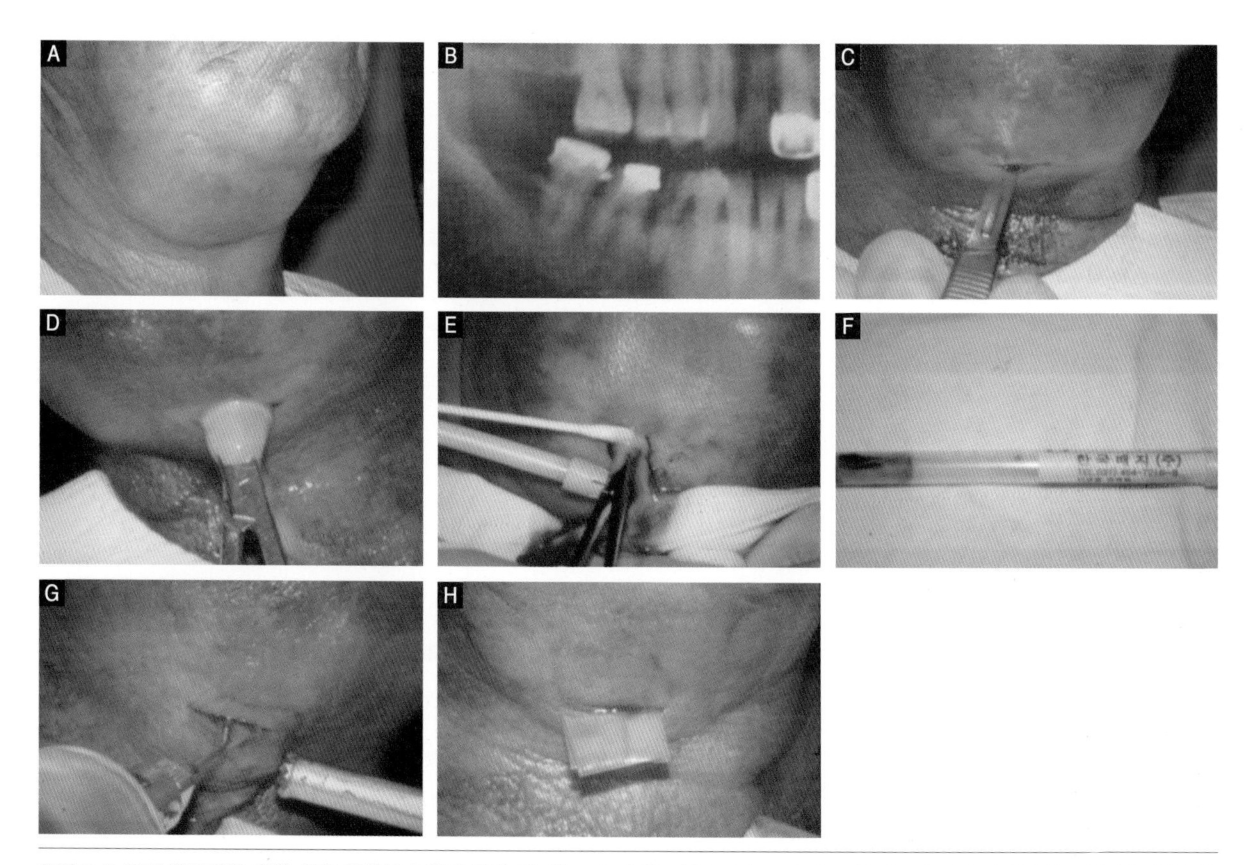

그림 8-9. 구외 접근법을 통한 우측 악하부 농양의 절개 및 배농 **A.** 우측 악하부 부종과 동통 및 발적 **B.** 하악 우측 제2소구치가 원인치를 나타내는 파노라마 사진 **C.** 피부 절개 **D.** 지혈 겸자로 농양 내로 접근 **E.** 세균 배양 및 항생제 감수성 검사를 위한 농 채취 **F.** 진단검사의학과로 의뢰할 채취된 농 **G.** 생리식염수로 농양 내 세척 **H.** 러버 드레인 삽입

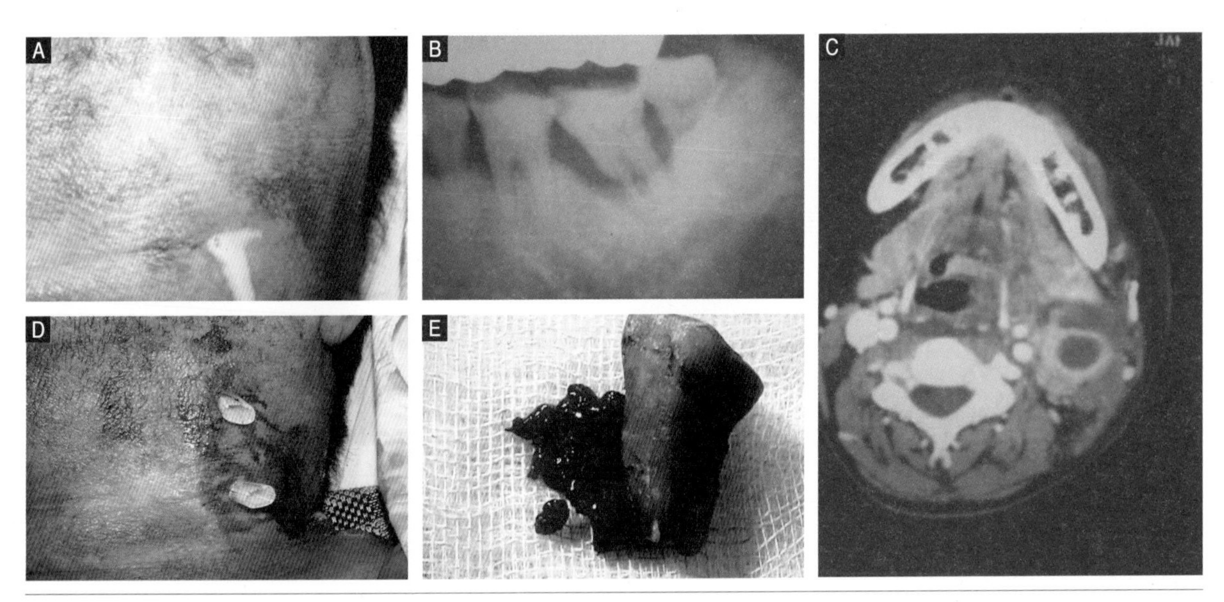

그림 8-10. 구외 접근법을 통한 절개 및 배농 **A.** 판상 경결감과 요흔성 부종(pitting edema)을 보이는 악하 및 측인두 간극 감염 환자의 절개 후 배농되는 사진 **B.** 하악 좌측 제2대구치가 원인치를 나타내는 파노라마 사진 **C.** 좌측 내경정맥이 침식되어 있는 CT 소견 **D.** Silastic 드레인을 악하 및 측인두 간극에 삽입 후 고정 **E.** 원인치 발치

자체가 부적절하게 진행되어 재수술이 필요하게 되거나 감염의 해소가 지연될 수 있다.

구내접근법에 의한 절개 및 배농 시 가장 통증을 느끼는 경우는 구강점막조직의 절개과정 동안으로 실제 농양강을 개통시키는 과정이나, 심부 조직과 관련된 동통은 비교적 적은 편이다. 따라서 절개하기 전에 구강점막을 적절히 마취시켜 시술과 관련된 환자의 불편감을 최소화해야 하는데 이를 달성하기 위해서는 점막 표면에 대한 도포마취(topical anesthesia), 국소마취 액의 표재성 침윤마취 및 전달마취를 적절히 시행해야 한다.

국소마취 시에는 반드시 농양강 내나 염증부위로 마취액이 직접 주입되지 않도록 주의해야 한다. 이는 심한 염증부위의 염증산물들(inflammatory products)이 마취액의 약리작용을 불활성화(deactivate)시켜 동통제어에 실패할 수 있으며, 병원균이 주사침의 자입경로를 따라 보다 심부조직으로 침투될 위험성이 있고, 또한 마취용액의 주입에 의해 부가적으로 초래된 수압(fluid pressure)이 이전에 미처 침투 되지 못한 부위로 감염을 확산시키는 압력으로 작용 할 수 있기 때문이다. 특히 주사침의 자입경로와 관련되어 감염이 인접부위로 파급되는 경우는 정상적인 전달마취를 수행했을 때도 발생 가능하므로 하치조신경이나 후상방치조신경을 전달마취해야 할 경우에는 다음을 염두에 두어야 한다. 즉, 감염부위가 Medial retromolar 부위나, Anterior pillar부위 일 경우 통상의 하치조신경 전달마취를 위한 Low—block technique으로 전달마취하면 이 부위의 감염이 주사침의 자입경로를 따라 익돌하악간극(pterygomandibular space)내로 파급될 수 있다. 따라서 이 경우에는 High-block technique을 사용하여 감염의 파급을 예방하는 것이 좋다. 또한, 상악 제1, 2 및 제3대구치부의 협부 전정(buccal vestibule)의 감염 시 통상의 후상방치조신경을 전달마취 할 경우 측두하간극(infratemporal space)으로 감염이 파급 될 수 있어, 이 경우에는 안와하전달마취(infraorbital block technique)을 사용하는 것이 보다 유리하다.

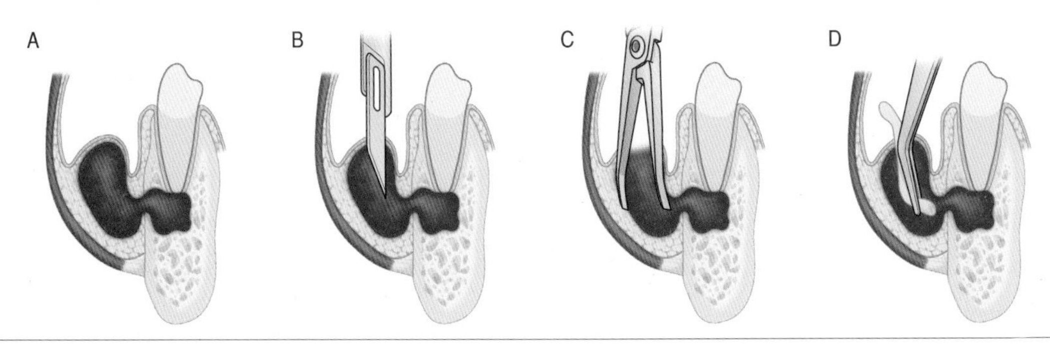

그림 8-2. 절개배농술의 순서

4) 절개 및 배농술식

(1) 절개부위 선택 및 절개(그림 8-11 A, B)

먼저 시진이나 촉진을 통해 파동부위를 식별하여 중요한 해부학적 구조물을 피하는 최대풍융부를 선택하여 구강점막상에 표재성으로 얇게 절개를 가한다. 이때 절개선의 길이는 사용할 배농관(drain)의 굵기보다 약간 넓을 정도가 좋으며 대개는 약 1.0-1.5cm정도를 가하게 된다.

(2) 농양강 개통 및 세척(그림 8-11 C)

절개 후 지혈겸자로 하부조직을 Blunt Dissection하여 절개창을 농양강과 개통시켜준다. 이를 위해 먼저 지혈겸자의 예리한 첨부가 닫힌 채, 완전히 Locking 되지는 않은 상태로, 절개창 내로 삽입하여 삽입된 상태의 지혈겸자 첨부를 조심스럽게 벌리면서 하부조직을 분리시켜 농양강에 접근해 나아간다. 농양강에 지혈겸자가 도달되어 개통되면 농이 절개창을 통해 유출되는 것을 볼 수 있는데, 이 때 지혈겸자를 빼지 말고 삽입되어 있는 채로 소독된 면봉을 이용하여 세균배양 및 항생제 감수성검사(culture & antibiotics sensitivity test)를 위한 Specimen을 채취하는 것이 좋다. 삽입되어있는 지혈겸자를 벌려 절개창과 농양강 사이에 배농관의 삽입이 용이하고 농의 유출이 충분할 만한 크기의 배농로를 완성시켜준 후 지혈겸자를 빼고 농양강 내는 미지근한 생리식염수로 2-3회 세척한다. 지혈겸자의 사용은 단지 농양강을 개통시키는 차원에서 운용되어야 한다. 만일 농양강의 벽을 구성하고 있는 심부조직에 무리한 힘이 가해질 경우에는 시술 중 환자가 견디기 어려울 정도의 극심한 동통을 호소하며 경우에 따라서는 인접한 취약부위로 감염을 파급시킬 수도 있음을 명심해야 할 것이다.

(3) 배농관 삽입 및 장착(그림 8-11 D)

농양강의 세척이 끝난 후 끝이 둔한 Probe를 절개창을 통해 농양강 내로 삽입하여 조심스럽게 농양강의 깊이를 측정한 후 배농관을 장착한다. 배농관 장착의 목적은 농양강 내의 농이 완전히 배출될 때까지 절개창을 개방상태로 유지하기 위한 것으로 배농관이 유지되지 못한 경우에는 절개창이 일찍 폐쇄되어 농의 완전한 배출을 방해하기 쉽다. 배농관의 종류로는 Nu-gauze, 고무(rubber) 및 실라스틱(silastic) 등을 사용한다. 장착방법은 절개창의 크기 및 농양강의 깊이에 알맞게 적절히 선택된 길이의 소독된 배농관을 선택하여 그 끝을 지혈겸자로 잡은 채 절개창을 통과시켜 농양강 내로 삽입 후 농양강의 최저 심부까지 도달한다. 이때 지혈겸자는 심부의 농양강벽에 살짝 닿는 정도이어야지 만일 격렬히 닿게 될 경우에는 심한 통증을 야기시킨다. 지혈겸자가 심부에 도달한 것이 확인되면 그 위치에서 조심스럽게 지혈겸자를 벌려 배농관과 지혈겸자를 분리시킨 후 배농관이 딸려 나오지 않도록 조심하면서 지혈겸자를 제거한다.

(4) 배농관의 안정 유지

지혈겸자의 제거 후 삽입되어있는 배농관은 반드시 절개창 주위의 건강한 점막조직에 봉합하여 배농관이 일정한 위치에서 안정한 상태로 유지되도록 해주어야 한다. 이를 지키지 않을 경우에는 배농관이 조기에 탈락되어 조기에 절개창이 폐쇄되거나 때로는 절개창 내로 밀려들어가 불량한 치유의 원인이 될 수 있기 때문이다. 특히 구강은 저작, 발음, 연하, 호흡 등의 기능운동이 쉴새 없이 전개되고 있는 동적인 기관으로 이와 관련된 근육들의 계속적인 움직임에 의해 배농관의 위치 안정이 극히 불안정하여 배농관이 빠져 나오거나 농양강 내로 미끄러져 들어가기 쉬운데 더욱이 배농관의 유지상태를 환자자신이 식별할 수 없으므로 배농관이 구강 밖으로 탈락되었거나, 농양강 내로 침강된 경우에는 이를 확인하기가 매우 힘들다. 배농관을 안정시키기 위한 봉합 시 봉합사는 반드시 건강한 조직에 위치되어야 한다. 만일 심한 염증부위에 존재할 경우에는 조직이 쉽게 파열되어 배농관이 조기에 탈락되기 쉽다. 절개창의 위치가 치아에 근접한 경우에는 배농관의 끝을 치아에 묶어주는 것도 좋은 안정법이 될 수 있다.

(5) 배농관 제거

배농관은 농양강 내의 농이 완전히 유출되어 감염이 해소될 때까지 유지되어야 하며, 구강내의 경우 통상 2~7일간 유지된다. 이 기간 동안에는 배농창이 폐쇄되어있지 않는 한 배농관을 바꾸지 않는 것이 좋다. 특히 수술 후 2~3일간은 염증상태가 많이 남아있어 이 시기에는 단지 절개창에서 형성된 혈병(Blood clots)에 의한 배농창 폐쇄여부 만을 확인하고 이를 제거하는 정도로만 세척을 해주는 것이 좋다. 그러나 만일 농양강이 깊을 경우에는 배농관을 서서히 빼주어 심부로부터 치유를 촉진시켜주는 것이 유리하다. 배농관의 제거 시에는 봉합사의 발사와 동시에 배농관을 제거한 후 소독된 생리식염수로 농양강 내부를 충분히 세척해준다. 대개의 경우 특별한 처치 없이도 양호하게 자연치유 된다.

(6) 온열요법(heat application)

감염환자에 온열요법을 적용하는 목적은 감염을 국소화하거나 인접부위로의 감염파급을 억제하면서 배농을 촉진시켜주기 위함이다. 그러나 이를 적절히 사용치 못할 경우에는 오히려 농양을 확산시켜 불량한 예후로 진행될 수 있으므로 주의해야 한다. 따라서 온열요법을 적용할 경우에는 다음사항을 고려해야 한다.

① 비화농성 감염의 경우에는 화농작용을 억제시키므로 온열을 적용해서는 안 된다.

② 봉와직염(Cellulitis)과 같은 비국소화감염(non-localized infection)의 경우에는 반드시 적절한 항생제와 함께 사용해야 한다. 만일 온열요법만 단독으로 사용하게 되면 농양이 국소화 되기 전에 감염이 인접부위로 급속히 확산되므로 위험하다.

③ 봉와직염에서 일단 항생제가 효과적으로 작용하는 것으로 보일 경우에는 온열요법이 봉와직염의 해소를 신속히 도와준다. 단, 이 경우에도 항생제는 지속적으로 사용되어야 한다.

④ 이미 농양이 형성된 경우 먼저 배농을 시행하지 않은 상태로 온열을 적용하는 경우에는 오히려 농양강 내의 수압을 증가시켜 감염을 확산시킨다. 또한 이 경우 특히 구강외부로 적용한 경우에는 피부표면으로 농을 이동시켜 피부괴사(necrosis)가 진행되어 안면에 원치 않는 반흔을 남기게 되므로 주의해야 하며 구강악안면외과의사와 의논하는 것이 바람직하다.

⑤ 일단 배농술이 적용되어 배농되기 시작하면 온열요법이 배농을 촉진시켜준다. 따리서 농양이 국소화 된 시기에는 먼저 배농을 시킨 후 온열을 적용하는 것이 유리하다.

3 치성감염에서의 항생제의 사용

1) 개요

항생제 약물요법은 치성감염의 치료시 외과적 처치와 함께 근간이 되는 중요한 치료법이다. 치성감염을 야기하는 세균들로는 streptococcus, peptostreptococcus, veillonella, lactobacillus, cornebacterium, actinomyces등이 주로 나타나며, 대부분 다양한 세균들이 혼합되어 치성감염을 일으킨다. 그중 가장 대표적인 호기성균은 streptococcus이며, 혐기성균은 peptococcus, prevotella, fusobacterium 등이다.

항생제의 선택은 치성감염을 초래하는 균주들에 효과성이 입증된 항생제를 사용하는 경험적(empirical) 처방을 우선 하지만, 만일 효과가 없는 경우 또는 근막간극을 침범한 감염 및 빠르게 진행되는 감염 등에서는 반드시 세균배양을 통한 항생제 감수성 검사를 시행하여 특이성(specific) 있는 항생제를 처방해야 한다.

2) 항생제 치료의 일반적 가이드라인

① 치성감염에서의 항생제의 처방은 보통 1주일 정도 시행하나, 감염증상이 사라진 3일 정도까지 더 투여하도록 처방한다.

② 정균성(bacteriostatic)인 약제보다는 페니실린계, cephalosporin계 등의 살균성(bactericidal)인 약제를 선택한다.

③ 임상적으로 효과가 확실히 증명된 항생제를 사용한다.

④ 값이 싼 약을 우선적으로 선택한다.

⑤ 고열(38도 이상)을 동반하거나 호흡이 어렵거나, 연하시 통증, 빠르게 진행되는 감염, 여러 간극(space)을 침범한 경우에는 구강악안면외과 전문의에게 빨리 의뢰를 하는 것이 필요하다.

⑥ 구강전정의 미약한 감염증의 경우 원인치아의 치료나 발거를 시행하는 경우 항생제의 처방이 필요하지 않을 수도 있다.

⑦ 의심되는 세균에 효과적인 항생제를 선택하는 것이 좋으나 세균배양과 항생제 감수성 검사 결과가 없는 경우 모든 가능성있는 세균에 효과를 가지는 항생제 중 가장 범위가 좁은 항생제를 선택하게 된다.

구강외과 전문의에게 의뢰해야하는 경우

- 빠르게 진행되는 감염
- 연하곤란
- 호흡곤란
- 심부 간극으로의 진행
- 38도 이상의 고열
- 심한 개구장애
- 협조도가 낮은 환자
- 초기 처치의 실패
- 전신질환이 동반된 환자

3) 주로 사용되는 항생제

가장 흔히 사용되는 항생제는 penicillin계열, cephalosporin 계열, macrolide, clindamycin계열이 사용된다.

(1) Penicillin

페니실린은 전통적으로 치성 감염의 첫번째 선택약물로 제시되어 왔다. 세균의 세포벽의 cross-linking을 방해하여 살균작용(bactericidal)을 한다. 상대적으로 좁은 범위의 항생제이나 치성감염의 대부분의 세균에 작용을 하는 것으로 알려져 있다. 가장 흔히 사용되는 경구용 페니실린은 amoxicillin으로 8시간마다 투여할 수 있고, 음식과 같이 섭취할 수 있어 경구투여가 용이하다. Ampicillin의 경우 경구투여로의 흡수가 힘들고 6시간마다 투여해야 하기 때문에 경구투여로 적합하지 않다. 하지만 항생제의 과다 사용으로 인한 내성균이 만연한 것이 우려되어 우리나라에서는 페니실린을 치성감염의 우선적으로 선택하지 않는 의사가 많은 것도 사실이다. 내성균의 주된 원인으로 생각되는 beta-lactamase의 생성에 효과적으로 대응하기 위해 beta-lactamase를 비가역적으로 억제하는 clavulanic acid와 같이 결합된 약제도 많이 사용된다.

(2) Cephalosporin

Penicillin과 작용기전이 비슷하며, 현재 4세대의 cephalosporin이 사용되고 있다. 이는 세팔로스포린이 작용하는 스펙트럼에 따라 나뉘어지는데 그람음성의 세균에 대한 효과로 1세대부터 4세대까지 발전되어 왔다. 페니실린과의 교차반응은 7-18% 정도인 것으로 알려져 있다. 페니실린에 알러지를 가진 환자에서 사용될 수 있을 정도로 낮다고 할 수 있으나, 중증감염에서 세팔로스포린이 필요한 경우에 해당하며, 심하지 않은 치성감염에서 페니실린등 항생제 알러지를 가지는 경우에는 clindamycin이나 macrolide계열의 항생제를 선택하는 것이 바람직하다. 세팔로스포린은 치성감염에서 우선적으로 선택하는 항생제로 추천되지는 않으나 중증도에 따라 선택되어질 수도 있다.

(3) Macrolide

치과영역에서 가장 많이 사용되는 macrolide는 erythromycin으로, penicillin V와 비슷한 정도의 작용범위를 가진다. 페니실린과 마찬가지로 erythromycin에 대한 내성이 보고되면서 효과면에서 우려되는 부분이 있다. Clarithromycin, roxithromycin, azithromycin등 꾸준히 약제들이 개발되어 사용되고 있다.

(4) Clindamycin

Clindamycin은 세균의 단백질 생성을 억제하는 기본적으로는 정균작용(bacteriostatic)을 하나 고농도에서는 살균작용을 가진다. 페니실린에 대한 내성이 증가하면서 clindamycin의 사용이 증가하고 있는 것으로 알려져 있다. Clindamycin은 그람양성균과 혐기성 세균에 효과가 좋다. 페니실린 알러지를 가진 환자에서 우선적으로 고려되는 항생제이다.

표 8-1. 흔히 사용되는 항생제

	성인	소아
Amoxicillin	500mg/8hrs	20-50mg/kg/day tid
Amoxicillin + Clavulanate	625mg/8hrs	40-80mg/kg/day tid
Clindamycin	150-300mg/6hrs	25mg/kg/day tid or qid
Erythromycin	250-500mg/6hrs	50mg/kg/day tid
Clarythromycin	500mg/12hrs	7.5-15mg/kg/day bid
Metronidazone	250mg/6-12hrs	45mg/kg/day tid

참고문헌

1. Korean Association of Oral & Maxillofacial Surgeons. Textbook of oral & maxillofacial surgery, Third edition. Seoul, Medical & Dental Publishing Co 2013;129-149
2. Topazian RG and Goldburg MH. Management of infections of the oral and maxillofacial regions. Philadelphia, WB Saunders 2013;329-350
3. Kim GW, Kim KW, Kim SG et al. Oral & maxillofacial infection. Seoul, Jee Sung Publishing Co 2007;67-121
4. Kang HS, Moon HJ, Song KH, Kim SG. Contemporary oral & maxillofacial surgery. Seoul, Ko Moon Sa 2007;214-228
5. Peterson LJ, Ellis III E, Hupp JR, Tucker MR. Contemporary oral and maxillofacial surgery. Saint Louis, CV Mosby 1988;382-423
6. Hohl T.H. et al. Diagnosis and treatment of odontogenic infections. Stoma Press Inc 1983
7. Kruger GO. Textbook of oral and maxillofacial surgery, Sixth edition. C.V. Mosby 1984
8. Topazian RG and Goldburg MH. Oral and maxillofacial infections, Second edition. W.B. Saunders Co 1987

실습평가표

실습제목	구강전정농양(Dentoalveolar Abscess)의 처치법		
학생 번호		성명	
지도의 성명		서명(인)	

구분	평가항목	점수
치성감염의 양상과 치료원칙	치성감염의 진행양상을 설명할 수 있는가?	
	숙주의 방어 기전을 설명할 수 있는가?	
	치성감염의 치료원칙을 설명할 수 있는가?	
절개 및 배농의 평가	적절한 평가와 치료계획을 수립할 수 있는가?	
	치성감염의 진단 및 임상술기 등을 시행할 수 있고, 발생가능한 합병증을 설명할 수 있는가?	
항생제의 종류와 선택	치성감염 치료를 위한 적절한 항생제를 선택할 수 있는가?	
	항생제 요법의 적응증과 금기증을 설명할 수 있는가?	
	항생제 선택과 투여의 원칙을 설명할 수 있는가?	

Chapter 09
조직 생검

학·습·목·표

- 종양 및 비종양성 병소의 체계적인 진단방법을 숙지한다.
- 절개 생검과 절제 생검의 술식을 이해하며 시행할 수 있도록 한다.
- 생검 전후의 관리에 대하여 숙지한다.

1 진단의 과정

구강 내 병소를 진단할 때 먼저 환자의 전신 상태에 대한 평가, 병력 청취, 임상 검사, 방사선 검사, 기타 검사에 의해 얻은 소견 등을 종합하여 임상적 진단(clinical diagnosis)을 내리게 된다. 확진은 수술 전의 조직 검사 또는 수술에 의해 얻어진 병소에 대한 조직병리학적 검사에 의해 이루어진다. 정확한 조직병리학적 진단은 치료 방법을 결정할 때 중요한 역할을 한다.

1) 전신건강 상태 평가

심장질환, 고혈압, 응고장애, 당뇨 등 환자의 전신질환 유무가 외과적 치료를 하는 데 영향을 미칠 수 있고, 환자가 호소하는 구강악안면 영역의 병소가 환자의 전신질환과 연관되어 나타날 수 있는 가능성이 있기 때문에 환자의 전신 상태를 평가하는 것은 중요하다.

2) 병소에 대한 병력 청취

다음의 사항에 대하여 청취한다.

(1) 병소의 지속기간

① 병소가 언제부터 있었는지에 대한 정보
② 예를 들어 수년 이상 지속된 병소라면 선천성이거나 양성 병소일 가능성이 크다.

(2) 병소의 크기 변화 속도와 양

① 임상적 또는 방사선적인 크기의 변화
② 예를 들어 빠르게 커지는 병소는 악성 병소일 가능성이 크고, 천천히 자라거나 수 개월 간 크기의 변화가 없다면 양성 병소일 가능성이 크다.

(3) 병소의 성질 변화

① 처음 발생했을 때로부터의 병소의 양상 변화
② 예를 들어 궤양이 있다고 했을 때, 궤양이 되기 전에 혹이 있었는지, 수포가 있었는지 같은 정보 또한 진단에 도움이 될 수 있다.

(4) 병소와 동반된 증상

① 동통의 유무, 동통의 양상(급성/만성, 지속/간헐), 감각 변화, 마비감, 부종의 느낌, 맛이나 냄새의 변화, 연하장애의 유무, 인접 림프절 부위의 압통
② 예를 들어 동통은 주로 염증 병변과 관련되어 있으며, 암종은 이차 감염되지 않는 한 동통을 보이는 않는 경우가 많다. 감각 변화는 악성 종양이나 염증과 관련이 있는 경우가 많으며, 연하 장애는 구강저나 측인두 부위에 병변이 있음을 시사할 수 있다. 림프절 부위의 압통은 염증이나 감염에 의해 발생할 수도 있지만, 악성 종양에 의해서도 발생할 수 있다.

(5) 병소가 이환된 해부학적 구조

① 각화 점막, 비각화 점막, 타액선, 신경, 혈관 등의 해부학적 구조

② 특정 질환은 특정한 해부학적 위치에 자주 발생하므로 병소가 어디에 위치하는지 확인한다.

(6) 전신적 증상의 유무

① 열, 오심, 권태 등

② 예를 들어 구강 내에 궤양이 있을 때 신체의 다른 부위에 궤양이 나타날 수 있다(pemphigus, lichen planus, erythema muliforme, sexually transmitted diseases).

(7) 병소의 원인요소 유무

① 외상, 최근의 치과 치료, 약물 복용 여부, 외국 방문 등

② 예를 들어 구강의 병변은 환자의 잘못된 습관이나 약물의 잘못된 사용, 외상 등에 의해서도 발생할 수 있다.

3) 임상검사

병소의 성질을 파악하기 위하여 면밀한 검사가 필요하며, 병소와 그 주변 부위 및 인접 림프절까지 검사한다. 자세한 검사 소견을 의무기록지에 기록하고 가능하면 그림으로 병소의 크기와 위치를 표시한다. 시진, 촉진, 타진, 청진 등을 시행할 수 있다.

(1) 병소의 해부학적 위치

① 병소의 해부학적 위치에 따라 병소가 어떤 조직으로 구성되어 있는지 고려한다.

② 예를 들어 하순의 내면에 종창이 생겼다면 타액선이 원인일 수 있다.

③ 예를 들어 설 배면에 종괴가 있다면 병변의 기원은 상피, 결합조직, 림프관, 혈관, 타액선, 신경 또는 근육 등일 수 있다.

(2) 병소의 성질

① 궤양의 유무, 종창의 양상, 색깔의 변화 등

② 사진이 도움이 될 수 있다.

(3) 병소의 크기와 형태

① 정확하게 기록해 두어 다음 진료 시 참고한다.

② 예를 들어 병변이 편평한지 또는 솟아올라있는지, 내성장 또는 외성장인지, 무경성 또는 유경성인지 등.

(4) 병소의 숫자

① 단일 병소 / 다발 병소

② 예를 들어 다발성이거나, 양측성으로 병소가 나타난다면 세균이나 바이러스에 의한 감염일 가능성이 있다.

(5) 병소의 표면

병소의 표면이 매끈한지, 불규칙한지, 엽상의 구조를 가지는지 등을 확인하며 궤양이 있다면 궤양의 경계부 모양을 관찰한다.

(6) 병소의 색깔

① 병소 표면의 색깔은 다양한 특성을 반영한 것일 수 있다.
② 예를 들어 눌렀을 때 하얗게 되는 어두운 푸른 종창은 혈관성일 수 있으며, 눌렀을 때 색이 변하지 않는 밝은 푸른 병소는 점액저류낭종일 수 있다.
③ 예를 들어 각화된 하얀 병소는 반복적인 국소 조직 손상에 대한 반응일 수 있지만, 전암병소일 수도 있다.
④ 홍반성 병소는 백반성 병소보다 더 예후가 안 좋을 수 있다.

(7) 병소 경계부의 명확성

종물이 주위 조직과 깊게 유착되어 있는지, 쉽게 움직이는지 등은 인접조직으로의 침윤 정도를 알 수 있는 기준이 되며, 경계를 확인함으로써 종물이 골조직에서 발생하였는지, 골조직에 유착되었는지를 알 수 있게 해 준다.

(8) 촉진 시의 감촉

① 종물이 부드럽거나 눌렀을 때 눌린다면 지방종 또는 농양을, 단단하다면 섬유종이나 신생물을, 딱딱하다면 골융기나 골종을 의심할 수 있다.
② 파동성은 두 손가락으로 촉진 시 확인할 수 있는데, 병소에서 파동성을 느낄 수 있다면 병소의 벽이 강직성을 띄지 않으며 액체가 차있다는 것을 의미한다.

(9) 박동의 존재

병소를 촉진할 때 박동을 느낄 수 있다면 큰 혈관성 병소일 가능성이 있으며, 청진을 해보면 혈류의 잡음을 들을 수 있는데, 이런 병소는 생검 중 출혈의 위험이 크므로 주의한다.

(10) 림프절 검사

① 구강악안면의 병소를 검사할 때는 림프절의 촉진을 반드시 한다. 림프절은 생검 후에도 염증성 반응으로 커질 수 있으며 술전에 미리 검사하여 감별하도록 한다.
② 림프절 검사는 후두부 및 후이개부, 악하부 및 이하부, 경삼각부의 전방, 흉쇄유돌근을 따라 하방으로, 경삼각부의 후방, 쇄골 상방의 순으로 검사한다.

4) 방사선학적 검사

임상 검사 상 병소가 뼈 속에 있거나 인접하여 있다면, 방사선 검사가 필수적이다. 병소의 해부학적 위치에 따라 적절한 방사선 사진을 촬영하여 평가한다. 악골에 나타나는 병소는 통상의 방사선 사진으로 적절히 평가될 수 있으나 경우에 따라 조영제를 이용하여 타액선 내의 연조직 병소를 관찰할 수 있으며 컴퓨터 단층 촬영이나 자기공명영상을 이용하여 병소의 위치와 크기 등 좀 더 자세한 정보를 얻을 수 있다.

5) 이화학적 검사

특정한 상황에서는 보조적인 이화학적 검사가 병소의 진단에 도움이 될 수 있다. 전신질환의 증상이 구강 내에 나타나는 경우도 많다. 예를 들어 치조백선이 소실되고 다수의 방사선 투과성 병소가 나타난다면 부갑상선 기능항진증을 의심해볼 수 있다.

혈액 내 calcium, phosphorus, alkaline phosphatase의 혈중 농도가 이러한 대사성 질환을 구분할 수 있다. 악골 외에 다른 골조직에도 병소를 나타내는 다발성 골수종에서는 혈청의 단백질 분석이 필요하다. 대부분의 구강 내 병소는 병리조직학적 검사 결과가 정확하므로 이화학적 소견이 덜 중요하게 여겨질 수 있으나 조직검사에서 거대세포 육아종이 나온 경우에는 이화학적 검사가 수반되어야 부갑상선 기능항진증 여부를 확인할 수 있다.

6) 추정 진단

병력 청취, 임상 검사, 방사선 검사, 이화학적 검사 등을 통해 얻은 정보를 종합하여 감별할 추정 진단명 목록을 작성한다. 추정 진단은 병리학자에게 임상에서 얻은 병소에 대한 정보를 전달할 수 있으며, 병리학자가 유사한 임상적 조직병리학적 특징을 보이는 질환을 감별하는 데에 도움을 준다.

7) 생검 전 관리

구강 내에 확진되지 않은 병소가 있거나 의심스러운 변화가 있으며, 그 병소의 원인이 외상이나 염증 등이라고 확신할 수 없을 때에는 국소 처치를 시행하거나 시행하지 않은 경우 모두에 7~14일 이내에 다시 내원하여 검사하도록 한다. 병소가 더 커지거나, 외형이 변하거나, 국소 처치에 반응이 없을 경우는 생검의 적응증이 된다. 경과 관찰 중에 환자와 병소에 대한 기록을 자세히 하며 치료계획 또한 작성한다.

8) 경과 관찰과 환자 의뢰 시 주의 사항

① 구강 내 병소에 대한 검진을 보조 인력에게 위임하지 않는다.

② 병소에 대한 평가를 위하여 환자를 전문의나 이차 또는 삼차 의료기관에 의뢰하고자 할 때는 환자가 의원을 떠나기 전에 약속을 잡도록 하는 것이 좋다. 환자에게 맡길 경우 공포, 부정 또는 미루는 버릇 때문에 의뢰 기관 내원이 늦어질 수 있다.

③ 의뢰할 때는 환자에 대한 세부 사항, 외뢰하고자 하는 처치 등의 내용을 담은 의뢰서를 작성하여 보내고, 사본을 환자의 의무기록에 첨부한다. 또한 의뢰받아 진료를 시행한 전문의로부터 진료 소견, 추천 사항, 처치 내역, 조직 검사 결과 등이 포함된 회신서를 받아 의무기록에 사본을 첨부한다.

9) 생검 전 전문의 의뢰

(1) 환자의 건강 상태

전신 질환이 있거나, 다양한 약을 투약 중일 경우 외과적 처치를 할 때 잠재적인 위험성이 있다. 생검을 안전하게 하기 위해서는 전문의에게 의뢰할 수 있다.

(2) 외과적 술식의 난이도

접근, 마취, 조직 안정, 기구 조작, 조명 등 외과적 처치의 기본 원칙을 지키기 어렵거나, 병소의 크기 또는 위치 때문에 출혈이나 신경 손상의 합병증 가능성이 높다면 전문의에게 의뢰하는 것이 좋다.

(3) 악성 종양에 대한 가능성

악성으로 의심되는 병소를 진단할 때에는 생검을 시행하기 전에 의뢰하는 것이 나을 수 있다. 생검에 의해 원래 병소와 관련이 없는 부위에 반응성 림프절이 생길 수 있고, 병소의 임상적 소견이 변화될 수 있다. 생검 전부터 환자를 평가하는 것은 전문의가 좀 더 정확한 진단을 하게 돕고 치료계획을 세우는 과정을 단순화시킬 수 있게 할 수 있다.

10) 동의서와 위험 부담의 공유

악성 병소는 처음에는 위험하지 않아 보일 수 있다. 악성 병소에 대한 위험 인자 또는 가능성이 낮다고 판단되어 병소를 제거하지 않기로 결정할 때는, 그 전에 치과의사는 환자에게 발생 가능한 위험, 판단의 근거 그리고 대안에 대한 충분한 정보를 제공해야 한다. 또한 환자는 그러한 결정에 대한 책임을 공유함을 반드시 이해해야 한다. 그리고 치과의사는 그러한 결정에 대한 논의와 환자가 이해했음을 의무기록으로 남긴다.

11) 생검 후 관리

① 생검 결과 양성(악성 종양 또는 이형성증)일 경우 외과적 절제 등 좀더 심화된 치료를 요하므로 악성 종양을 치료하는 전문의에게 의뢰한다.

② 음성일 경우라도 임상 소견이나 병력을 고려했을 때 양성이 의심되는 상황이라면 생검을 다시 시행할 수 있다. 또는 면밀한 경과 관찰을 시행할 수 있다.

2 생검의 종류

1) 구강 세포 검사

세포진단검사는 조직학적 구조를 확인할 수 없어서 구강 내에서는 검사의 신뢰도가 떨어지기 때문에 보조 수단으로써만 사용될 수 있다.

2) 절개 생검

생검 표본이 병소의 일부인 경우를 말하며 병소가 크거나 부위에 따라 병소의 특성이 다를 때에는 여러 군데에서 생검표본을 얻어야 한다. 병소의 대표적인 부위를 정상조직을 일부 포함하여 쐐기 모양으로 깊게 절개해 낸다. 괴사 조직은 피하여야 하며 충분한 양의 병소를 포함하여야 한다(그림 9-1).

3) 절제 생검

외과적 진단 시 병소의 전부를 떼어내어 생검을 시행하는 것으로 완전한 치료법을 겸하는 것이라 할 수 있다. 대개 임상적으로 양성종양으로 생각되며 병소의 크기가 1cm 이하로 크지 않을 때 시행한다(그림 9-2).

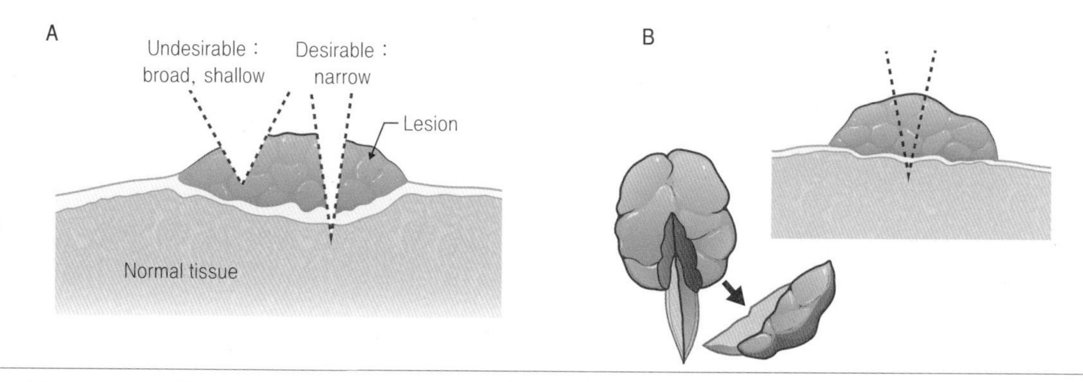

그림 9-1. A. 병변 심층부까지 채취할 수 있도록 절개 생검은 좁고 깊게 시행한다. B. 병변 주변의 정상 조직을 포함하도록 재취해야 조직병리학적 정보를 더 많이 얻을 수 있다.

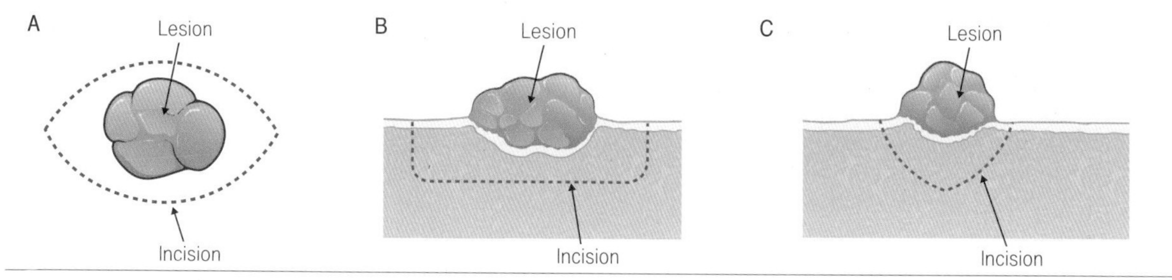

그림 9-2. A. 절제 생검을 할 때는 병변 주변으로 3mm 정도 여유를 두고 방추형으로 절개한다. B. 절개는 병변을 완전히 제거할 수 있도록 충분히 한다. C. 병변의 양측 끝에서는 봉합을 위하여 절개연이 서로 모이도록 한다.

4) 흡인 생검

이것은 주사기와 바늘을 이용하여 병소의 내용물을 흡인하는 것으로 세포의 구조를 보기 위한 조직을 얻지는 못하더라도 병소의 내용물을 어느 정도 확인할 수 있으므로 넓은 의미에서 생검이라 한다. 만약 흡인 시 액체가 흡인되지 않는다면 고형의 병소일 것이며 혈액이 흡인된다면 혈관기형이나 맥류성 골낭 등일 가능성이 있다.

3 생검의 방법

1) 기구 및 재료

① 기구 : 국소마취 주사기, 스캘플 핸들, 칼날, 겸자, 지혈겸자, 니들 홀더, 커브드 시저, 석션팁, 골막 기자, 치근단 큐렛, 본 파일, 본 론저

② 재료 : 국소마취 카트리지, 국소마취 주사침, 봉합사, 드레싱 재료, 거즈, 10% 포르말린 용액, 시편 운반 용기

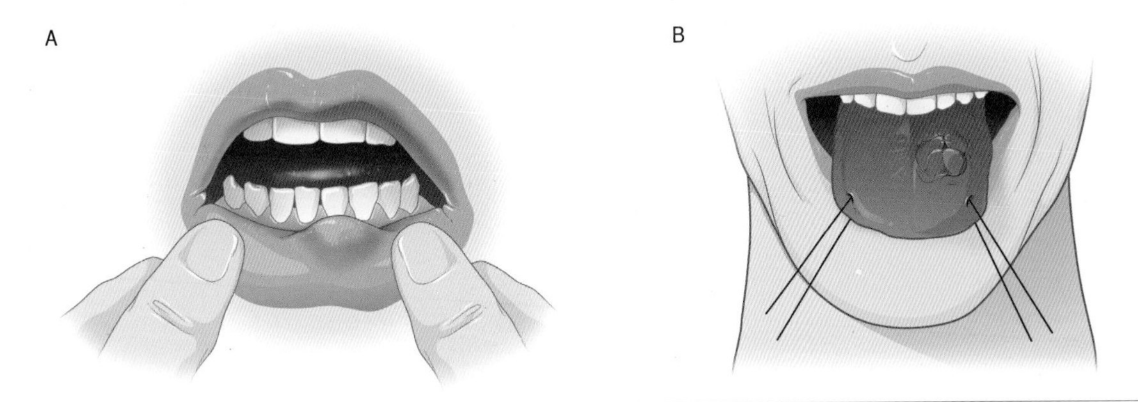

그림 9-3. A. 하순에 변소가 있을 경우 보조자가 양 손의 엄지와 검지를 이용하여 고정할 수 있다. **B.** 혀의 병소를 절제하기 위하여 견인 봉합을 양측에 적용하여 고정할 수 있다.

2) 마취

가능하면 전달마취를 시행한다. 전달마취가 불가능하면 침윤마취를 시행하되 마취액은 절제해 낼 부위에서 최소한 1cm 정도 떨어진 곳에 주입하여 마취액에 의한 조직의 변형을 방지하도록 한다.

3) 조직의 고정

연조직의 생검은 입술, 협점막, 혀 등의 움직임이 많은 부위에서 시행하는 경우가 많으므로 조직을 적절히 고정하여야 정확하게 원하는 부위를 채취할 수 있다. 입술의 경우는 보조자가 손으로 잡아줄 수 있으며 혀 등의 경우는 견인봉합을 시행하거나 병소 가까운 곳을 봉합하여 당기면서 병소와 함께 절제해 낼 수 있다(그림 9-3).

4) 지혈

① 석션은 출혈의 위험을 높일 뿐만 아니라 조직 시편을 흡인할 수도 있으므로 주의를 요한다.
② 보조자가 거즈로 닦는 것이 도움이 될 수 있다.

5) 절개 및 채취

① 절개는 타원형으로 V자형을 이루도록 절개하면 봉합이 용이하다.
② 절제 생검을 하는 경우는 절개 시 병소의 깊이 보다 다소 깊게 절개하도록 하여야 한다.
③ 절개 생검의 경우 병소의 하연 부위를 포함하도록 깊게 절개하여야 하며 얕고 넓게 조직표본을 채취하는 것 보다 깊고 좁게 채취하는 것이 유리하다.
④ 전기 소작기로 절개하는 것은 고열을 발생시켜 조직의 응고와 파괴를 유발하므로 바람직하지 않다.
⑤ 병변의 특이한 일부 부위에서 채취하지 않고 전체적인 특성을 잘 보여주는 부위에서 채취하는 것이 바람직하며, 병변이 부분적으로 다른 특징을 보일 경우 두 군데 이상에서 채취한다(그림 9-4).
⑥ 조직 시편을 취급할 때 겸자(forceps)로 잡지 않도록 주의한다. 잡아야 할 때는 채취하는 시편의 정상 조직 부위를 잡도록 한다.

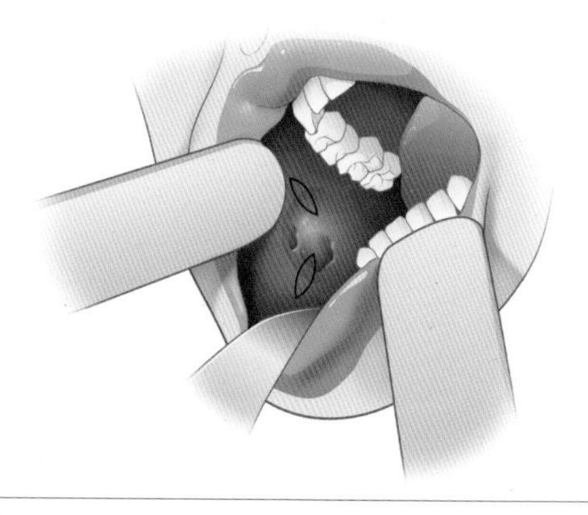

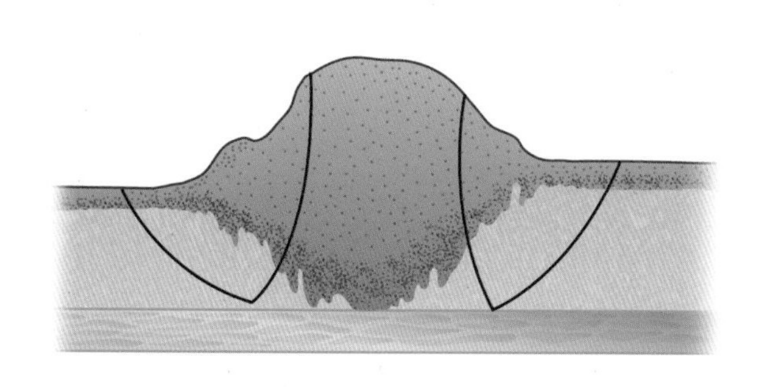

그림 9-4. A. 병변이 부분적으로 다른 특징을 보일 경우 두 군데 이상에서 채취한다. B. 구강 점막 부위의 절개 생검은 근육 수준까지 시행한다.

6) 봉합

절제 부위는 타원형의 절제를 시행하였다면 쉽게 일차 봉합을 시행할 수 있다. 경우에 따라서는 변연부위의 점막하층을 이완시켜(undermining) 긴장 없이 일차 봉합을 시행한다(그림 9-5).

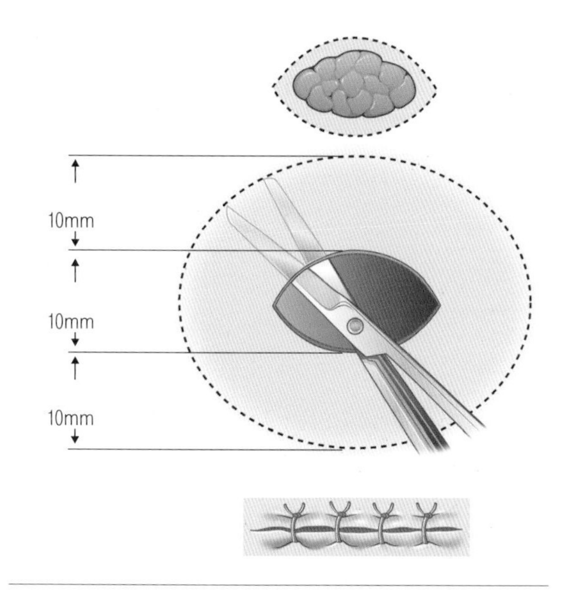

그림 9-5. 절제 생검을 시행한 경우 절제한 만큼의 폭으로 박리를 시행해야 창상 변연 접합이 용이하다(tension-free approximation).

7) 조직의 취급

① 절제된 표본은 병리조직 검사를 하기에 적절하여야 한다. 조직겸자를 함부로 사용하여 표본이 눌려서 손상되면 정확한 진단을 할 수 없게 되므로 주의를 요하며 표본에 견인 봉합을 이용하면 조직 손상 없이 표본을 잘 채취할 수 있는 경우가 많다(그림 9-6).

② 채취한 조직의 변연에 봉합사를 이용하여 병리의사가 조직의 위치를 파악할 수 있도록 표시해 줌으로서 잔존 병소가 존재할 경우에 차후 치료에 참고가 될 수 있다.

8) 조직 검사 의뢰

① 표본은 채취 즉시 혈액을 제거하고 표본의 약 20배 이상의 10% 포르말린 또는 4% 포름알데하이드에 완전히 잠기도록 한다. 물 또는 시편을 파괴할 수 있는 다른 액체를 사용하지 않는다.

② 시편 용기는 운반 중 파손과 그에 따른 시편 상실을 방지할 수 있도록 플라스틱으로 된 것으로 사용하는 것이 바람직하다(그림 9-7).

③ 환자의 이름과 시편 채취 날짜를 적은 라벨은 시편 용기의 뚜껑에 붙이지 않고 용기의 측면에 붙인다.

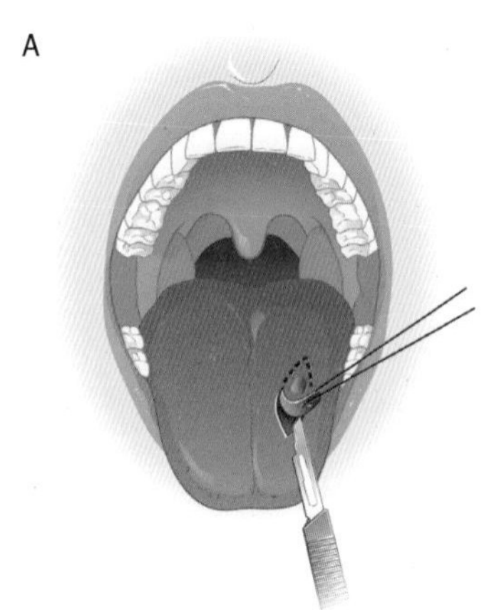

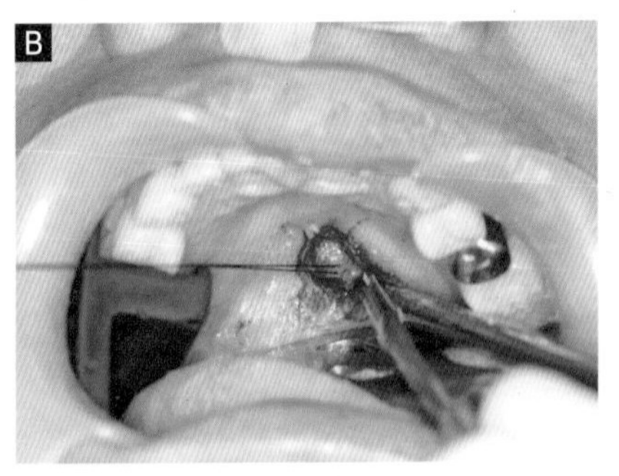

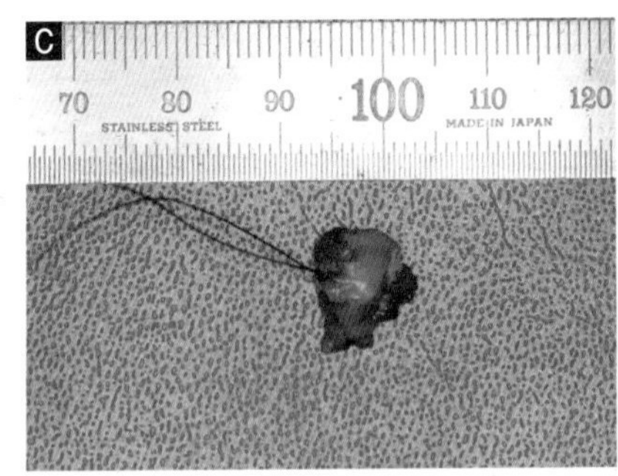

그림 9-6. 절제 생검 중 병소 주변에 견인 봉합을 시행하여 조직편을 창상으로부터 들어올림으로써 병소 조직 손상 감소와 병소 변연 확인에 도움이 되도록 할 수 있다. **A.** 모식도, **B.** 환자의 경구개에서 견인 봉합된 조직을 당기면서 절제하는 모습. **C.** 절제한 시편.

9) 의뢰서 작성

① 병리 검사 의뢰서에는 환자 정보(연령, 성별 등), 의뢰하는 치과 의사의 이름과 연락처, 주소와 관련된 병력, 병변과 시편의 임상적 소견, 추정되는 임상적 진단의 정보가 포함되어 있어야 한다(그림 9-8).

② 대부분의 경우 조직병리 검사 결과는 1~2주 내에 회신되므로 조직 생검 부위의 발사와 결과에 대한 상담을 동시에 할 수 있다. 그러나 결과 회신이 늦어질 경우 결과 상담 약속을 따로 잡을 수 있다.

그림 9-7. 플라스틱으로 된 용기에 시편을 담는다.

③ 생검 전 악성 병소일 것으로 예측하였으나, 양성 병소로 검사 결과가 나온 경우 이차 생검술을 고려한다. 조직학적 변화가 없는 부위에서 시편을 채취하였거나 조직병리학적 검사 과정에서 오류가 있었을 가능성을 염두에 둔다.

참고문헌

1. Ellis III E: Principles of differential diagnosis and biopsy. In: Hupp JR, Tucker MR, Ellis III E, (eds), Contemporary oral and maxillofacial surgery, (ed. 6th). Elsevier Health Sciences; 2013: p 422-47
2. 대한구강악안면외과학회: 구강악안면 영역의 양성종양 및 비종양성 악골병소. In: 대한구강악안면외과학회, (ed) 구강악안면외과학 교과서, (ed. 3rd). 서울: 의치학사; 2013: p 367-404
3. Angelopoulou E, Fragiskos F: Biopsy and histopathological examination. In: Fragiskos F, (ed) Oral surgery, (ed. Berlin: Springer Science & Business Media; 2007: p 281-99

조직병리 검사 의뢰서

서경덕 병리과의원

의뢰기관명	율도치과의원	주소	○○시 ○○구 ○○로 ○○
의뢰자	전우치	연락처	XX-XXXX-XXXX
진료과	해당 없음	병동	해당 없음

환자명	홍길동	성별	(남) / 여	생년월일	1947-01-08
Chart No.	093601				

검체채취일	2016-01-26	검사의뢰일	2016-01-26
생검의 종류	(절개생검) / 절제생검 / 기타 ( )		
임상소견	• 좌측 대구치부 교합면 높이의 협정막에 발생한 백색의 궤양성 병변 • 주변 경계부가 거상되어 있으며, 2×1cm 크기의 타원형 병변 • 주변 조직에 경결강이 있음		
병력	• 1-2년 전부터 좌측 협정막에 불편감이 있었으며, 하�게 되어있었음 • 통증은 없었으나, 2-3개월 전부터 부위가 헐었으며, 주변이 단단하게 되었음		
전신 병력	특이사항 없음		
시편의 위치	• 좌측 후방 협정막 • 병소의 전방 경계부에서 1개의 시편, 병소의 후방 경계부에서 1개의 시편을 채취하였음		
임상진단명	좌측 협정막에 발생한 편평세포암종		

그림 9-8. 병리 검사 의뢰서의 예시. 대부분의 병리 수탁검사 실시기관에서는 의뢰서를 제공한다.

실습평가표

실습제목			
학생 번호		성명	
지도의 성명		서명(인)	

관련역량	• 환자의 주소를 파악하고 병력을 취득할 수 있다. • 환자의 진료 기록을 적절하게 작성할 수 있다. • 생검 전 또는 생검 후 전문의 또는 상위 의료기관에 의뢰가 필요한지 판단할 수 있는 지식이 있다. • 환자의 전신질환이 구강 내에 증상을 나타낼 수 있음을 알고 있다. • 생검술을 할 수 있다.	
평가목표	• 진단과 치료에 필요한 검사를 설명할 수 있다. • 치료계획을 수립하고 설명할 수 있다. • 생검술을 시행할 때 마취, 조직의 취급, 시야의 확보, 조직의 견인을 적절히 할 수 있다.	
평가 중요성	절개생검술과 절제생검술은 절개와 봉합을 포함하는 진단 방법으로 치과의사로서의 외과적 처치 능력을 평가할 수 있는 지표이다.	
구분	평가항목	점수
전신건강 상태 평가	전신건강 상태와 관련된 기왕력과 현재 받고 있는 치료 등에 대하여 주의깊게 청취하고 의무기록을 철저히 기록하는가	
병소에 대한 병력 청취	병소의 지속기간, 변화 양상과 속도, 동반된 증상, 이환 부위, 전신적 증상, 원인요소가 될 만한 사항들에 대하여 철저히 조사하고 기록하는가?	
임상검사	병소의 위치, 성질, 크기와 형태, 숫자, 표면 상태, 색깔, 경계부의 명확성, 촉진 시의 감촉, 박동의 존재, 림프절 검사 등을 빠뜨리지 않고 시행하며 철저히 기록하는가?	
방사선학적 검사	병소의 예상되는 특성에 따라 적절한 방사선학적 검사를 선택할 수 있는가?	
이화학적 검사	이화학적 검사 항목과 병소와의 상관 관계를 알고 있는가?	
추정진단	주소 청취, 임상 검사, 방사선 검사, 이화학적 검사 결과를 바탕으로 추정 진단을 할 수 있는가?	
생검술	병소의 크기에 따라 절제 생검술과 절개 생검술을 적절히 선택할 수 있는가?	
	생검술 시 절개선을 적절히 작도하는가?	
	생검술 중 조직 취급을 적절히 하는가?	
의뢰서 작성	의뢰서에 술자가 습득한 정보와 추정 진단이 절적히 기술되어있는가?	

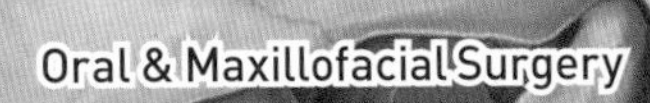

Chapter 10

국소마취

학·습·목·표

- 국소마취 약제의 특성을 이해하고, 술기에 맞게 직정 용량을 선택할 수 있다.
- 술식에 맞는 적절한 국소마취방법을 선택할 수 있다.
- 해부학적 구조를 이해하고, 적절한 국소마취 술식을 구사할 수 있다.
- 마취시 기본적인 무균술식을 이해하고 이를 적용할 수 있다.

이 장은 각종 수술시 환자의 통증을 최소화하기 위해, 적절한 마취제 종류와 용량을 선택하고 정확한 해부학적 구조물에 마취제를 자입함으로써, 국소마취시 발생할 수 있는 합병증을 최소화하는 데 그 목적이 있다.

1 국소마취에 사용되는 약제 및 기구

1) 국소마취제

국소마취제는 크게 아마이드형과 에스텔형 국소마취제로 나뉜다(표 10-1). 각각의 국소마취제의 특성이 표 2와 3에 정리되어 있다. 국소마취제는 과량으로 투여되는 경우 심혈관계 및 뇌독성을 유발할 수 있으므로 표 4에 정리되어 있는 용량 이상을 투여하지 않도록 한다. 또한 현저한 심혈관계 장애가 있는 환자에서는 1:100,000 농도의 에피네프린이 함유된 국소취제를 4ml 이상 투여하지 않도록 해야 한다.

표 10-1. 아마이드형과 에스텔형에 해당하는 국소마취제의 구조, 종류 및 대사

	아마이드형	에스텔형
구조	Aromatic Ring / Intermediate Linkage / Tertiary Amine 'Amide' H_3C, H_3C (aromatic ring) — NH — C(=O) — CH_2 — N(CH_2–CH_3)(CH_2–CH_3)	Aromatic Ring / Intermediate Linkage / Tertiary Amine 'Ester' H_3C, H_3C (aromatic ring) — NH — C(=O) — CH_2 — N(CH_2–CH_3)(CH_2–CH_3)
종류	• Lidocaine • Mepivacaine • Bupivacaine • Prilocaine • Tetracaine • Etidocaine • Articaine(벤젠환 대신 thiophene 구조를 가짐)	• Procaine • Propoxycaine • Tetracaine
분해 및 대사	간에서 분해	혈장 cholinesterase에 의해 가수분해

표 10-2. 국소마취제의 임상적 성질

국소마취제	pKa	작용발현 시간	상대적인 시간	마취작용 시간	분자량
아마이드형					
Lidocaine	7.8	빠름	2	중간	234
Mepivacaine	7.7	빠름	2	중간	246
Prilocaine	7.8	빠름	2	중간	220
Bupivacaine	8.1	중간	8	길다	288
Etidocaine	7.9	빠름	6	길다	276
Articaine	7.8	빠름	2	중간	284
에스텔형					
Procaine	8.9	중간	1	짧다	236
Propoxycaine	8.9	중간	6	중간	294
Tetracaine	8.4	중간	8	길다	264

표 10-3. 자주 사용되는 국소마취제의 반감기

국소마취제	반감기(분)
Articaine	20
Bupivacaine	210
Prilocaine	96
Mepivacaine	114
Lidocaine	96

표 10-4. 국소마취제(혈관수축제 포함)의 권장 최대용량

약물	최대용량	최대 cartridge 수
Articaine	7mg/kg(500mg까지) 5mg/kg(소아)	7
Bupivacaine	90mg까지(소아사용 금기)	10
Lidocaine	7mg/kg(500mg까지)	13
Mepivacaine	6.6mg/kg(400mg까지)	11(혈관수축제가 없는 3%의 경우 7개)
Prilocaine	6mg/kg(400mg까지)	5.5

2) 국소마취 기구

치과용 국소마취를 위한 기구는 dental syringe(주사기), needle(주사바늘), 그리고 cartridge(카트리지)로 구성된다. Cartridge 내에는 국소마취제와 혈관수축제 외에도 보존제, 생리식염수, 증류수, 그리고 항균제 등이 포함되어 있다(그림 10-1).

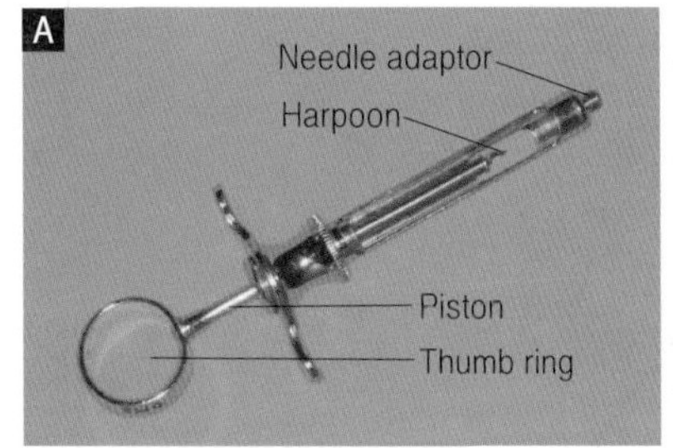

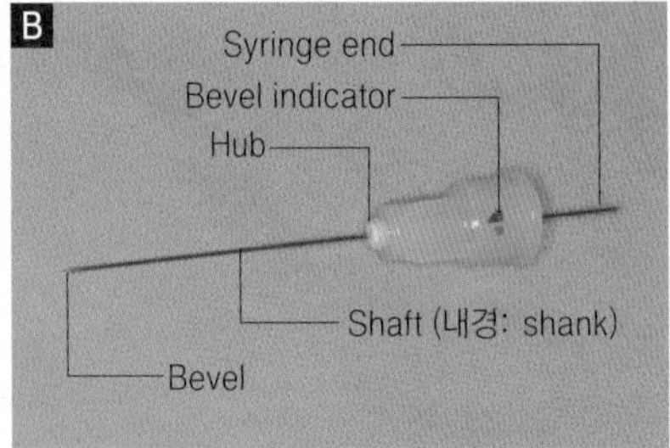

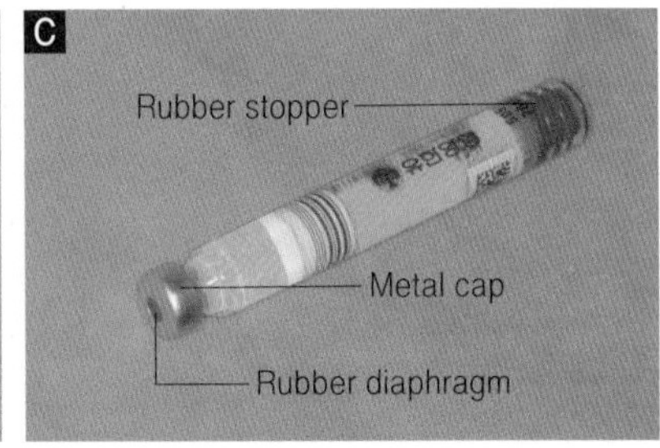

그림 10-1. A. 마취시린지(주사기) **B.** 주사바늘 **C.** Cartridge(카트리지)의 구조 및 명칭

① 흡인주사기를 다음과 같은 순서로 조립한다(그림 10-2).

② 그림 10-2A와 같이 주사기를 잡고, 피스톤을 뒤로 최대한 당긴다.

③ 마취 cartridge의 Rubber stopper 먼저 주사기에 넣는다(그림 10-2B).

④ 가볍게 쳐서 피스톤의 갈고리(harpoon)가 꽂히도록 한다.

⑤ Cartridge의 rubber diaphragm(격막) 중앙이 천공되도록 마취바늘을 연결한다.

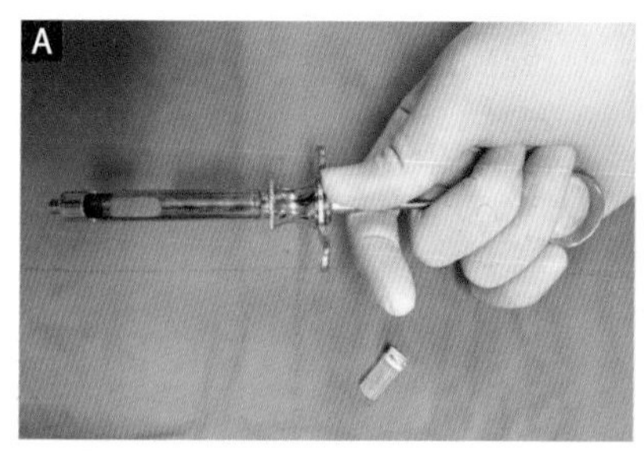

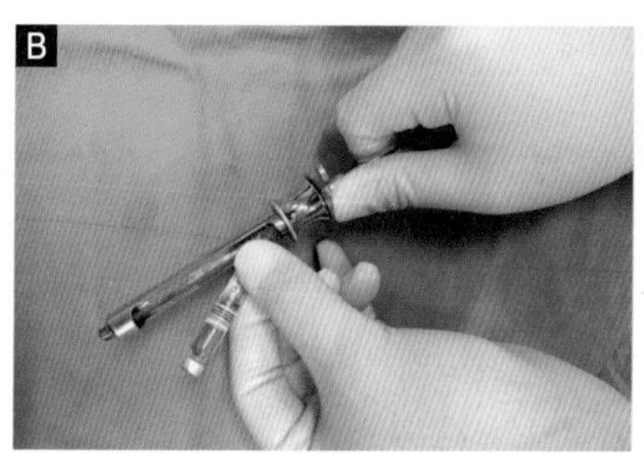

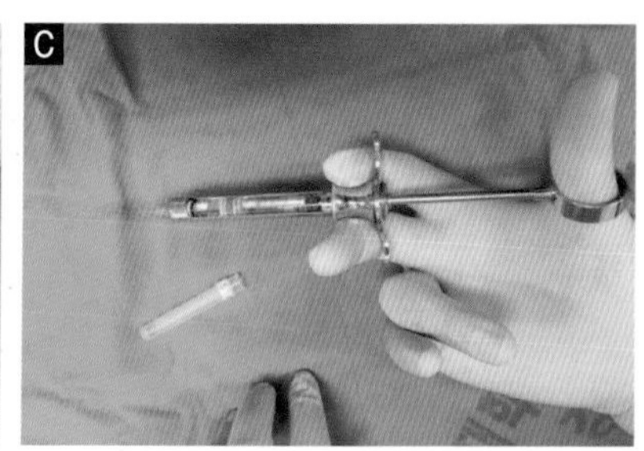

그림 10-2. 올바른 주사기 파지법. **A.** 카트리지 삽입, 교환을 위해 피스톤을 최대한 당긴다. **B.** 카트리지의 rubber stopper쪽을 먼저 삽입한다. **C.** 주사기의 자입과 마취제 주입을 위한 주사기 파지법

2 환자의 불안 평가 및 해소

통증은 환자에게 불안을 유발하고, 환자가 진료실에서 느끼는 불안은 통증의 역치를 낮추어 더 많은 통증을 경험하게 할 수 있다. 따라서 불안을 경감시킴으로써 술자는 환자의 통증도 감소시킬 수 있다.

환자가 불안해하는지를 면밀히 관찰하고, 환자가 불안해하는 원인을 파악하여, 효과적으로 불안을 조절하는 것은 국소마취 시 환자의 통증을 경감시킬 수 있을 뿐 아니라, 마취 중 예기치 못한 환자의 움직임에 의한 조직의 손상, 기구의 파절을 예방하게 한다.

표 10-5는 환자들이 불안을 표현하는 예와 그 원인에 대해 정리되어 있으며, 표 6은 투약 없이 환자의 불안을 조절하는 방법에 대해 정리되어 있다.

표 10-5. 환자들이 불안을 표현하는 방식과 조절하는 방법

환자들이 불안을 표현하는 예	환자의 불안의 원인요소
• 숨을 참거나 빠르고 얕은 호흡 • 손가락, 발가락 끝의 긴장 • 의자의 팔걸이를 세게 잡는다. • 눈을 꼭 감거나 얼굴과 목의 근육이 긴장된다. • 빈맥, 발한, 어지러움, 구토 등의 증상을 호소	• 통증에 대한 예기불안 • 치과진료와 연관된 소음과 진동 • 과거의 불유쾌한 치료경험 • 치료 전 통증 및 수면 부족과 연관된 압박감

표 10-6. 비약물학적 불안 조절의 예

심호흡	• 부적절한 호흡에 의해 불안이 증가될 수 있음을 설명한다. • 천천히 심호흡하고 흡기 및 호기 마지막에 5초간의 숨참음을 교육한다. • 환자와 함께 심호흡을 연습한다. • 환자가 집에서 연습하도록 격려한다.
최면술	• 진료실의 조용한 분위기를 조성한다. • 긴장을 풀고 앉아있는 자세에서 팔을 머리 위로 올렸다가 무릎위로 떨어뜨리는 동작을 천천히 반복한 후 심호흡법을 병행한다. • 낮고 조용한 목소리로 대화한다. • 소음이나 충돌과 같은 자극에 대해 미리 주의를 준다.
바이오피드백	• 환자가 스스로의 불안감을 부정하는 경우 • 분당 심박수를 감시하여 100회 이상인 경우 불안 조절을 시행한다. • 환자에게 스스로의 맥박산소포화도를 모니터하는 방법을 가르쳐준다.
탈감작	• 다음의 순서로 자극의 등급을 서서히 높힌다. ① 진료실에 있는 주사기를 본다. ② 치과의사의 손에 쥐어진 주사기를 본다. ③ 치과의사 손에 주사기가 닿는다. ④ 치과의사가 주사기를 잡는다. ⑤ 주사기 바늘 덮개가 열리는 것을 본다. ⑥ 주사기가 바늘 덮개가 열린 채로 입안에 들어온다. ⑦ 소량의 국소마취제가 주입된다.
탈감작	• 치과체어 위에 모니터를 설치하여 치료 중 시청하게 한다. • 치료 중 음악을 듣게 한다. • 아이들에게는 만화를 틀어준다.

3 국소마취법의 종류

1) 국소마취의 일반적인 원칙

① 자입 전 보조손이나 미러로 환자의 입술이나 뺨을 견인하여 주사침의 자입부위를 팽팽하게 한다(그림 10-3A).

② 자입 전 자입부위의 점막을 건조시키고 필요시 도포마취를 한다.

③ 침윤마취 및 상악 전상, 중상, 후상 치조신경 마취 시에는 주사침의 사면을 골면과 마주보게 자입한다(그림 10-3B).

④ 전달마취시에는 혈액이 흡인되는지 확인하기 위해 카트리지가 잘 보이게 자입한다.

⑤ 전달마취시에는 혈액이 흡인되지 않는지 반드시 확인해야 한다(그림 10-3C).

⑥ 침윤마취시 주사기를 천천히 빼내고 약 3~5분 경과 후 환자에게 감각 상실 여부를 확인하고 나서 치료를 시행한다.

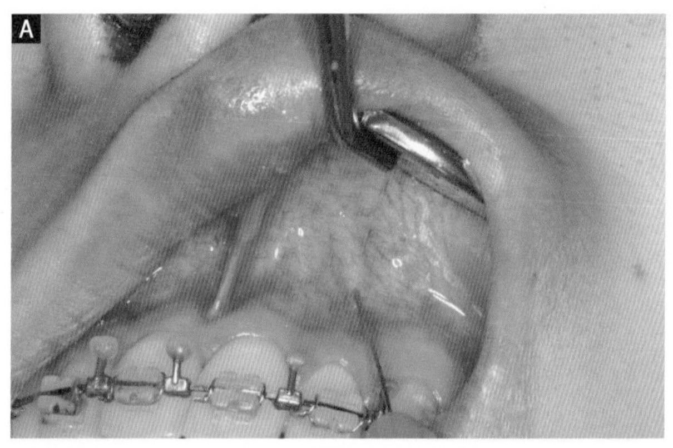

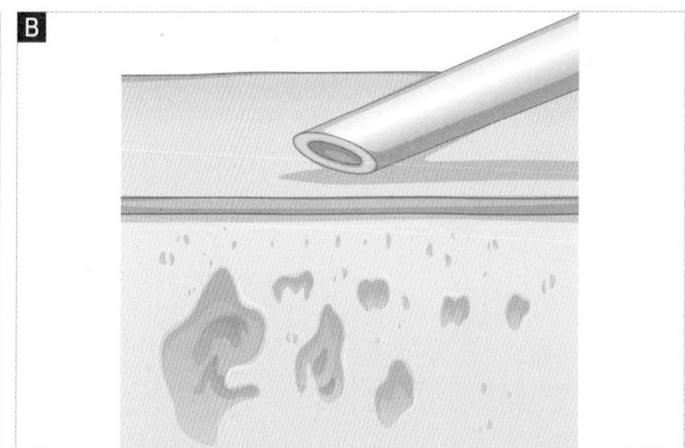

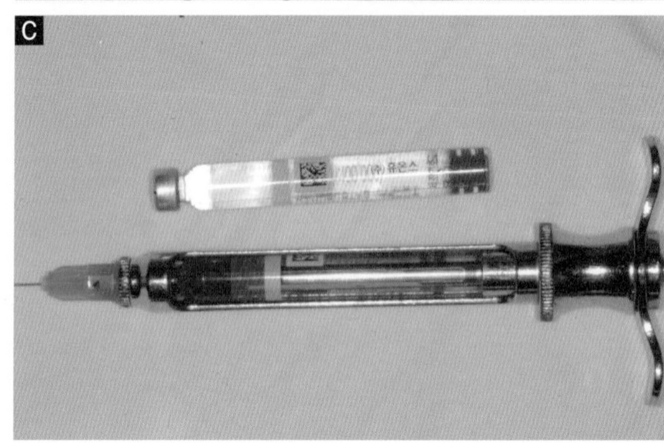

그림 10-3. **A.** 자입점 주위를 팽팽하게 당기는 모습 **B.** 주사침의 사면이 골을 향하게 한다. **C.** 혈액이 흡인된 후 카트리지

2) 국소마취시 감염관리를 위한 고려사항

① 마스크를 착용하고, 구강을 보조손으로 견인할 필요가 있는 경우 장갑을 착용한다.

② 장갑은 마취 후 즉시 벗고, 환자마다 장갑을 교환한다.

③ 마취가 끝난 후 주사바늘은 손상의 위험이, 카트리지는 파절의 있으므로 각각을 분리수거하며 주사바늘은 구멍이 뚫리지 않는 통에 모은다.

④ 술식 중 주사바늘을 내려놓는 경우, 오염된 부분에 접촉되지 않도록 주의한다. 바늘은 내려놓은 바늘뚜껑 내부에 위치시키거나 허공에 떠 있도록 한다. 바늘 뚜껑을 씌울 경우 보조손으로 바늘 뚜껑을 잡으면 찔릴 우려가 있으므로 바닥에 내려놓은 상태에서 뚜껑을 씌운다. 또한 주사바늘이 사용자나 환자를 향하지 않게 한다.

3) 침윤마취의 종류

침윤마취는 마취액을 주입하는 부위에 따라 그림 10-4의 여러 주사법으로 나뉜다. 이 중 상악의 전체 부위와 하악 전치부에서는 주로 골막주위 주사법이 사용된다.

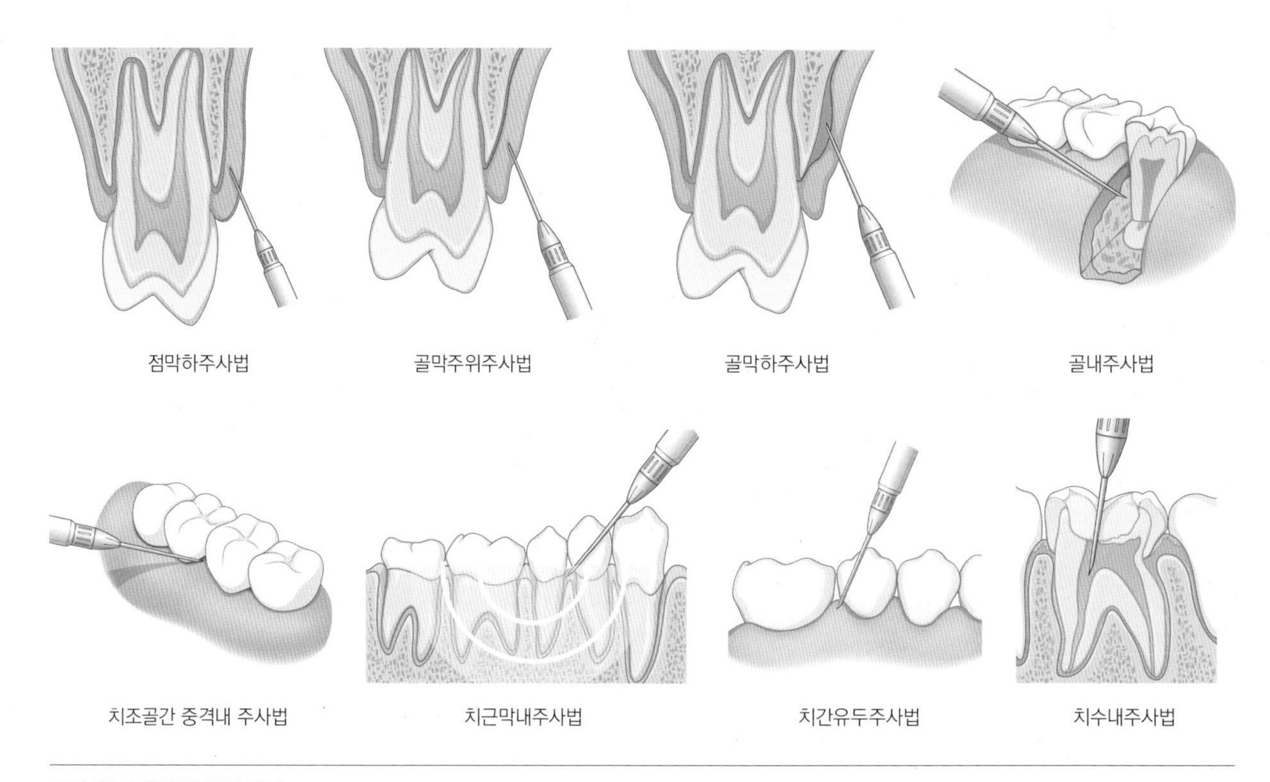

그림 10-4. 침윤마취의 종류

4) 상악 마취법

상악은 치밀골이 얇고 다공성이므로 일반적으로 침윤마취만으로 대부분의 술식을 시행할수 있다. 그러나 여러 부위를 동시에 마취해야 한다거나, 큰 병소를 치료하는 경우에는 전달마취를 시행할 수 있다. 각각의 마취법에 대해 표 10-7~13에 정리되어 있다.

표 10-7. 골막주위 마취법(그림 10-5)

술자의 위치	우측 마취시 환자의 10시방향 좌측 마취시 환자의 8~9시 방향
사용하는 바늘	27 혹은 30gauge의 짧은 주사침
표적 부위	시술할 치아의 근단부
바늘 자입점	시술할 치아의 치근단 부위 협측 치은구/ 구개부 점막
바늘 자입방향	치근단을 향함
바늘 자입깊이	3~4mm 정도
마취제 주입량	1/3cartridge
마취되는 부위	국소 마취제가 주입된 해당 치아의 치수와 협측 또는 구개측 치은
비고	주사침이 치조골과 접촉한 경우에는 후방으로 조금만 빼낸다. 주사바늘의 끝이 골에서 너무 멀리 위치하게 되면, 치수에 대한 마취 효과가 미미할 수 있다.

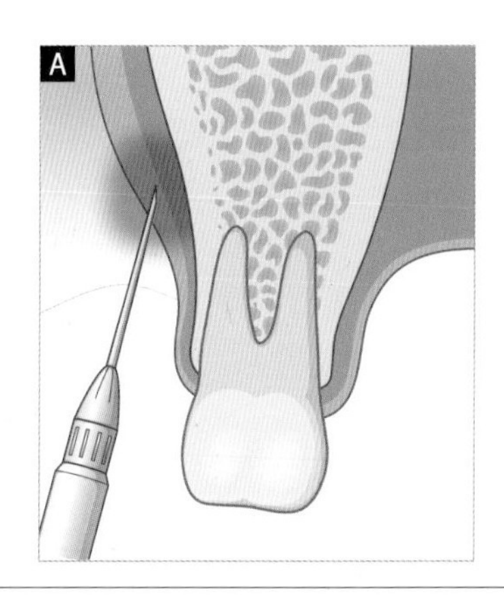

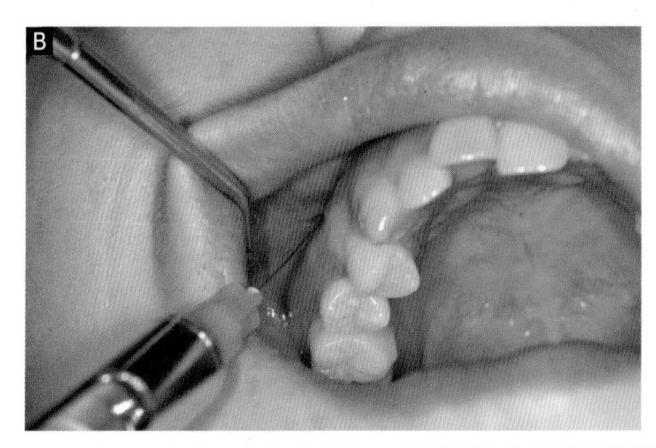

그림 10-5. **A.** 상악 #14의 치근단부의 골단면 **B.** #14의 협측 골막주위 마취를 시행하는 모습

표 10-8. 전상 치조신경 전달 마취법(그림 10-6)

술자의 방향	우측 마취시 환자의 10시방향 좌측 마취시 환자의 8~9시 방향
사용하는 바늘	27gauge 짧거나 긴 주사바늘
마취제 주입부위	상악 견치의 치근단 주위
바늘 자입점	상악 견치의 치근단 부위 협측 점막
바늘 자입방향	견치의 치근단을 향한다.
마취제 주입량	1/2cartridge
마취되는 부위	마취한 측의 절치와 견치(상악 제1, 2소구치 부위 일부)
비고	중절치 침윤마취를 추가해야 함(반대측 신경 교차분포 때문)

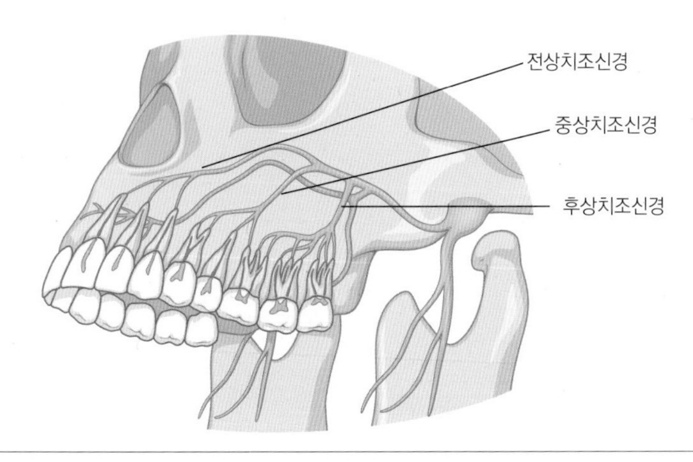

그림 10-6. 전상치조신경, 중상치조신경, 후상치조신경의 상호작용

표 10-9. 중상 치조신경 전달마취법(그림 10-6)

술자의 방향	우측 마취시 환자의 10시방향 좌측 마취시 환자의 8~9시 방향
사용하는 바늘	27gauge 짧거나 긴 주사바늘
마취제 주입부위	상악 제2소구치의 치근단 상방부에서 분지함
바늘 자입점	상악 제 2 소구치 치근단부 상방
바늘 자입방향	주사바늘의 사면이 골면을 향하게 한다.
마취제 주입량	1/2cartridge
마취되는 부위	상순의 구각부, 인접 협점막과 소구치, 제1대구치의 근심협측 치근부
비고	상악 제 2소구치의 치근단 상방부에서 분지 전체 전체 환자 중 40%에서만 중상치조신경이 존재

표 10-10. 후상 치조신경 전달마취법(그림 10-7)

술자의 방향	우측 마취시 환자의 10시방향 좌측 마취시 환자의 8~9시 방향
사용하는 바늘	27gauge 짧은 주사바늘
마취제 주입부위	익돌구개와/ 상악결절의 후외측벽에 있는 소공
바늘 자입점	상악 제2대구치와 제3대구치 사이의 상방 협측 전정부(그림 10-7A)
바늘 자입방향 (그림 10-7B)	내후상방(교합평면을 기준으로 45도 상방, 정중선을 향하게 45도 내측, 상악 제2대구치 장축에 대해 45도 후방)
바늘 자입깊이	10~16mm
마취제 주입량	1/2~1cartridge
마취되는 부위	상악 대구치, 인접한 연조직, 치주인대와 치조골 등

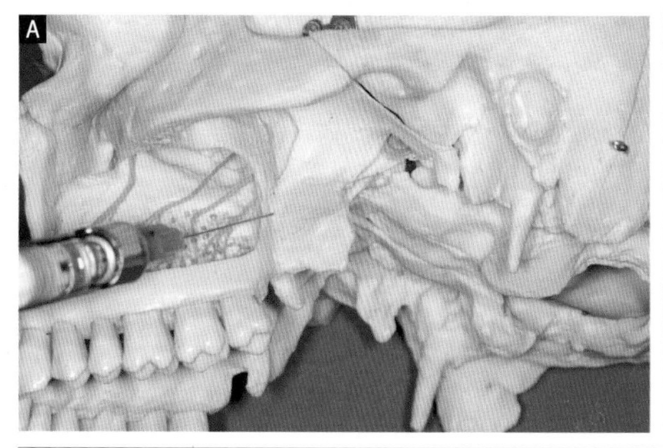

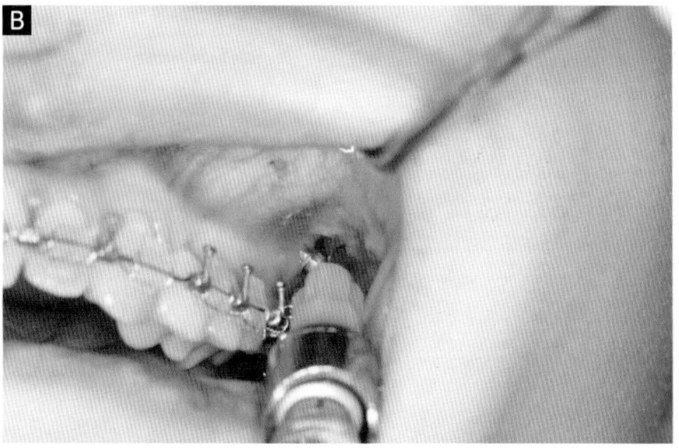

그림 10-7. 후상치조신경 전달마취법. **A.** 바늘은 상악결절의 후외측벽의 소공을 향한다. **B.** 바늘의 방향은 내후상방으로 한다.

표 10-11. 안와하신경 전달마취법(그림 10-8)

술자의 방향	우측 마취시 환자의 10시방향 좌측 마취시 환자의 8~9시 방향	
마취법	구강내 수직 접근법	구강내 정중부 접근법
사용하는 바늘	27gauge 긴 주사바늘	
마취제 주입부위	안와하공 주위(그림 10-9)	
바늘 자입점	상악 제2소구치의 협측 전정부	상악 측절치와 견치사이 협측 전정부
바늘 자입방향	상악 제2소구치의 장축	동측 상악 중절치의 근심절단면~원심치경부를 지나는 사선방향
바늘 자입깊이	1.5cm(안와하공에 대고 있는 보조손으로 바늘 끝을 촉지)	1.5~2cm
마취제 주입량	1/2cartridge	
마취되는 부위	마취 측 중절치, 측절치, 견치, 순측 치주조직, 상순, 전방협측 점막, 하안검, 코의 측부	
비고	• 자입 전 안와하공의 위치를 촉지하여 확인한 후, 보조손의 검지나 중지를 안와하공에 대고 엄지로 상순을 견인한다. • 주입 후 1분 정도 자입부를 압박하여, 안와하공으로 마취제가 잘 확산되게 한다.	

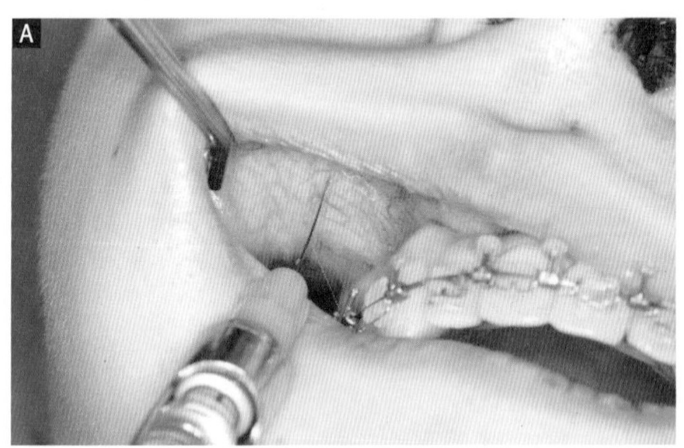

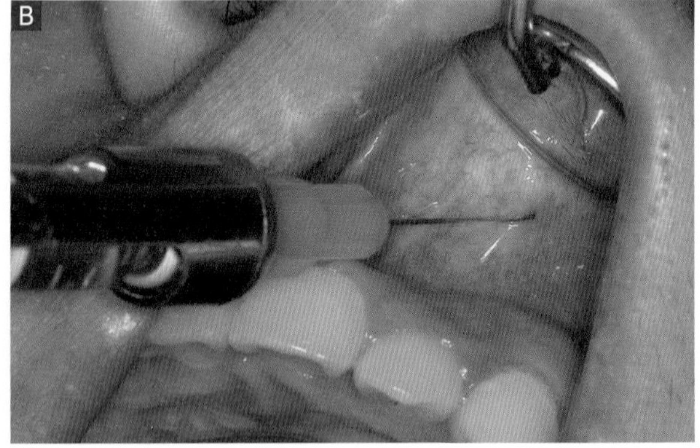

그림 10-8. 안와하신경 전달마취법. **A.** 구강내 수직 접근법 **B.** 구강내 정중부 접근법

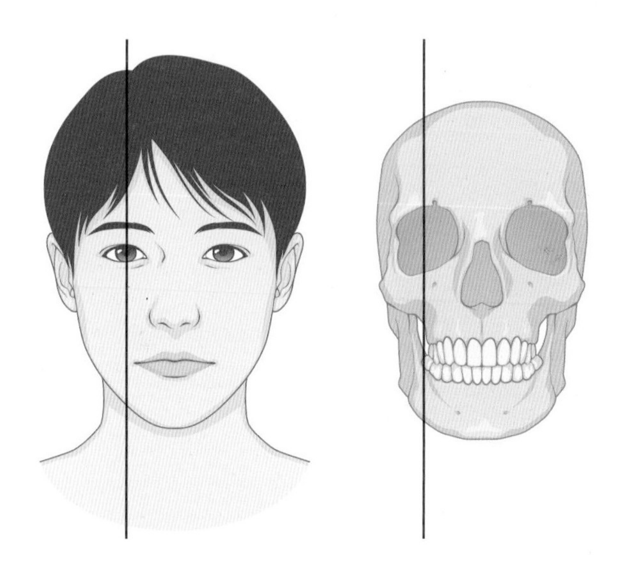

그림 10-9. 안와하공의 해부학적 위치(동공-안와하절흔-구각부를 잇는 선상, 안와하연의 5~10mm 하방

표 10-12. 대구개신경 전달마취법(그림 10-10)

술자의 방향	우측 마취시 7~8시 방향 좌측 마취시 11시 방향
사용하는 바늘	27gauge 짧은 주사바늘
마취제 주입부위	대구개공(상악 7, 8 사이의 치은연에서 정중선 방향으로 10mm에 위치)
바늘 자입점	대구개공 전방 1~2mm부위
바늘 자입방향	주사침을 자입부 점막에 직각으로
바늘 자입깊이	5mm(구개골이 살짝 접촉될 때까지)
마취제 주입량	<1/3 cartridge
마취되는 부위	마취된 대구개신경 측 상악 구치부 점막의 치은연에서 정중부까지 마취된다.

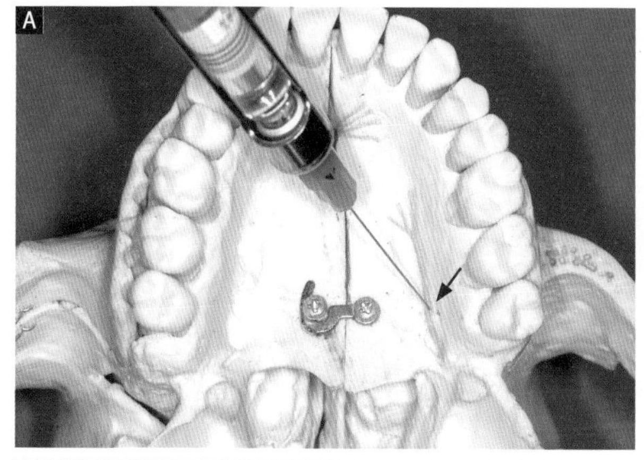

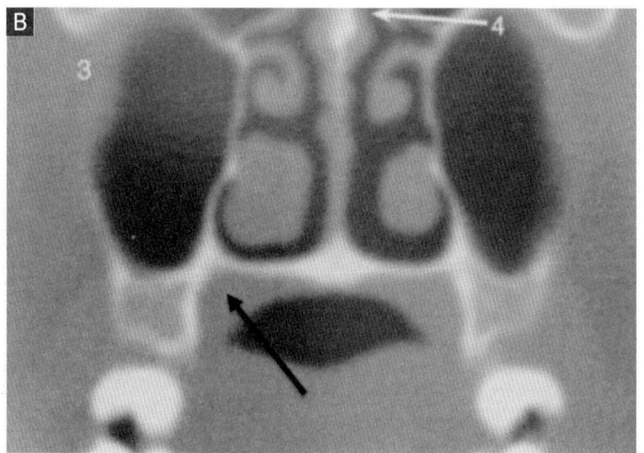

그림 10-10. 대구개공의 위치 및 바늘 자입방향. **A.** 횡단면(검은 화살표가 대구개공) **B.** 관상면(검은 화살표가 바늘 자입방향)

표 10-13. 비구개신경 전달마취법(그림 10-11)

술자의 방향	환자의 9~10시 방향
사용하는 바늘	27 gauge 짧은 주사바늘
마취제 주입부위	절치관 혹은 절치공
바늘 자입점	절치유두 측면
바늘 자입방향	절치유두를 향해 45°로 접근
바늘 자입깊이	3-5mm정도(구개측 치조골과 접촉될 때까지)
마취제 주입량	<1/4 cartridge
마취되는 부위	좌, 우 중절치와 측절치 및 견치 부위의 구개치은과 구개면 전방부의 골점막
비고	• 절치공을 덮고 있는 절치 유두를 잘 볼 수 있도록 환자의 입을 크게 벌리고 목을 펴게 한다. • 통증 조절을 위해 마취 전 절치유두를 압박하고 허혈을 확인하면서 바늘을 삽입한다.

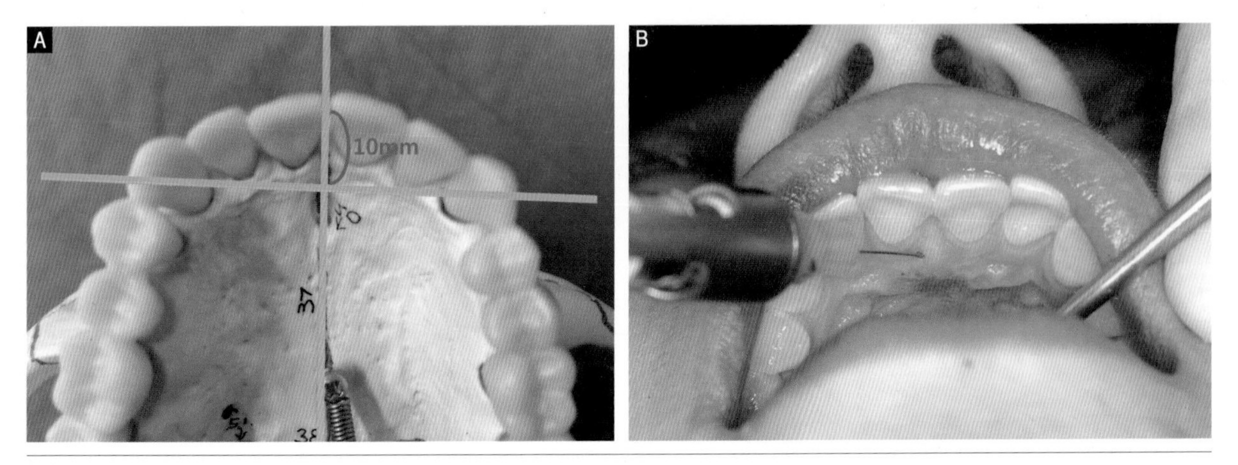

그림 10-11. 비구개신경 전달마취. **A.** 절치공의 위치는 정중선과, 양측 견치를 이은 선이 교차하는 지점이다. **B.** 비구개신경 전달마취를 위해 마취바늘을 자입하는 모습.

5) 하악 신경 마취

하악골은 단단한 치밀골로 되어 있어서, 전치부를 제외하고는 대부분 전달마취를 시행한다. 전치부 치료시 이신경 및 절치신경 전달마취를 시행할 수 있으나 이공 내로 접근이 용이하지 않아 골막주위 마취를 시행하는 경우가 많다. 하순의 병변을 조직검사하는 경우에는 이신경만의 전달마취를 시행할 수 있다. 제3대구치 발치와 같은 술식을 하는 경우 하치조신경, 협신경, 설신경 전달마취와 골막주위 마취를 시행해야 한다. 그러나 환자가 개구장애가 있는 경우 Vazirani-Akinosi 법을 사용하여 마취할 수 있다. 각각의 마취법에 대해 표 10-14~19에 정리되어 있다.

표 10-14. 이신경 및 절치신경 전달마취법(그림 10-12)

술자의 방향	우측 마취시 환자의 8시 방향 좌측 마취시 환자의 10시 방향
사용하는 바늘	27gauge 짧은 주사바늘
마취제 주입부위	이공(하악 5번 치아 치근단 직하방)
바늘 자입점	이공의 후방 1cm에서 전정부로
바늘 자입방향	1cm 정도 전내방
바늘 자입깊이	이공에 닿게 한다.
마취제 주입량	1/2cartridge
마취되는 부위	하악 중절치, 측절치, 견치 및 경우에 따라서는 제1, 2소구치의 치수 및 지지 조직, 상기 치아들의 순, 협측 치은과 점막, 정중부 하순
비고	이공을 찾기 전 점막하에서 <1/4 cartridge의 마취제 주입

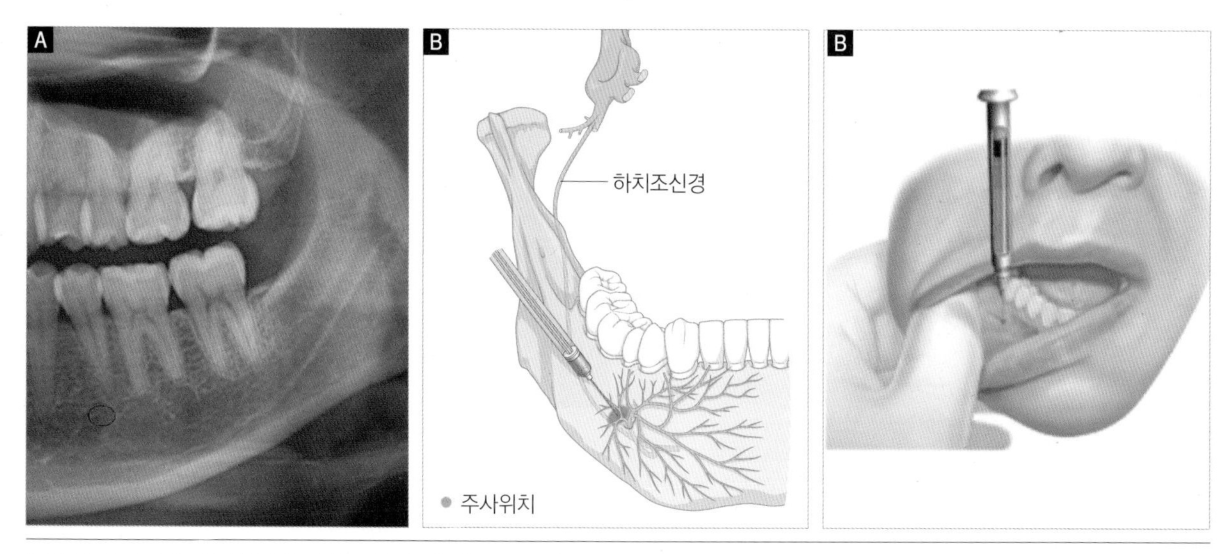

그림 10-12. A. 파노라마 방사선사진상 이공의 해부학적 위치(빨간 원) B. 이신경 및 절치신경 전달마취시 주사침의 자입방향 C. 이신경 및 절치신경 전달마취시 입술의 견인

표 10-15. 이신경 전달마취법

술자의 방향	환자의 전방– 환자의 시야 하방에 주사를 위치시킴
사용하는 바늘	27gauge 짧은 주사바늘
마취제 주입부위	이공(하악 5번 치아 치근단 직하방)
바늘 자입점	견치나 제1소구치 부위 점막
바늘 자입방향	이공을 향하도록
바늘 자입깊이	5~6mm(이공에 닿을 때까지)
마취제 주입량	1/3cartridge
마취되는 부위	이공 전방부의 협점막에서 정중부의 아랫입술, 턱끝 피부
비고	주로 연조직 병소의 제거 및 열상 봉합시에 사용됨

표 10-16. 협신경 전달 마취법(그림 10-13)

술자의 방향	우측 마취시 환자의 8시 방향 좌측 마취시 환자의 10시 방향
사용하는 바늘	27gauge 긴 바늘(하치조신경전달마취 후 같은 바늘 사용)
마취제 주입부위	하악지의 상연을 넘어서 협신경이 시작됨
바늘 자입점	최후방 구치의 원심협측 점막
바늘 자입방향	점막에 수직
바늘 자입깊이	약 2mm
마취제 주입량	1/6cartridge
마취되는 부위	하악 치아의 협측 연조직과 골막
비고	협신경은 하악 제3대구치의 교합면 높이에서 일부는 협근을 뚫고 가서 하악 구치 후방의 협측 치은 및 주위 점막을 지배하고 나머지는 전방으로 계속 주행하여 뺨의 피부를 지배함

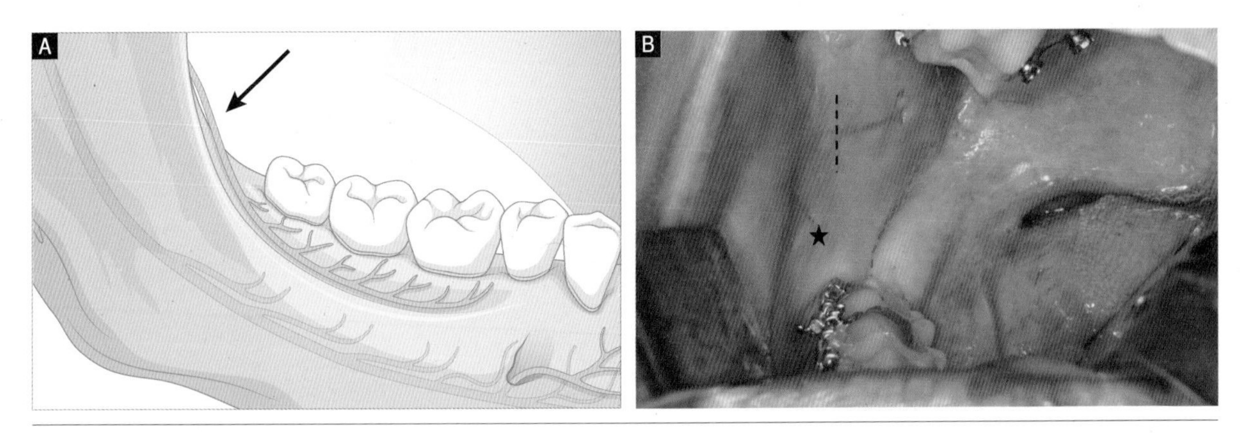

그림 10-13. A. 협신경의 주행(검은 화살표) B. 협신경 마취시 주사침의 자입점(별표)

표 10-17. 하치조신경 전달마취법(그림 10-14~16)

술자의 방향	우측 마취시 환자의 8시 방향 좌측 마취시 환자의 10시 방향
사용하는 바늘	27gauge 긴 바늘
마취제 주입부위	익돌하악간극(그림 10-14)
바늘 자입점 (그림 10-15)	수평적으로 익돌하악봉선의 가측으로 5mm/관상돌기 절흔에서 익돌하악봉선으로 깊이 3/4 지점 수직적으로 엄지손가락의 2등분 지점/ 하악교합면보다 1cm 상방점
바늘 자입방향	반대측 하악 소구치 부위에서 자입점을 향함
바늘 자입깊이	2~2.5cm(하악골 상행지 내면에 도달할 때까지)
마취제 주입량	<1cartridge(소량을 남겨 설신경 전달마취)
마취되는 부위	• 편측 하악 치아의 치수 및 치주조적, 소구치 전방의 협측 치은, 설신경이 분포된 혀의 전방 2/3, 구강저 설측 치은 • 하악 구치부의 치료시는 장협신경에 별도의 마취가 필요함
비고	직달법을 기본으로 하지만, 마취바늘이 2cm 미만의 깊이에서 골에 접촉하는 경우, 바늘의 방향을 내측으로 바꾸어 골의 내면을 따라 2.5cm까지 전진하여 익돌하악간극에 도달할 수 있다. 이것을 이진법, 삼진법이라고 한다(그림 10-16).

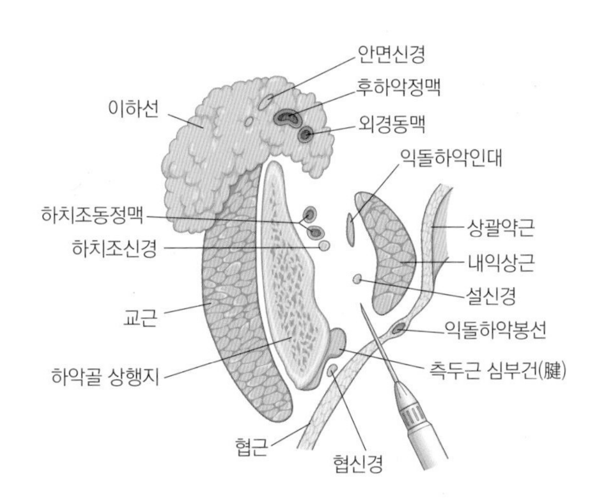

그림 10-14. 하악의 교합면 상방 1cm 부위의 익돌하악극의 횡단면의 해부학적 구조

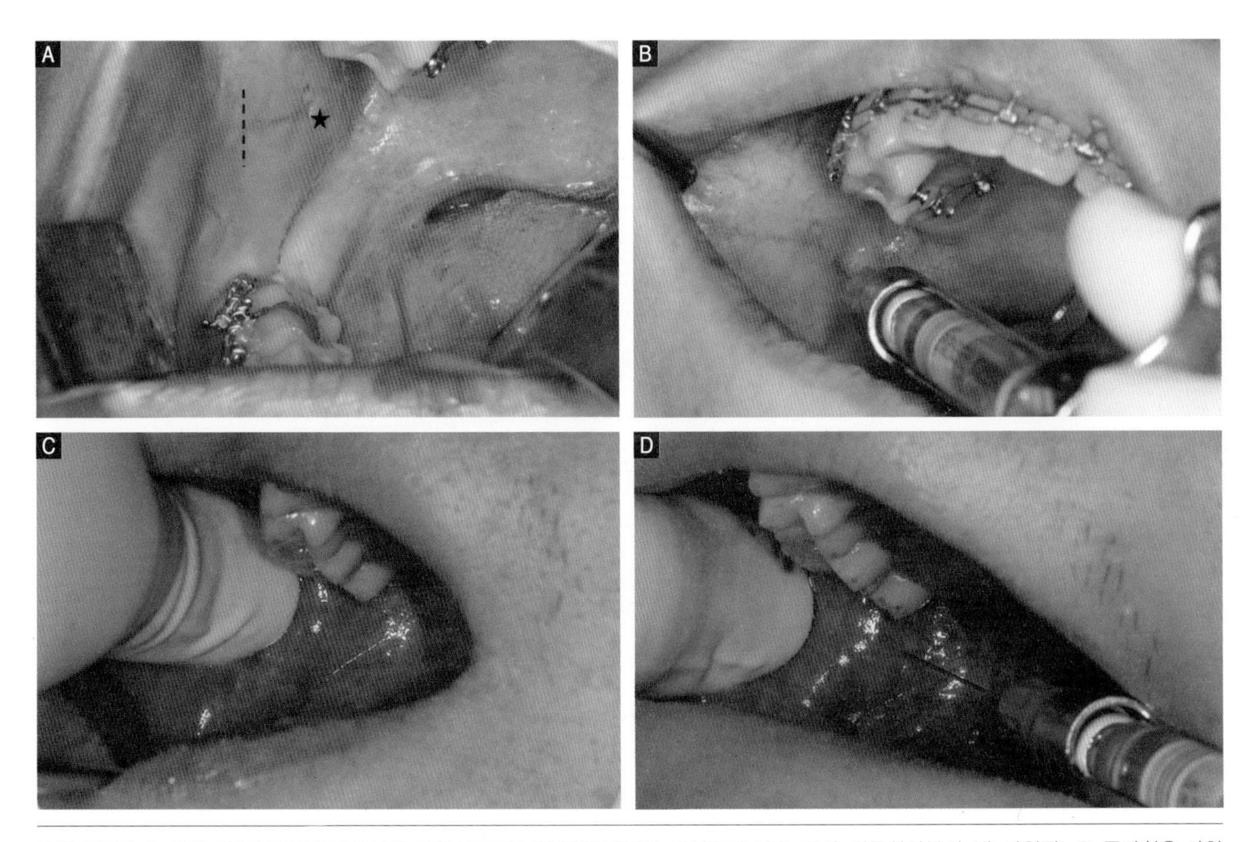

그림 10-15. A. 우측 하치조신경 전달마취를 위한 마취바늘의 자입점(직선: 관상돌기 절흔. 곡선: 익돌하악봉선. 별: 자입점) B. 주사침을 자입하는 모습 C. 보조손의 엄지손가락으로 관상돌기 절흔을 견인하여 자입점을 노출시키는 모습 D. 주사침의 자입점이 엄지손가락의 2등분 지점에 위치하는 모습

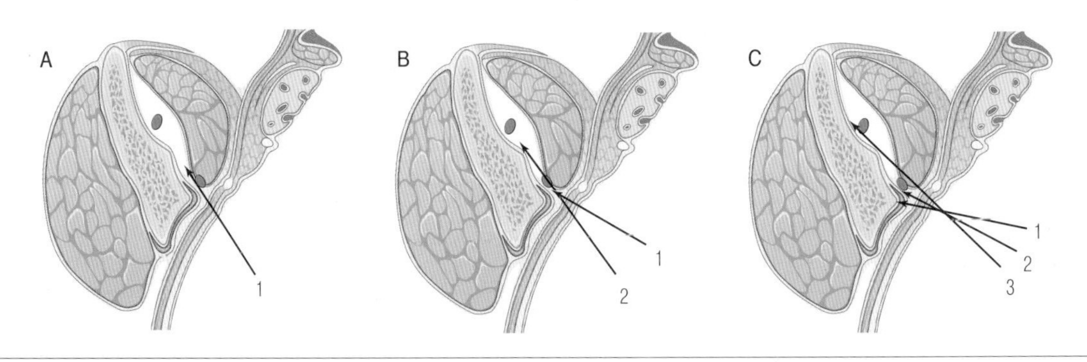

그림 10-16. 하치조신경의 마취법. A. 직달법 B. 이진법 C. 삼진법

표 10-18. Vazirani-Akinosi 폐구 하악전달마취(그림 10-17)

술자의 방향	우측 마취시 환자의 8시 방향 좌측 마취시 환자의 10시 방향
사용하는 바늘	27gauge 긴 바늘
마취제 주입부위	익돌하악간극
바늘 자입점	수직적으로 상악 제3대구치 부위 치은점막 경계 부위의 높이 수평적으로 상악결절에 가까운 하악지의 내측 경계 연조직
바늘 자입방향	후방을 향하게 하며, 바늘의 시린지쪽이 상악 치조돌기와 접할 정도로 약간 가측을 향하게 한다. 상악 교합면과 평행하게 하여 상방이나 하방을 향하지 않게 한다. 바늘의 사면은 내측방향을 향한다.
바늘 자입깊이	2.5cm
마취제 주입량	1cartridge
마취되는 부위	• 편측 하악 치아의 치수 및 치주조직, 소구치 전방의 협측 치은, 설신경이 분포된 혀의 전방 2/3, 구강저 설측 치은 • 하악 구치부의 치료시는 장협신경에 별도의 마취가 필요함
비고	주사바늘이 2.5cm보다 깊이 들어갈 경우 마취액이 이하선에 자입되어 일시적인 안면신경 마비가 나타날 수 있다.

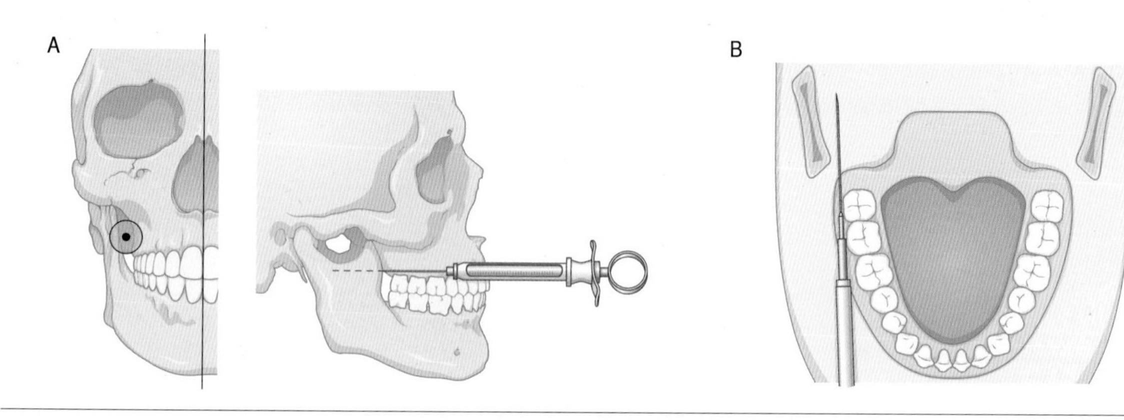

그림 10-17. Vazirani-Akinosi 법. **A.** 주사바늘의 자입높이 **B.** 횡단면에서 주사바늘의 자입방향

표 10-19. 설신경 전달마취법(그림 10-18)

술자의 방향	우측 마취시 환자의 8시 방향 좌측 마취시 환자의 10시 방향	
사용하는 바늘	하치조신경 전달마취와 동일	
마취제 주입부위	하치조신경 전달마취 후 1/2 정도 바늘을 후퇴	하악후구치 설측 점막
바늘 자입점	하치조신경 전달마취와 동일	수평적으로 상악결절에 가까운 하악지의 내측 경계 연조직
바늘 자입방향	하치조신경전달마취보다 내측을 향함	상악 교합면과 평행하게 (사면은 내측방향)
바늘 자입깊이	약 1cm	0.5~0.8cm
마취제 주입량	0.3~0.5ml를 주입	0.3~0.5ml
마취되는 부위	혀의 전방 2/3, 구강저 설측 치은	

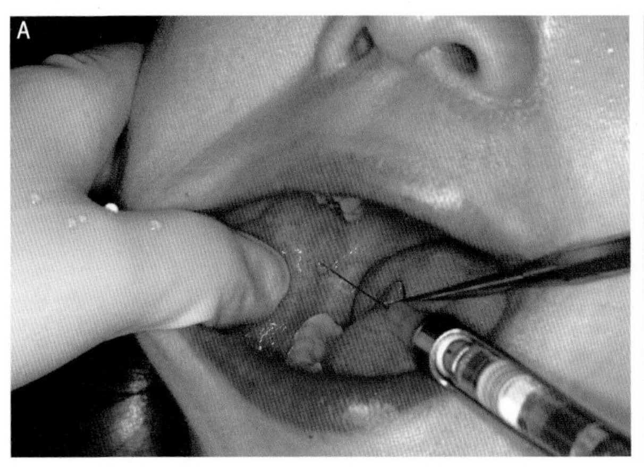

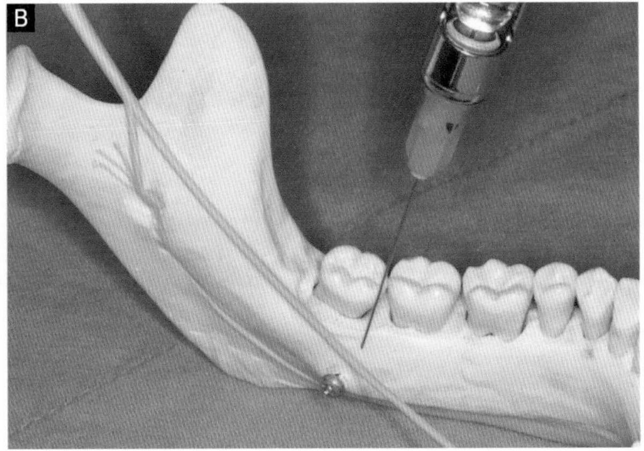

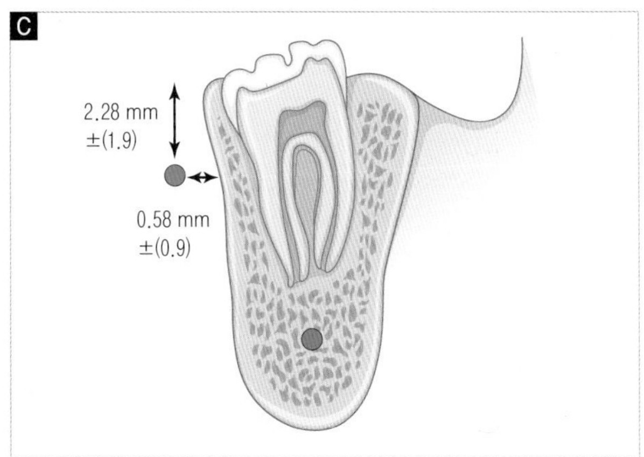

그림 10-18. 설신경전달마취. **A.** 하치조신경 전달마취 후 바늘을 후퇴해서 설신경 전달마취를 시행하는 모습 **B.** 하악후구치 설측 점막을 주행하는 설신경을 마취하기 위한 주사침의 자입방향 **C.** 하악후구치 설측 점막을 주행하는 설신경의 해부학적 위치(cross-sectional view)

4 실습

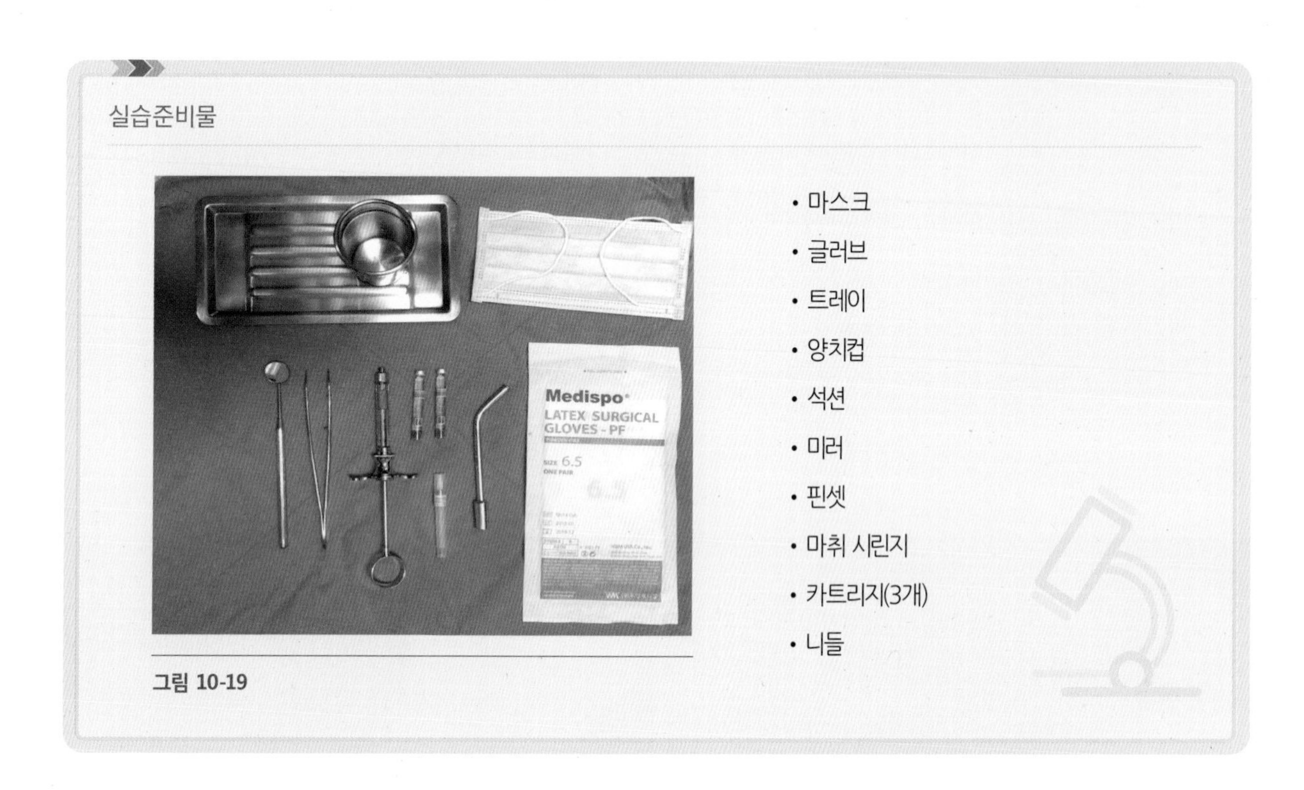

실습준비물

- 마스크
- 글러브
- 트레이
- 양치컵
- 석션
- 미러
- 핀셋
- 마취 시린지
- 카트리지(3개)
- 니들

그림 10-19

1) 술식: #14 단순 발치

필요한 마취: 우측 #14 협 · 구개측 치은의 골막주위 마취

① 마취에 영향을 줄 수 있는 환자의 과거력에 대해 문진한다.

② 환자가 긴장하고 있는지 확인하기 위해 손과 발, 그리고 안면근육의 긴장도를 살피고, 빈맥, 발한, 어지러움 등의 증상을 보이는지 확인한다(표 10-5).

③ 긴장의 증거가 있는 경우 불안조절을 위해 심호흡을 연습시키거나 환자가 좋아하는 음악을 제공한다. 혹은 tell-show-do 법을 사용할 수도 있다(표 10-6).

④ 마취기구들을 준비한다(카트리지 1개).

⑤ 마스크를 착용한다(그림 10-20).

⑥ 체어를 적절한 높이로 위치시킨다(그림 10-21).

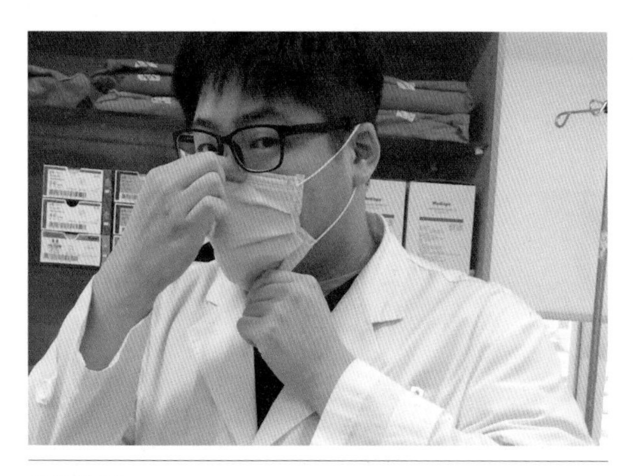

그림 10-20

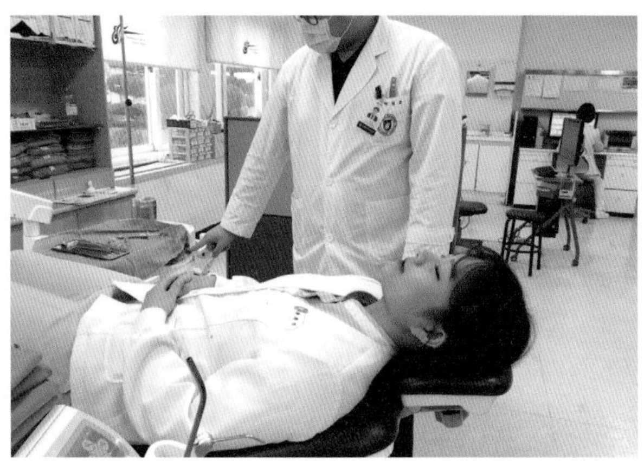

그림 10-21

⑦ 조명을 마취할 곳에 위치하도록 맞춘다(그림 10-22).

⑧ 글러브를 착용한다(그림 10-23).

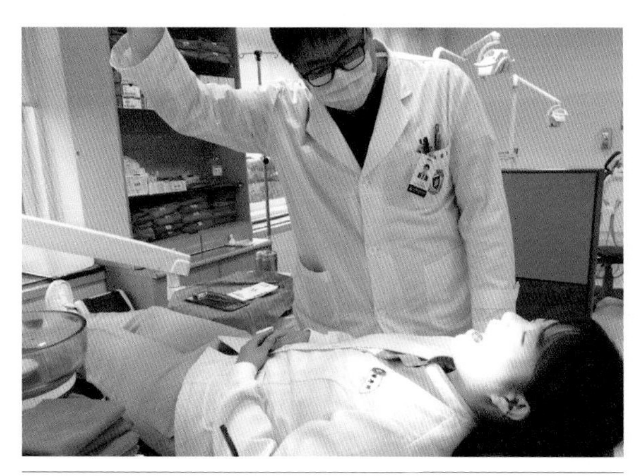

그림 10-22

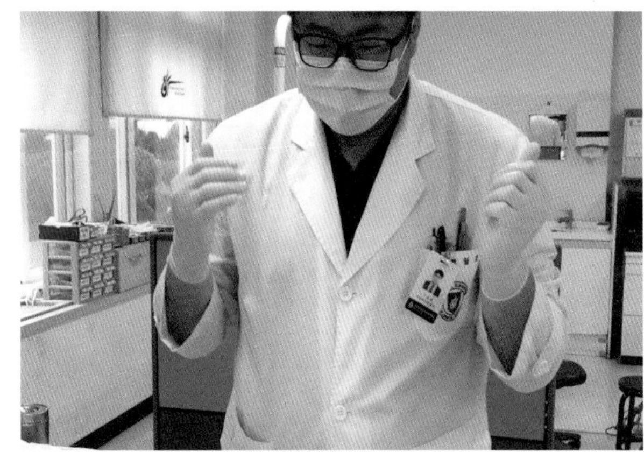

그림 10-23

⑨ 마취 시린지를 조립한다(그림 10-24).

⑩ 마취시린지의 thumb ring을 손바닥으로 두세번 때려서, harpoon(갈고리)이 rubber stopper에 걸리도록 한다(그림 10-25).

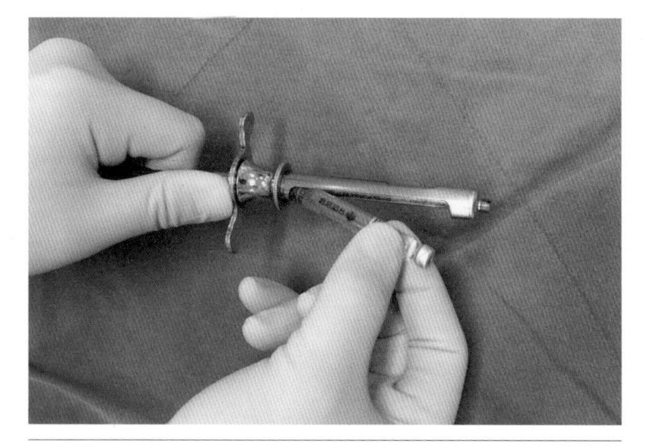

그림 10-24

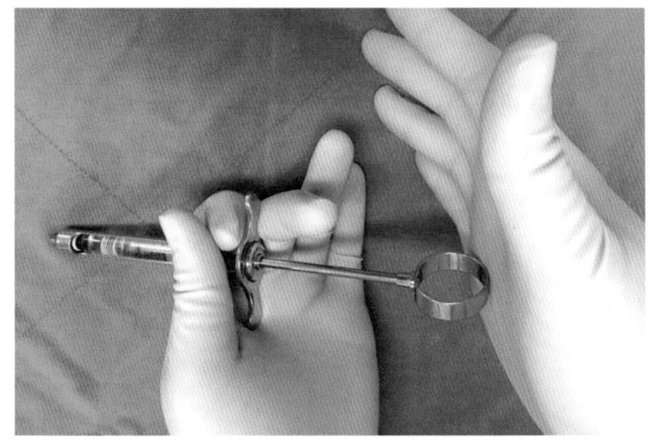

그림 10-25

⑪ 마취바늘의 짧은 쪽의 뚜껑을 빼서 rubber diaphragm의 중앙부에 돌려 꽂은 후 바늘 뚜껑을 분리한다(그림 10-26,27).

⑫ 마취액이 잘 나오는지 확인한다(그림 10-28).

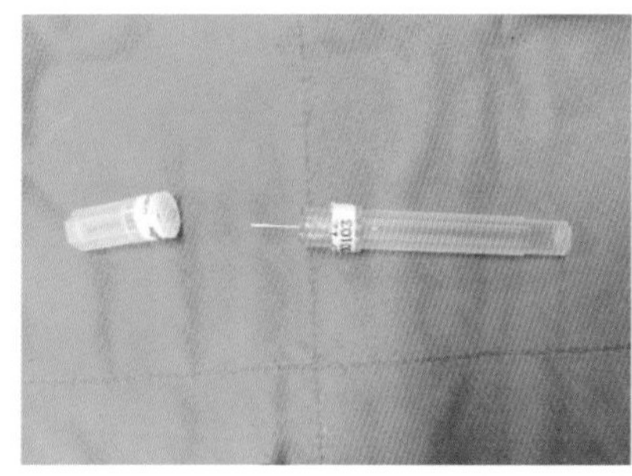
그림 10-26

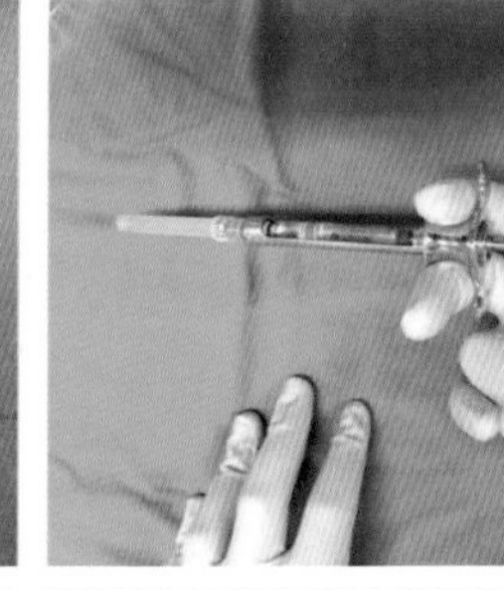
그림 10-27

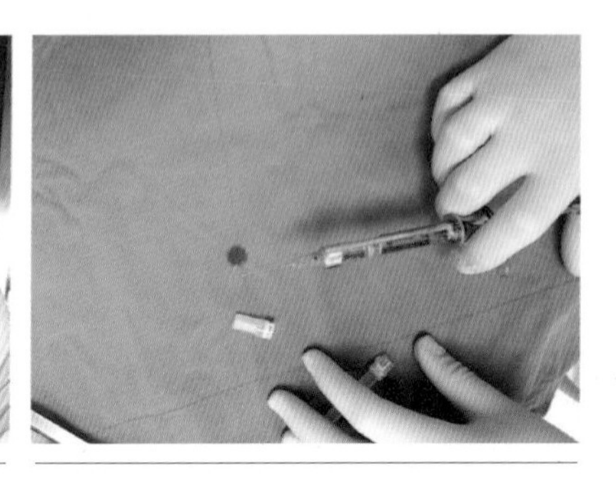
그림 10-28

❖ 협측치은 골막주위 마취

⑬ 환자를 기준으로 10시 방향에 선다(그림 10-29).

⑭ 미러와 마취 시린지를 들고 환자에게 입을 벌리게 한다(그림 10-29).

⑮ 미러로 환자의 우측 뺨을 견인하여 주사침의 자입 부위를 팽팽하게 한다(그림 10-30).

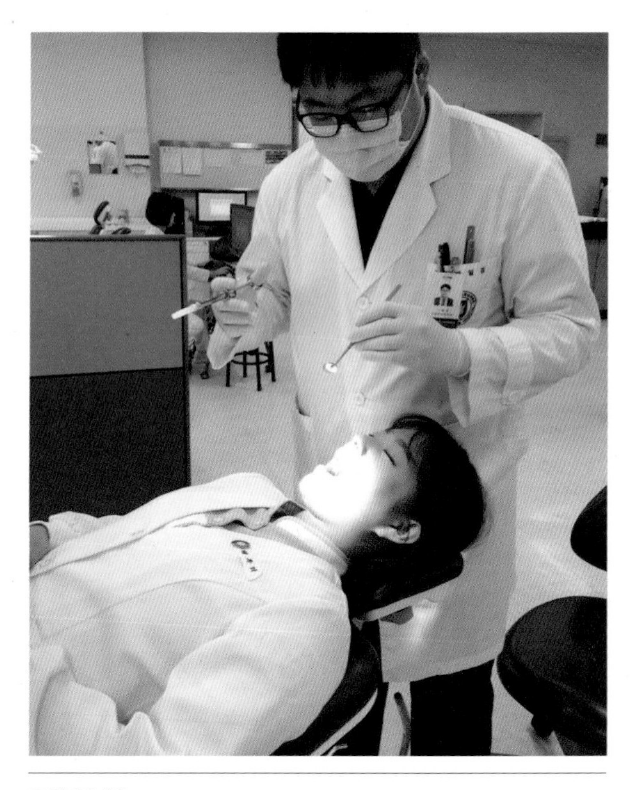
그림 10-29

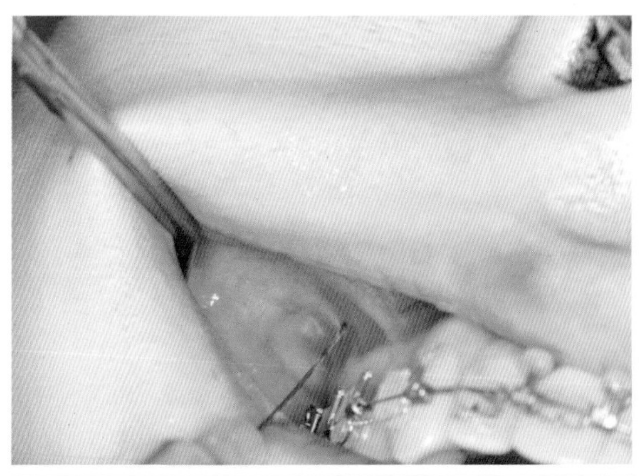
그림 10-30

⑯ 자입 전 자입부위의 점막에 타액이나 이물질이 있는지 확인한다.

⑰ 주사침의 사면이 골면과 마주보게 자입한다(그림 10-31).

⑱ 주사침의 첨단이 치아의 치근첨의 길이와 비슷한 높이에 위치하게 자입방향을 유지한다(표 10-20).

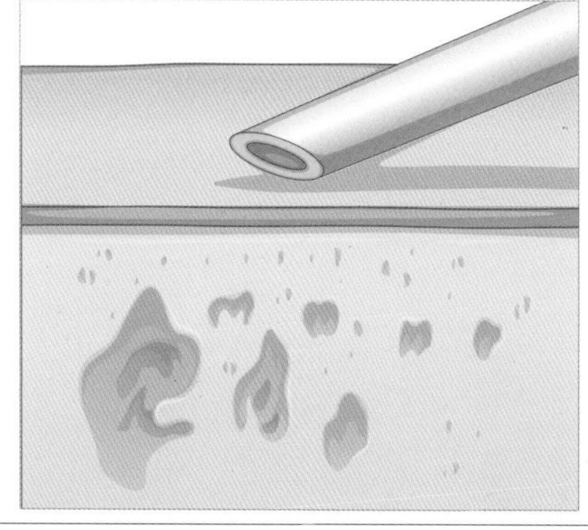

그림 10-31

표 10-20. 상악 치아의 전장 및 치근의 길이

치아	전장(mm)	치근의 길이(mm)
중절치	24.0	12.4
측절치	22.5	13.5
견치	27.0	17.0
제1소구치	22.5	13.8
제2소구치	21.5	13.0
제1대구치	20.5	12.8
제2대구치	19.5	12.0

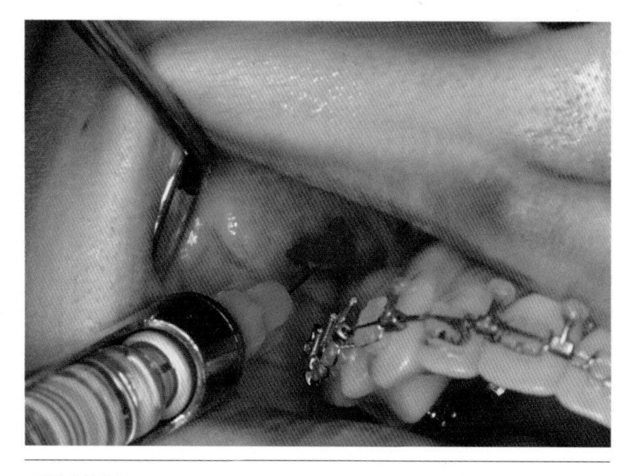

그림 10-32

⑲ 주사침이 골막에 닿기 직전에 마취용액을 주입하며, 주사침이 골막에 닿은 경우에는 주사침을 아주 약간만 뺀 후 마취용액을 약 1/2 카트리지 주입한다(그림 10-32).

⑳ 마취액의 주입속도는 1분에 1앰플의 속도로 한다.

❖ 구개측 치은 골막주위 마취

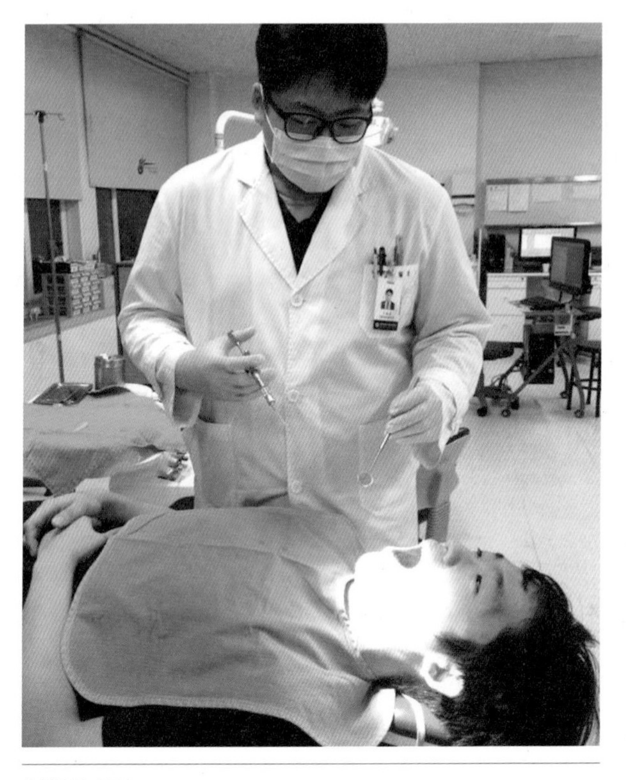

㉑ 환자를 기준으로 8시 방향으로 이동한다(그림 10-33).

㉒ 환자에게 입을 크게 벌리게 한다(그림 10-34).

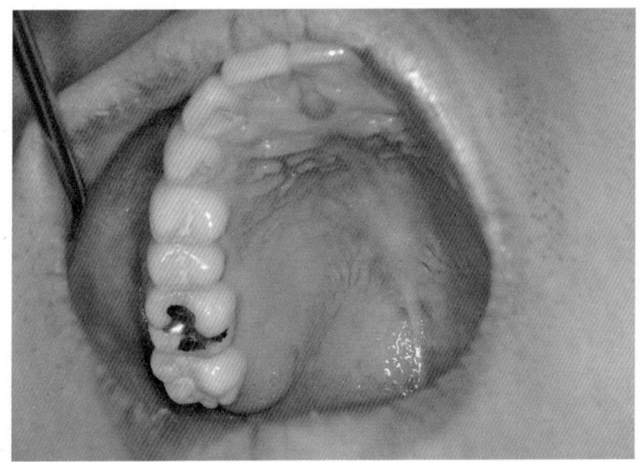

그림 10-33

그림 10-34

㉓ 주사바늘이 후방으로 향하는 것으로 고려하여 자입점은 #14보다 전방으로 가게 한다(그림 10-35).

㉔ 자입 전 자입부위의 점막에 타액이나 이물질이 있는지 확인한다.

㉕ 주사침의 사면이 골면과 마주보게 자입한다(그림 10-31).

㉖ 주사침의 첨단이 치아의 치근단의 높이와 비슷하게 위치하게 자입방향을 유지한다(표 10-20).

㉗ 주사침이 골막에 닿기 직전에 마취용액을 주입하며, 주사침이 골막에 닿은 경우 주사침을 아주 약간만 후퇴하여 마취용액을 주입한다.

㉘ 점막이 blanching되는 것을 확인하며, 1/4 카트리지 이하의 마취용액을 주입한다(그림 10-36).

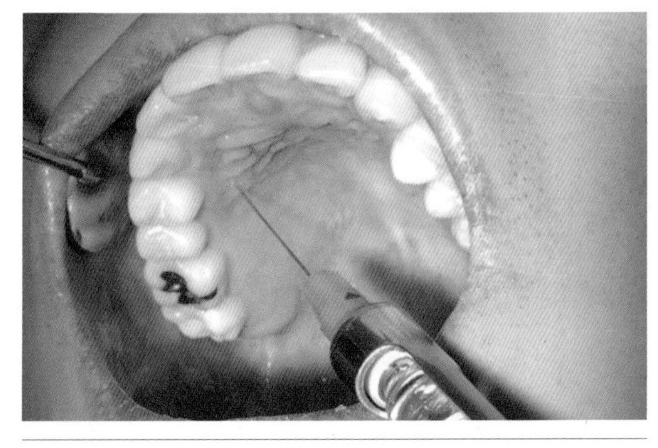

그림 10-35

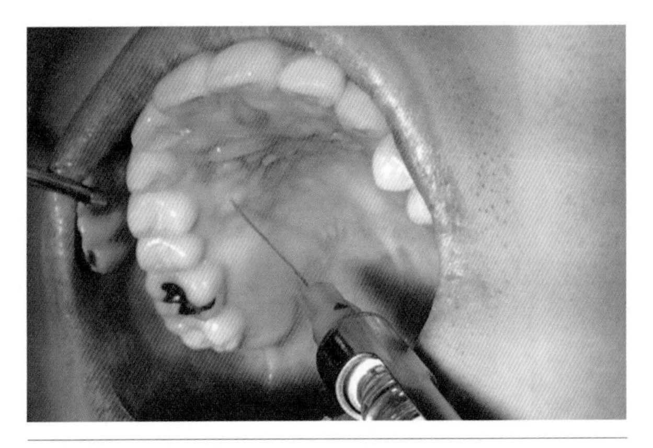

그림 10-36

㉙ 주사기를 천천히 빼내고 약 3~5분 경과 후 환자에게 감각 상실 여부를 확인하고 나서 치료를 시행한다.

2) 술식: #48의 외과적 발치

필요한 마취: 우측 하치조신경, 설신경, 협신경 전달마취 및 골막하마취

① 마취에 영향을 줄 수 있는 환자의 과거력에 대해 문진한다.

② 환자가 긴장하고 있는지 확인하기 위해 손과 발, 그리고 안면근육의 긴장도를 살피고, 빈맥, 발한, 어지러움 등의 증상을 보이는지 확인한다(표 10-5).

③ 긴장의 증거가 있는 경우 불안조절을 위해 심호흡을 연습시키거나 환자가 좋아하는 음악을 제공한다. 혹은 tell-show-do 법을 사용할 수도 있다(표 10-6).

④ 마취기구들을 준비한다(카트리지 2개).

⑤ 마스크를 착용한다(그림 10-20).

⑥ 체어를 적절한 높이로 위치시킨다(그림 10-21).

⑦ 조명을 마취할 곳에 위치하도록 맞춘다(그림 10-22).

⑧ 글러브를 착용한다(그림 10-23).

⑨ 마취 시린지를 조립한다(그림 10-24).

⑩ 마취시린지의 thumb ring을 손바닥으로 두세번 때려서, harpoon(갈고리)이 rubber stopper에 걸리도록 한다(그림 10-25).

⑪ 마취바늘의 짧은 쪽의 뚜껑을 빼서, rubber diaphragm의 중앙부에 돌려 꽂은 후, 바늘 뚜껑을 분리한다(그림 10-26, 27).

⑫ 마취액이 잘 나오는지 확인한다(그림 10-28).

❖ 하치조신경 전달마취

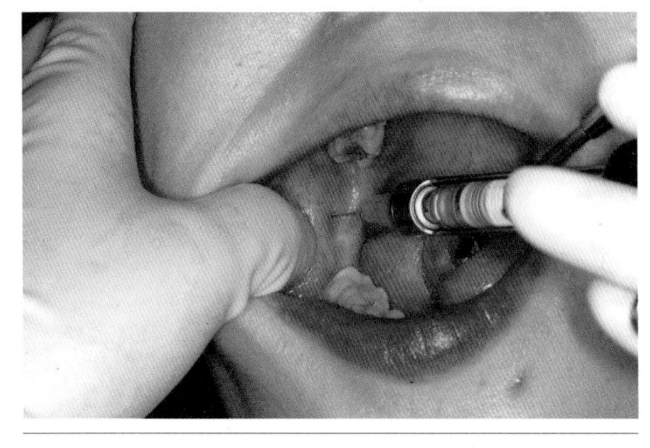
그림 10-37

⑬ 환자의 8시 방향에 위치한다(그림 10-33).

⑭ 마취 시린지를 들고 환자에게 입을 크게 벌리게 한다(그림 10-34).

⑮ 보조손의 엄지손가락을 구강 내로 넣어 뺨을 젖히면서 교합면에 평행하게 관상절흔의 가장 함몰된 부위에 댄다. 나머지 손가락은 하악골 상행지의 후연을 잡는다(그림 10-37).

⑯ 자입 전 자입부위의 점막에 타액이나 이물질이 있으면 제거한다.

⑰ 주사침의 자입점은 관상돌기 절흔의 후방에서 익돌하악봉선부위 점막능선 가장 깊은 곳까지 전후방거리의 3/4 지점과 수직적으로 엄지손가락의 손톱을 2등분하는 높이 또는 하악교합면 1cm 상방선이 만나는 점으로 잡는다(그림 10-37).

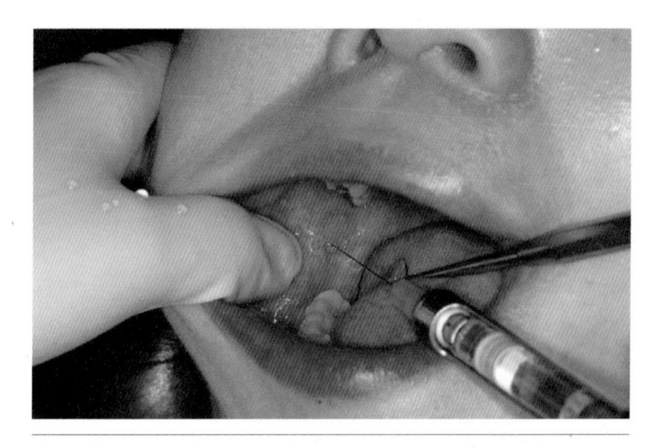

그림 10-38

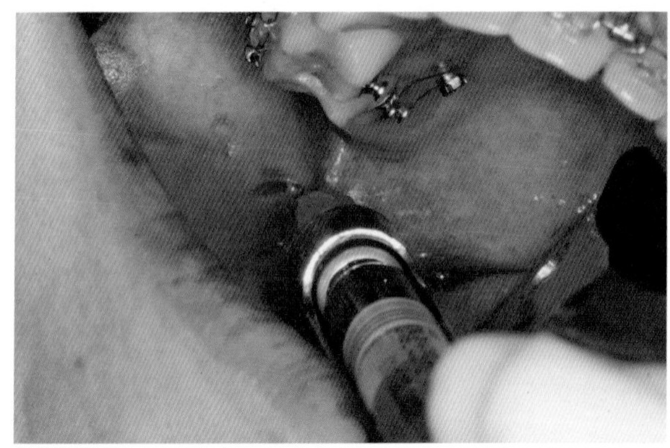

그림 10-39

⑱ 자입방향은 하악 교합면에 평행하게 하며, 반대측 구각부에 마취시린지가 살짝 닿을 정도로 한다(그림 10-38).

⑲ 마취 시린지의 윈도우가 술자를 향하게 하여, 혈액이 흡인될 경우 쉽게 확인할 수 있게 한다(그림 10-39).

⑳ 마취바늘이 2~2.5cm 깊이에서 하악골 내면에 접촉하는 것이 느껴지면 흡인 후 마취용액을 주입한다(3/4 카트리지 정도).

㉑ 2~2.5cm 깊이에서 하악골 내면에 접촉되지 않으면, 주사바늘을 반정도 빼낸 후, 바늘의 첨단이 전방을 향하도록 재설정한 후 2.5cm 깊이로 자입한다.

㉒ 2cm 미만의 깊이에서 하악골 내면에 접촉하면, 주사바늘의 첨단이 후방을 향하도록 하여 방향을 재설정한 후 2.5cm 깊이까지 자입한다.

㉓ 혈액이 흡인되는지 확인한다. 만약 혈액이 흡인되면 주사침을 약간만 깊이 혹은 얕게 위치하도록 하여 혈액이 흡인되지 않게 한다.

㉔ 마취액의 주입 속도는 1분에 1앰플로 한다.

❖ 설신경 전달마취

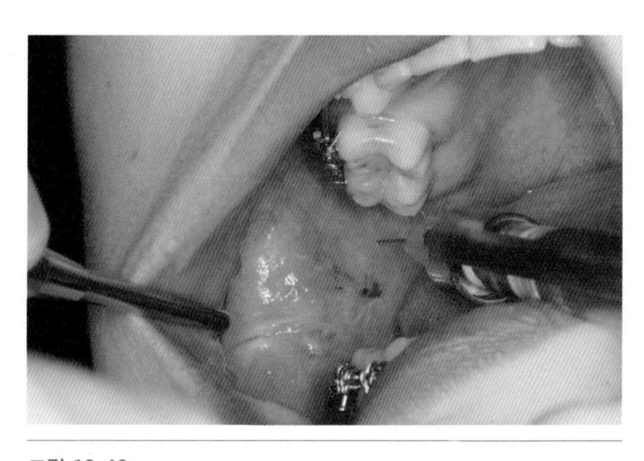

그림 10-40

㉕ 주사바늘을 서서히 빼다가 약 1cm 깊이에서 남은 1/4 카트리지의 마취액을 흡인 후 주입한다(그림 10-40).

㉖ 카트리지를 교환한다.

❖ 협신경 전달마취

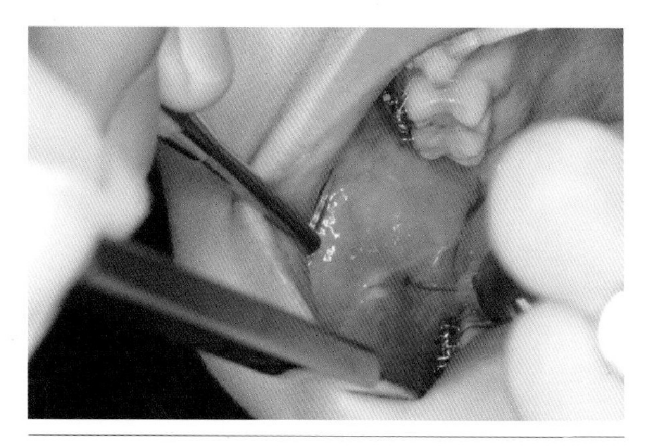
그림 10-41

㉗ 환자의 8시 방향에서 입을 벌리게 하고, 우측 구각부를 견인한다.
㉘ 자입 전 자입부위의 점막에 타액이나 이물질이 있으면 제거한다.
㉙ 하치조신경 전달마취시 자입점보다 하방, 가측에 자입점을 잡고, 자입방향은 동일하게 한다(그림 10-41).
㉚ 점막에 주사바늘을 자입하고 약 2mm 깊이에서 골과의 접촉여부와 관계없이 흡인 후 마취액을 주입한다(1/2 카트리지 미만).
㉛ 마취바늘을 천천히 뺀다.

❖ 골막주위/골막하 마취

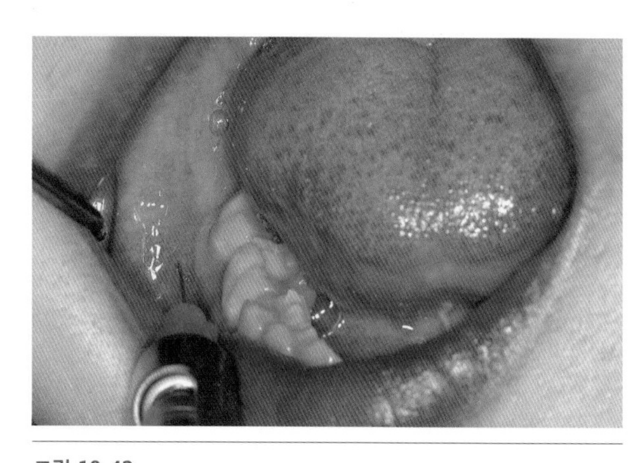
그림 10-42

㉜ 발치할 치아의 협점막에 마취 바늘을 자입한다(그림 10-42).
㉝ 주사침이 골막에 닿기 직전에 마취용액을 주입하며, 주사침이 골막에 닿은 경우 주사침을 아주 약간만 후진하여 마취용액을 주입한다(1/2 카트리지).
㉞ 마취액의 주입속도는 1분에 1앰플의 속도로 한다.
㉟ 주사기를 천천히 빼내고 약 3~5분 경과 후 환자에게 감각 상실 여부를 확인하고 나서 치료를 시행한다.

참고문헌

1. 치과마취과학. 대한치과마취과학회. 군자출판사. 서울, 2015
2. 치과국소마취과학 6판. Malamed SF. 대한치과마취과학회 역. 대한나래출판사. 서울, 2014
3. 병원감염예방관리지침. 보건복지부, 2005

실습평가표

실습제목	#14 발치 전 국소마취		
학생 번호		성명	
지도의 성명		서명(인)	

구분	평가항목	점수
국소마취 준비	마취와 관련된 과거력을 문진하는가?	
	마취 주사기에 바늘 및 마취 앰플을 바르게 장착하는가?	
	주사 전 마취액이 나오는지 확인하는가?	
	술자의 위치와 자세는 적절한가?	
국소마취 적용	협측과 구개측에 침윤마취를 하는가?	
	기구조작이 능숙하며, 보조손으로 적절히 견인하는가?	
	자입점, 자입방향 및 자입깊이는 정확한가?	
	마취제 주입 속도와 양이 적절한가?	
국소마취후의 평가	마취의 심도는 충분한가?	
	마취와 관련된 합병증을 바르게 설명하는가?	

실습평가표

실습제목	#48 발치 전 국소마취		
학생 번호		성명	
지도의 성명		서명(인)	

구분	평가항목	점수
국소마취 준비	마취와 관련된 과거력을 문진하는가?	
	마취 주사기에 바늘 및 마취 앰플을 바르게 장착하는가?	
	흡인을 하기 위해 훅을 러버에 잘 장착하는가?	
	주사 전 마취액이 나오는지 확인하는가?	
	술자의 위치와 자세는 적절한가?	
국소마취 적용	하치조신경, 협신경, 설신경 전달마취와 골막주위/골막하 마취를 시행하는가?	
	기구조작이 능숙하며, 보조손으로 적절히 견인하는가?	
하치조신경 전달마취	자입점, 자입방향 및 자입깊이는 정확한가?	
	마취제 주입 전 흡인을 시행하는가?	
	마취제 주입 속도와 양이 적절한가?	
협신경 전달마취	자입점, 자입방향 및 자입깊이는 정확한가?	
	마취제 주입 전 흡인을 시행하는가?	
	마취제 주입 속도와 양이 적절한가?	
설신경 전달마취	자입점, 자입방향 및 자입깊이는 정확한가?	
	마취제 주입 전 흡인을 시행하는가?	
	마취제 주입 속도와 양이 적절한가?	
국소마취후의 평가	마취의 심도는 충분한가?	
	마취와 관련된 합병증을 바르게 설명하는가?	

Chapter 11
치과 임플란트 수술

학·습·목·표

1. 임플란트 식립 전 환자상태의 진단, 식립위치 결정 원리를 이해한다.
2. 임플란트 수술시 사용되는 도구 및 장비를 이해한다.
3. 임플란트 수술시 골삭제(Drilling) 및 매식체 식립의 과정 및 원리를 이해한다.

1 임플란트 식립 전 환자진단

치과 임플란트(dental implant) 식립 전 환자의 전신적 및 국소적 상태를 올바르게 진단할 수 있는 능력을 갖추어야 한다.

1) 환자의 전신적 상태 진단

시술 전 환자와의 면담을 통해 환자가 가지고 있는 기저 전신질환이 무엇인지를 파악해야 한다. 시술 전 환자의 전신적 상태가 불안정하여 임플란트 수술을 받기 어렵고, 환자의 전신적 치료가 우선 필요하다고 판단되면 담당의사와의 협진을 통해 환자 상태를 안정화 시킨 이후, 임플란트 수술을 진행해야 한다.

환자의 대표적인 전신적 위험요소는 다음과 같다.

① 골다공증(Bisphosphonate 복용여부)
② 당뇨
③ 흡연
④ 만성 치주염 이환여부
⑤ 방사선 치료
⑥ 고령
⑦ 알코올 중독
⑧ 구강 위생 불량(환자의 협조도)
⑨ 기타 구강 및 전신질환

2) 환자의 국소적 상태 진단

임플란트 식립 전 환자상태 파악을 통해 임플란트 시술과정에서 발생할 수 있는 환자의 국소적(해부학적) 위험요소를 파악해야 하며, 방사선 영상을 통해 환자 상태를 진단할 수 있다.

(1) 인접 자연치

인접 자연치의 해부학적 변이나 배열을 고려해야 한다. 인접 자연치 치근이 임플란트 식립부 방향으로 만곡되어 있는지 확인하여 치근 손상을 피할 수 있도록 tapered 임플란트를 식립하거나 길이가 너무 긴 임플란트 식립을 피한다.

(2) 비구개관(nasopalatine canal)

임플란트 식립부를 침범할 정도로 비구개관이 가까이 위치하면 임플란트의 골 유착이 방해를 받을 수 있기 때문에 비구개관을 비해서 임플란트를 식립하는 것이 바람직하다. 비구개관을 침범했다고 하더라도 이로 인한 전방 구개부의 영구적인 감각 손상은 거의 발생하지 않는다.

(3) 이하동맥/설하동맥

임플란트 식립 중 하악 설측 피질골(전방부)이 천공되면 이하동맥(submental artery), 설하동맥(sublingual artery)의 가지들이 손상될 수 있다. 이러한 동맥파열시 문제점은 출혈에 의한 이차적인 기도폐쇄이다. 구강저의 상부 점막은 약한 부위로 동맥 파열에 따른 혈종발생시 구강저 점막은 전상방으로 팽창되면서 거상되고 혀 기저부는 후방으로 밀려나게 되면서 기도를 폐쇄하게 된다. 이러한 기도폐쇄는 환자를 사망에 이르게 할 수도 있기 때문에 의학적 응급 상황이다.

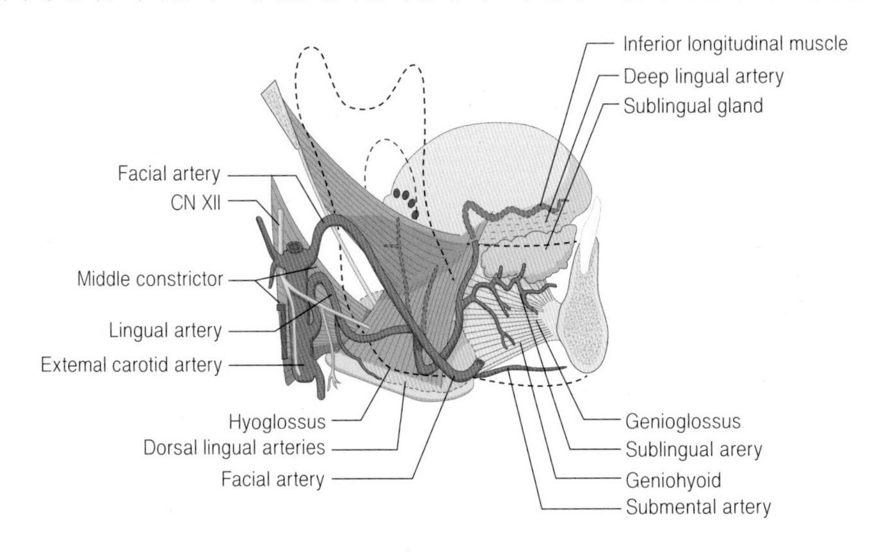

(4) 하치조신경

하악 구치부에 임플란트를 식립시 임플란트 길이의 선택 기준 중 가장 중요한 것은 하악관 상부와 임플란트 매식체 치근단부의 거리가 최소한 2mm 정도는 되어야 한다는 것이다.

하치조 신경 손상시 수술의 적응증은 다음과 같다.

① 신경절단을 직접 관찰한 경우

② 3개월 이상의 완전한 감각소실

③ 4개월 이상의 이상감각(dysesthesia)

④ 4개월 이상 회복되지 않는 현저한 감각저하(hypoesthesia)

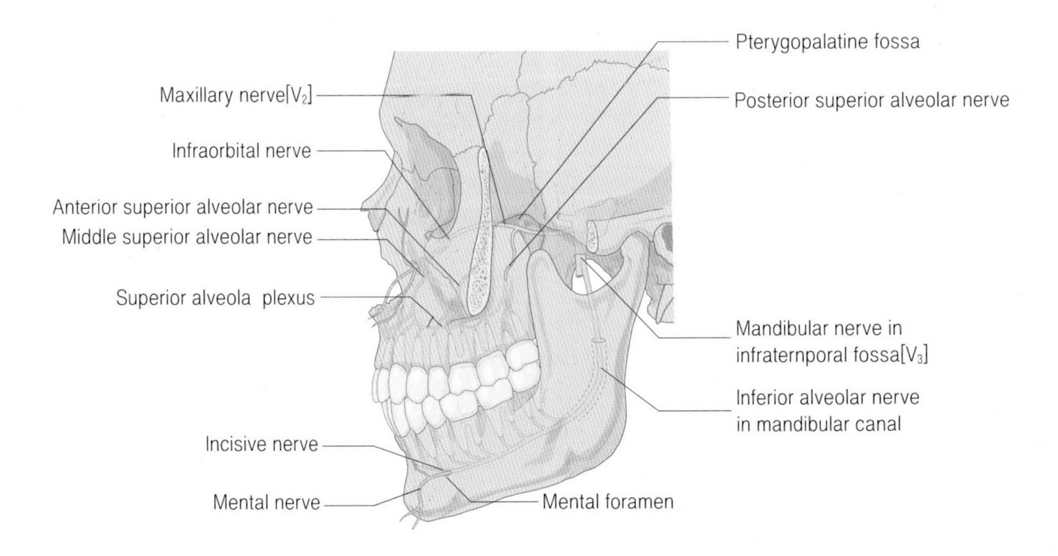

(5) 방사선 검사

방사선 검사를 통하여 치조골의 양과 질, 상악동, 하악관 등의 인접 해부학적 구조물과의 위치 관계를 평가하여 적합한 임플란트 식립 계획을 세울 수 있다. 임플란트 식립에 이용되는 방사선 검사에는 다음과 같으며 환자의 상태 및 상황에 맞는 진단 영상을 선택한다.

① 치근단 방사선 사진 : 국소적으로 수술 부위를 촬영한 영상으로 높은 해상도 및 잔존 골의골밀도 및 골소주 구조, 잔존치의 상태를 알 수 있다. 해상도가 높으나 실제 거리를 나타낼 수 없다.

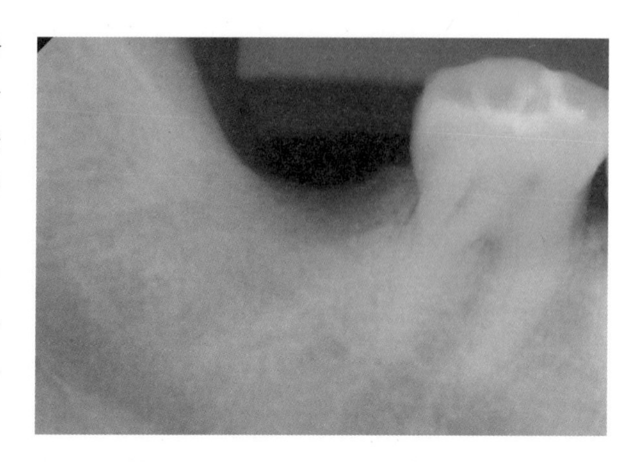

② 파노라마 방사선 사진 : 전반적인 악골 상태를 한눈에 파악할 수 있어 다수의 임플란트 식립시 치료계획 수립에 용이하다. 또한 상악동, 하악관 등의 해부학적 구조물과의 위치관계를 파악하는데 유용하나 수직, 수평변형률을 고려하여야 한다.

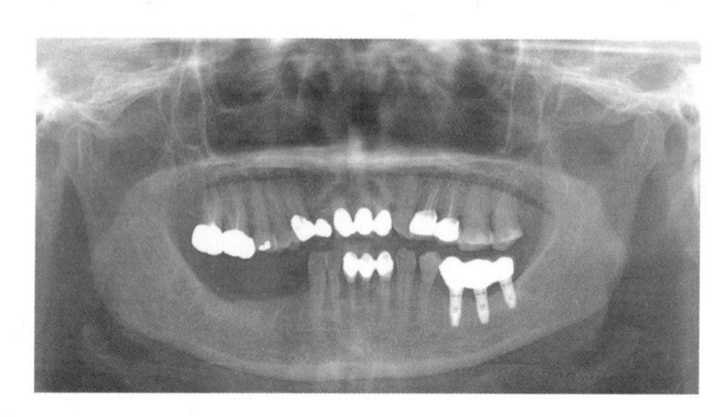

③ 전산화단층 방사선 사진 : 절단면 상을 통하여 원하는 부위의 정확하고 선명한 상을 얻을 수 있다. 확대율 보정 없이 치조골의 폭과 높이, 상악동, 하악관 등의 해부학적 구조물과의 거리를 정확히 측정할 수 있다. 그러나 방사선 노출량이 많고 금속 수복물이 있을 경우 상의 간섭(artifact)로 인하여 정확한 진단이 어렵다.

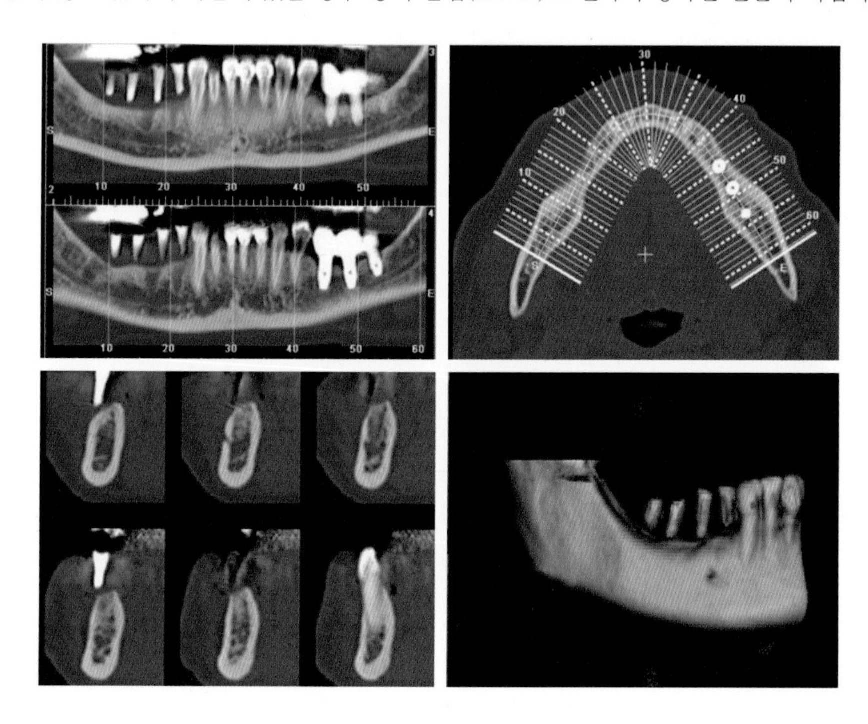

2 임플란트 식립위치 결정

치과 임플란트의 올바른 식립을 성공적으로 수행할 수 있도록 아래와 같은 진단능력을 갖추어야 한다.

- 임플란트가 식립될 상, 하악골과 관련 안면골의 해부학적인 구조를 충분히 이해한다.
- 성공적인 임플란트를 위해 보편적이고 개개인에게 적합한 치료계획을 수립할 수 있다.
- 식립해야 하는 임플란트의 종류, 갯수와 직경과 길이를 올바르게 결정할 수 있다.

1) 임플란트 식립부 근원심 거리에 따른 임플란트 직경의 결정

임플란트 주변에 형성되는 접시모양 골 흡수는 임플란트 매식체에 관계 없이 발생하는 것으로 보이며, 그 최대값은 대략 1.5mm 정도이다. 이를 감안 시 다음과 같이 직경을 결정해야 한다.

임플란트 직경+근심측 골 흡수량+원심측 골 흡수량
= 임플란트 직경 + 1.5 mm + 1.5mm
= 임플란트 직경 + 3 mm
〈 무치악 공간의 너비

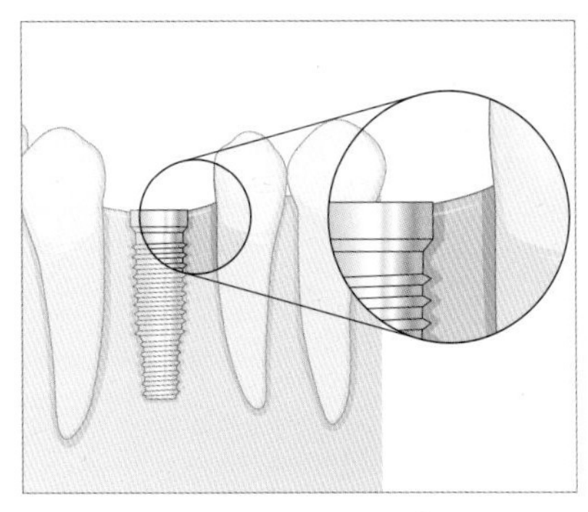

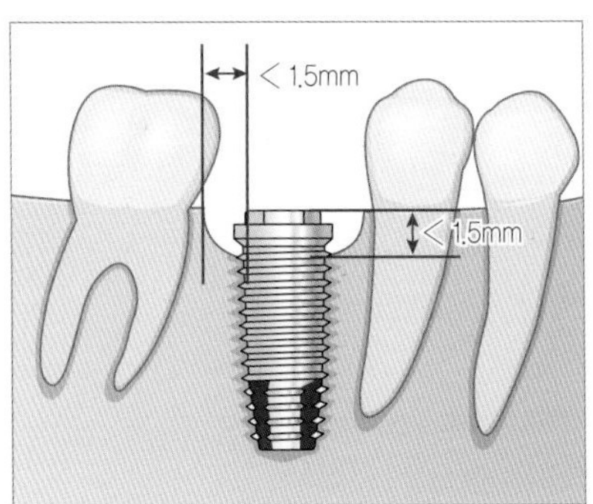

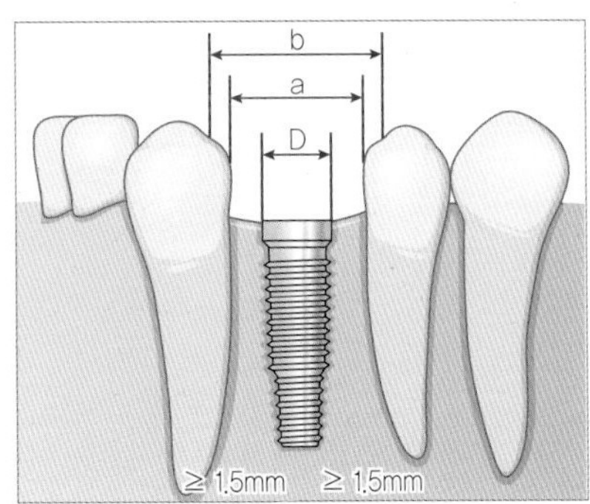

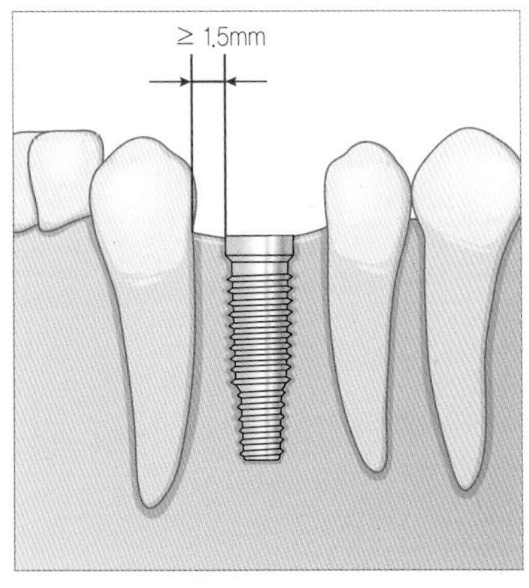

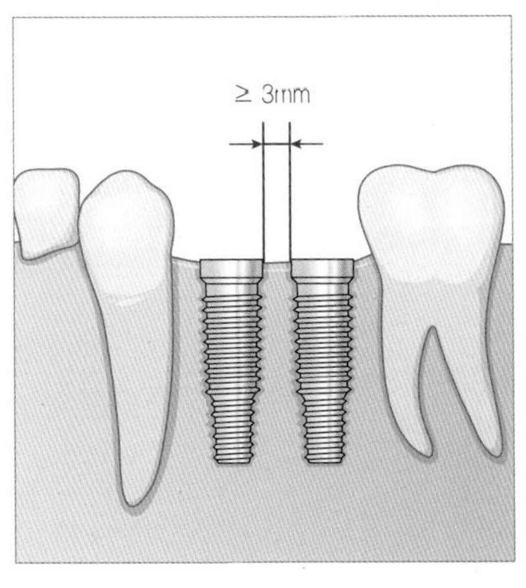

2) 무치악부의 수직적 범위

① 치조골정에서 대합치까지 거리가 8~12mm : Misch에 의하면 치조골정에서 대합치까지 거리가 8~12mm 일때가 가장 이상적

② 치조골정에서 대합치까지 거리가 6~7mm : 수직적 공간이 7mm 이하일 경우에는 가급적 점막 관통형 임플란트는 사용하지 않는 것이 좋다. 또한 보철 수복시 UCLA 지대치나 screw 유지형 지대치를 이용한다.

③ 치조골정에서 대합치까지 거리가 5mm 이하: 치조정 골을 삭제하여 수직적 공간을 확보해 주어야 한다. 만약 대합치 정출이 심한 경우 대합치를 삭제하거나 교정적으로 합입시켜야 한다.

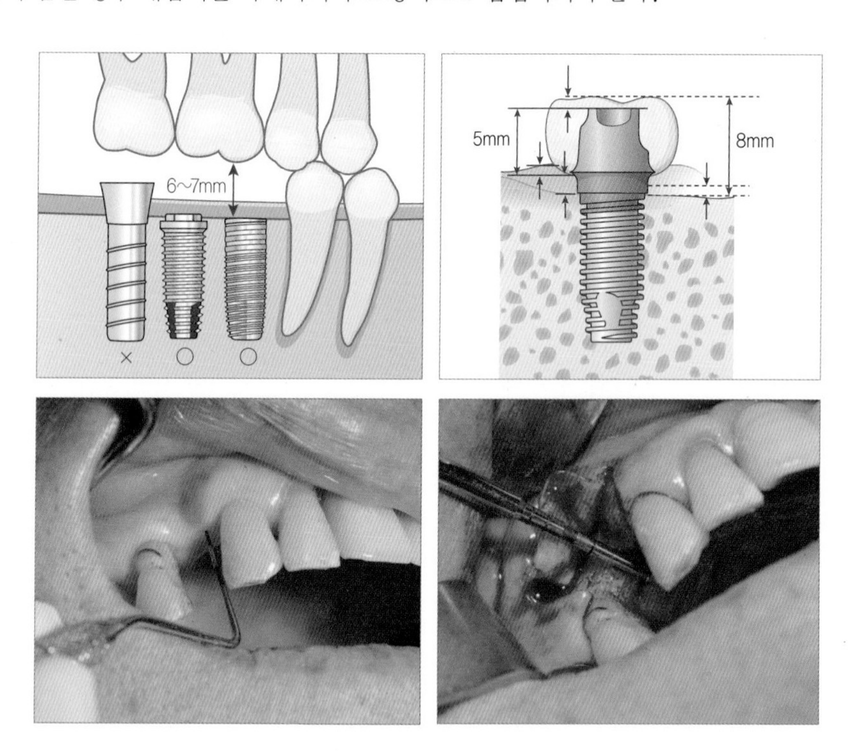

3) 잔존골 폭과 임플란트 직경 선택

임플란트 매식체의 치관측 변연에서 치조골은 최소 1mm 두께가 확보되어야 한다. 1.5mm 두께는 적당하며 2mm 이상의 두께가 이상적이다.

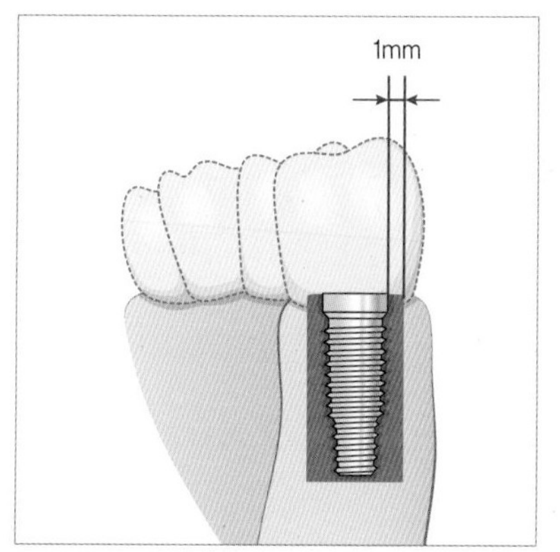

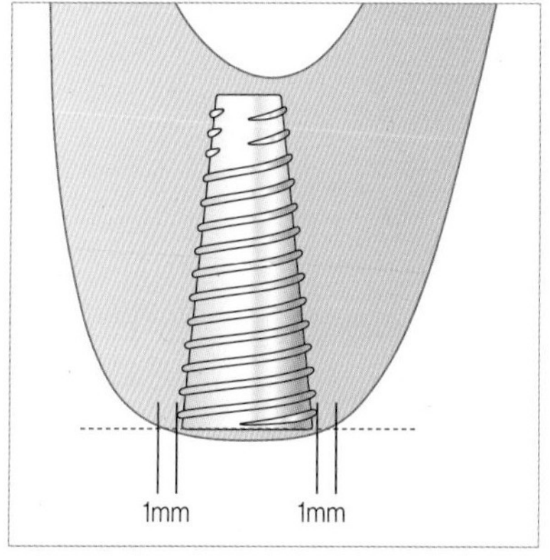

3 임플란트 식립과정

치과 임플란트(dental implant)의 올바른 매식을 위해 가장 보편적이고 타당한 임플란트 식립법을 알아야 한다.

- 이상적인 임플란트 식립위치와 각도를 설정할 수 있다.
- 임플란트 수술에 필요한 기구와 사용법을 알아야 한다.
- 올바른 절개선과 피판 형성 방법을 알아야 한다.

1) 구치부에서 임플란트 식립위치 결정

① 치아 상실부에 치아가 있다고 가정 시 임플란트 매식체의 연장선상이 치아의 정중앙을 관통한다.

② 임플란트의 협설 및 근원심 축은 자연 치아의 치축과 일치한다.

③ 여러개의 임플란트를 식립하는 경우에는 보철과정의 용이성과 교합압의 분산을 위해 가능한 평행하게 식립한다.

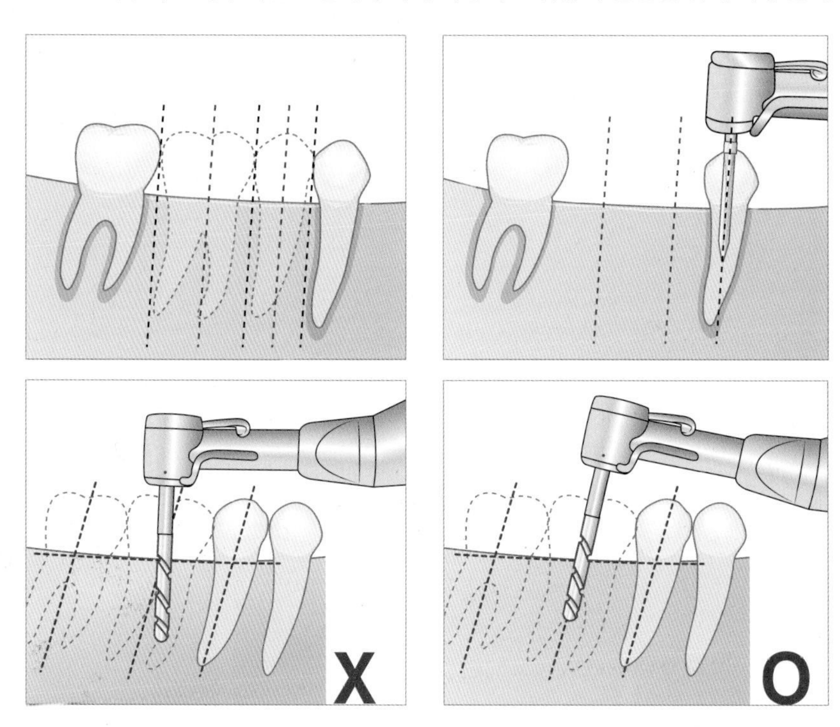

2) 대합치와 관련된 임플란트 식립위치

① 근원심측 관점: I 급 정상교합 상태일 때 상하악 치아간 interdigitation을 이룰 수 있도록 한다. 즉 매식체의 연장선은 대략적으로 대합치의 치간부를 향하도록 한다. 이는 상하악간의 전후방적 관계에 따라 달라질 수 있다.

② 협설측 관점: 정상 교합인 경우, 상악 구치부에 임플란트를 식립했을 때에는 임플란트 매식체가 하악 대합치의 기능교두(협측 교두)를 향하도록 하고 하악 구치부에 임플란트를 식립했을 때에는 상악 대합치의 기능 교두(설측 교두)를 향하도록 한다.

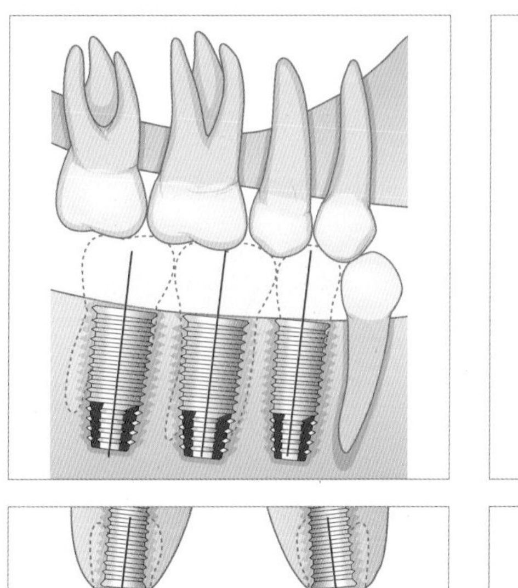
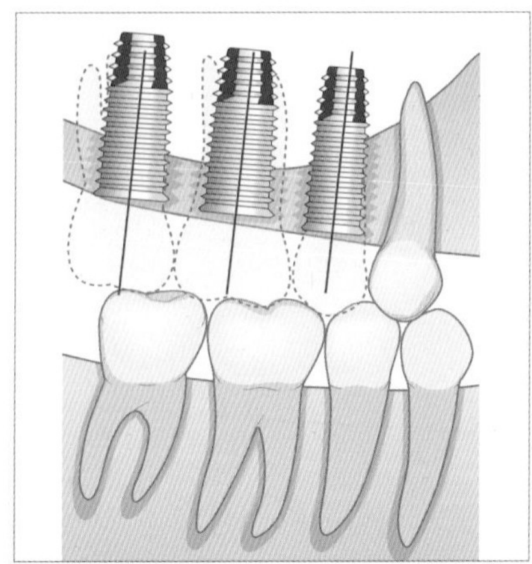
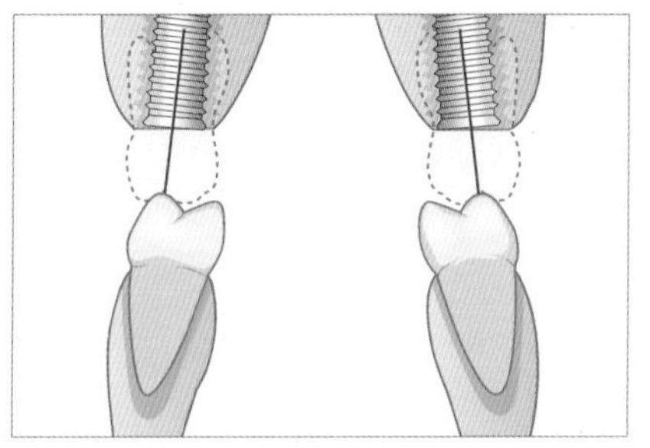
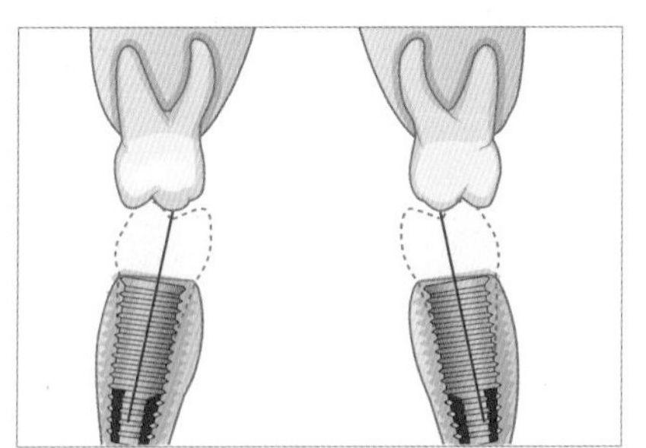

3) 절개와 피판형성

① 수평절개(설측절개, 치조정 절개, 전정절개)

② 수직절개

③ 판막거상

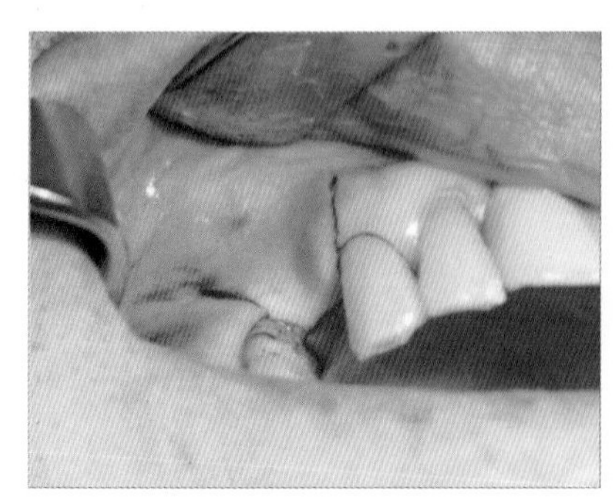
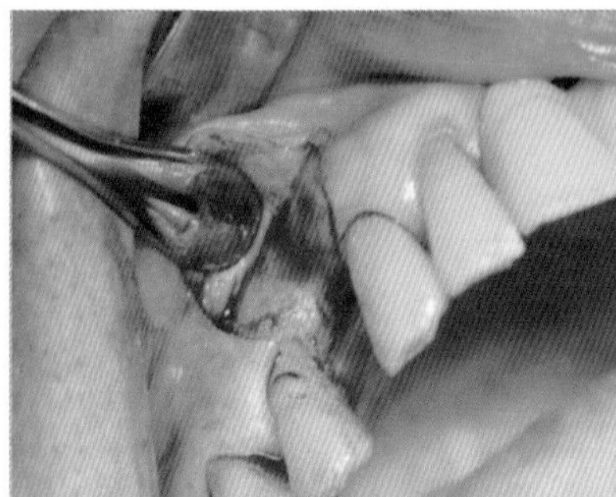
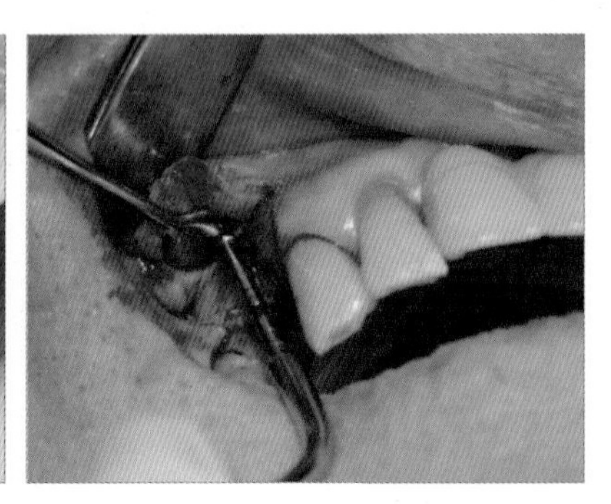

4) 일반적인 골 삭제의 과정 실습(임플란트 1단계 수술)

통법의 임플란트 1단계 수술에 쓰이는 수술 도구

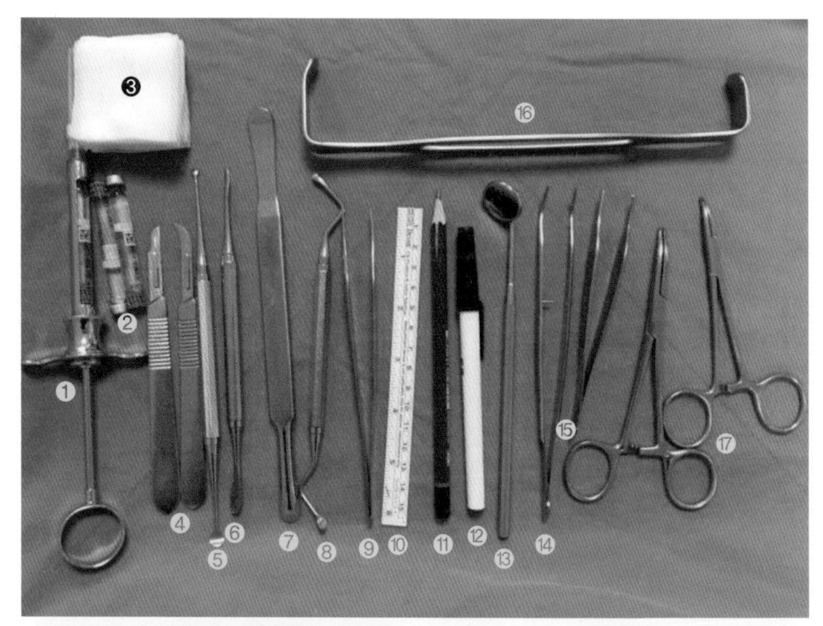

수술에 필요한 도구

1. 마취 시린지(syringe)
2. 리도카인 카트리지
3. 거즈
4. 칼날(blade, scalpel), Blade holder
5. 몰트 큐렛(molt curette)
6. 골막 기자, 페리오스티얼 엘리베이터, no.9(periosteal elevator)
7. 셀딘 견인기(seldin retractor)
8. 수술용 큐렛(surgical curette)
9. 14. 덴탈 핀셋
10. 자
11. 연필
12. 마킹펜
13. 덴탈 미러
15. 에디슨 포셉(adson forcep)
16. 아미-네비 견인기(army-navy retractor)
17. 캘리 포셉(Kelly forcep)

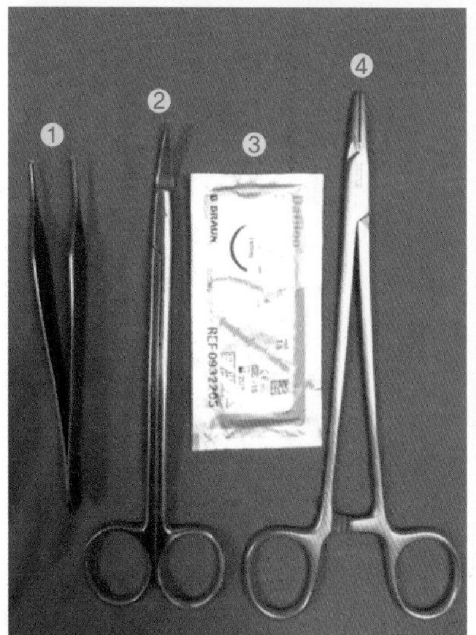

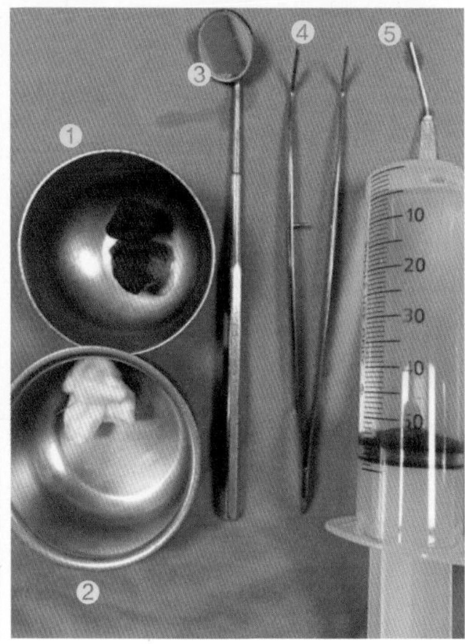

봉합에 필요한 도구

1. 에디슨 포셉(adson forcep)
2. 딘 시저(Dean scissor)
3. 봉합사
4. 니들 홀더(needle holder)

소독에 필요한 도구

1. 베타딘(포비돈) 볼(betadine ball)
2. 클로르헥시딘 볼(chlorhexidine ball)
3. 덴탈 미러
4. 덴탈 핀셋
5. 이리게이션 식염수 시린지 (irrigation syringe)

4 임플란트 매식체(fixture-Osstem, Brånemark)과 하악골 모형(RP), 매식체 개봉법

치과 임플란트(dental implant) 매식체 및 수술도구, 임플란트 장비를 다루는 법에 익숙해지도록 하여 하악골 모형에 임플란트를 식립할 수 있도록 준비한다

- 실제 수술과 유사하게 임플란트 매식체를 무균적인 방법으로 개봉하고, 수술도구를 능숙하게 다룰 수 있다.
- 임플란트 수술에 필요한 기구와 핸드피스 등 장비를 능숙하게 조작할 수 있다.

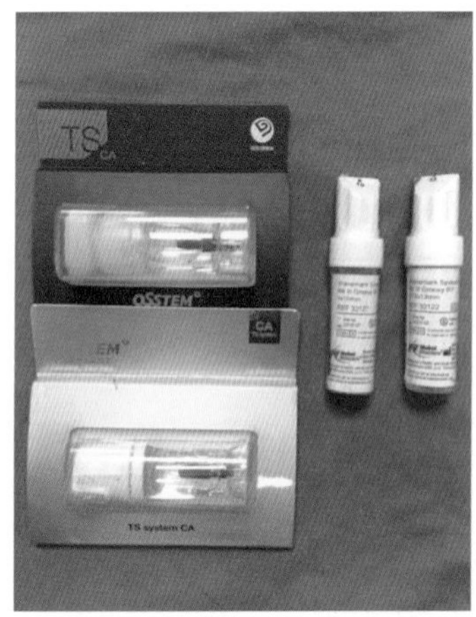

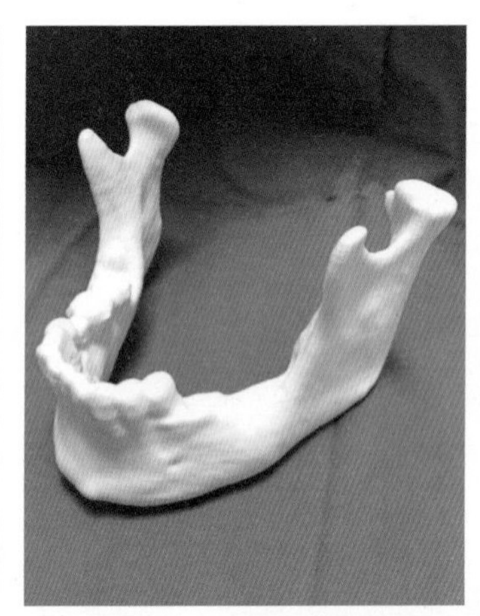

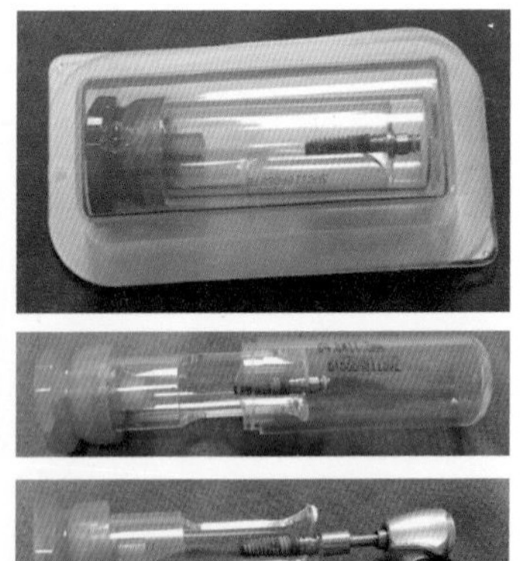

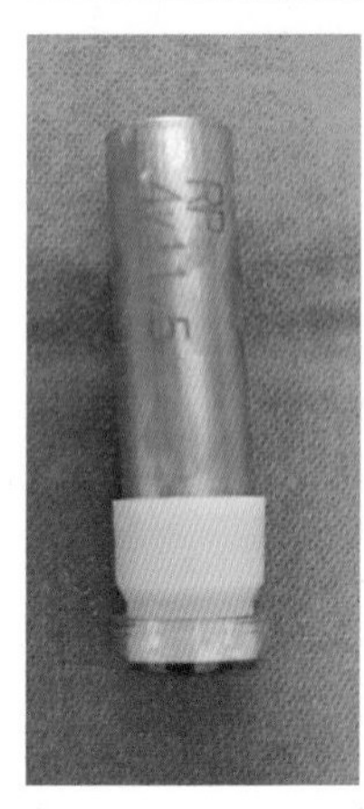

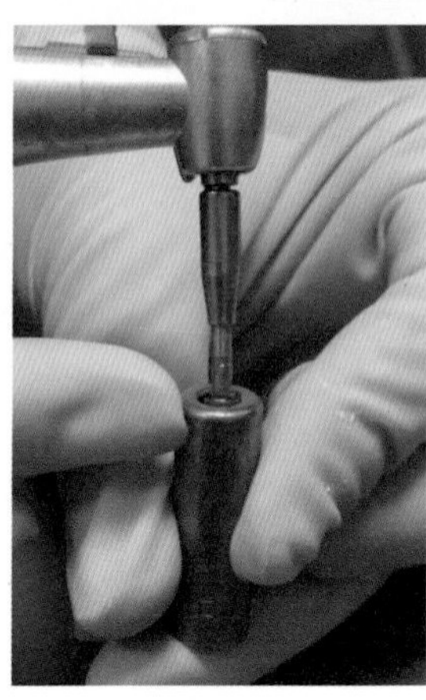

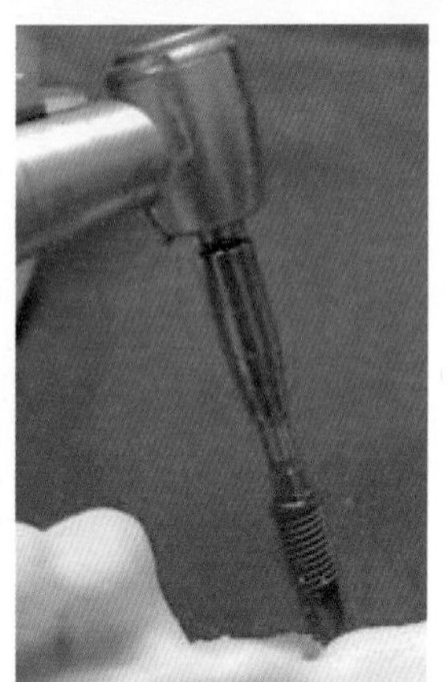

1) 임플란트 핸드피스와 발판

멸균 생리 식염수가 주수되도록 연결되어 있으며 단계별 회전속도, 식립 토크 등이 조절 가능하다.

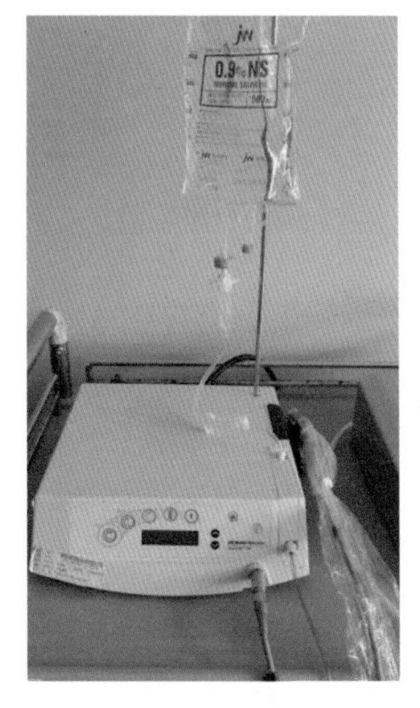

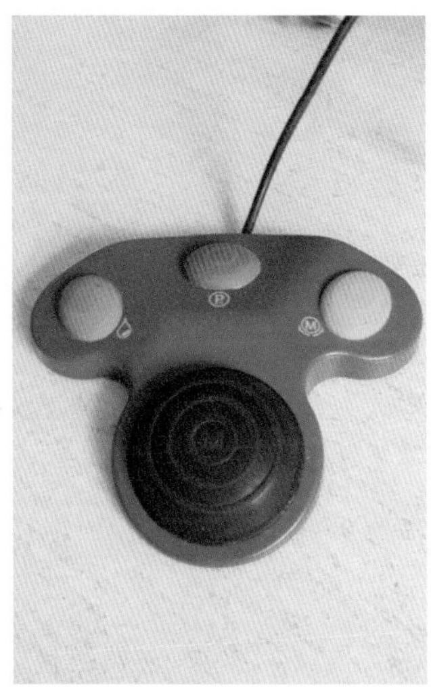

발판 버튼

1. 주수 켜기/끄기
2. 다음 단계로 진행(초고속회전-저속회전-저속회전(낮은 rpm)-픽스쳐 식립-연결체부 제거 순)
3. 회전 방향 변경(순방향/역방향)
4. 핸드피스 회전

좌측 5개 버튼

초고속 회전, 기어 1:1 모드(기본 35,000rpm)

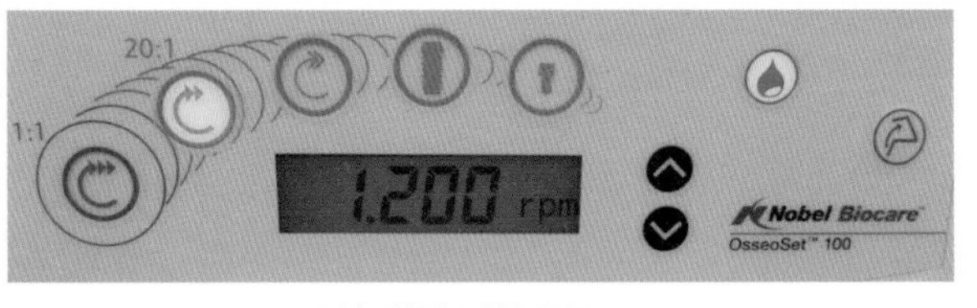

저속 회전. 기본 1200rpm

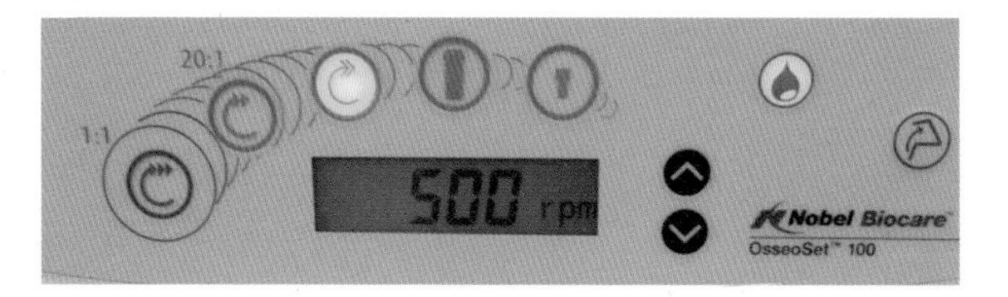

저속 회전, 500rpm

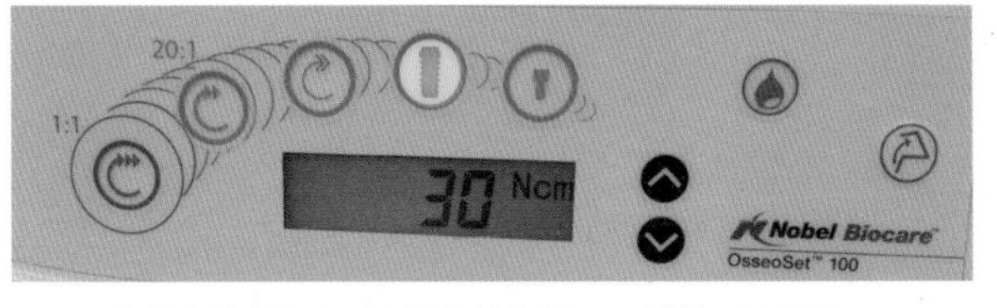

매식체 식립 모드. 숫자의 단위는 Ncm. 기본 토크 30Ncm

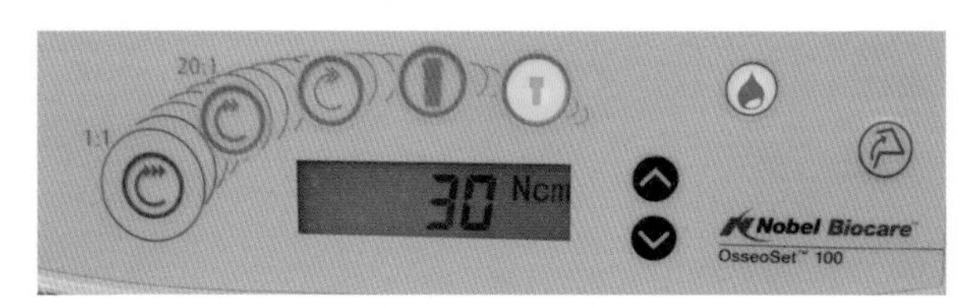

커버스크류 또는 힐링스크류 조이기 모드. 기본 토크 30Ncm

2) 모니터 액정 우측의 상, 하 버튼으로 회전속도 rpm 또는 토크를 증가 또는 감소시킬 수 있다.

우측 상방의 주수 버튼을 켜고 끔으로써 주수 여부를 변경한다. 맨 오른쪽 버튼은 주수관 연결부를 꺼내고 닫는 용도이다.

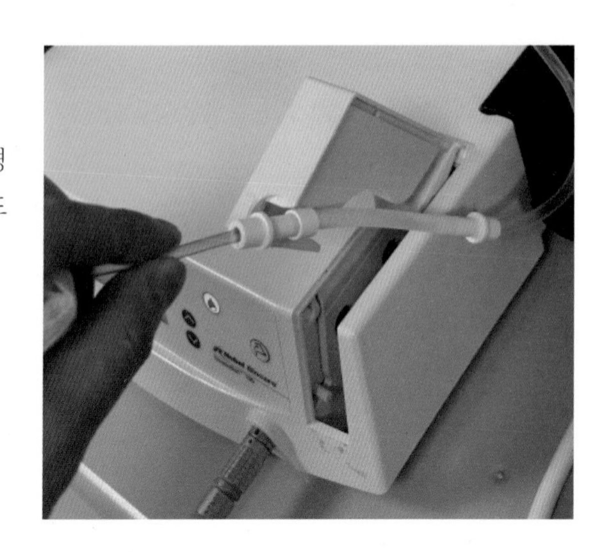

5 일반적 Brånemark 시스템의 골 삭제 과정

치과 임플란트(dental implant)의 대표적 시스템 중 하나인 브레네막(Brånemark) 사의 임플란트 식립을 위한 기구와 장비, 골 삭제 및 매식체 식립 과정을 학습하고, 하악골 모형에 올바르게 매식체를 식립한다.

- 하악골 모형에 임플란트를 매식하기 위해, 올바른 순서대로 드릴링 기구를 나열할 수 있다.
- 브레네막 시스템의 각각의 도구의 이용법과 조립 방법, 사용 용도를 이해한다.
- 올바른 위치와 깊이, 각도로 드릴링 후, 매식체를 알맞은 깊이로 매식한다.
- 커버스크류를 이용하여 임플란트 매식체 상부에 연결한다.

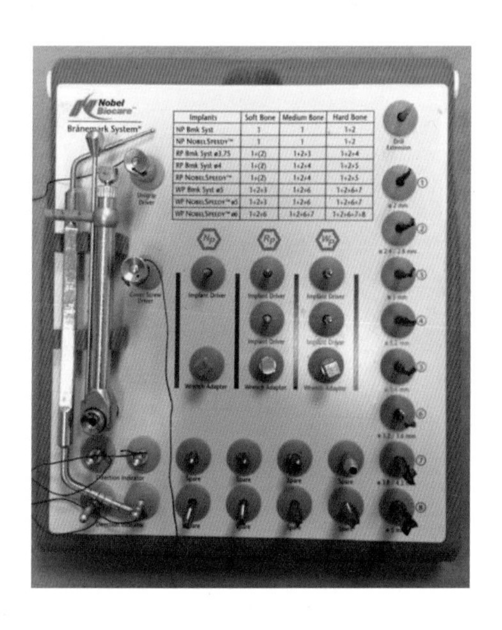

- Guide drill(혹은 Initial drill)
- Twist drill
- Countersink(혹은 Cortical drill)
- Tapping

1) 가이드 드릴(guide drill)과 트위스트 드릴(twist drill), 점차 직경이 굵어지는 순

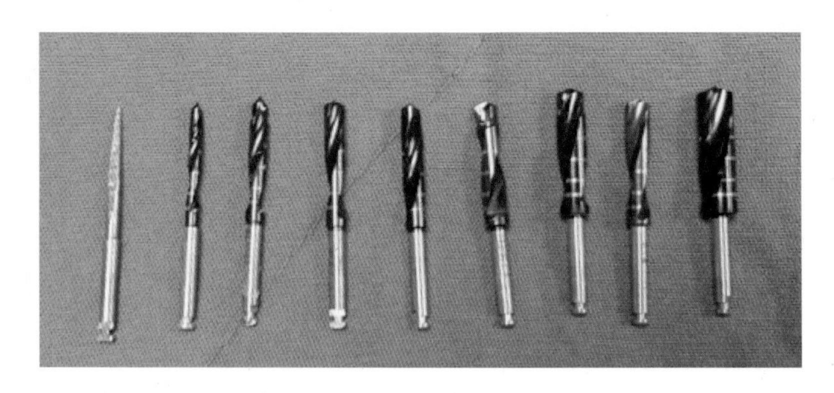

2) 카운터 싱크(counter sink), 탭핑(tapping) 드릴

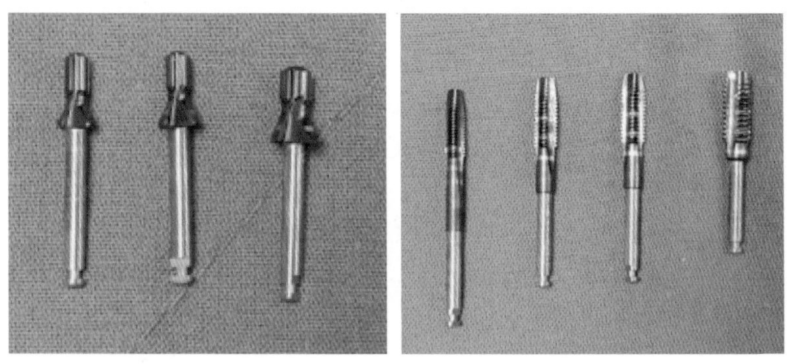

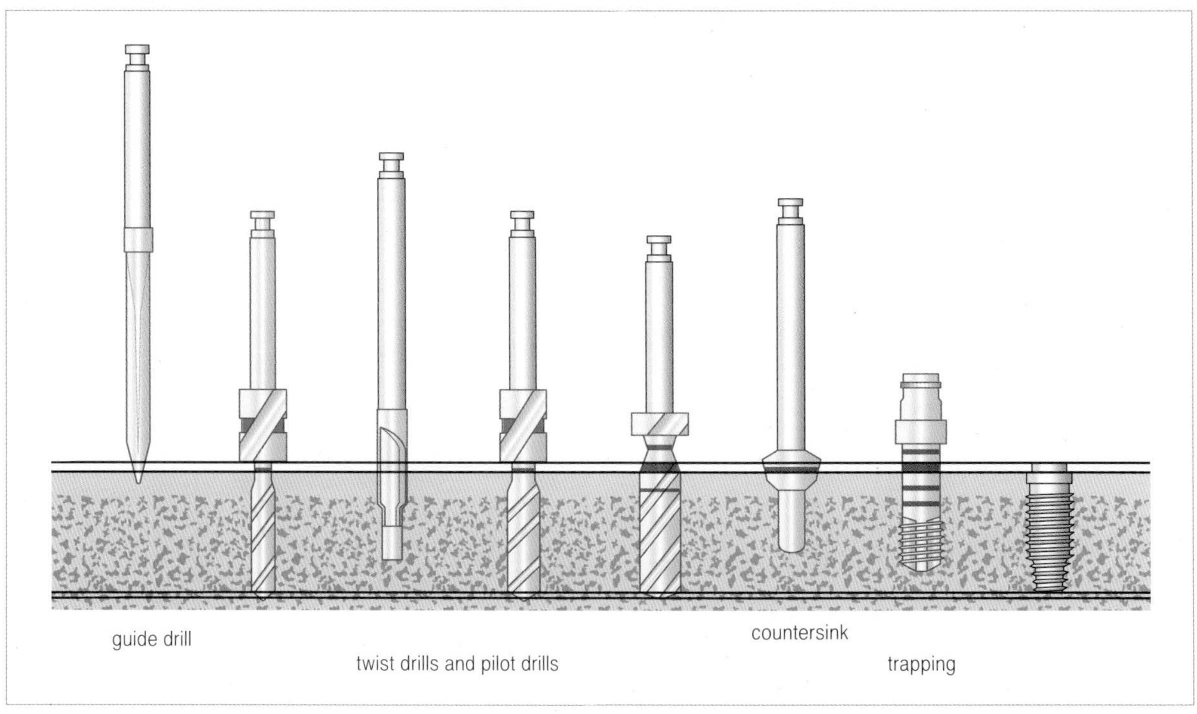

3) 유니그립 헥스(unigrip hex) 육각 드라이버(external hex implant/abutment용), 커버스크류(coverscrew) 드라이버(cover screw, healing abutment용), 임플란트 드라이버, NP, RP, WP

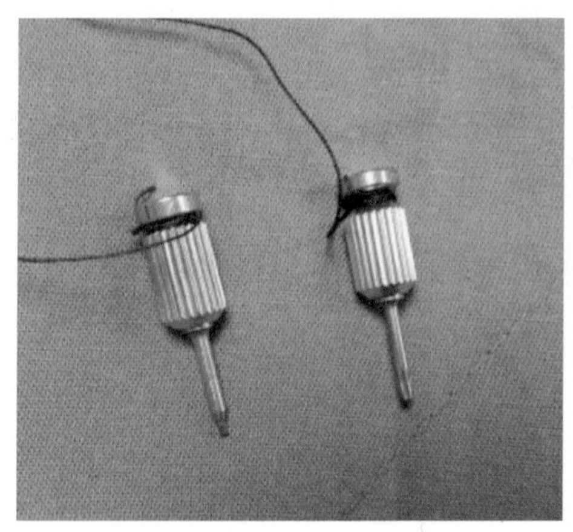
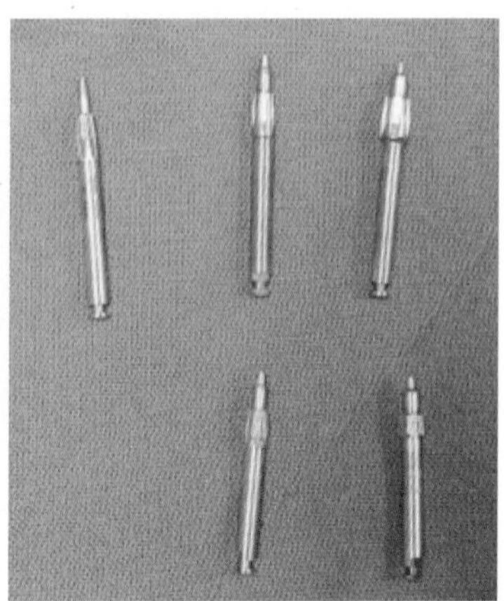

4) 깊이 측정기(depth gauge, 7-10-13-15-18mm)

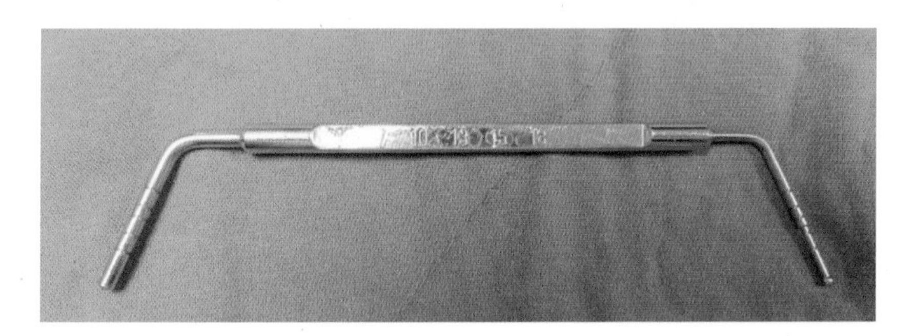

(1) Guide drill(혹은 Initial drill), 500~1500RPM

① 임플란트 식립부의 피질골을 피질골을 천공시켜 twist drill을 가이드 하는 역할을 한다.

② 경험이 적은 경우에는 골에 연필로 미리 표시하거나 수술용 스텐트를 사용한다.

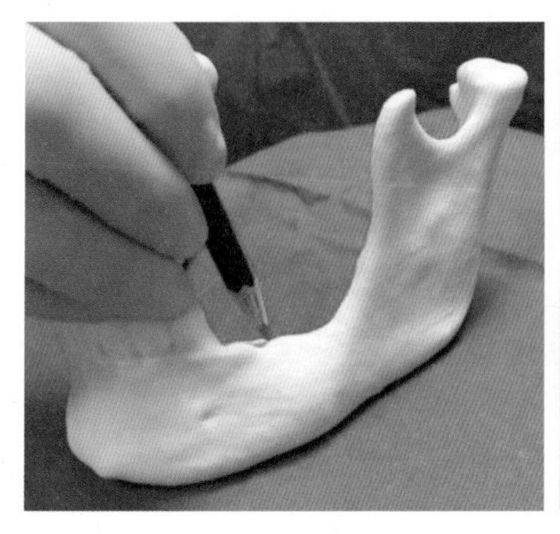
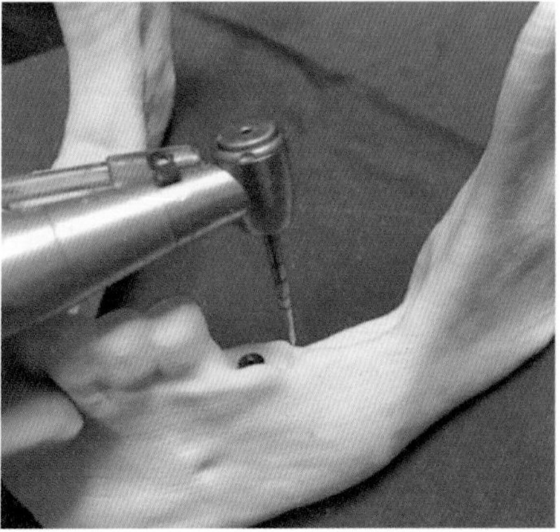

③ 수술용 스텐트(surgical stent)사용 예시

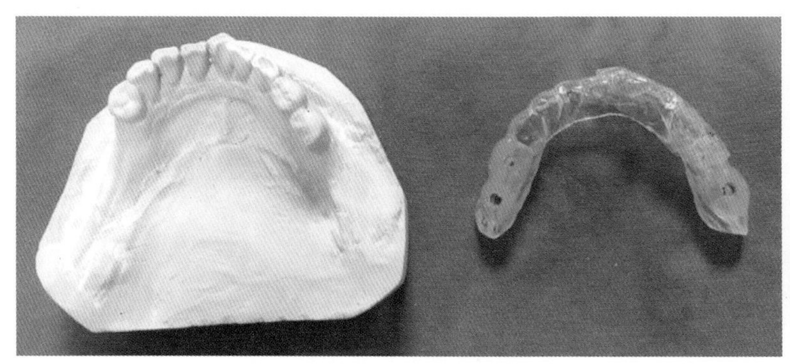
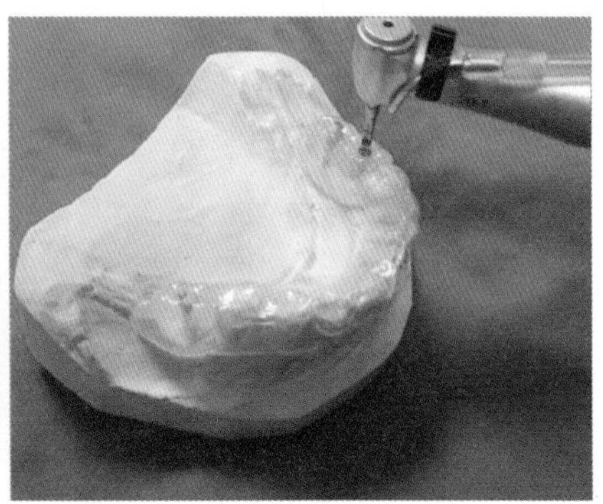

(2) Twist drill and pilot drill, 500~1500RPM

① 작은 직경부터 시작하여 큰 직경까지 점차 굵어지는 일련의 드릴을 이용하여 원하는 직경과 깊이의 골을 삭제해낸다.

② 임플란트 시스템에 따라 각 twist drill 사이에 pilot drill을 이용하기도 한다. Side cutting 되지 않고 apical cutting만 되도록 설계된 twist drill은 pilot drill이 필요하다.

③ 중간에 골 삭제 깊이를 증가시키기는 힘들기 때문에 반드시 첫 번째 twist drill부터 원하는 깊이로 충분히 골 삭제를 시행한다.

④ 전방 자연치에 걸리지 않도록 shank가 충분히 긴 것이 좋으나, 구치부에서 악간거리가 짧은 경우, 일단 짧은 shank의 drill로 중간 깊이 정도 까지 골 삭제 후 긴 shank의 drill로 바꿔서(혹은 extension으로 연결하여) 최종 깊이까지 골 삭제를 시행한다.

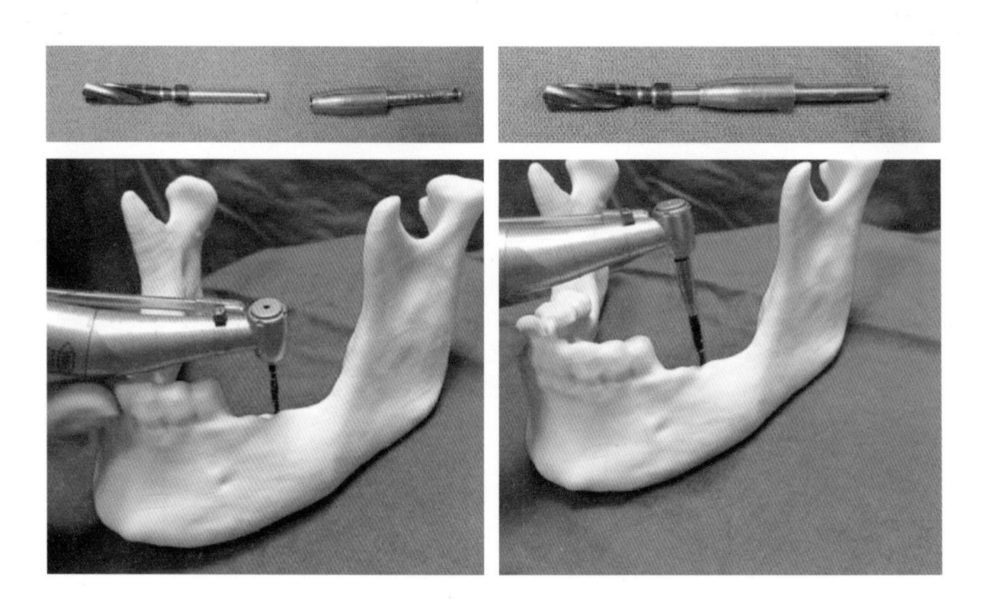

⑤ 중간 중간 parallel pin을 삽입하여 골 삭제가 올바로 이루어졌는지 확인하는 것이 좋다.

⑥ 2mm twist drill 적용 후 올바른 위치로 골 삭제가 이루어지지 못했다고 판단되는 경우 side-cutting drill(Lindemann drill)로 수정할 수 있다.

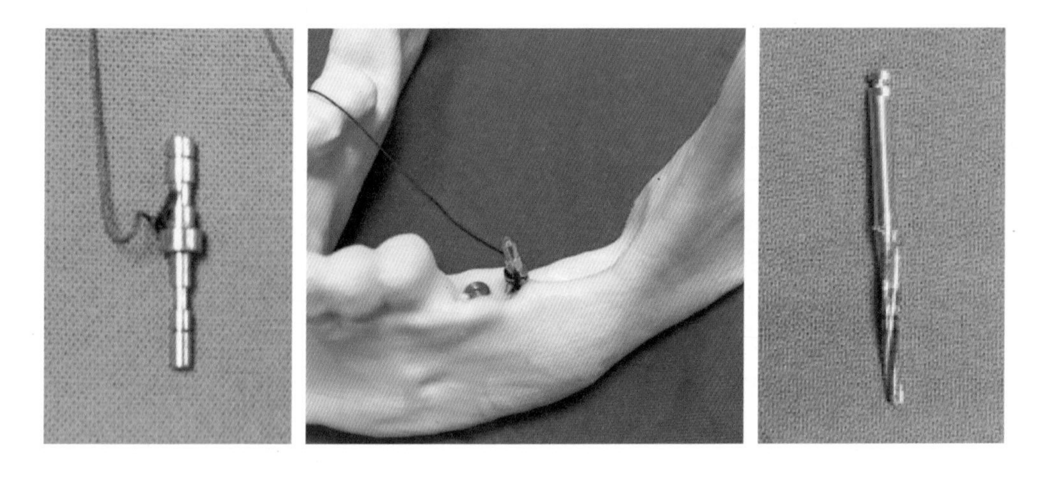

(3) Counter sinking(혹은 Cortical drill), 300~500RPM

① 피질골의 밀도가 높은 경우에는 추가적으로 상부 피질골을 조금 더 삭제하여 crest module이 위치할 부위를 확대시킨다. 이는 임플란트 식립 시 과도한 토크가 발생하는 것을 예방한다. Taper type 임플란트에서 피질골 부위에 응력이 집중되어 골흡수가 일어나는 현상도 감소된다.

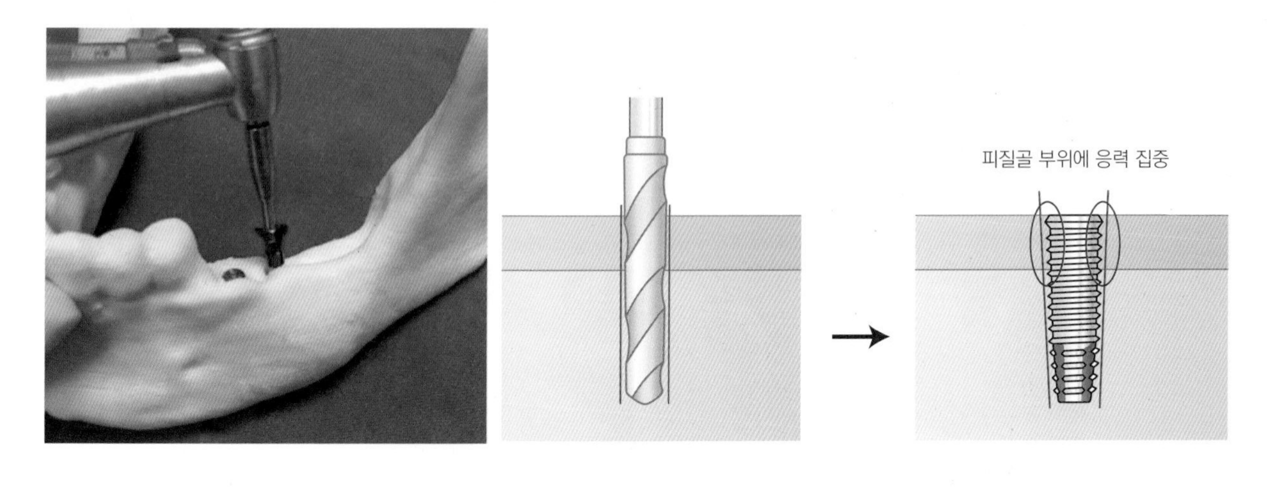

(4) Tapping, 15~30RPM

골밀도가 매우 높은 경우에는 골 내부에 암나사 형태를 형성하며 이를 tapping이라 한다. 최근에는 많은 임플란트 시스템에서 tapping 과정을 생략하고 있다.

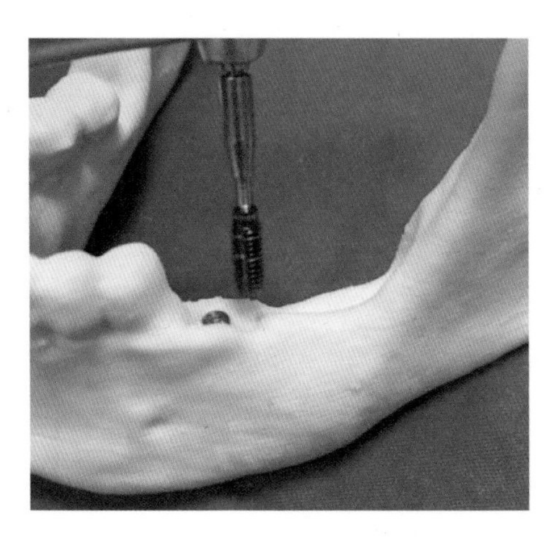

(5) 임플란트 매식체(fixture)의 식립

15RPM 정도의 속도로, 권장 식립 토크(일반적으로 30~40N)로 설정한 후 임플란트 매식체를 식립한다.

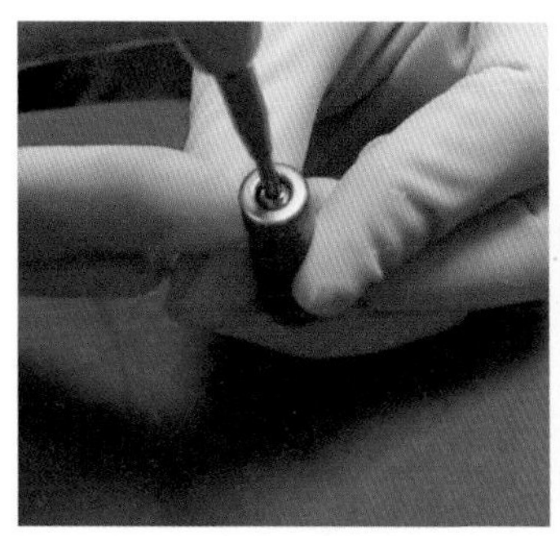

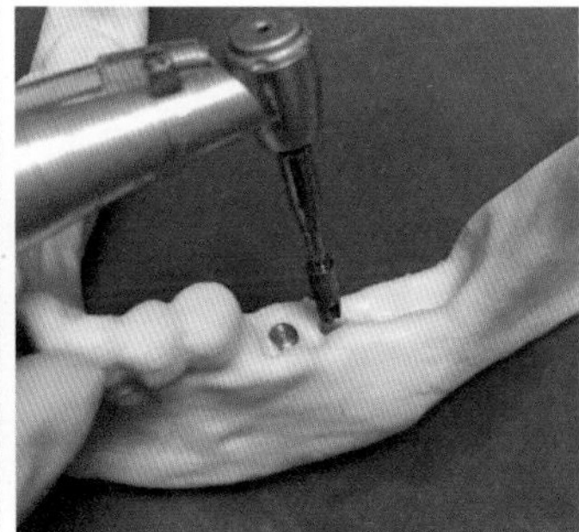

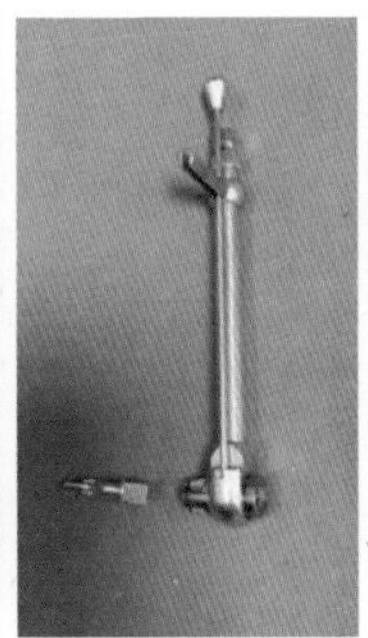

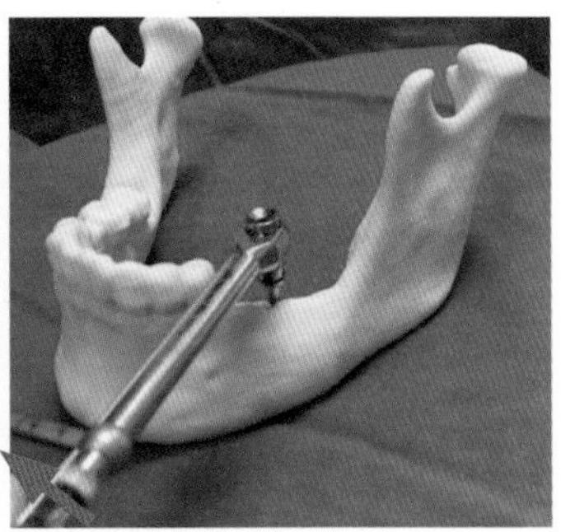

(6) Cover screw의 삽입

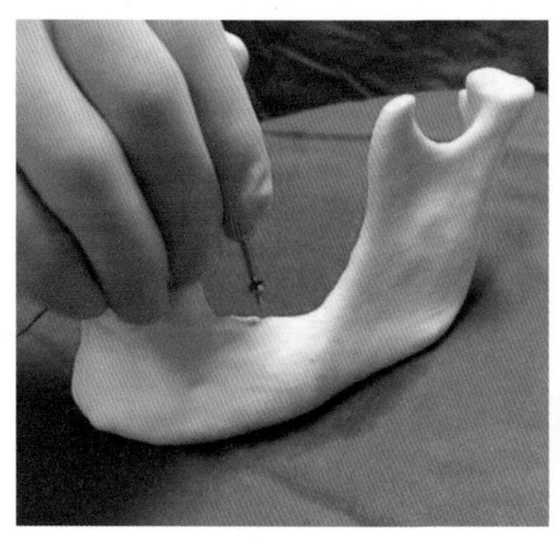

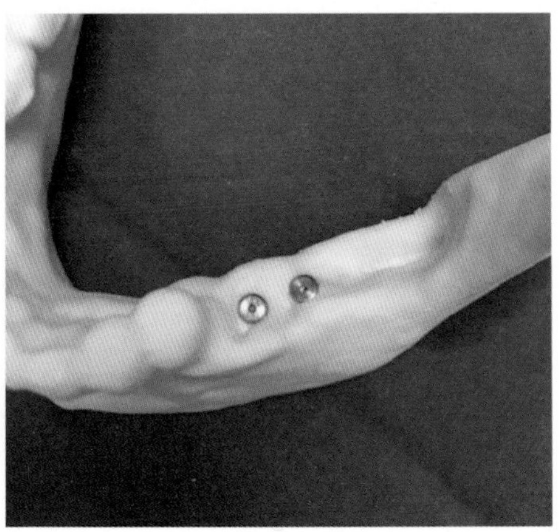

6 임플란트 2차 수술

2차 수술시에는 커버 스크류를 노출하고, 치유 지대주(healing abutment)를 연결한다.

① 단순 펀치법은 환자에게 부담과 불편감을 최소화 할 수 있지만. 각화 점막을 희생해야 한다는 단점이 있다. 피판을 거상할 필요가 없어서 간편하나, 커버 스크류의 위치를 잘 파악하고 시행해야 한다. 협설측으로 약 2mm의 각화 점막이 제거된다.

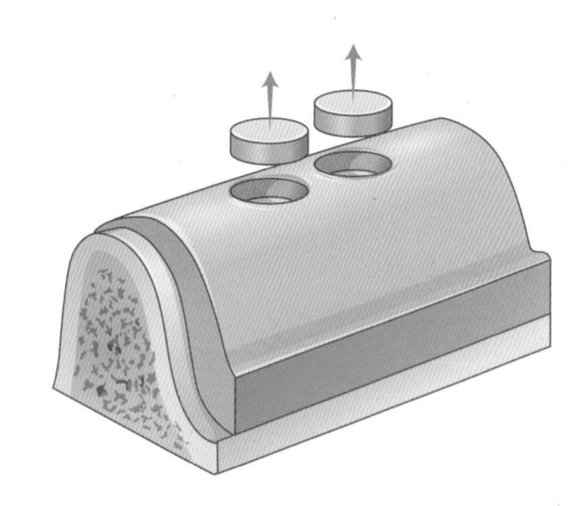

② 단순 전층 판막법

치조정 절개를 가하여 전층 피판을 거상하고, 치유 지대주를 연결한 뒤 다시 봉합한다. 점막의 두께가 얇은 경우에 시행해야 치간부 골을 많이 노출시키지 않기 때문에 점막 두께가 얇은 경우에 한하여 시행하는 것이 좋다.

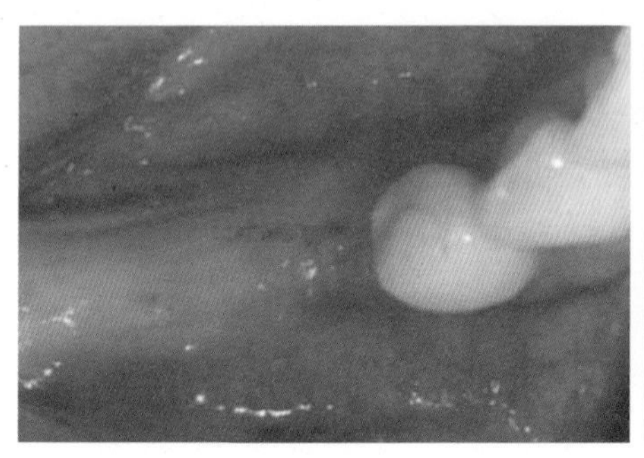

7 돼지 하악골을 이용한 임플란트 식립 실습

돼지 하악골을 이용하여 실제로 골막 피판을 거상하고, 하악골 모형에 연습하였던 매식체 식립 임플란트 일차수술을 능숙하게 진행하고, 봉합 및 이차수술을 실시한다.

- 돼지 하악골의 치조골 적당한 식립부위와 임플란트 식립 위치 및 직경, 깊이를 설정한다.
- 돼지 하악골의 치은 위에 올바르게 절개선을 작도한후 절개 및 전층 점막골막 피판을 거상한다.
- 임플란트 매식체를 올바르게 식립하고, 피판을 봉합한다.
- 피판을 형성하거나, 펀치법을 이용하여 이차수술을 시행한다.

① 돼지 하악골의 준비. 식립부위를 결정한다.

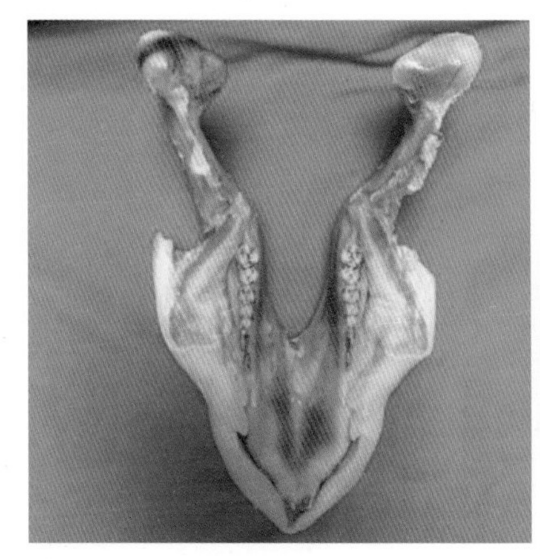
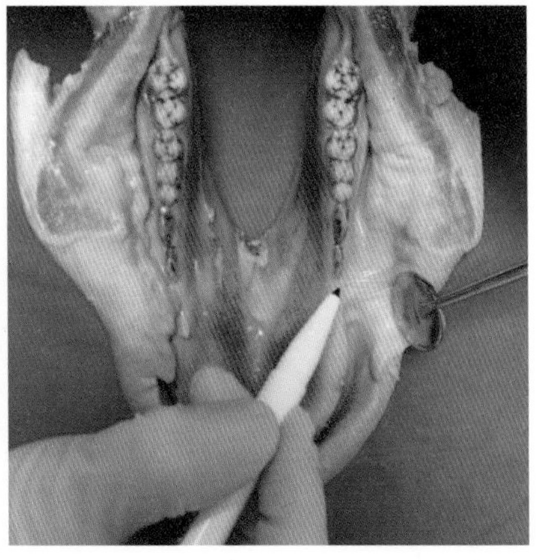

② 절개선을 설정하고 #12 칼날을 이용하여 골막까지 전층절개를 실시한다.

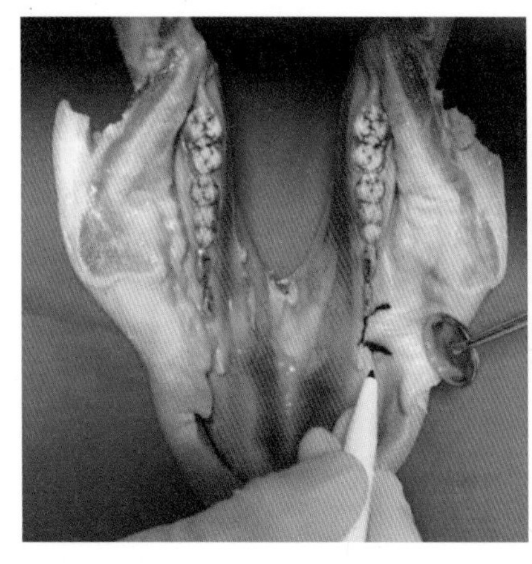
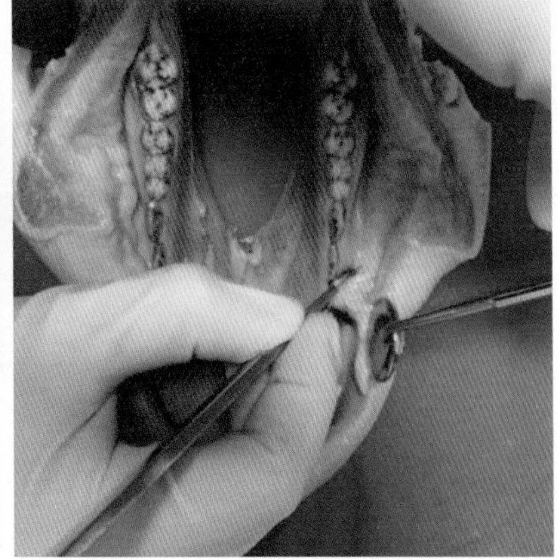

③ #9 골막기자를 이용하여 점막골막피판을 전층박리한다.

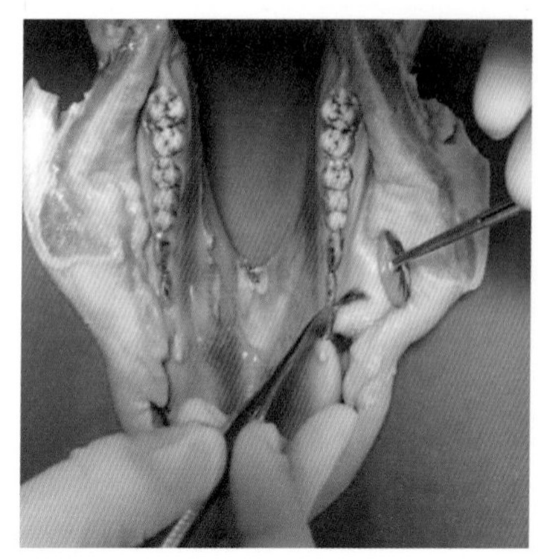
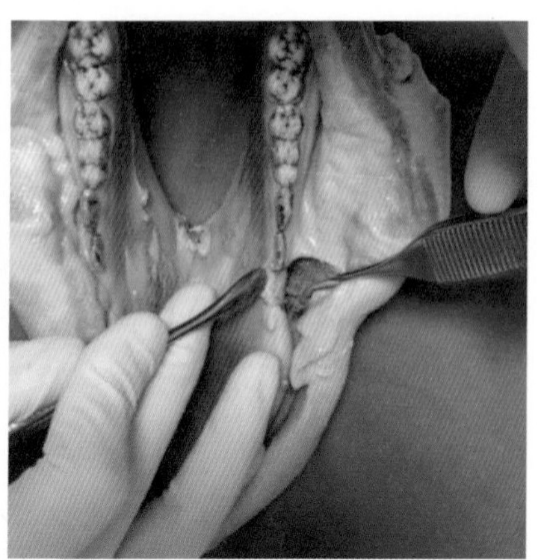

④ 임플란트를 식립할 부위 치조정에 연필로 표시하고, guide drill을 이용하여 피질골을 천공한다.

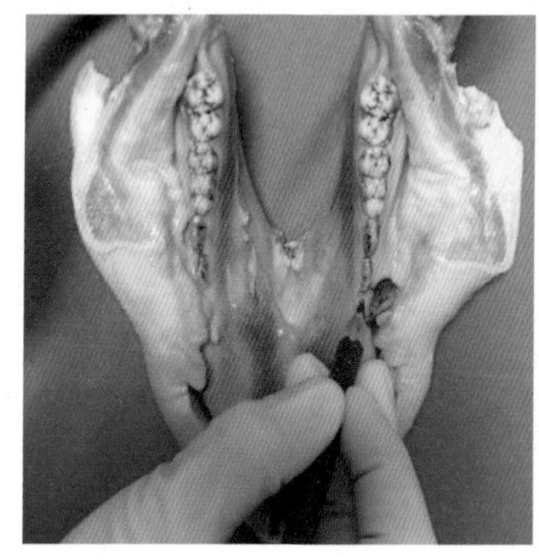
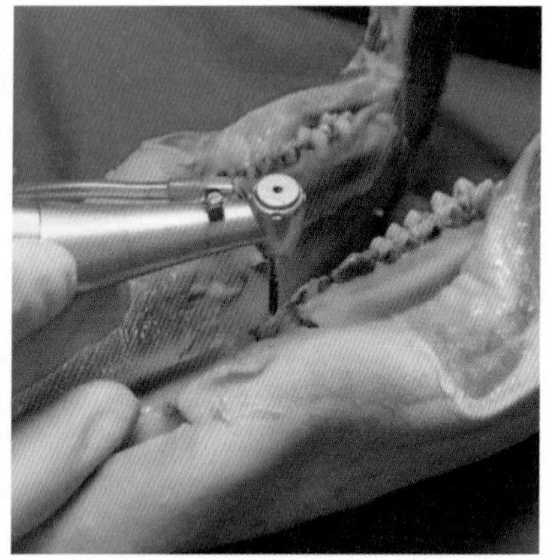

⑤ 2.0 twist drill로 임플란트 식립 예정된 깊이까지 삭제한다. Parallel pin을 이용하여 식립 각도와 평행 관계를 확인한다.

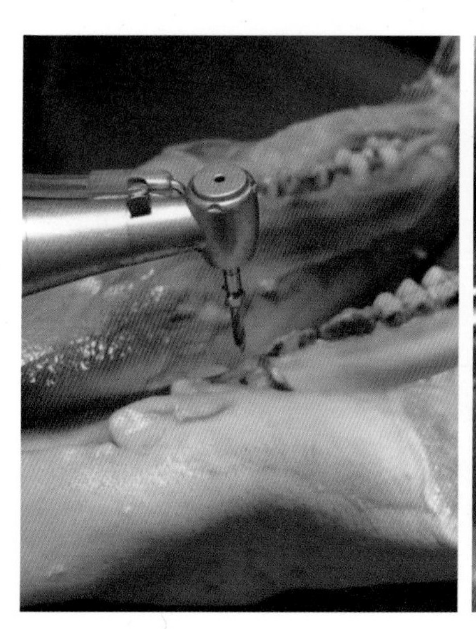
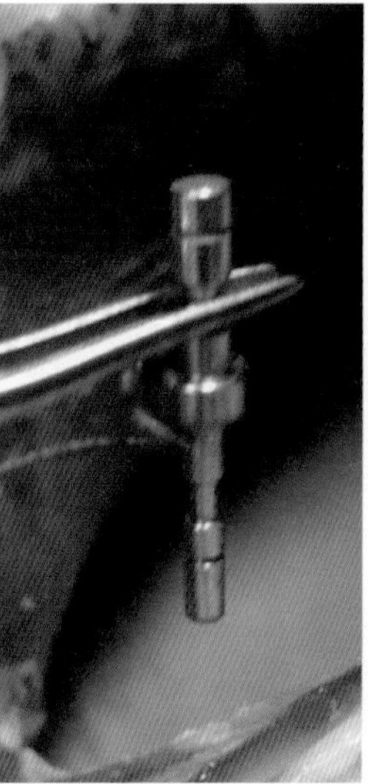
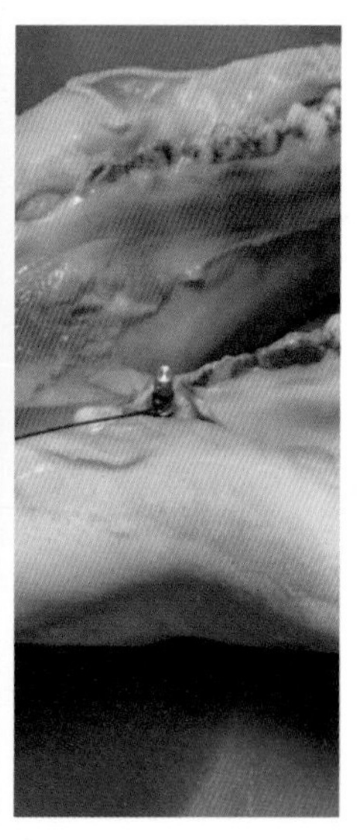

⑥ 이어서 다음 단계의 직경의 twist drill을 사용한다. 적당한 RPM으로 감소시킨다.

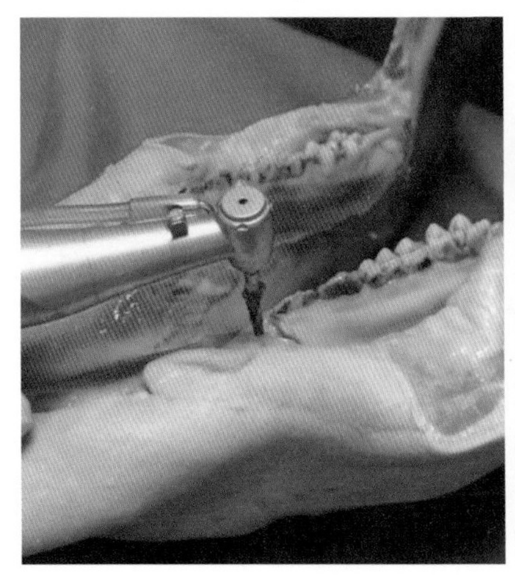
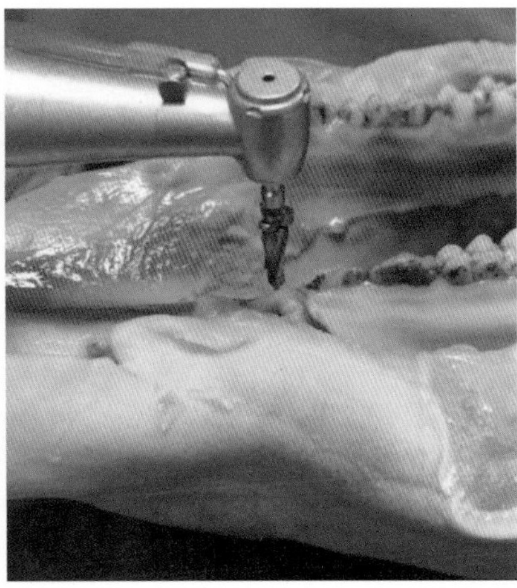

⑦ Taper implant 식립 시 cortical drill로 피질골을 확장한다.
임플란트 시스템에 따라, 골밀도에 따라 countersink 및 tapping drill을 추가로 사용할 수 있다.

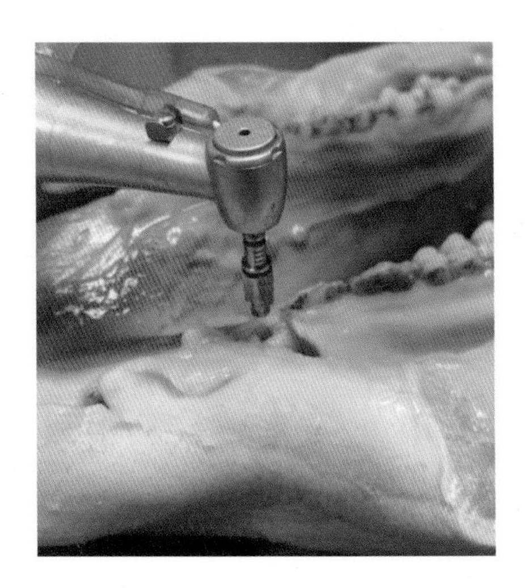

⑧ 매식체(fixture)식립 시 적당한 RPM(15rpm) 및 가해지는 토크(40Ncm 이하), 회전 방향을 확인한 후 매식체를 식립한다. 필요시 토크 렌치로 식립 깊이를 조절할 수 있다.

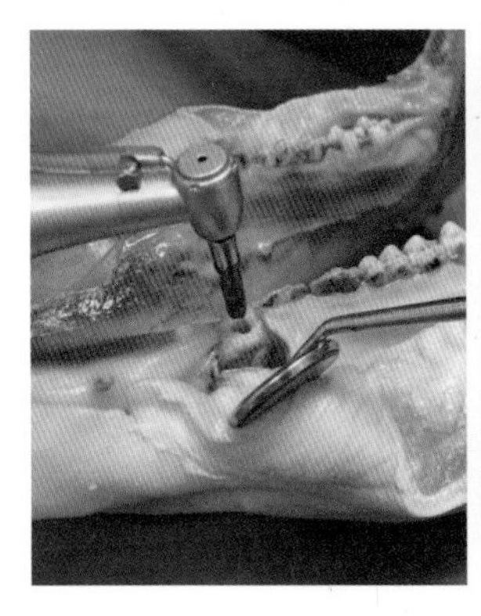
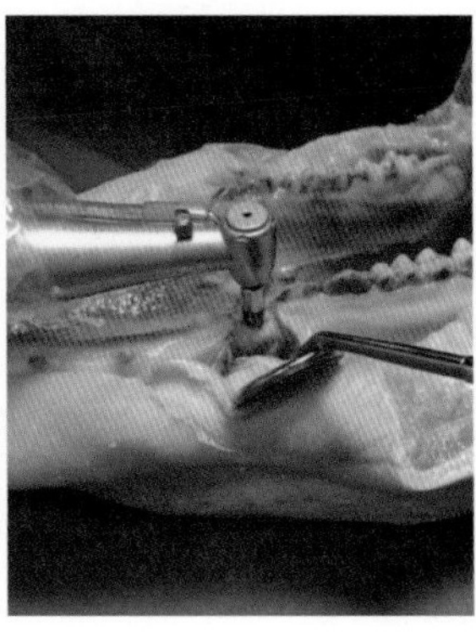
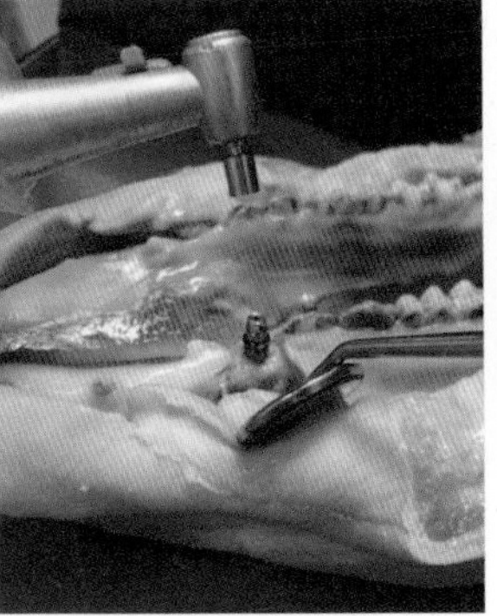
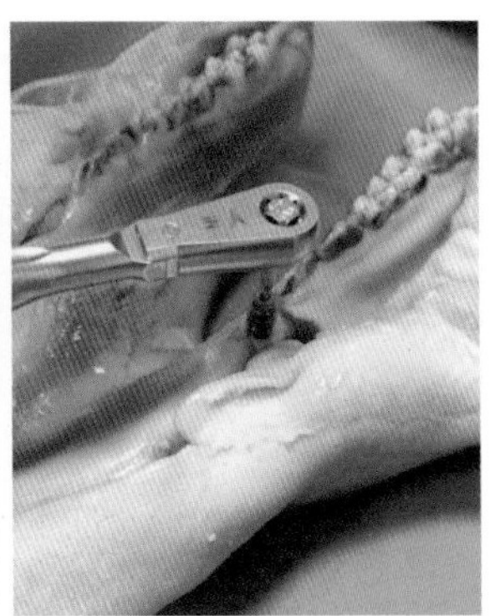

⑨ 돼지뼈 하악골에 식립된 임플란트의 모습

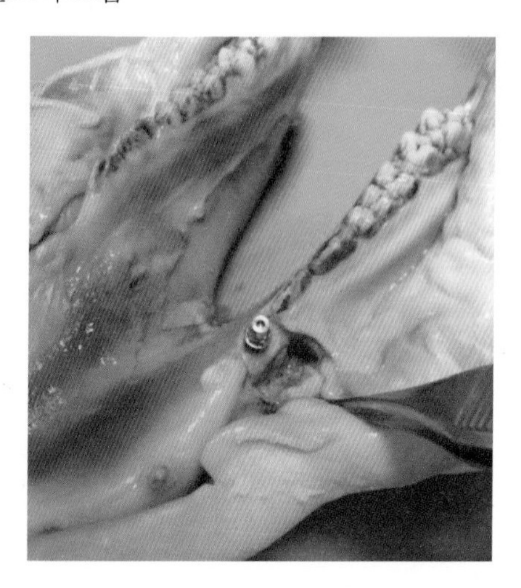

⑩ 픽스쳐 상부의 연결체부(transfer part)가 있는 시스템의 경우 이를 제거한다. 예시는 오스템 임플란트 TS III 시스템이다.

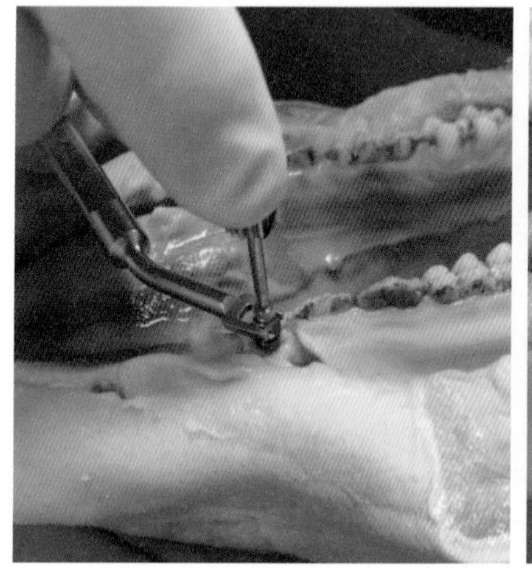

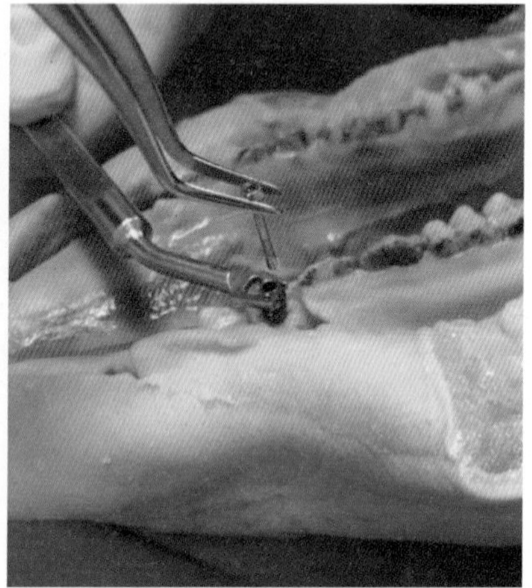

⑪ 커버 스크류를 매식체에 연결한다.

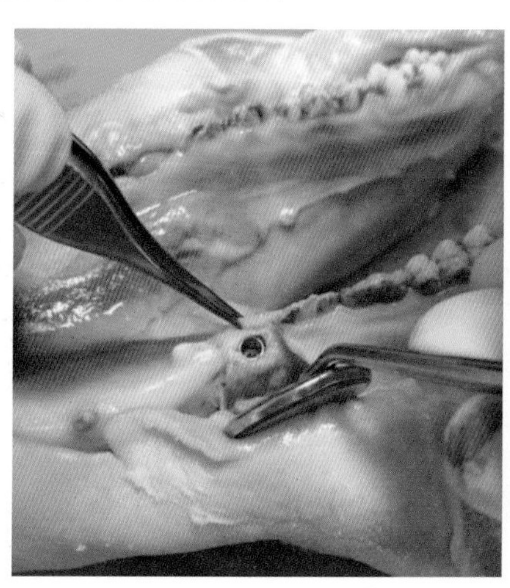

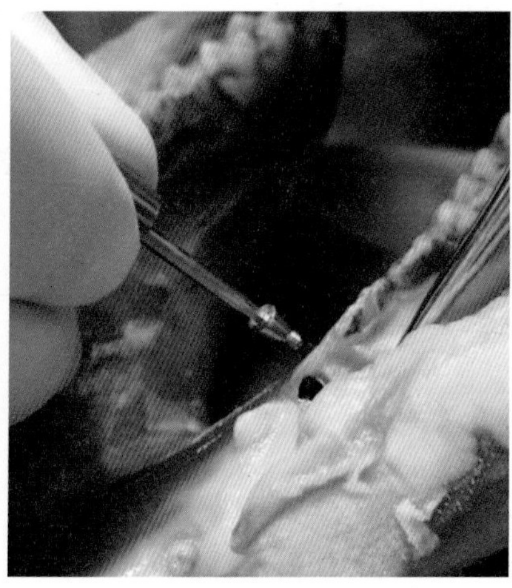

⑫ 피판을 원래 위치로 잡아당겨 가늠해 본다.

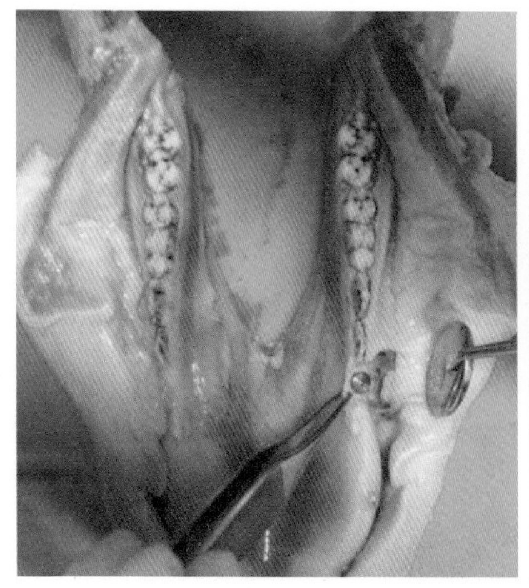
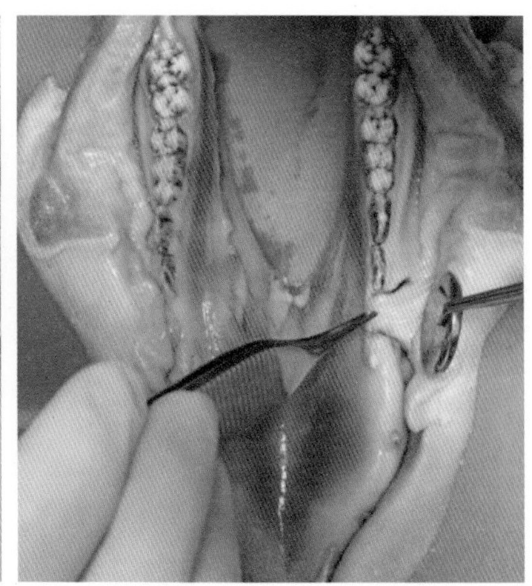

⑬ 치조정 절개부의 봉합을 실시한다.

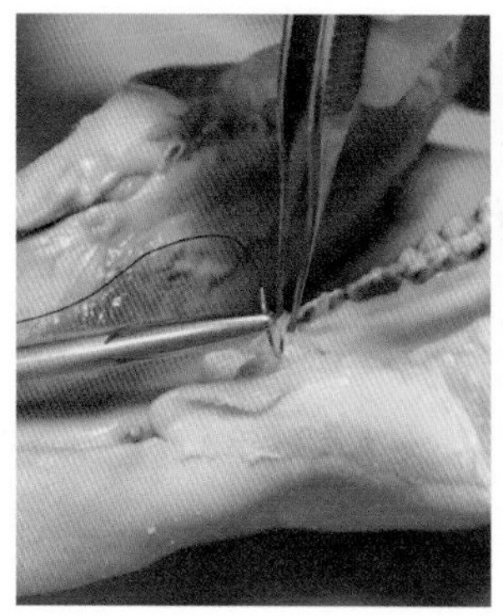
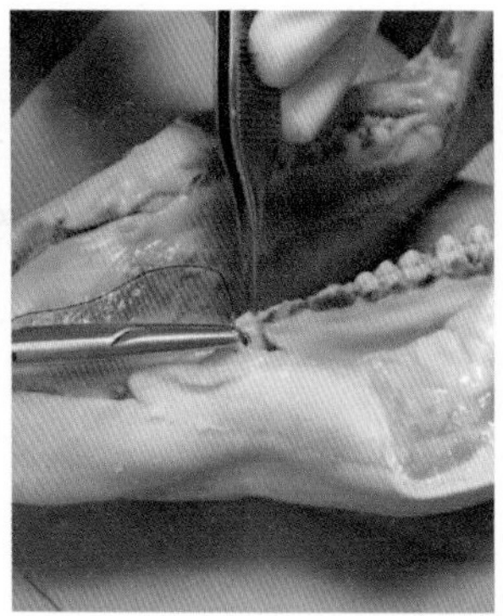
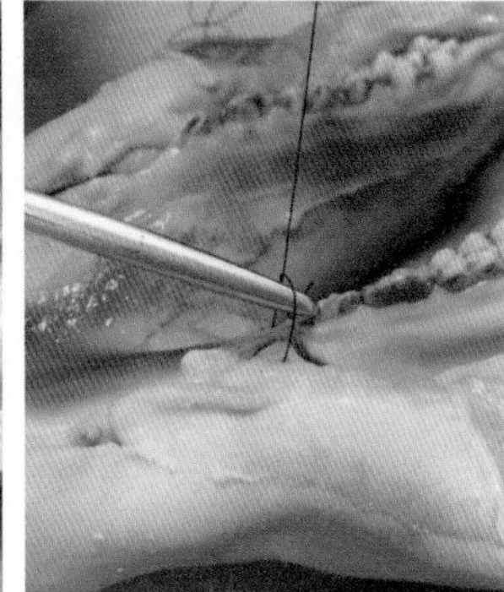
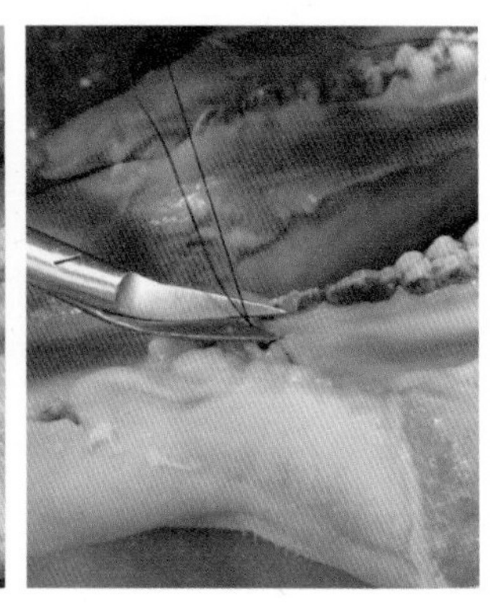

⑭ 이완 절개부의 봉합을 시행한다.

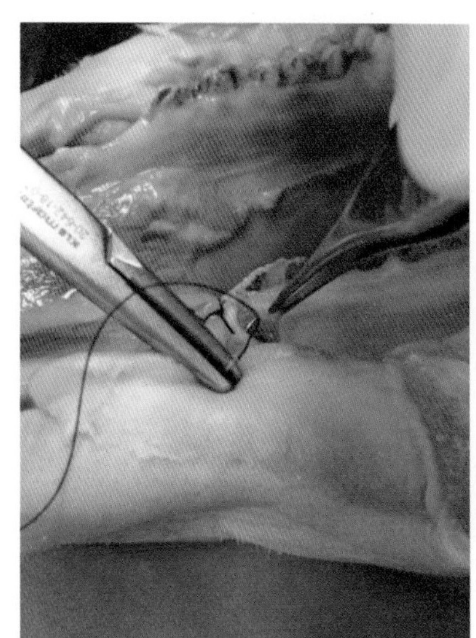
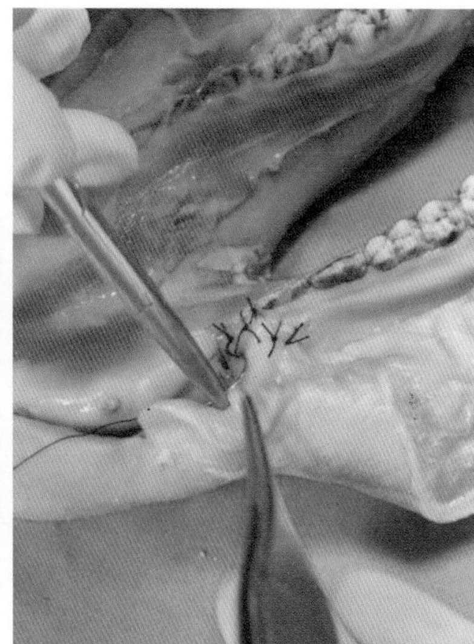
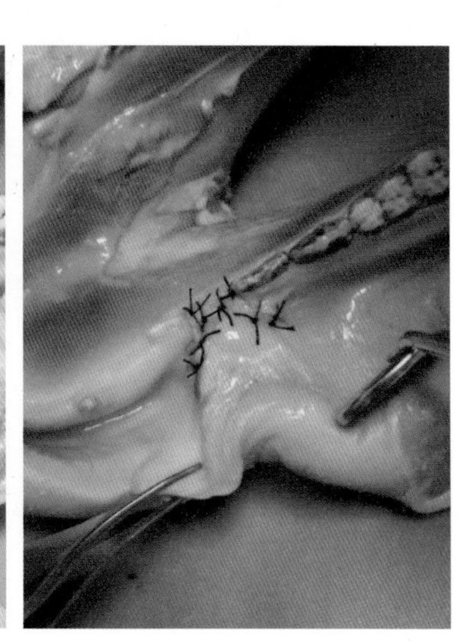

⑮ 이차수술의 예시-판막법. 커버스크류를 제거한 뒤, healing abutment를 연결한다.

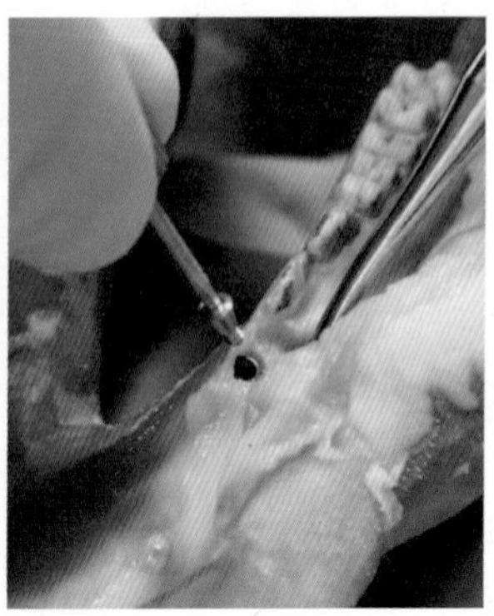
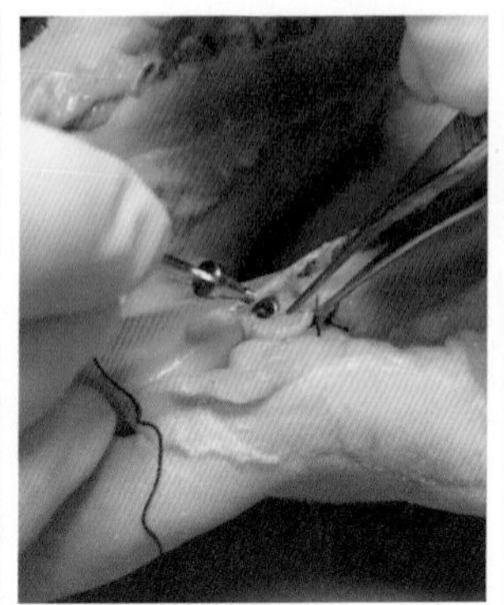

⑯ 치조정의 각화점막을 보존하면서 피판을 최대한 긴밀하게 봉합한다.

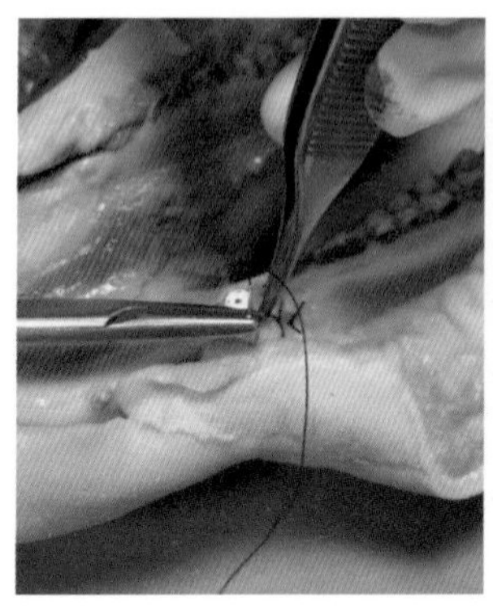
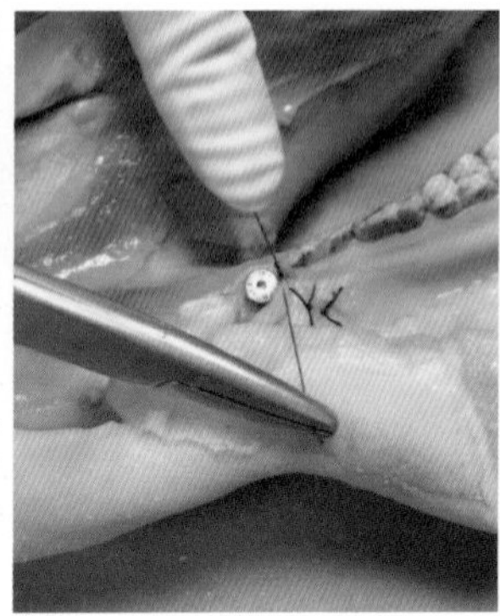

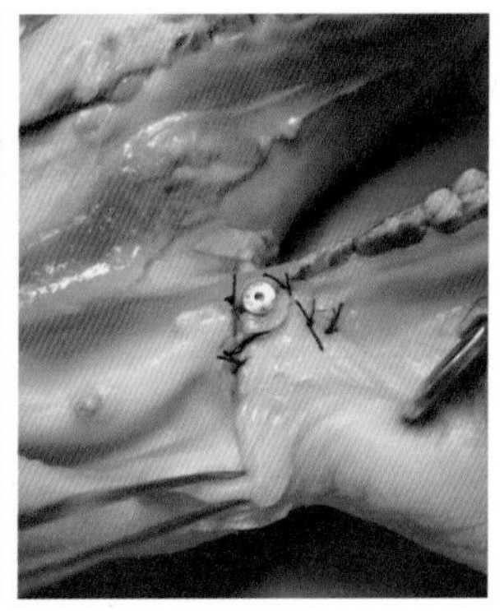

⑰ 이차수술의 예시-펀치법

- 일차 수술 후 치은의 치유가 완전히 일어난 상태라고 가정하고 해당 임플란트 식립 위치를 탐침을 이용해 찾는다. 펀치를 조립하고 실린더형 칼날을 강하게 치은에 접합하여 회전시킨다.

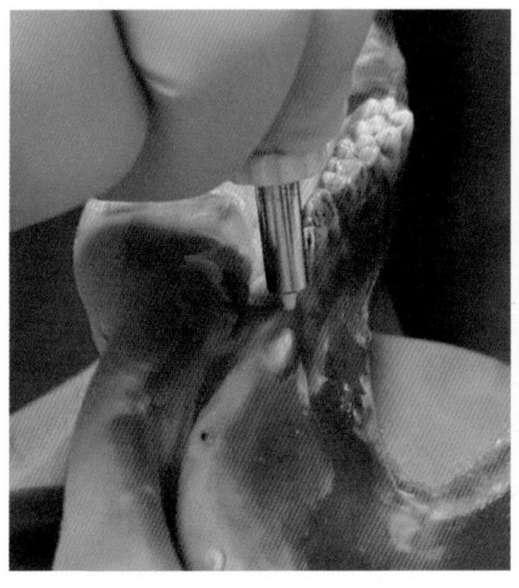
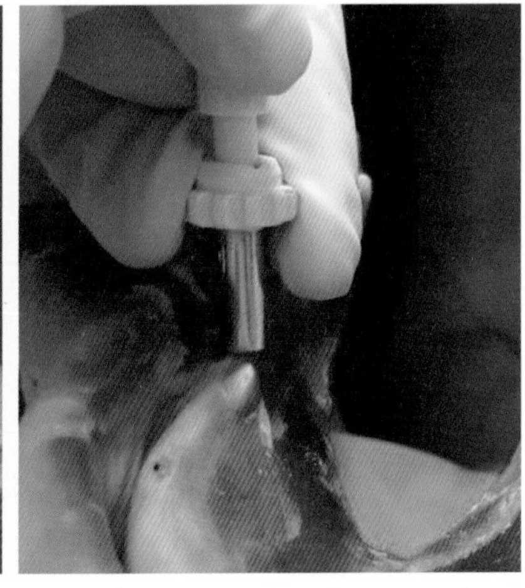

• 치은에 실린더형 칼날에 의한 원형의 절개선이 형성된다. 원형 피판을 거상하여 제거한다. 원형피판을 거상하면 식립해 놓았던 임플란트의 커버 스크류가 드러날 것이다. 커버스크류를 제거하고 임플란트 힐링 어버트먼트(healing abutment)를 조립하는 것으로 완료된다.

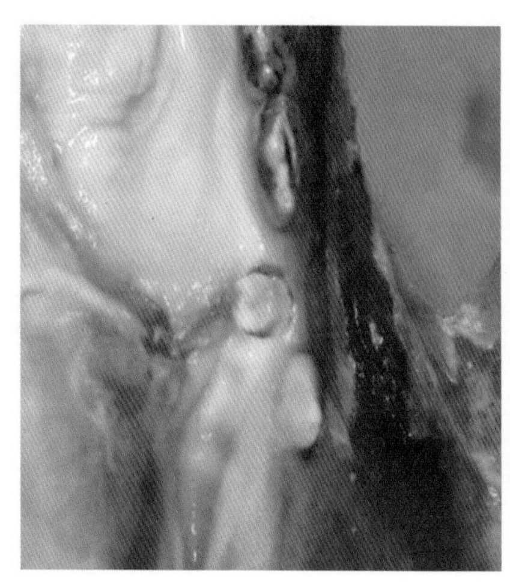
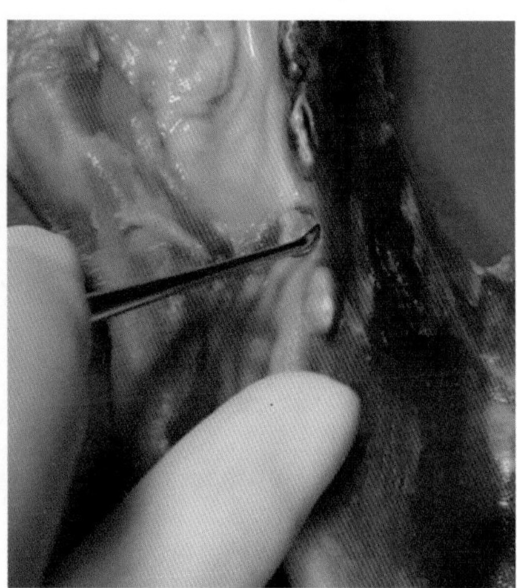

• 펀치법에서 힐링 어버트먼트 조립을 완료한 사진은(가상으로) 다음과 같다. 판막을 절개 및 거상하지 않고, 펀치법을 이용한 뒤 드러난 치조골에 임플란트를 식립하는 플랩리스(flap-less) 매식체 식립술도 연습해 볼 수 있다.

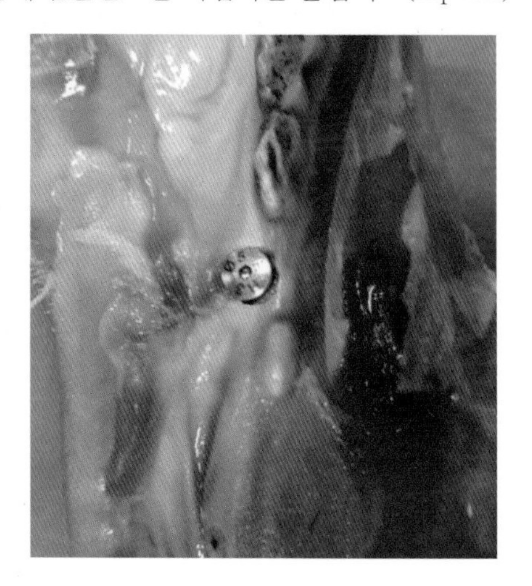

참고문헌

1. 최신 임플란트 치과학 제 3판, Carl E. Misch, 김명래 외 역, 대한나래출판사
2. 한권으로 끝내는 임플란트, 홍순민, 군자출판사
3. 구강악안면외과학교과서 제 3판, 대한구강악안면외과학회, 의치학사
4. Basic information on the surgical procedures, Straumann, http://www.straumann-bg.com/pdfs/pc_15x_754_surgical_procedure.pdf
5. Osstem Kit product catalog, Osstem, http://osstem.de/data/library/2014enKIT.pdf

실습평가표

실습제목	임플란트 시술전 환자상태 진단		
학생 번호		성명	
지도의 성명		서명(인)	

구분	평가항목	점수
1. 환자의 전신적 상태 진단		
전신적 상태 진단	환자의 골다공증 이환 여부를 파악하고 Bisphosphonate 제재의 복용여부를 파악하였는가?	
	환자의 당뇨 이환여부를 파악하고 임플란트 시술 이후 임플란트 주위염의 발생위험 증가 가능성을 파악하였는가?	
	흡연이 임플란트 위험요소임을 파악하고 환자가 임플란트 수술 전후 금연할것을 지시하였는가?	
	환자의 만성 치주염 이환여부를 파악하였는가?	
	환자가 이전에 방사선 치료 경력이 있는지를 파악하고 방사선골괴사 발생 가능성을 예측하였는가?	
	환자가 고령으로서 육체적,정신적 상태가 임플란트 치료를 받아들일 수 있는지를 고려하였는가?	
	환자가 알코올 중독으로 대사 장애나 이상행동을 보이는 지 파악하였는가?	
	환자의 구강위생상태가 불량한지, 환자의 협조도가 양호한지 파악하였는가?	
	기타 환자의 구강 및 전신질환 여부를 파악하였는가?	
2. 환자의 국소적 상태 진단		
국소적 상태 진단	임플란트 식립전 인접 자연치의 해부학적 배열, 변이를 고려하였는가?	
	임플란트 식립전 비구개관의 위치를 파악하였는가?	
	임플란트 식립 전 설하동맥, 이하동맥의 위치를 파악하였는가?	
	임플란트 식립 전 하치조 신경 및 이공의 위치를 파악하였는가?	
	임플란트 식립전 치근단 사진, 파노라마, CT 영상을 통해 주요 해부학적 위치를 파악하였는가?	
총점		

실습평가표

실습제목	임플란트 식립준비 및 임플란트 식립 위치 결정		
학생 번호		성명	
지도의 성명		서명(인)	

구분	평가항목	점수
	1. 임플란트 식립위치 결정	
임플란트 근원심 폭경은 적절한가?	하악골 모형에서 인접치 사이에 1.5mm 이상의 적당한 간격을 유지한 경우인가?	
잔존골 폭과 임플란트 직경의 선택이 적절한가?	임플란트 매식체의 치관측 변연에서 협설측으로 최소 1mm 의 두께가 확보된 경우인가?	
임플란트 식립 위치가 적절한가?	치아 상실부에 치아가 있다고 가정시 임플란트 매식체가 치아의 정중앙에 위치하는가?	
	임플란트의 협설 및 근원심 축이 자연치아의 치축과 일치하는가?	
	다수 임플란트 식립시 임플란트가 평행하게 식립된 경우인가?	
	2. 임플란트 수술의 준비	
	통법의 임플란트 1단계 수술에 쓰이는 수술 도구의 이름과 용도를 숙지하였는가?	
	임플란트 수술도구와 장비를 무균적으로 준비하고 능숙하게 다루었는가?	
	핸드피스와 임플란트 장비 및 발판을 능숙하게 조작하여 원하는 용도로 사용하였는가?	
총점		

실습평가표

실습제목	절개선 설명 및 임플란트 식립 과정		
학생 번호		성명	
지도의 성명		서명(인)	

구분	평가항목	점수
임플란트 1차수술		
절개선의 설정과 절개 및 피판의 거상	절개선이 치은 상방을 잘 지나가고, 일격에 전층 절개를 한 후 찢어짐 없이 골막점막피판을 거상한 경우인가?	
Guide drill의 사용	미리 올바른 식립 위치를 설정하고 가이드 드릴을 이용하여 올바른 회전속도와 깊이, 각도로 하악골 모형을 천공한 경우인가?	
Twist drill and pilot drill의 사용	구강 내의 상황을 가정하여 입안으로 핸드피스가 들어가는 방향으로 올바르게 핸드피스를 진입시켰는가?	
	작은 직경부터 시작해서 적절한 회전속도로 원하는 깊이만큼 골을 순차적으로 잘 삭제한 경우인가?	
Counter sink drill (또는 cortical drill)의 사용	Counter sink drill의 용도를 이해하고, 적절한 폭경과 올바른 깊이로 상부를 잘 삭제한 경우인가?	
Tapping drill의 사용	Tapping drill의 용도를 이해하고 올바른 회전속도와 깊이로 나사산 형성 후 역방향 회전을 통해 drill을 잘 빼낸 경우인가?	
매식체의 식립	매식체를 무균적으로 잘 개봉하여, 권장 식립 회전속도와 토크로 매식체를 올바른 깊이만큼 매식한 경우인가?	
커버스크류의 삽입	커버스크류를 매식체 상부와 틈이 없도록 올바른 토크로 완전히 잘 조인 경우인가?	
피판의 봉합	적절한 봉합사간 간격과 적절한 장력으로, 피판이 원래 위치에 잘 재위치 한 경우인가?	
2. 임플란트 2차 수술		
피판법	매식체 상부에 올바른 절개 및 피판을 형성한 후 커버 스크류를 제거하고 완전히 healing screw를 조인 후 피판을 최대한 긴밀하게 봉합한 경우인가?	
펀치법	매식체 상부에 올바른 위치에 펀치를 이용하여 커버 스크류를 노출시킨 후 제거하고 healing screw를 잘 장착한 경우인가?	
총점		

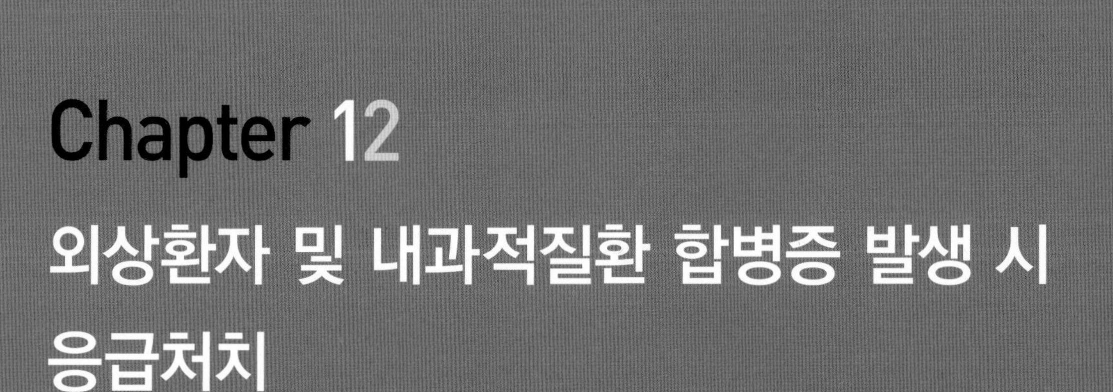

Chapter 12

외상환자 및 내과적질환 합병증 발생 시 응급처치

학·습·목·표

- 외상환자의 정확한 초기 평가 및 처치 방법에 대해 숙지한다.
- 심폐소생술을 포함한 응급환자 처치를 시행할 수 있도록 한다.
- 내과적 질환에 대해 이해하며, 이에 대한 합병증 및 응급상황에 대한 처치 방법에 대하여 숙지한다.

1 외상환자의 응급처치법

❖ 초기평가와 처치

외상환자 발생 시 신속하고 정확한 초기 평가와 처치가 이루어진다면 외상으로 인한 사망의 30%까지 예방될 수 있다.

1) 손상심도 평가(assessment of injury severity)

(1) 목적

손상심도 및 응급성에 따른 치료의 우선순위 확립

(2) 손상심도 평가 수단

① 외상등급(trauma score)

② 손상심도 등급(injury severity score)

Revised Trauma Score

Revised Trauma Score(RTS)는 사망의 예견에 높은 정확도와 평가자 간 신뢰도를 가진 생리학적 평가 체계이다. 환자에게 얻어지는 정보를 바탕으로 평가된다. 이 환자에게서 얻어진 자료를 기반으로 평가되며, 항목으로는 Glasgow Coma Scale, 수축기 혈압, 호흡률이 있다.

Glasgow Coma Scale (GCS)	수축기 혈압 (Systolic Blood Pressure, SBP)	호흡률 (Respiratory Rate, RR)	등급
13~15	>89	10~29	4
9~12	76~89	>29	3
6~8	50~75	6~9	2
4~5	1~49	1~5	1
3	0	0	0

RTS = 0.9368 GCS + 0.7326 SBP + 0.2908 RR

RTS는 0에서 7.8408사이의 값을 가진다. RTS는 두경부 주요 외상에서 Glasgow Coma Scale에 더욱 가중치를 둔다. RTS값이 4미만인 경우, 외상센터에서 처치 받아야 한다. 그 측정값이 낮더라도 RTS가 생존가능성과 주요한 연관이 있는 것을 간과해서는 안 된다.

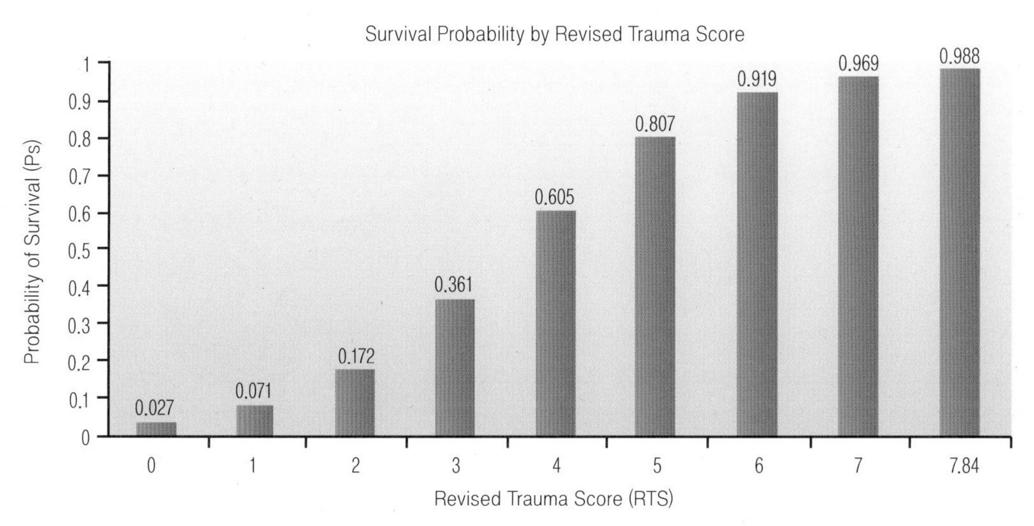

외상센터에서 RTS 계산을 통해 환자의 상태를 즉시 평가해야한다.

그림 12-1. Trauma score

(3) 치료 긴급성에 따른 분류

① 첫째, 즉시 치료가 필요한 군 : 전체 외상환자의 5%에 불과하지만 전체 사망 환자의 50% 이상에 해당. 호흡장애(embarrassment), 다량출혈, 두개내출혈(intracranial hemorrhage) 등

② 둘째, 곧 치료가 필요한 군 : 전체 외 상환자의 10~15% 정도. 치료 가능한 허혈(treatable ischemia), 근육의 큰 창상(large wound of muscle), 내장의 창상(wound of the bowel), 뇌의 개방성 창상(open wound of brain), 개방성 기흉(open pneumothorax), 사지의 개방성 골절(open fracture of the limb) 등

③ 셋째, 치료가 지연될 수 있는 군 : 생명을 위협하지 않는 대부분의 외상

2) 일차 평가(primary survey)

- 일차평가는 신속하고 효과적으로 이루어져야 하고, 생명을 위협하는 상황에서는 평가와 동시에 처치를 시행.
- 기존 A-B-C에서 2011 한국 심폐소생술지침서에서는 C-A-B : C(circulation)- A(airway)-B(breathing) 으로 변경함.
- C-A-B 순서의 기본 소생술은 심정지 발생으로부터 가슴압박까지의 시간을 줄이고, 일반인 구조자가 인공호흡에 대한 부담감으로 심폐소생술을 시도하지 않을 가능성을 줄임.

(1) 기도확보와 경추 보호(airway & cervical spine)

① 외상환자의 초기 평가 시 최우선 순위

② 외상환자에서의 상기도 폐쇄의 원인

- 혀의 위치(특히 의식불명의 환자)에 의한 원인이 대부분
- 기타 : 구강 내나 안면부의 출혈, 이물질의 흡인, 위 내용물의 역류 등

③ 기도확보(그림 12-2)

- 혀의 재위치와 기도 open : 환자의 턱을 들어 올리거나(chin-lift), 하악골을 당김

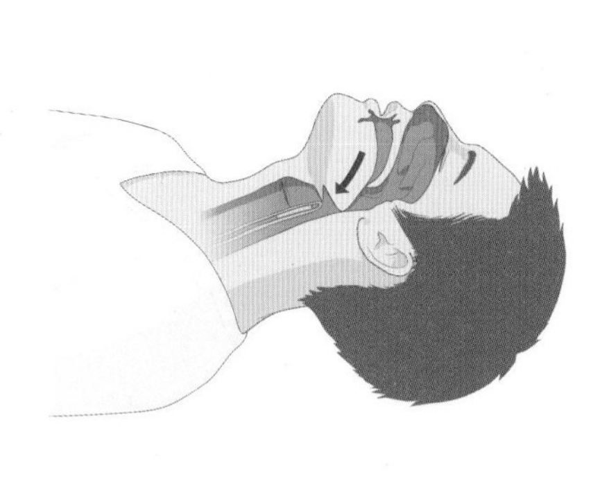
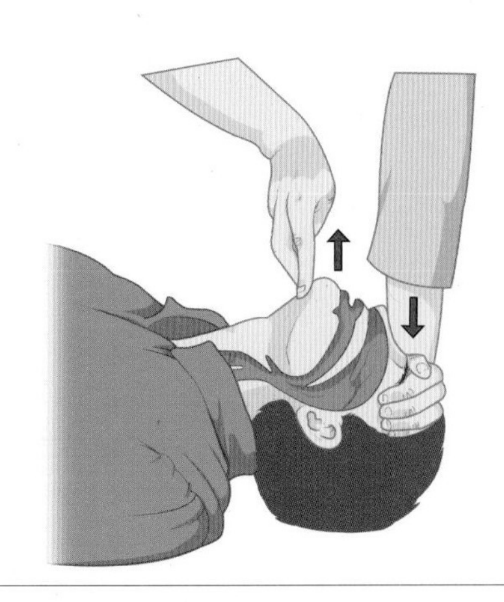

그림 12-2. 기도확보 : 머리젖히고 턱들기

- 기도폐쇄 원인물 제거 : 손가락을 구내로 넣어 이물질, 구토물, 혈액 등을 쓸어내어 제거. 편도 흡인기(tonsillar suction tip)는 인두의 축적물을 제거에 유용

④ 쇄골 상방에 손상을 받은 환자는 경추의 손상이 우려되므로, 목의 과신장과 과굴곡에 주의필요

⑤ neck collar 등을 이용해 경추를 중립 위치에 고정

(2) 호흡(breathing)

심폐소생술 시 인공 호흡에 대한 중요성은 이전에 비해 줄어들긴 하였으나, 영아나 소아의 경우 이물질이 기도를 막아 응급상황이 발생하는 경우가 많으므로 인공호흡과정에서 이물질을 확인하여야 한다.

1초에 걸쳐서 숨을 들여넣어야 하면 숨을 넣어주면서 가슴이 올라가는지 확인하며, 경험이 없거나 의료인의 안전을 보장할 수 없는 경우 생략할 수 있다.

(3) 순환 및 지혈(circulation & bleeding control)

외상 환자의 출혈은 저혈량성 쇼크(hypovolemic shock)를 일으킨다. 출혈환자의 초기 평가는 피부의 관류(skin perfusion)를 통한 조직의 관류 상태 평가가 사용된다.

3) 응급환자의 처치

(1) 지혈(bleeding control)

① 외부 출혈 : 직접적인 압력으로 지혈이 가능

② 사지의 출혈 : 해당 사지를 높게 위치시킨 후 적절한 힘으로 압력을 지속

③ 구강악안면부 : 젖은 거즈(wet gauze)로 출혈창상 내부에 압력을 가해 지혈 및 혈종형성을 방지하고 전신상태가 안정된 후 제대로 된 지혈처치와 창상봉합술을 시행. 출혈의 부위가 설하부(sublingual region)인 경우 압박지혈은 기도에 장애를 초래할 수 있으므로 기관 내 삽관술(endotracheal intubation) 등을 통한 기도 확보 후 압박지혈

④ Le Fort I 이나 안면 골절과 연관된 내상악동맥의 출혈 : 액체 thrombin이나 에피네프린을 적신 거즈를 비강에 장시간 채워 넣어 지혈

⑤ 상악골절과 동시에 구개골 수직골절이 동반되는 경우 : 국소 마취 후, 구개횡단강선결찰(transpalatal wiring) 방

법으로 골절편을 근접시키는 지혈처치를 완료한 후, 비폐색법을 시행
⑥ 하악골절 : 치간결찰 강선고정술(interdental wiring)

(2) 저혈량성 쇼크(hypovolemic shock)

복합적인 외상 환자에서 가장 흔한 쇼크의 원인은 과다출혈이다. 구강악안면 혈관 손상에 의한 저혈량성 쇼크의 발생은 드물기 때문에 구강악안면 외상환자에서 저혈량성 쇼크가 발생되었다면 흉강, 복강, 뇌, 대퇴부 등에서의 내출혈을 의심해보아야 한다.

(3) 기관내삽관술(endotracheal Intubation)

기관내삽관술은 가장 흔히 사용되는 기도확보 술식이다(그림 12-3). 수술실에선 적절한 전산소화(preoxygenation)로 환자가 5~8 분간의 무호흡 상태를 견딜 수 있지만, 외상환자의 경우는 그렇지 못하므로 빠른 시간 내에 삽관을 시행하는 것이 중요하다.

(4) 경구삽관술(oral intubation)

후두개(epiglottis)를 직접 촉지한 상태에서, 왼손의 검지와 중지사이에 기관 튜브를 잡아 튜브를 기관으로 유도한다. 이 방법의 장점은 머리나 목을 움직이지 않아도 되고, 인두의 분비기능을 방해하지 않으며, 후두경이 없을 때 유용하게 사용할 수 있다는 점이다.

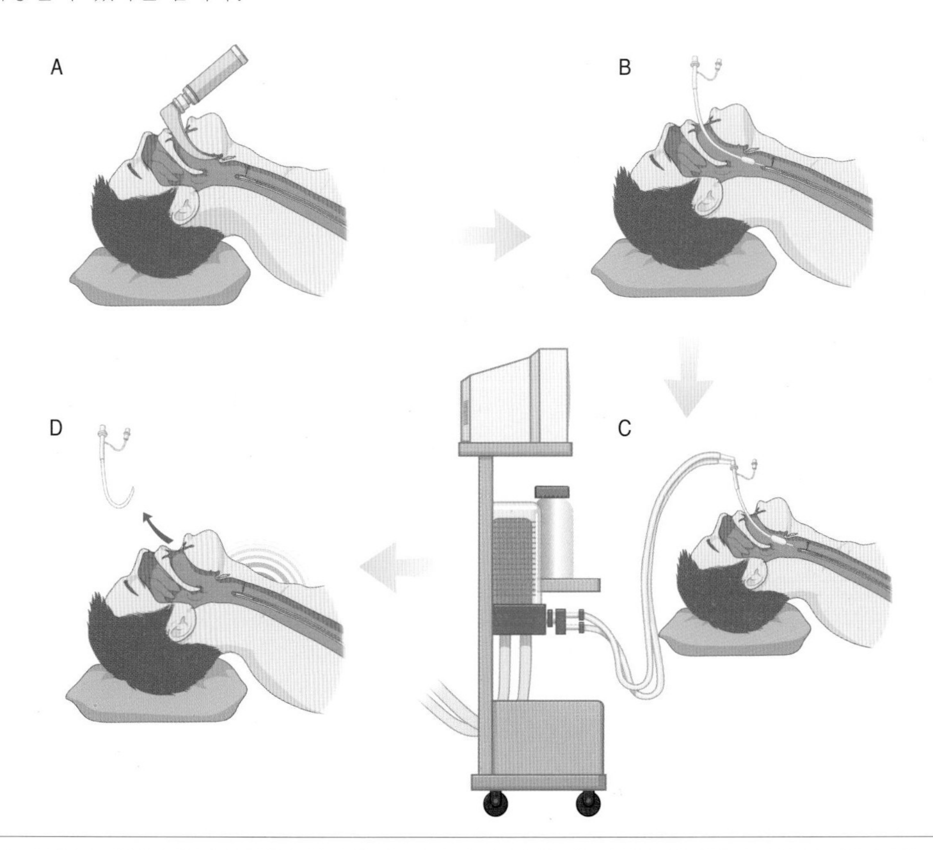

그림 12-3. A. 기관 내 삽관을 과정에서 입을 벌려 후두경의 날을 혀의 왼쪽에서 오른쪽으로 밀면서 구강내로 넣고, 날을 후두부로 전진시키면서, 후두경날 앞에 성대를 확인한 후 **B.** 기관튜브를 삽입한다. **C.** 기관튜브의 커프에 밸루닝을 시행한 후, 마취기(ventilator)와 튜브를 연결한다. **D.** 수술을 끝나면, 마취에서 깨어남과 환자의 자발 호흡을 확인한 후 튜브를 제거한다.

(5) 외과적 기도확보술(surgical airway)

지금까지 소개된 방법으로 기도 확보가 실패했을 경우는 외과적 기도확보가 필요하다. 외과적 기도확보는 우선적 처치법은 될 수 없지만 술자의 판단에 외과적 기도확보가 필요하다고 생각되면 신속히 시행해야 한다.

윤상갑상절제술(cricothyroidotomy)

이 술식은 기관절제술보다 빠르게 시행할 수 있고, 상대적으로 주요 구조물이 인접해 있지 않아 술식이 쉽고, 부작용이 적기 때문에 응급 기도확보술로 이용되고 있다. 또한 기관절제술에 비하여 목을 신장시킬 필요가 없다는 장점이 있다.

응급 윤상갑상절제술의 술식을 살펴보면(그림 12-4)

① 갑상선 상부 피부부위 촉진 후 절개할 부위에 국소마취 한다.
② 기침반사를 줄이기 위해 4% 리도카인을 기관 내에 주사한다.
③ 설골과 갑상 융기, 윤상연골의 위치를 확인한다.
④ 술자의 왼손으로 후두를 고정시킨 다음 왼손 검지 손가락으로 윤상갑상 공간을 촉진하며 갑상융기에서 하방으로 2~3 cm 가량 수직 절개 한다.
⑤ 윤상갑상연골막까지 절개 후, 윤상갑상동맥과 성대를 피하기 위해 막하부에서 미측 30~40° 방향으로 수평찌르기 절개(stab incision)를 실시해 수평, 수직적으로 벌린다. 윤활제를 바른 기관절개용 튜브(외경 8 mm)나 커프(cuff)가 있는 기관튜브(외경 6 mm 이하)를 기관에 삽입 한다.
⑥ 다음, 기관의 두 번째와 세 번째 고리 사이를 개방시킨다. 기관절제용 튜브를 개방된 기관에 삽입하고 커프(cuff)를 부풀린다. 절개된 피부는 느슨하게 고정 봉합한다. 피부 봉합이 너무 단단하게 봉합되면 강제호기나 지속적 양압 환기 시 발생하는 공기의 배출을 막아 피하기종이 생길 수 있다.

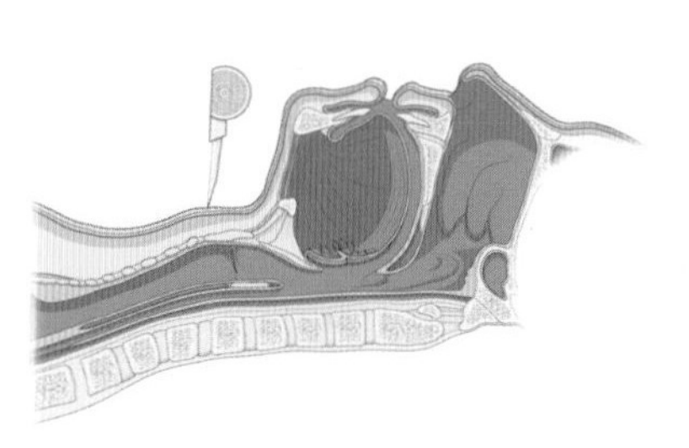

cricothyroid membrane 위에 절개를 한다.

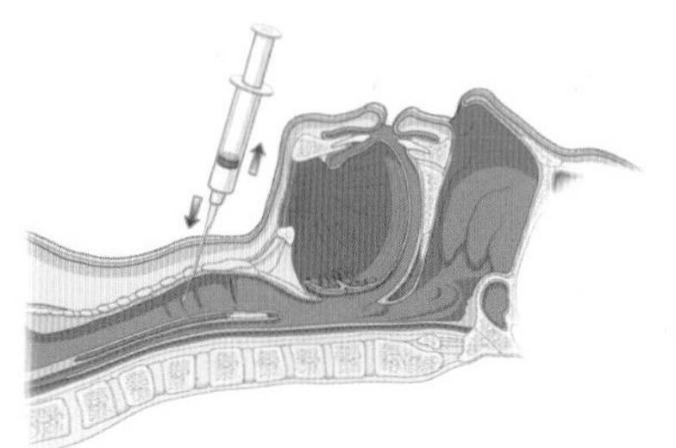

cricothyroid membrane에 주사바늘을 자입한다.

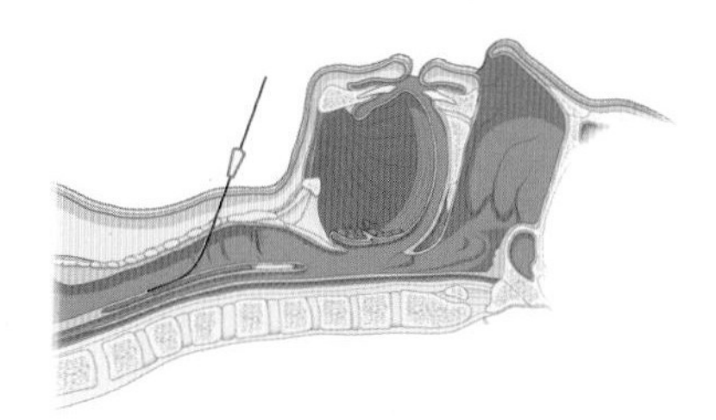

주사바늘을 통해 guide wire를 삽입한다.

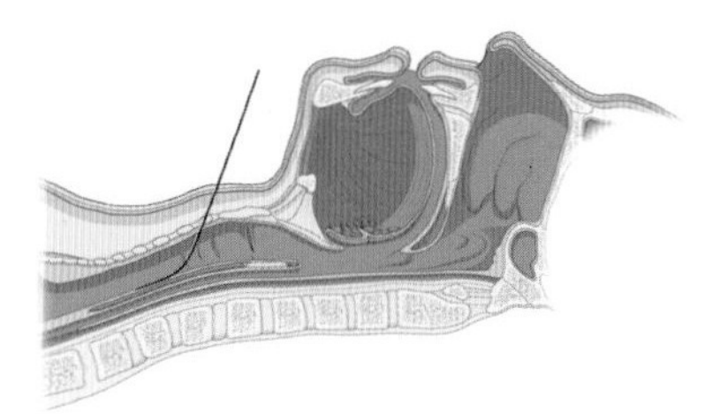

guide wire를 남기고 주사바늘을 제거한다.

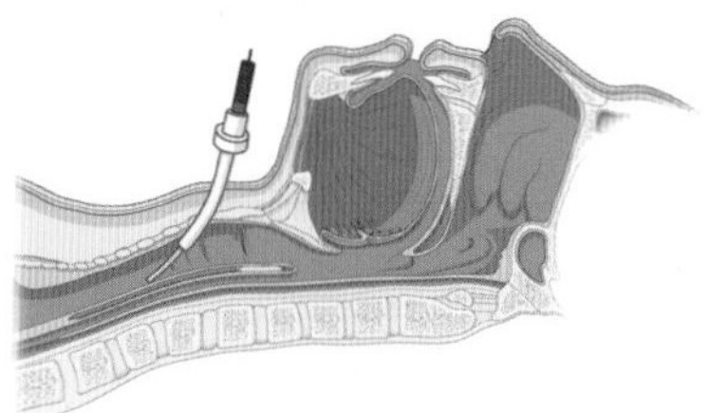

guide wire를 따라 확장기와 기관절개관을 같이 삽입한다.

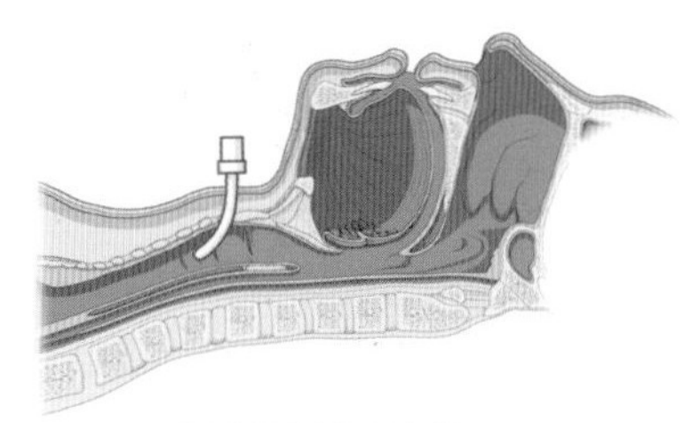

기관절개관을 넣는다.

그림 12-4. 윤상갑상절제술(cricothyroidotomy)

⑦ 수술 후 삽입된 도관을 통하여 습도가 높은 산소를 공급해야 하고, 흉부 X선 사진의 촬영이 필수적이다. 술 후 4시간 동안은 15분 간격으로 도관내의 분비물을 세척하며 이후 1시간간격으로 분비물을 세척한다.

4) 심폐소생술

(1) 심폐소생술의 기전

① 환자의 정지된 호흡과 혈액순환을 자발적인 순환과 호흡이 가능해질 때까지 구조자가 제세동 등으로 대신 보조하여 주는 것

② 심폐 소생술 중 뇌혈류는 불과 정상의 20% 정도이지만 이는 비가역적인 뇌손상을 예방하는 데 매우 중요하다.

③ 심폐소생술은 전문 생명유지술이 시작될 때까지 시간을 벌어준다.

(2) 심폐소생술의 예후를 결정하는 사항

① 심정지의 목격자가 있는가?

② 효과적인 심폐소생술이 얼마나 빨리, 어떻게 행해졌는가?

③ 제세동까지 시간이 얼마나 걸렸는가?

④ 응급구조팀이 도착할 때까지 얼마나 시간이 지났는가[1]?

(3) 심폐소생술 단계별 방법

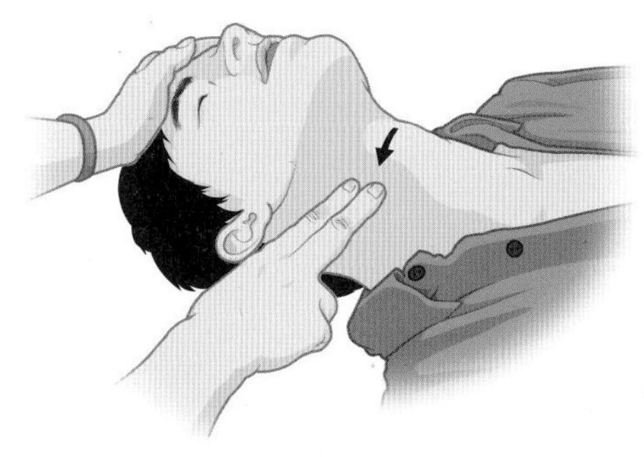

A. 맥박확인. 경동맥을 검지와 중지로 5초이상 10초 이내로 맥박 측정 후, 경동맥의 맥박이 느껴지지 않는다면 즉시 흉부압박을 시행

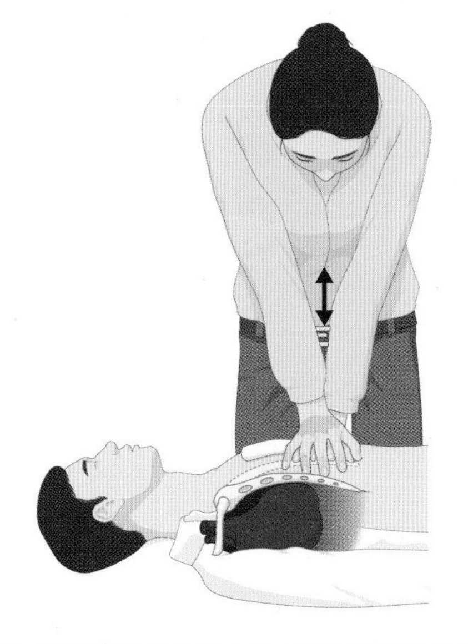

B. 흉부압박. 흉부중앙에 깍지 낀 손의 손바닥 뒤꿈치를 댄 후 양팔을 쭉 펴고 체중을 실어 환자의 몸에 수직이 되도록 가슴을 압박한다.

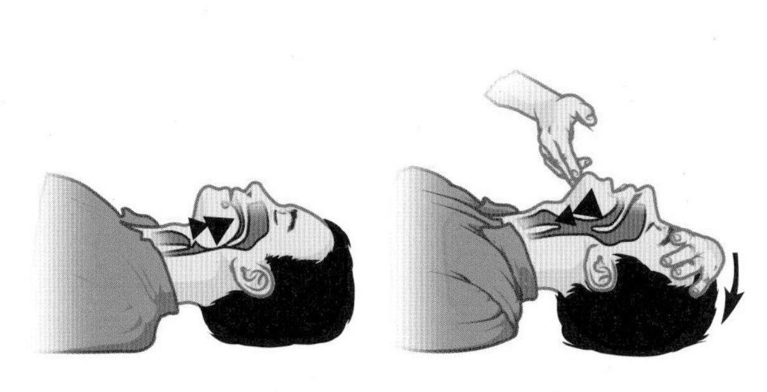

C. 기도확보. 한 손을 이마에 위치시키고 머리를 뒤로 젖히고 다른 손은 아래턱을 들어올린다.

D. 인공호흡. 기도확보 후 환자의 입을 구조자의 입으로 잘 밀착하고 코를 막고 구조자의 날숨을 환자에게 천천히 최대로 불어넣는다.

그림 12-5. 심폐소생술 단계

(4) 성인의 CPR 과정

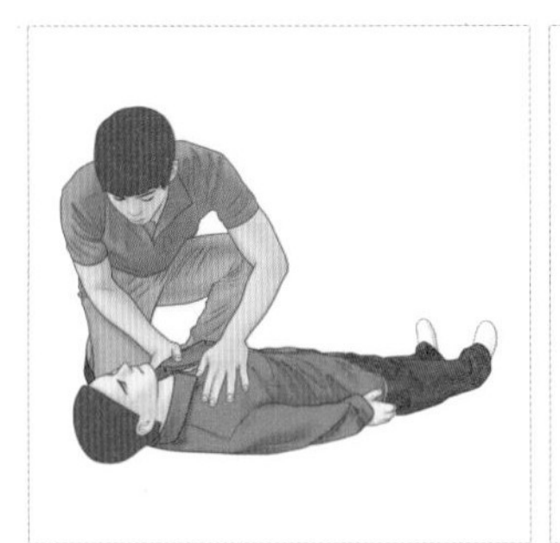

① 환자를 두드리고 불러본다.

② 도움을 요청한다. 다른 사람에게 119에 연락하고 자동제세동기를 준비시킨다.

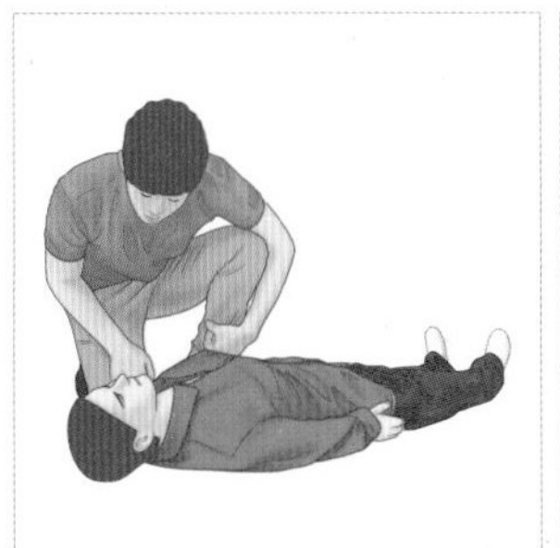

③ 무호흡인지 비정상호흡인지 확인한다.

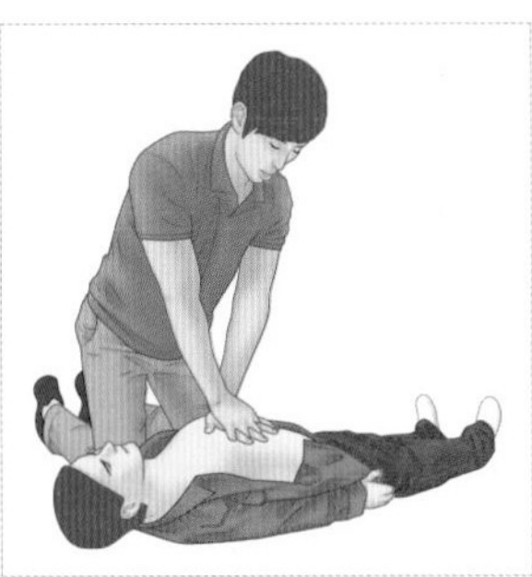

④ 빠르고 강하게 흉부압박 30번

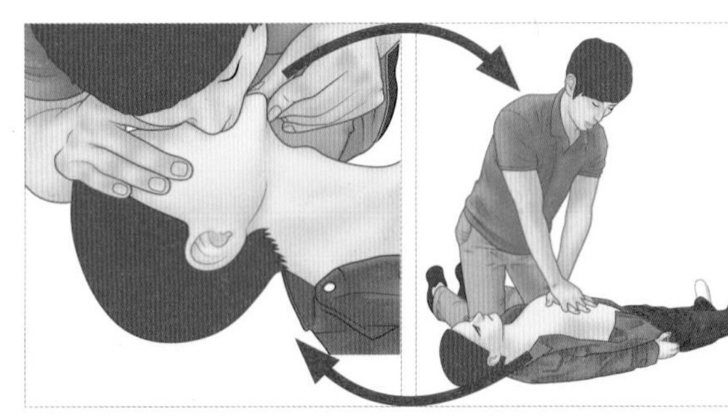

⑤ 기도를 확보하고 2번 인공호흡한다. ⑥ 30번 압박, 2번 인공호흡을 반복

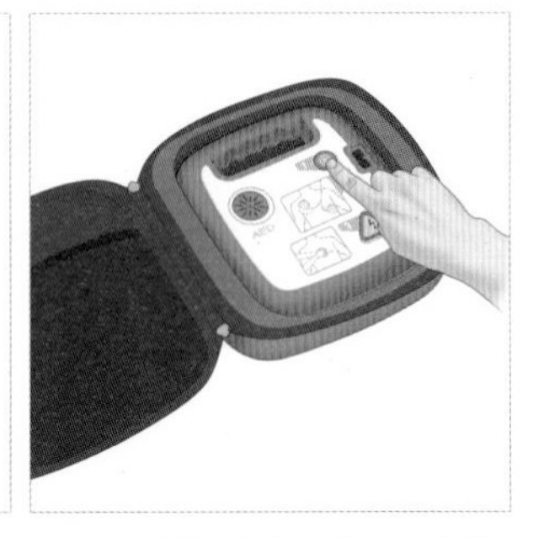

⑦ 자동제세동기가 준비되면 전원을 키고 지시를 따른다.

그림 12-6. 성인의 CPR 과정

(5) 어린이의 CPR 과정

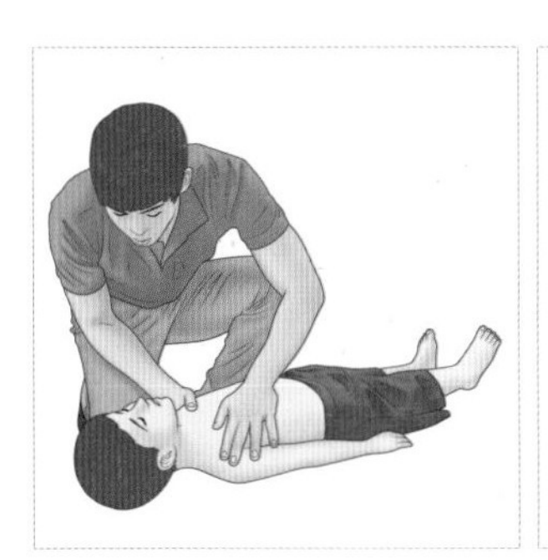

① 환자를 두드리고 불러본다.

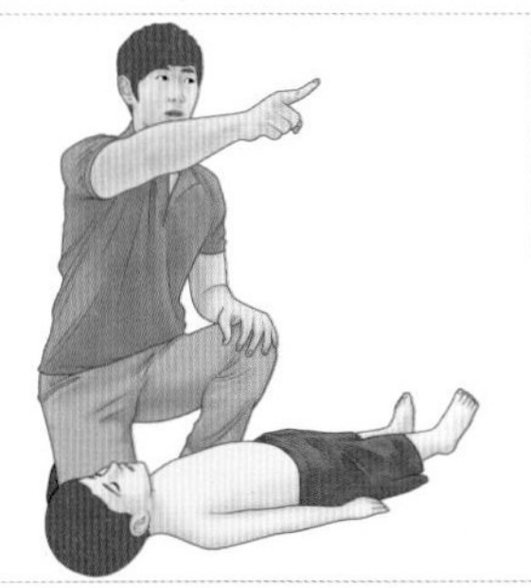

② 도움을 요청한다. 다른 사람에게 119에 연락하고 자동제세동기를 준비시킨다.

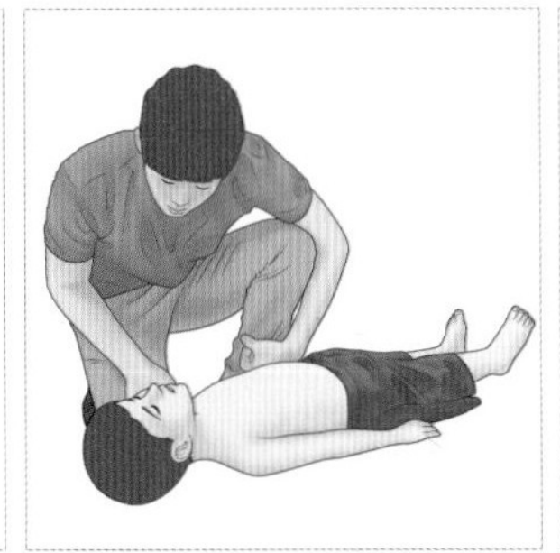

③ 무호흡인지 비정상호흡인지 확인한다.

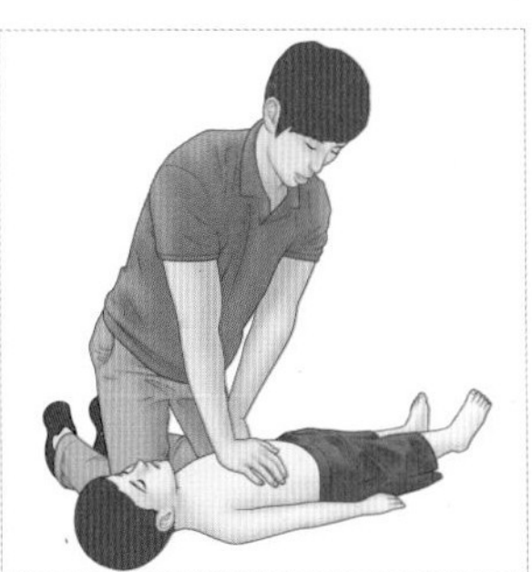

④ 빠르고 강하게 흉부압박 30번

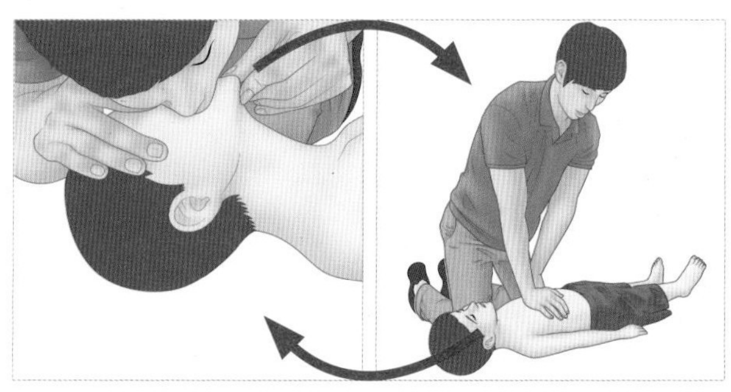

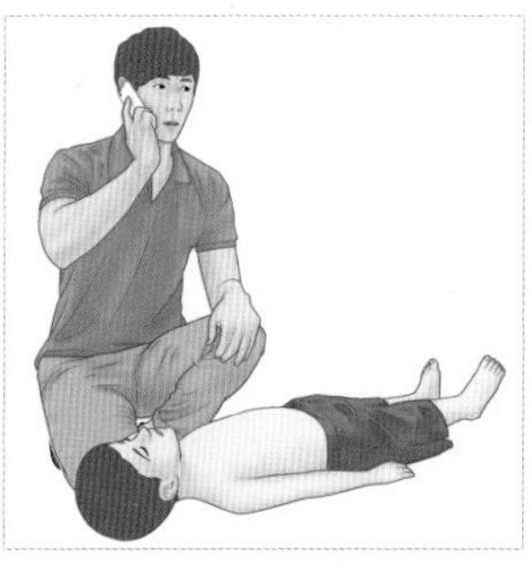

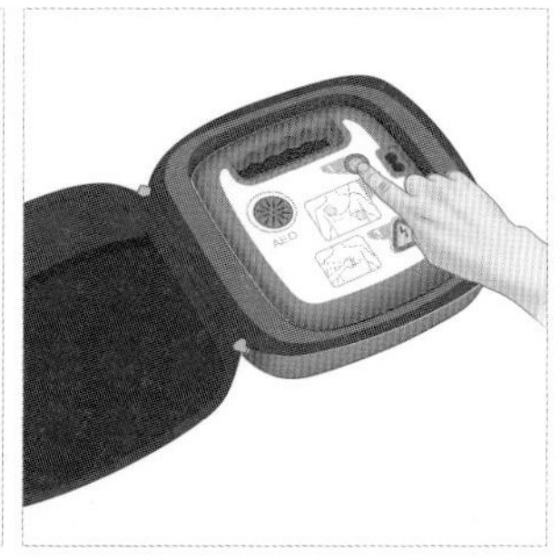

⑤ 기도를 확보하고 2번 인공호흡한다.

⑥ 30번 압박, 2번 인공호흡을 반복

⑦ 30번 흉부압박, 2번 인공호흡을 5 세트 반복한 후에도 혼자서 CPR 하는 상황이라 면 119에 연락한 후 다시 30:2를 반복

⑦ 자동제세동기가 준비되면 전원을 키고 지시를 따른다.

그림 12-7. 어린이의 CPR 과정

(6) 영아의 CPR과정

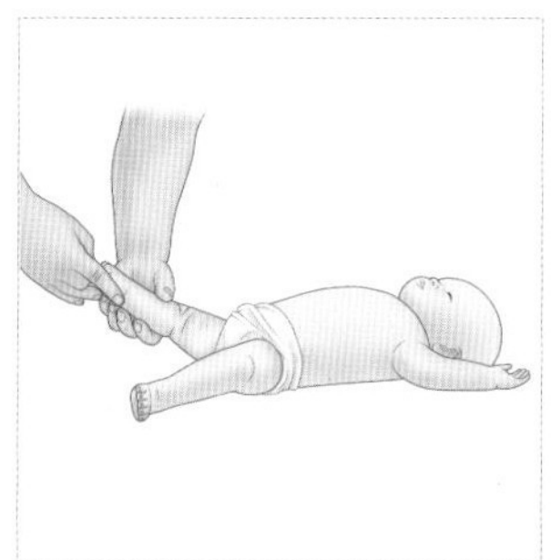

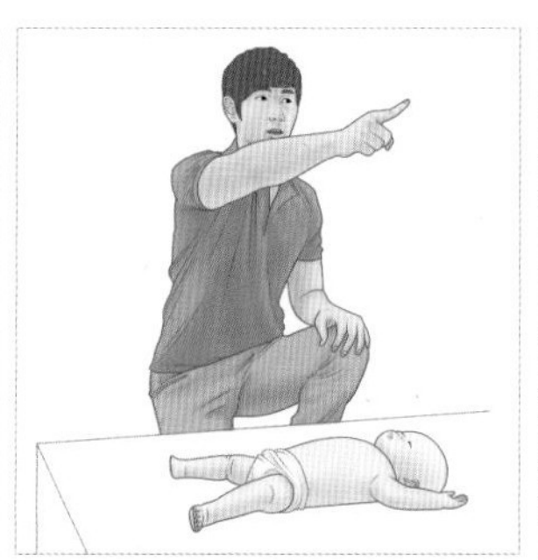

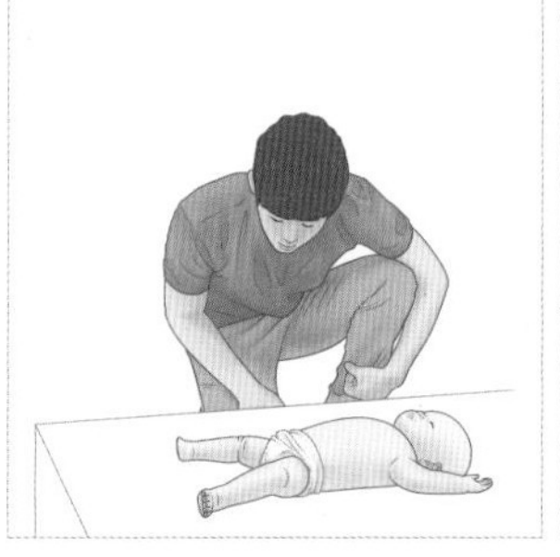

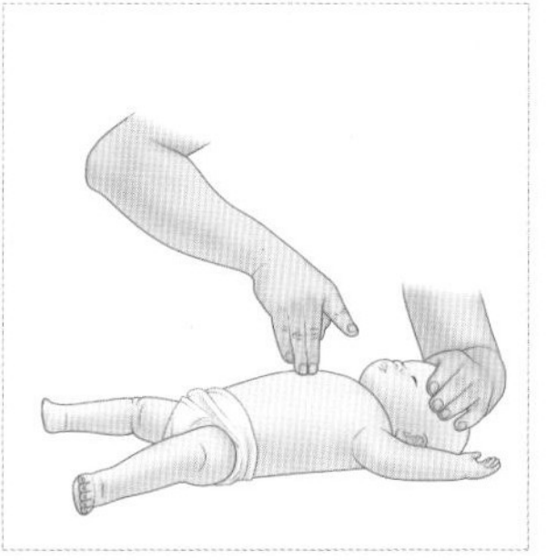

① 환자를 두드리고 불러본다.

② 도움을 요청한다. 다른 사람에게 119에 연락하고 자동제세동기를 준비시킨다.

③ 무호흡인지 비정상호흡인지 확인한다.

④ 빠르고 강하게 흉부압박 30번

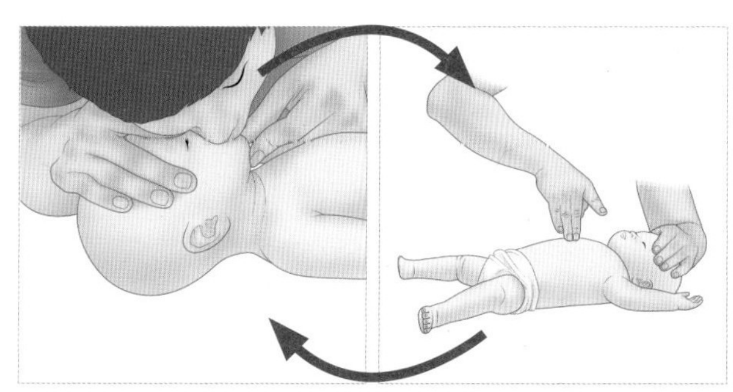

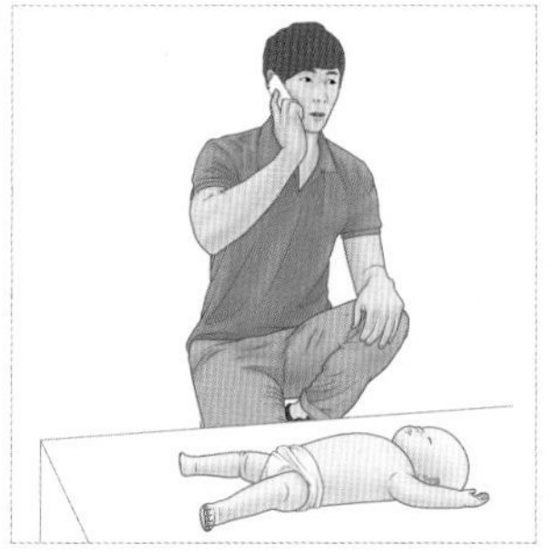

⑤ 기도를 확보하고 2번 인공호흡한다.

⑥ 30번 압박, 2번 인공호흡을 반복

⑦ 30번 흉부압박, 2번 인공호흡을 5 세트 반복한 후에도 혼자서 CPR 하는 상황이라면 119에 연락한 후 다시 30:2를 반복

그림 12-8. 영아의 CPR과정

2 내과적 질환 합병증 발생 환자에 대한 응급처치

최근 들어 치과치료 중 환자의 전신질환 악화로 환자는 물론 치과의사에게 곤란한 문제를 일으키는 경우가 종종 발생하고 있다. 이러한 문제는 단순히 환자와 의사만의 문제가 아닌 사회문제로 부각되어 의료사고 혹은 의료분쟁으로 비화되는 경우가 생기곤 한다. 치과의사들은 살면서 평균 두 번 정도 환자의 생명에 위협을 느끼는 의학적 응급상황을 경험한다고 한다. 다행히도 치과수술 중의 응급상황은 드물며, 치명적인 사고는 주로 전신마취와 연관되어 발생하는 경우가 많지만, 마취와 관계없이 치과수술 중 응급사태가 일어날 가능성은 여전히 있다.

응급상황을 해결하는 가장 좋은 방법은 사전에 준비를 해놓는 것이다. 응급사태가 발생했을 때 적절히 대처하기 위해서, 모든 치과진료실은 이에 대한 적절한 복무지침서(protocol)를 가져야만 한다. 치과의사는 진료실의 모든 구성원(간호원, 보조간호원, 치과위생사를 모두 포함)에게 이 과정을 철저히 설명해야 하며 모든 과정들은 반복하여 연습 되어야 한다. 모든 구성원은 응급산소 공급법과 약품, kit(혹은 "Crash cart")의 위치를 알고 있어야 하며, 이들 약제들은 항상 같은 위치에 보관되어야 한다. 가까운 종합병원, 의뢰할 수 있는 가까운 내과의 구조대 전화번호를 항상 전화기 앞에 비치하여야 한다. 구성원 전원은 기도의 유지방법과 심폐소생술(cardiopulmonary resuscitation, CPR) 방법에 대해 적절한 훈련을 받아 빠른 대처가 가능하도록 해야 한다.

1) 응급상황을 위한 준비

대부분의 응급상황은 환자와 치과진료팀의 적절한 준비를 통해 예방할 수 있다. 아래와 같은 guideline을 참고로 준비를 하는 게 효과적이다.

Guideline

1. 치과진료실을 방문하는 모든 환자의 의학적 병력(medical history)을 기록해놓아야 하며 매 방문 때마다 업데이트해야 한다. 필요하다면, 환자의 내과주치의의 자문을 받아놓아야 한다.
2. 치과 진료 약속을 잡을 때, 환자에게 치과진료실 방문 날짜에 평상시 복용 중인 약을 복용하도록 상기시켜야 한다. 당뇨 환자의 치료 시간은 식사 시간 전후로 주의하여 약속한다. 흡입기(inhaler)나 니트로글리세린(nitroglycerin)을 사용하는 환자는 치과 치료 중의 스트레스로 인해 천식(asthma), 협심증(angina), 심근경색(Heart attack) 등이 발생할 수 있으므로 꼭 지참 후 방문하도록 한다.
3. 치과구성원들은 생징후를 볼 수 있으며(monitoring), 해석할 수(interpreting) 있어야 한다. 치과 진료 시 합병증이 발생할 수 있는 환자들의 첫 치과진료실 방문 시 생징후를 측정하여 기준 수치로 기록하고, 추후의 치과 방문 시 마다 생징후를 관찰한 후 이 둘을 비교하여 합병증이 발생할 수 있는 상황에 대처한다.
4. 모든 치과 구성원들은 기본적인 응급 처치 과정(first aid procedure) 및 심폐소생술(CPR)에 대해 숙달되어야 한다.
5. 치과진료실에는 미리 준비된 응급 상황에 대한 대처방법(Emergency plan)이 있어야 하며, 모든 치과구성원들이 볼 수 있는 곳에 게시되어야 한다. 각각의 치과 구성원들은 응급상황에서 맡은 역할을 빠르게 수행할 수 있도록 숙달되어야 하며, 치과진료실에 있는 모든 전화기에 응급 구조대를 요청할 수 있는 번호가 부착되어야 한다.
6. 치과의사들은 전신질환을 지니고 있는 환자에서 나타날 수 있는 스트레스의 조짐들(signs of stress) 및 이를 완화시키는 방법들에 대해 인지하여야 한다.
7. 치과 구성원들은 응급상황을 나타내는 징후들과 증상들(signs and symptoms)에 대해 인지하여야 한다. 각각의 치과진료실에는 재빠르게 사용할 수 있는 응급 장비(emergency kit)가 구비되어 있어야 하며 어디에 위치하고 있는 지 모든 구성원들이 알고 있어야 한다.
8. 모든 치과 구성원들은 진료실에서 발생하는 응급 상황에 대처하였을 때 발생하는 법적 책임(legal responsibilities)에 대해 알고 있어야 한다.

2) 생징후 검사(vital signs)

치과 진료 진행에 있어 생징후 검사는 환자의 치과 진료 전에 기준 상태를 제공함으로써 환자의 상태 변화를 확인하는 데 효과적이다. 그러나, 이러한 생징후 검사는 치과 진료실에서 흔히 보기 어려운 경우가 많다. 다양한 전신질환을 지니고 있는 환자에 있어 생징후의 변화 양상을 관찰하는 것은 합병증의 발현 가능성과 그 종류를 예측하는 데 효과적이다. 생징후 검사에는 혈압(blood pressure), 맥박(pulse), 호흡수(respiration), 체온(body temperature), 산소포화도(oxygen saturation) 등이 있으며 이는 매 치료의 진행 전에 측정해 두어야 한다.

3) 주요 증상에 의한 참고지침

(1) 호흡장애(청색증)

① 과도환기 ② 기도폐쇄 ③ 심장마비 ④ 천식

(2) 반사동작변화

① 실신 ② 뇌졸중 ③ 인슐린 쇼크 ④ 간질 ⑤ 갑상선 중독증

(3) 흉통

① 급성 심근 경색증 ② 협심증 ③ 과도환기

(4) 서맥

① 심장마비 ② 과민증 ③ 뇌졸중 ④ 당뇨병성 혼수 ⑤ 쇼크

(5) 빈맥

① 급성 심근 경색증 ② 발작성 심계항진(빈맥) ③ 인슐린 쇼크 ④ 실신
⑤ 국소 마취제에 의한 부작용 ⑥ 갑상선 중독증

4) 내과적 질환 합병증 발생 환자에 대한 기본적인 공통 처치

전신질환을 지닌 환자가 내과적 질환에 관한 합병증이 발생하였을 때, 기본적으로 다음과 같은 처치를 공통적으로 시행하면서 적절한 후속 처치를 고려한다.

① 환자를 앙와위(supine position)로 누이고 머리를 가능한 다리보다 아래로 한다.
② 환자가 치과의자(dental chair)에 앉아있으면 다른 곳으로 이동시킬 필요가 없다.
③ 환자가 의식이 있으면 앙와위보다는 비스듬히 앉는 자세가 더 편할 것이다.
④ 환자를 편하게 위치시키고, 정신적으로도 안정시킨다.
⑤ 환자에게 산소를 공급한다.
⑥ 기도를 효과적으로 열어주어야 한다.
⑦ 혈압, 맥박, 체온, 호흡, 산소포화도 등의 생징후를 수시로 점검하고 피부색도 관찰하여야 한다.
⑧ 환자의 의학적 병력, 기타 현재의 증상을 참고로 진단을 하여야 한다.
⑨ 환자의 호흡, 순환을 도와주어야 한다.

⑩ 진단에 따라 현재 증세에 대한 평가를 하여야 한다.

5) 치과 진료실에 갖추어야 할 장비 및 약품

(1) 필수 장비

① 이동 가능한 산소 탱크(E-size)

② 깨끗한 안면 마스크

③ 부가적인 산소 호흡기(nasal cannula, non-rebreathing, mask with oxygen reservoir, nasal hood)

④ Magill's forceps

⑤ 호흡시킬 수 있는 bag mask(Ambu, Laerdal) 또는 자동밸브(Elder)

⑥ 혈압계

⑦ 청진기

⑧ 기도를 유지시키기 위한 tube(oropharyngeal tube, nasopharyngeal tube)

⑨ Suction

(2) 추가적으로 필요한 장비

① 윤상 갑상 연골 절개술 세트(cricothyroidotomy set) 또는 13, 14 gauge 주사침

② 대형T A Suction tip ③ Suction catheters

④ Alcohol swabs ⑤ 20 혹은 25 gauge 주사침

⑥ 10cc syringes ⑦ IV set

⑧ 구혈대(tourniquet) ⑨ 반창고

⑩ Penlight

(3) 필수약품

표 12-1. 필수약품

약품	적응증	성인 초기 용량
1. Glucagon	무의식 중 저혈당	1mg 근육주사
2. Atropine	임상적으로 유의미한 서맥	0.5mg 정맥 혹은 근육주사
3. Ephedrine	임상적으로 유의미한 저혈압	5mg 정맥주사 혹은 10~25mg 근육주사
4. Hydrocortisone	부신 기능 부전 재발성 아나필락시스	100mg 정맥 혹은 근육주사
5. Morphine 혹은 Nitrous oxide	니트로글리세린에 반응하지 않는 협심증과 유사한 통증	2mg 정맥, 5mg 근육주사 ~35% 흡입
6. Naloxone	아편유도제 과다복용시	0.1mg 정맥주사
7. Lorazepam혹은 Midazolam	간질지속증	4mg 근육 혹은 정맥주사 5mg 근육 혹은 정맥주사
8. Flumazenil	benzodiazepine 과다복용시	0.1mg 정맥주사

(4) 추가적 약품

표 12-2. 추가적 약품

약품	적응증	성인 초기 용량
1. 산소(Oxygen)	거의 모든 응급상황	100% 흡입
2. 에피네프린(Epinephrine)	아나필락시스(Anaphylaxis) albuterol/salbutamol에 반응하지 않는 천식 심장마비	0.1mg 정맥주사 혹은 0.3~0.5mg 근육주사 0.1mg 정맥주사 혹은 0.3~0.5mg 근육주사 1mg 정맥주사
3. 니트로글리세린(Nitroglycerin)	협심증 통증	0.3~0.4mg 설하투여
4. 항히스타민 (diphenhydramine 혹은 chlorpheniramine)	알레르기 반응	25~50mg 정맥, 근육주사 10~20mg 정맥, 근육주사
5. Albuterol/salbutamol	천식성 기관지경련	2회 스프레이: 흡입
6. 아스피린(Aspirin)	심근경색증	160~325mg

6) 내과적 질환 합병증 발생 환자 처치에 대한 치과 구성원의 임무 분담

(1) 치과의사

응급상황이 생기면 리더인 치과의사는 준비된 프로토콜대로 구성원들이 적절히 응급상황을 처치할 수 있게 돕고 상황을 해결해야 한다.

① 구성원들을 지시한다.

② 환자들을 위치시키고 유지시킨다.

③ CPR(cardiopulmonary resuscitation)의 “ABCs”를 행한다.

④ 침착하게 보이도록 행동한다.

⑤ 기구들을 정확하게 위치시킨다.

⑥ 기본 처치 방법에 대한 훈련은 치과의사 및 간호원, 기타 구성원의 참관 하에 주기적으로 실시해야 한다.

⑦ 새로운 응급처치에 대한 지식을 보완해야 한다.

(2) 치과위생사

치과진료실에서 치과의사 다음으로 가장 적절한 응급 처치를 할 수 있도록 해부학, 약리학, 생리학, 구강내과학, 구강외과학적인 지식을 갖추고 있어야 한다.

① 응급 키트를 가져온다.

② 산소 탱크를 가져오고, 적절한 산소공급기에 연결한다.

③ 자동 제세동기를 가져온다.

④ CPR(cardiopulmonary resuscitation)의 “ABCs”를 돕고, 생징후를 지켜본다.

⑤ 산소 탱크를 주기적으로 점검한다.

⑥ 응급 키트를 주기적으로 점검한다.

⑦ 응급 시 사용되는 약품에 대하여서도 충분히 숙지하고 있어야 한다.

(3) 간호보조원

① 응급 의료 팀에 연락한다.

② 빌딩 입구에서 전문응급구조사를 만나 응급현장으로의 신속한 이동을 돕는다.

③ 응급 상황을 시간순서대로 기록한다.

④ CPR(cardiopulmonary resuscitation)의 "ABCs"를 돕는다.

⑤ 피부색의 변화, 언어의 변화 등을 통해 응급 환자의 상태를 파악한다.

⑥ 응급 처치 시 사용되는 장비, 약품을 주기적으로 점검한다.

⑦ 산소 투여법과 환자의 위치, 체온 보존법 등을 습득하여 치과위생사를 돕는다.

(4) 기타직원

기공실의 기공사, 접수원 등도 모두 응급 시에 대비한 훈련이 충분히 되어있어야 한다.

① CPR(cardiopulmonary resuscitation)의 "ABCs"를 돕는다.

② 접수원은 병록부 관리를 철저히 하고 특히 과민증 환자 또는 알러지 환자 등을 표 등으로 잘 정리해두어야 한다.

③ 치과진료실의 모든 직원은 치과 응급환자 발생에 대비하여 유기적 연락이 가능한 내과, 외과 또는 종합병원의 전화번호를 기록해두어 긴급상황에 대한 협조를 받을 수 있도록 한다.

7) 내과적 질환의 합병증 발생 시 응급처치법

(1) 실신(syncope)

① 정의: 혈압의 저하로 인해 갑작스럽게 발생한 의식의 일시적인 상실이다. 치과 외래에서 가장 흔한 의학적 응급상황이며 국소마취하의 발치 시 약 2%의 환자에서 일어난다.

② 원인

- 긴장, 심리적 불안감
- 뇌동맥폐색, 동맥성 저혈압, 심박출량의 감소 등으로 인한 뇌의 산소공급량 부족
- 혼잡하며 덥고 습한 환경

③ 증상

- 창백함
- 땀, 현기증, 오심
- 일시적인 혈압 감소
- 끈적끈적한 피부

④ 응급 처치

- 진행중이던 치과치료를 모두 중단하고 구강 내 이물질을 제거한다.
- 머리를 몸보다 낮게 유지하고 다리를 올리는 자세를 취하여 말초로부터의 혈액 환류를 증가시킨다(그림 12-9).
- 기도를 확보한다.
- 안면 마스크를 이용하여 산소를 공급하고 암모니아를 환자의 코 밑에 대어 환자의 각성을 촉진한다.

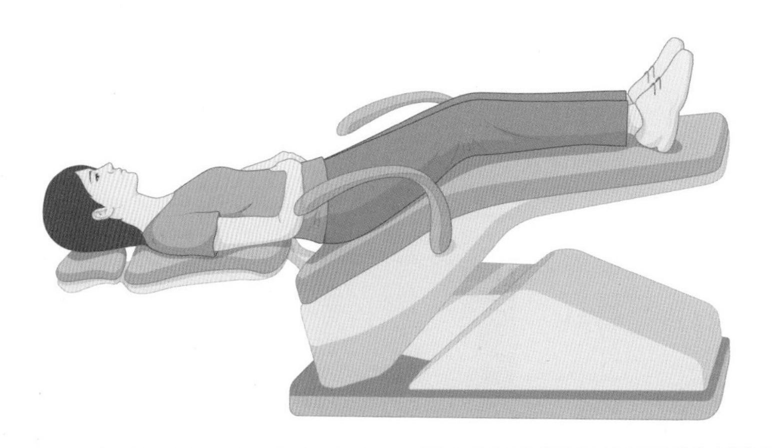

그림 12-9. 다리를 거상한 앙와위 자세

(2) 조절되지 않는 출혈(uncontrolled bleeding)

① 정의

- 술후 첫 24시간 동안 2L 이상의 출혈을 보이는 경우
- 수술적 또는 혈관적 요소 : surgical intervention 혹은 embolization
- 응고 장애 요소 : 여러 요소의 상호적 작용을 포함하는 메커니즘으로 조절하기가 더욱 어렵다.
  - 응고인자와 혈소판의 소모
  - 응고인자의 희석
  - 대사 문제(저체온증, 산증)

② 원인

- 환자와 연관된 요소 : 고령, 작은 체구, 성별, 낮은 적혈구 수치, 항혈소판 혹은 항트롬빈 약제, 울혈성시장 질환, 고혈압, 만성 폐쇄성 폐질환, 말초혈관질환, 당뇨병, 신부전
- 술식과 연관된 요소 : 길어진 치료, 응급상황, 외상, 수술부위 출혈, 술자의 능력

③ 응급처치

- 머리의 혈압이 높아지므로 환자를 앙와위(supine positon)로 두지 않는다.
- 혈관을 봉합한다.
- 지혈을 위해 압박한다.
- 전기 소작법을 실시한다.
- bone wax, surgicel과 같은 지혈제를 사용한다.
- 혈관 수축제를 사용한다.

(3) 간질(epilepsy)

① 정의 : 여러 가지 원인에 의해 뇌세포의 전기적 평형이 깨어져 경련을 일으키는 질환

② 증상

- 의식소실

- 조절되지 않는 신체경련
- 강직성 근수축
- 이 악물기
- 혀 깨물기

③ 응급 처치

- 환자가 전조증상(갑자기 움직이지 않거나 멍하니 어딘가를 응시할 때, 눈을 천천히 깜빡 거리는 경우)을 보이면 즉시 치과 치료를 중단한다.
- 환자 주위의 장비를 치워서 환자를 외상으로부터 보호한다.
- 환자가 치과용 의자에 있는 경우는 앙와위(supine position)를 취하게 한다(그림 12-10).
- 치과용 의자에 앉지 않은 상태인 경우는 바닥에 앙와위로 눕힌다.
- 가능하면 환자가 옆으로 돌아눕도록 한다.

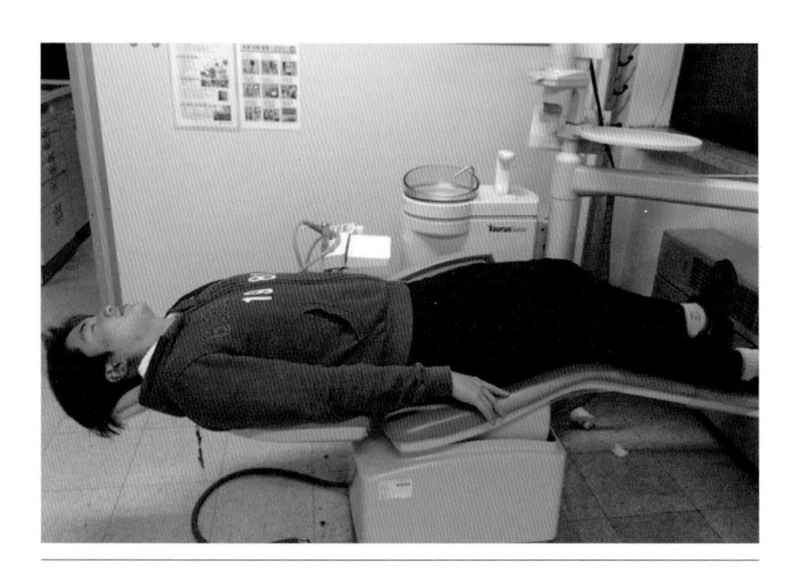

그림 12-10. 앙와위 자세

- 환자의 팔과 다리를 가볍게 눌러 최소한의 움직임을 허용함으로써 부상을 방지한다.
- 환자가 회복된 후에는 부상당한 부위가 있는지 검사한다.
- 치료를 중단한 채로 환자를 이동한다.
- 발작이 5분 이상 지속되거나 청색증이 나타나면 응급구조팀에 연락한다.
- 기도를 확보하고 보충용 산소(supplemental oxygen)을 6~8L/분까지 공급한다.
- 장비가 갖춰지면 10mg 용량의 diazepam, 또는 2mg Ativan , 또는 5mg midazolam을 근육주사 혹은 정맥주사를 통해 투입한다.

(4) 과환기(hyperventilation)

① 정의 : 심리적인 원인이나 다른 질병에 의해서 호흡량이 과도하게 증가함으로써, 정상적인 동맥혈 내의 산소분압과 이산화탄소분압을 유지하는데 필요한 환기량 보다 더 많은 환기가 발생하는 상태로, 어지럼증, 팔다리의 감각 둔화 등의 증상이 나타나는 것

② 원인 : 치과 치료 중 급성 불안으로 인해 호흡의 빈도나 깊이 또는 두 가지 모두가 증가함으로써 발생한다. 두려움을 의사에게 숨기려는 환자에게서 더욱 자주 나타난다.

③ 증상 : 갑자기 깊고 빠른 호흡의 빈도수가 높아지며 이로 인해 호흡성 혈액 알칼리 혈증을 일으켜 전해질 불균형이 일어나고, 어지러움, 현기증, 감각 둔화, 경련, 경직, 무의식상태 등이 나타난다.

④ 치료

- 주사기, 핸드피스 등 원인으로 생각되는 요인을 환자의 시야에서 제거한다.
- 똑바로 선 자세를 취하게 하여 호흡을 편안하게 한다.
- paper bag을 이용하여 환자의 호기를 환자가 다시 흡입하게 하여 혈중 이산화탄소 농도를 높인다(그림 12-11).
- 경우에 따라 적절한 약물치료가 필요하다.

그림 12-11. Paper bag을 이용한 호흡

(5) 아나필락시스-알러지 반응(anaphylaxis-allergic reaction)

① 정의 : 과거에 알레르기원에 노출되어 항체가 형성된 후 다시 알레르기원에 재노출되었을 때 나타나는 생체의 과민반응.

② 진단

- 호흡 부족, 혈압 감소를 동반한 피부와 점막 조직의 갑작스러운 통증
- 알레르기원 노출 후 빠르게 일어나는 증상 심화
- 알레르기원 노출 후 혈압의 감소

③ 증상

- 두드러기
- 기관지 경련
- 안면 부종
- 후두 부종
- 맥관 부종
- 순환 허탈
- 배뇨 욕구
- 심혈관계 붕괴로 인한 쇼크

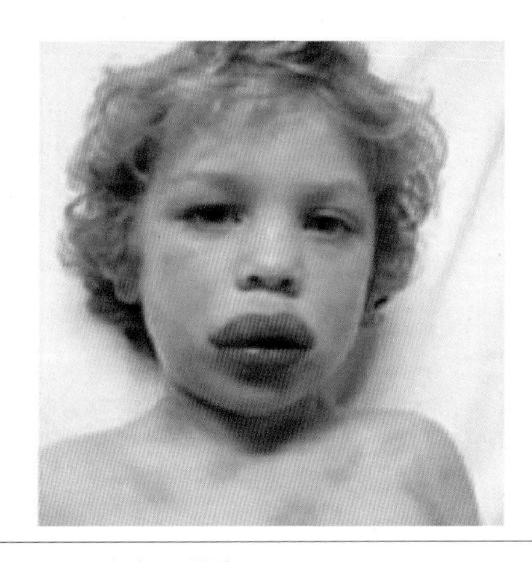

그림 12-12. Anaphylaxis 증상

④ 처치

- 후두부종이 있을 때는 삽관법으로 산소를 공급한다.
- 국소적인 피부 병소에는 항히스타민제(diphenhydramine 50mg)을 투여한다.
- Epinephrine 1:1000을 0.5~1.0mL를 피하주사하거나, 0.01mg/kg~0.5mg을 매 5~15분마다 근육주사한다.
- 심혈관계 문제시에는 CPR을 시행한다.
- 삽관법이 불가능할 때는 cricothyrotomy를 시행한다.

(6) 국소마취제에 의한 부작용(local anesthetic reaction)

① 정의 : 국소마취를 시행하는 도중이나 후에 정상적으로 예상되었던 현상 외의 변화가 나타나는 경우

② 원인

- 국소마취제 투여량의 과다
- 적절하지 못한 자입부위
- 느린 생전환
- 국소마취제의 지나치게 빠른 흡수

③ 증상

- 말이 많아지고 정신이 분명하지 않으며 말을 더듬음
- 걱정, 이명, 방향성 소실, 구강 주위의 지각 둔화(circumoral numbness)
- 혈압과 심박수, 호흡수의 증가
- 증상이 심화될 시 기면(lethargy), 반응소실(unresponsiveness), 사지운동 소실, 수면, 졸림(drowsiness), 근쇠약(muscular weakness), 전신경련, 긴장간대발작 등이 발생

④ 치료

- 대부분의 경우 반응이 심하지 않고 일시적이므로 치료가 필요하지 않다.
- 추가 손상을 예방하기 위한 조치를 취한다(팔과 다리의 고정, 설압자, 면수건, 고무 개구기를 치아 사이에 물려 혀, 입술, 구강 내 연조직 등의 손상을 방지).
- 기도를 유지시키고 산소를 공급한다.
- 경련을 방지하기 위해 초기 증상이 나타날 시 pentobarbital을 50~100μg/ml을 정맥 주사한다.
- 필요시에는 diazepam(5~10mg)이나 midazolam(2~5mg)같은 항경련제를 적정량 투여할 수 있다.

표 12-3. 임상소견에 따른 치료법

임상소견	치료
진정, 졸림	필요 없음
일시적인 불안	시술을 멈추고 환자를 안심시킴
불쾌감, 불안, 메스꺼움. 혼란, 감각이상, 떨림	시술을 멈추고 환자를 안심시킴. 생징후를 관찰함 안정을 위하여 diazepam 5~10mg 또는 midazolam 2~5mg을 정맥주사
방향감각 소실, 반의식 또는 의식 소실, 경련	환자를 움직이지 못하게 묶고 생징후를 관찰함 기도를 확보하고 산소를 공급하며 경련이 끝날 때까지 diazepam 2~5mg 또는 midazolam 2mg을 정맥주사
호흡과 심혈관계의 정지	심폐소생술

(7) 급성 천식성 발작(acute asthmatic attack)

① 정의 : 발작을 동반한 호흡곤란을 보이는 질환

② 원인 : 천식 환자가 외부 물질에 노출되었을 때 과민반응에 의해서 나타난다.

③ 증상

- 구토
- 호흡곤란

- 천식음
- 입술을 떠는 호흡 곤란
- 청색증

④ 응급 처치
- 치과치료를 즉시 중단한다.
- 얼굴마스크나 코덮개, 코삽입관을 통하여 산소를 투여한다.
- 약한 발작일 경우 Isoproterenol 흡입제를 깊게 흡입시킨다.
- 급성 발작으로 Epinephrine 1:1000으로 0.3~0.5cc를 피하주사한다. 단, 환자가 심장 질환의 병력이 있을 시에는 사용을 제한해야한다. 또한, Isoproterenol과 Epinephrine은 모두 심장을 항진시키므로 동시에 사용하지 말아야 한다.

(8) 뇌졸중(cerebrovasular accident)

① 정의 : 뇌졸중이란 뇌에 혈액을 공급하고 있는 혈관들의 일부가 막히거나 터짐으로써 그 부분의 뇌가 손상되어 나타나는 신경학적 증상을 말한다.

② 증상
- 두통, 현기증, 어지럼증
- 졸음증이 오며 발한과 오한, 구역, 구토 증상을 보인다.
- 사지의 일시적인 마비가 일어난다.
- 심한 경우 혼수에 빠지거나 사망할 수도 있다.

③ 처치
- 술 전에 위험인자가 있다면 숙지해두어야 한다.
- 증상이나 징후를 보이는 환자는 즉시 편안한 자세로 위치시킨다.
- 기도를 유지시키고 산소를 공급한다.
- 긴급처치가 가능한 인접 병원에 도움을 요청한다.(병원 이송)

(9) 인슐린 쇼크(insulin shock)

① 정의 : 주로 주사로 인슐린을 투여 받는 1형 당뇨병 환자에서 나타나며, 상대적으로 과량의 인슐린 주입으로 인해 저혈당증이 나타나 의식이 소실되는 상태

② 원인 : 과량으로 주입된 인슐린으로 혈당이 급격하게 감소하는 경우, 인슐린 주입 후 즉각적인 당 섭취를 거르는 경우

③ 증상
- 얕은 호흡, 빠른 맥박
- 창백, 발한
- 의식소실
- 기근
- 어지러움

④ 응급 처치
- 의식이 있는 경우(초기)

- 최대로 편안한 자세를 유지하도록 한다.
- 기도를 확보해 적정한 호흡수와 맥박을 유지하도록 한다.
- 당이 함유된 캔디나 주스를 권한다.(28g의 오렌지 주스나 그와 같은 양의 당을 함유한 15g 탄수화물 경구 투여)
- 초콜릿은 당의 흡수를 지연하므로 피하도록 한다.
- 50% 포도당 20~50ml를 정맥주사하거나 1mg 글루카곤을 근육주사 혹은 피하 주사한다.

• 의식을 소실 한 경우(심화):
- 50% 포도당 20~50ml를 정맥주사한다.
- 응급의료 병원으로 이송한다.
- 기도로 넘어가는 것을 방지하기 위해 구강 내에 액체가 될 물질이나 액체를 넣지 않도록 한다.

(10) 급성 심근경색증(acute myocardial infarction)

① 정의 : 심장의 혈관인 관상동맥이 막혀서 심장으로 가는 혈액이 급격히 감소되어 심장이 괴사되어 생기는 질환, 협심증보다 더 오래 지속되는 흉골 하 통증(substernal pain)을 특징으로 함.

② 원인

• 여러 원인에 의해 관상동맥의 내피세포가 손상을 받게 되어 죽상경화증이 진행
• 관상동맥 안을 흐르던 혈액 내의 혈소판이 활성화되면서 급성으로 혈전 생성
• 혈전이 혈관의 70% 이상을 막아서 심장 근육의 일부가 파괴(괴사)
- 고령
- 흡연
- 고혈압 : 혈압 ≥ 140/90mmHg 이거나 항고혈압제를 복용하고 있는 경우
- 당뇨병
- 가족력 : 부모형제 중 남자 55세 이하, 여자 65세 이하에서 허혈성 심질환을 앓은 경우
- 그 외 비만, 운동부족 등

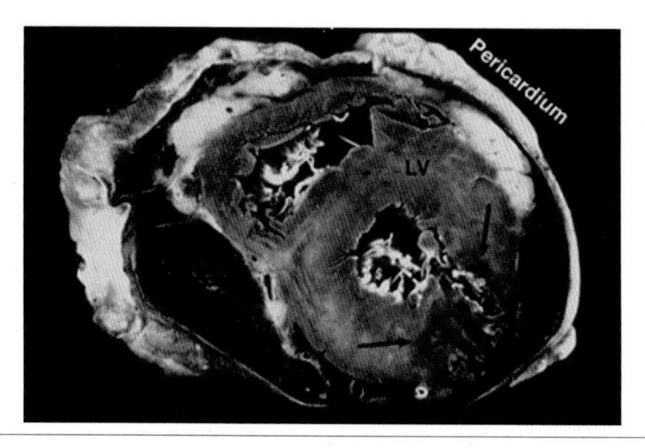

그림 12-13. 급성 심근경색 환자 심장의 단면. 혈행이 단절되면 빠른 속도로 심장 근육의 괴사가 일어난다.

③ 증상

- 매우 심한 흉골하 통증이 주로 왼쪽 팔에 나타나며 악골 등에 방사된다.
- 가슴의 통증은 짓누르고 쥐어짜는 듯하다.
- 불안, 호흡곤란, 청색증, 약하고 빠른 맥박, 발한 등의 증상이 나타남

④ 응급처치

- 가능하면 움직이지 않고 45도 각도로 앉은 자세를 유지한다(그림 12-14).
- 혀 밑에 넣거나 뿌리는 니트로글리세린 즉시 복용
- Glycerine trinitrate를 설하 투여한다.
- 심폐소생술을 시행한다.
- 구급차로 병원에 이송한다.

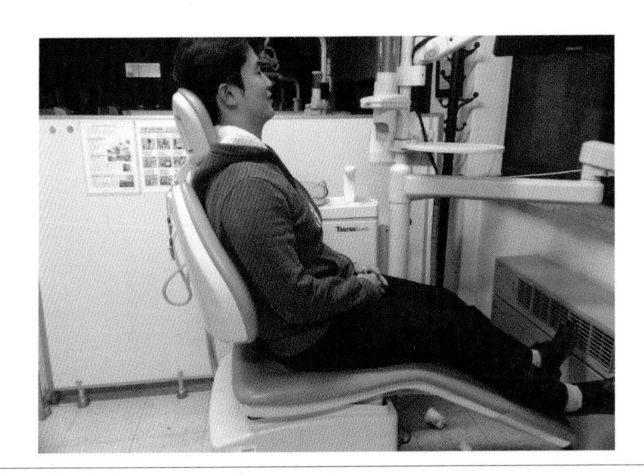

그림 12-14. 치과 진료 중 급성 심근경색증(Acute myocardial infarction)이 의심될 경우 환자의 자세

(11) 심장마비(cardiac arrest)

① 정의 : 심장의 기능이 멈추어, 신체의 대사에 필요한 혈액을 심장이 충분히 공급하지 못하는 상태이다.

② 원인 : 치과치료 시에 약물에 대한 반응이나, 전신마취 후에 술식 중의 저산소증 등으로 인해 발생할 수 있다.

③ 증상

- 맥박의 소실
- 의식소실
- 동공 고정
- 반응 소실

④ 응급 처치

- 치과치료를 중단한다.
- 환자의 입에서 기구를 제거한다.

- 응급의료팀에 응급상황임을 알린다.
- 기도를 확보하고 산소를 투여한다.
- Nitrate 등의 혈관확장제를 투여한다.
- 어느 정도 심장기능상실이 있는 환자에서는 치과치료 중에 산소를 투여해야 한다.

(12) 기도폐쇄(airway obstruction)

① 기도폐쇄

치과처치 도중에 치아, 보철물, bur 혹은 부스러기 조각 등이 기도로 넘어가면 기도폐쇄를 일으킬 수 있다.

② 증상

- 질식, 구토, 격렬한 흡기호흡
- 안면 홍조, 극도의 불안, 청색증
- 무호흡상태

③ 처치

- 환자를 일으켜 세우지 말고 더욱 눕혀진 자세(ex Trendelenburg 자세)를 취하게 한다.
- 물체가 눈으로 확인된다면 손가락, Magill 겸자, ring forcep 등을 이용해 기도로 넘어간 물체를 직접 제거한다.
- Heimlich maneuver : 직접 이물질을 제거하지 못할 때 환자 뒤쪽에서 흉곽 아래 부위를 손으로 잡고 세게 당겨서 이물질이 나오게 한다.
- 물체가 눈에 보이지 않는다면 방사선 사진으로 위치를 파악한다.
- 위의 방법들이 효과적이지 않을 때, 윤상갑상막절개술을 시행할 수 있다.
- 환자가 무호흡 상태이면 심폐소생술을 시행한다.

④ 기도폐쇄 예방을 위해 사용되는 기구나 기법

- 러버댐
- Oral packing
- suction
- Magil forceps
- chair position

(13) 부신피질에 의한 쇼크(shock secondary to adrenal cortical insufficiency)

① 정의 : 일차적인 부신피질 기능저하증이 있거나, 장기간 스테로이드제를 사용하여 부신의 기능이 억제되어 있는 경우에 쇼크가 발생할 수 있다.

② 원인 : 부신이 급격히 파괴되거나 혹은 만성적인 경과 중에 스트레스, 외상, 최근의 스테로이드 금단증 등이 동반될 때 부신피질에 의한 쇼크가 발생한다.

③ 증상

- 오심, 설사,

- 저혈압
- 피곤함, 무기력함
- 입 점막 주위의 갈색 점
- 피부가 검게 변함.

④ 응급 처치

- 앙와위를 취한다.
- Hydrocortisone 50~100mg(그림 12-15)을 주사한다.
- 필요할 경우 심폐소생술을 실시한다.
- 치료 시설을 갖춘 다른 병원으로 이송한다.

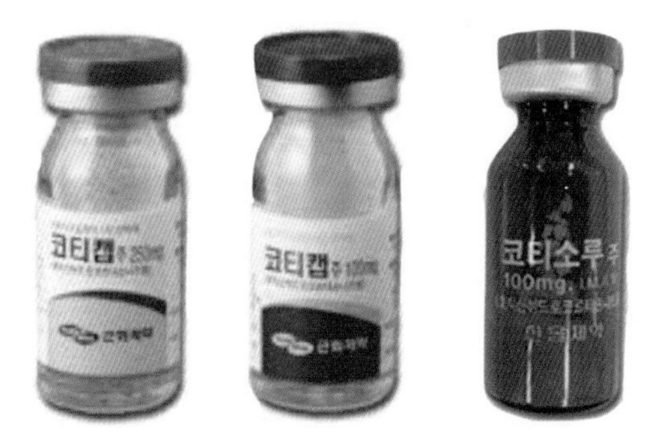

그림 12-15. 다양한 hydrocortisone 주사액. 성분명은 hydrocortisone sodium succinate이다.

실습평가표

실습제목	외상 평가/심폐 소생술		
학생 번호		성명	
지도의 성명		서명(인)	

구분	평가항목	점수
초기 외상 평가	Revised trauma score를 작성할 수 있는가?	
	치료 긴급성에 따른 환자를 분류할 수 있는가?	
기도 확보	Chin-lift/Jaw thrust 방법을 할 수 있는가?	
	face mask의 사용을 정확히 할 수 있는가?	
심폐 소생술	환자의 반응을 확인하고 호흡유무, 미정상 호흡, 심정지 호흡등을 평가할 수 있는가?	
	응급의료체계를 활성화 하고 AED를 요청하였는가?	
	맥박확인을 하였는가?	
	심폐소생술 시 정확한 위치를 압박하고 있는가?	
	심폐소생술 시 적절한 속도로 압박하고 있는가?	
	심폐소생술 시 적절한 깊이로 압박하고 있는가?	
	심폐소생술 시 가슴이완이 절절한가?	
	심폐소생술 시 가슴압박 중단이 최소로 진행되었는가?	
	심폐소생술 시 성인 및 소아, 영아의 비율에 맞추어 인공호흡을 시행하였는가?	
	AED의 패드를 붙이는 동안에 가슴압박의 중단이 있는가?	
	AED 사용 방법이 적절한가?	

참고문헌

1. 대한구강악안면외과학회, 구강악안면외과학교과서, 2nd edition, 의치학사; 2005
2. 대한치과마취과학회, 치과마취과학, 3rd edition, 군자출판사; 2015
3. 대한구강내과학회, 전신질환자 및 노인, 장애환자의 치과치료, Dental Wisdom; 2012
4. Paulo Sergio da Silva Santos and Sergio Alves de Oliveira Filho, Dental Management of systemically compromised patients, International Journal of Clinical Dentistry 2012; Vol. 5, No. 1; 49-55
5. Sue Protzman; Jeff Clark, MS, REMT-P; Wilhemina Leeuw, MS, CDA, MAnagement of Medical Emergencies in the Dental Office, Continuing Education Course 2015
6. Charles Stewart, MD, FACEP, FAAEM, Maxillofacial Trauma: Challenges In ED Diagnosis And Management, Emergency Medicine Practice 2008; Vol. 10, No. 2
7. Rade B. Vukmir, MD, Ake Grenvik, MD, PPhD, Carl-Eric Lindholm, MD, PhD, Surgical Airway, Cricothyroidotomy, and Tracheotomy: Procedures, Complications, and Outcome
8. David A. Wald, D.O.; Alvin Wang, D.O.; Gerry Carroll, M.D.; Jonathan Trager, D.O.; Jane Cripe, B.S.; Micahel Curtis, B.A.; An Office-Based Emergencies Course for Third-Year Dental Students, Journal of Dental Education 2013; 1033-1041
9. E.M. Flavell, M.R. Stacey, J.E. Hall, The clinical management of airway obstruction, Current Anaesthesia & Critical Care 20 2009; 102-112
10. Kug Jong LEe, MD, Initial Stabilization in Severely Injured Child, J Korean Med Assoc 2008; 51(3); 219-229
11. Daniel A. Haas, DDS, PhD, Preparing dental office staff members for emergencies-Deeloping a basic action plan, JADA 2010; Vol. 141; 85-135
12. Morton Rosenberg, DMD, Preparing for medical emergencies-The essential drugs and equipment for the dental office, JADA 2010; Vol. 141; 145-195
13. Harry Dym, DDS, Preparing the Dental Office for Medical Emergencies, Dent Clin N Am 52 2008; 605-608
14. Johan Fagan, Cricothyroidotomy & Needle cricothyrotomy, Open Access of Otolaryngology, Head & Neck Operative Surgery
15. Daniel A. Haas, Management of Medical Emergencies in the Dental Office: Conditions in Each Country, the Extent of Treatment by the Dentist, JDSA 2006; 53; 20-24
16. Jan Nils Kuechler, Abdulkareem Abusamha, Sandra Ziemann, Volker Martin Tronnier, Jan Gliemroth, Impact of percutaneous dilatational tracheostomy in brain injured patients, Clinical Neurology and Neurosurgery 2015; 137; 137-141
17. J.W. Tuckett, A. Lynham, G.A. Lee, M. Perry, U. Harrington, Maxillofacial trauma in the emergency department: A review, The Surgeon 2014; 12; 106-114
18. Yong-jae cho, M.D., M.P.H., Percutaneous Dilatational Tracheostomy, The Korean Academy of Tuberculosis and Respiratory Diseases 2012; 72; 261-274
19. Ross O.C. Elledge, Sean McAleer, Planning the content of a brief educational course in maxillofacial emergencies for staff in accident and emergency department: a modified Delphi study, British Journal of Oral and Maxillofacial Surgery 2015; 53; 109-113
20. Hitoshi Niwa, DDS, PhD, Yasuaki Hirota, DDS, PhD, Tohru Shibutani, DDS, PhD, and Hideo Matsuura, DDS, PhD, Systemic Emergencies and their Management in Dentistry: Complications Independent of Underlying Disease, Anesth Prog 1996; 43; 29-35
21. Salehrabi R, Rotstein I, Anaphylaxis, Epidemiologic evaluation of the outcomes of orthograde endodontic retreatment. J Endod 2010; 36; 790-792
22. Orrett E. Ogle, DDS, Ghazal Mahjoubi, DMD, Local Anesthesia, Agnets, Techniques, and Complications, Dent Clin North Am 2012; 133-148

23. Kenneth L. Reed, DMD, Basic management Of medical emergencies- Recognizing a patient's distress, JADA 2010; Vol.141; 205-245
24. K. Shetty, V. Nayyar, E. Stachowski, K. Byth, Training for cricothyroidotomy, Anaesth Intensive Care 2013; 41; 623-630
25. Daniel E. Becker, DDS, Assessment and Managemenr of Cardiovascular Urgencies and Emergencies: Cognitive and Technical Considerations, Anesth Prog 1988; 35; 212-217
26. Till S. Mutzbauer, MD, DMD, Rolando Rossi, MD, Friedrich Wilhelm Abnefeld, MD, and Ferdinand Sitzmann, DMD, Emergency Medical Training for Dentlal Students, Anesth Prog 1996; 43; 37-40
27. Stanley F. Malamed, DDS, Emergency Medicine in Pediatric Dentistry: Preparation and Management, Managing Medical and Behavioral Changes in Children 2003; 749-755
28. Stanley F. Malamed, DDS, Emergency Medicine: Beyond the basics, JADA 1997; Vol. 128; 843-854
29. Jonathan M Broadbent, William Murray Thomson, The readiness of New Zealand general dental practitioners for medical emergencies, New Zealand Dental Journal 2001; 97; 81-86
30. Peter L. Jacobsen, Ph.D., D.D.S, Protocols for the Dental Management of Medically Complex Patients, 2011
31. P.B. Lockhart, J. Gibson, S.H. Pond and J. Leitch, Dental management considerations for the patient with an acquired coagulopathy. Part 1: Coagulopathies from systemic disease, British Dental Journal 2003; Vol. 195, No. 8; 439-445
32. Miriam R. Robbins, DDM, MS, Dental Management of Special Needs Patients Who Have Epilepsy, Dent Clin North Am. 2009; 295-309
33. Samuel J. McKenna, DDS, MD, Dental Management of Patients with Diabetes, Dental Clin N Am. 2006; 50; 591-606
34. Robert B. Bryan, DDS, Steven M. Sullivan, DDS, Management of Dental Patients with Seizure Disorders, Dent Clin N Am. 2006; 50; 607-623
35. Nelson L. Rhodus, DMD, MPH, and James W. Little, DDS, MS, Minnaepolis, Minn, Dental management of the patient with cardiac arrhythmias: An update, Oral Surg Oral Med Oral Pathol Oral Radiol Endod 2003; 96; 659-68
36. Maria Margaix Munoz, Yolanda Jimenez Soriano, Rafael Poveda Roda, Gracia Sarrion, Cardiovascular disease in dental practice. Practical considerations, Med Oral Patol Oral Cir Bucal. 2008; 13(5); E296-302
37. Gary Warburton, DDS, MD, John F. Caccamese, Jr, DMD, MD, Valvular Heart Disease and Heart Failure: Dental Management Considerations, Dent Clin N Am 2006; 50; 493-512
38. Wendy S, Hupp, DMD, Dental Management of Patients with Obstructive Pulmonary Disease, Dent Clin N Am 2006; 50; 513-527
39. James R. Hupp, DMD, MD, JD, MBA, FICD, Ischemic Heart Disease: Dental Management Considerations, Dent Clin N Am 2006; 50; 483-491
40. Andres Pinto, Michael Glick, Management of patients with thyroid disease: Oral health considerations, JADA 2002; Vol. 133; 849-858
41. 김영재, 장애유형별 치과치료 시 고려사항, 대한장애인치과학회지 2006; 2(2); 131-135
42. 대한심폐소생협회, 2011 한국 심폐소생술 지침
43. http://www.claflinequip.com/